天下文化
BELIEVE IN READING

西方哲學之旅

傅佩榮

啟發人生的120位哲學家、穿越2600年的心靈巡禮

下：現代

BCC034

自序
半世紀的心願，
跨越兩千六百年的哲普作品

傅佩榮

　　依我所見，介紹西方哲學的書，總會在一開頭就說明：從古希臘開始，哲學的原意是「愛好智慧」。「愛好智慧」是個既動聽又美妙的語詞，誰會不喜歡呢？但是，鼓起勇氣繼續往下讀，就可能是另一回事了。

（一）如何消除隔閡？

　　以西方的哲普作品《蘇菲的世界》為例，它譯為中文之後，廣受歡迎，但是有多少人把它讀完，並且由之獲益？很多人告訴我，這本書最難懂的地方，是引述哲學家原著的部分。這些部分在排版時都會低兩格，唸起來不太通順，勉強唸完也不知所云，所以後來就直接跳過去了。

　　問題出在何處？出在翻譯上。這方面我有一些經驗。我年輕時得以跨過西方哲學的門檻，主要是靠翻譯的訓練。我譯過的書不只十本，字數也超過兩百萬字，所以很清楚翻譯哲學書時的困惑：遇到難題要如何取捨？要直譯還是意譯？需要補充說明這段文字的背景嗎？又要說明到什麼程度呢？這些問題沒有標準的解決方案。由此形成一個相當普遍的現象，就是：翻譯的書讀起來，「凡是看得懂的，都不太重要；凡是重要的，都看不太懂。」既然如此，又怎

能借助這些哲人，而領悟愛好智慧的樂趣呢？

　　能在年輕時就覺察自己的使命，實在是一大幸運。我十八歲考上輔仁大學哲學系，主要學習西方哲學。大三暑假時，譯成《上帝・密契・人本》，這是美國大學哲學系「宗教哲學」一課的歷代文選。二十八歲開始在臺大哲學系擔任講師，第一門課是「當代西方哲學」。為了備課，我譯成戴孚高（Bernard Delfgaauw）的《二十世紀的哲學》，其中扼要介紹了十七派學說。這段期間也著手翻譯柯普斯頓（F. Copleston）的《哲學史卷一・希臘與羅馬》，由此打下西方哲學史的基礎。三十歲赴美國耶魯大學念書，主修宗教哲學，四年學成回臺之後，譯成指導教授杜普雷（Louis Dupré）的《人的宗教向度》。在臺大哲學系教書的前三十年，我主要講授形上學、宗教哲學、西方哲學史（上），以及哲學與人生。在教學相長的過程中，我學會了如何表達深奧的思想，如何把一個觀念的演變與涵義說清楚。

（二）撰寫哲普作品

　　逐漸的，我覺察自己的使命在於從事「哲學普及」的工作：要以講課與寫作的方式，把西方哲學家在愛智過程中所領悟的心得，向中文的閱聽者清楚表述。哲學之所以有益於人生，不在於它的玄妙抽象，而在於它的三點特色，就是：澄清概念、設定判準、建構系統。這三點代表人類理性運作的極致表現。首先，理性一活動，就要思考與說話，此時概念若未能澄清，困惑與誤會難免層出不窮，甚至會糾纏大半輩子。其次，我們每天在做各種判斷，談論有關「真假、是非、善惡、美醜」等，但是請問這些判斷的標準是什麼？是誰所設定的？為什麼這樣設定？然後，思想若是缺乏原則，將無法建立自己的「宇宙觀、人生觀、價值觀」，進而整合這三觀

為一個系統。換言之，建構系統就是要形成「二加一」的格局。所謂「二加一」，就是把「自然界」與「人類」這兩個有形可見的領域，統攝於一個「超越界」，以之做為前兩者的來源與歸宿。西方第一流的哲學家，都在努力以他們各自的方式，建構這樣的系統。

因此，關於西方哲學，我長期以來所講的與所寫的，可以畫歸「哲普作品」。這一類作品也有是否稱職的問題，我於是再退一步，提醒自己要「照著講」，而不是「接著講」。所謂「照著講」，就是努力根據每一位哲學家的觀點，做同情的理解，設法分辨「他說了什麼？他為何這麼說？」然後加上「他的說法可以給人什麼啟發」。

在「照著講」這一點上，要深深感謝柯普斯頓的幫助，他的《哲學史》（其內容自然是就西方而言）共有九卷，我自己譯了第一卷，然後第二卷到第七卷的譯文，由我負責校訂。我校訂得很仔細，並為每一卷寫了導讀，由此對於西方哲學兩千六百年的發展有了全面而深入的認識。

與此同時，我在求學過程中，曾特別用心於柏拉圖、多瑪斯、史賓諾莎、懷德海、卡西勒、德日進、雅士培、馬塞爾、卡繆、伊里亞德、李維史陀等人的思想與著作。比一般教授幸運的是，我長期在民間的教育機構（主要是洪建全基金會）為社會人士講解西方哲學，最長的一個系列是七十二講，等於把整部哲學史的代表人物梳理了一遍，並且探索他們對現代人生的啟發。

（三）本書隨緣而成

二○一六年初，我從臺大哲學系退休，所有的書必須從研究室搬出。當時我想的是，自己最近十幾年來已經全力在鑽研中國哲學（儒家、道家與《易經》），開始可以「接著講」了，往後沒有太

多力氣再談西方哲學。既然如此，我忍痛把幾百本西方哲學方面的書，分送給朋友與學生，只留下一部分難以割捨的。世事難料，想不到我還有機會總結自己「懸命半生」的西方哲學。二〇一八年春，因緣巧合，大陸的「得到」知識平臺約請我講課，標題是「傅佩榮的西方哲學課」。

於是，我在一年之內，把西方兩千六百年的哲學通講了一遍，總共介紹了一百二十位哲學家。這一年我再度體現了全力以赴的求知熱忱，那是我在美國攻讀博士之後，未曾想像過的。不同的是，以前是老師的要求，現在是自我的期許。一百二十位哲學家是個什麼概念呢？大家耳熟能詳的姑且不論，說幾位比較邊緣的人物吧！請問：想了解中世紀的人生觀，可以忽略但丁與薄伽丘嗎？文藝復興的佩脫拉克與米蘭德拉如何倡導人文主義？宗教改革之前的伊拉斯謨與湯瑪斯·摩爾，如何獻身於其理想？法國的蒙田與英國的培根，皆為哲理散文的高手，他們寫作的靈感由何而來？歌德與杜斯妥也夫斯基，在作品中涵蘊了多深的人生智慧？然後，可以錯過美國的愛默生、梭羅、杜威與桑塔亞納等人，別開生面的觀點嗎？這些人也是西方的愛智一族，在哲學史課堂上，可能被一筆帶過，但卻是我個人想要多加了解的。

有一些匆忙，但更多的是興奮，我把握所有的空閒時間，循序漸進的展開這門西方哲學課。這是個音頻課程，每週五集，每集大約十二分鐘，全年兩百六十集，再加上每週回答聽友的提問。一年下來訂戶超過四萬人。文字稿整理出來，經修訂而成本書。這是一本哲普作品，所介紹的是西方哲學家的愛智成果。這也是一本西方哲學簡史，描述了從古希臘與羅馬時期，經過中世紀與近代的演變，直到現代的發展過程。這更是一本認識西方核心理念的文化手冊，展示了西方「宇宙觀、人生觀、價值觀」如何形成、調適、變

遷及走向。

　　在敘述哲學家的思想時，會依其重要性分配適量的章節，文字求其清楚通順。另外，還有三點特色：一是在每一節結束之處，附上「學習心得」，便於讀者複習重點；二是列出「問題思考」，讓讀者跟著哲學家的觀念，就自己的處境進行省思，看看能否迸出心靈火花，同時也逐步建立自己的觀點；三是「補充說明」，這是根據聽友提問所做的答覆，其中論及不少關鍵概念，如：「自由、良心、罪惡、痛苦、死亡、真理、幸福、人性」等。我在討論時，也加入自己研究儒家與道家的心得，或許有助於讀者在對照比較中，既可欣賞西方哲學，又能覺悟中國哲學的特色與價值。

（四）半世紀的心願

　　要完成這樣一本三大冊的書，確實得力於許多朋友的慷慨協助，若非「得到」平臺的信任與邀請，我不會有堅定的決心與實踐的勇氣。作業流程大致如下。

　　首先，我認真預備每一集要講的材料，接著是初稿錄音。然後由三位志工葉蓮芬、宋寶珠、林碧蓮，把音頻整理成文字稿，我再稍加修訂。修訂稿經過「得到」編輯部的同意之後，就可以正式錄音了。我在書房錄音時，難免受到噪音干擾，像鳥鳴、犬吠、車聲、喇叭、門鈴、電話等，更多的是我自己的聲音品質不佳，以致經常需要重複一些語句。以音頻來講課的話，這些都造成很大的障礙。在我迫切需要救援助手時，女兒琪媗上場了。她曾在美國主修電影配樂，掌握了有關潤飾聲音的各項技術，現在小試身手，讓我在這方面完全沒有後顧之憂。琪媗修飾妥當之後的音頻，再由王喆先生整理成附在音頻之後的正式文稿。王喆先生也幫忙校訂及補充不少資料，使本書更為完善。

　　我自一九六八年開始念哲學，到二〇一八年講述西方哲學，正好半個世紀。活在平凡而安靜的年代，沒有動亂也沒有戰爭，以一介書生，能為好學的朋友提供一本關於西方世界的哲普作品、哲學簡史、文化手冊，我為此深感榮幸與喜悅。這本《西方哲學之旅》將成為我自己的案頭良伴，它代表的不只是個人五十年治學的心路歷程，也是我獻給同代華人最真摯的禮物。

極簡哲學史

^{導論} -1　古代哲學核心

　　在正式介紹西方哲學之前，我們將用四節的篇幅來介紹西方哲學史的重點。西方哲學至今已有兩千六百多年的歷史，可以分為四個階段：古代、中世紀、近代和現代。首先要介紹的是古代哲學，即古希臘哲學。

　　對於古希臘哲學，先要記住一句話：蘇格拉底（Socrates, 469-399 B.C.）是古希臘哲學的核心，他的魅力直到今天仍無法阻擋。蘋果電腦創辦人賈伯斯（Steve Jobs, 1955-2011）曾說：「我願意用一生的成就與財富，換取同蘇格拉底共處一個下午。」

　　關於古希臘哲學，需要了解以下三點：

　　第一，古希臘哲學的時空背景。

　　第二，為什麼說蘇格拉底是古希臘哲學的核心？

　　第三，古希臘哲學在西方哲學史上留下哪些寶貴財富？

（一）古希臘哲學的時空背景

　　古希臘哲學在時間上較為簡單，它發源於西元前六世紀，綿延發展至西元二世紀，相當於中國的春秋時代中葉到東漢初期。在空間上則較為複雜。一般人提到希臘，就會想到雅典，雅典當然非常重要，不過它在哲學的發展上是第三站。古希臘哲學以愛奧尼亞（Ionia）為其發源地，經由義大利南部，最後在雅典開花結果。蘇格拉底就是雅典人。

（二）蘇格拉底是古希臘哲學的核心

為什麼說蘇格拉底是古希臘哲學的核心？在蘇格拉底之前，其實已經出現好幾位哲學家，可分為兩大派別 —— 自然學派與辯士學派（the Sophists）。

自然學派的研究焦點是自然界，試圖探究萬物的來源及其演化規律。他們將宇宙的起源歸結為水、氣、火、土，甚至歸結為數字；然而這些說法都得不到充分的驗證，所以很難取得共識。自然學派的主張很容易流於「獨斷論」，亦即只給出答案，而缺乏充分的理由。

另一方面，辯士學派的哲學家喜歡到處旅行，由此發現，各個城邦的風俗習慣、法律規章和宗教信仰都有所不同。他們由此認定：天下沒有普遍的、共同的規範，一切判斷都是相對的。他們教導年輕人透過辯論、修辭來取得現實的利益。但問題是：如果所有的價值都是相對的，那麼人應該如何生活？所以，辯士學派很容易陷入「懷疑論」的困境。

不管是「獨斷論」還是「懷疑論」，對思想的發展都會造成致命的傷害。在這個關鍵時刻，蘇格拉底出現了，他的兩句話顯示他超越了前面兩大派別。

1. 我的朋友不是城外的樹木，而是城內的居民

無論在城外觀察天象還是對自然界展開研究，都不能忽略人類生命的實際需要。人必須尋找規則來妥善安排自己的生活。

2. 未經反省檢查的人生，是不值得活的

一般人的生活，大都遵從父母的安排、社會的習俗和祖先的信仰，而沒有經過自己的認真反省。這樣的人生可有可無。

蘇格拉底在這樣的關鍵時刻挺身而出，覺察整個時代的困境，

雅典學院，此畫繪於羅馬聖彼得大教堂梵蒂岡皇宮，以古希臘哲學家柏拉圖所建的雅典學院為主題。（圖片來源：Shutterstock）

並設法探尋新的方向。蘇格拉底之後，古希臘哲學在雅典開花結果。蘇格拉底沒有寫下片紙隻字，沒有留下任何著作，卻被視為重要的哲學家，這主要歸因於他教出一位傑出的學生 —— 柏拉圖（Plato, 427-347 B.C.）。柏拉圖在他的著作《對話錄》介紹及推展蘇格拉底的思想。柏拉圖自己也教出一位同樣傑出的學生 —— 亞里斯多德（Aristotle, 384-322 B.C.）。亞氏著述甚豐，是古代最有學問的人。

（三）古希臘哲學留下的寶貴財富

　　想要了解柏拉圖與亞里斯多德，最好的方法就是透過拉斐爾（Raphael, 1483-1520）的名畫「雅典學院」。在一座富麗堂皇的學院門前，匯聚著眾多學者，或獨自沉思、或激烈辯論。畫的中間站著兩位男子，左邊的男子年紀較大，他左手拿書，右手指向天空，

書名是《迪美吾斯篇》（*Timaeus*），旨在探討宇宙及萬物的來源。右邊的男子較為年輕，他左手拿書，右手指向地面，書名是《倫理學》。年長者是柏拉圖，年輕者是亞里斯多德。

　　柏拉圖重視理性思考，認為真正重要的是永不變動的形式，那一定高居上界，所以他用手指向天空；亞里斯多德重視經驗，對現實人生的問題更為關注，所以他用手指向地面。偏重理性還是偏重經驗，這兩種不同的探討途徑形成後代西方哲學的兩大陣營。每個人在現實人生中也需要思考：要偏重理性還是偏重經驗？或者兩者各取所長，配合使用？

收穫與啟發

　　蘇格拉底是古希臘哲學的核心與分界線，在他之前有自然學派與辯士學派，在他之後出現了柏拉圖與亞里斯多德。

　　古希臘哲學留下的寶貴財富可以概括為三點：

1. 以蘇格拉底為分界，在他之後，雅典成為西方哲學的神聖殿堂。
2. 從蘇格拉底開始，哲學家須同時關注宇宙觀、人生觀與價值觀。
3. 蘇氏的弟子柏拉圖與再傳弟子亞里斯多德，兩人各申己見，留下豐富的著作，形成理性至上與經驗優先兩大系統，影響及啟發西方哲學直到今天。

課後思考

　　西方第一本完整的哲學著作是柏拉圖的《對話錄》，在此之前的哲學家只留下斷簡殘篇與少數語錄。如果不經提示，你能想起幾位先於蘇格拉底時期的哲學家？你對他們有多少了解？

導論 -2　中世紀哲學核心

　　接著要介紹的是中世紀哲學的核心觀念。

　　中世紀哲學從西元二世紀橫跨到十五世紀，綿延發展一千三百多年。中世紀哲學有兩點特色：1. 時間最長。西方哲學史一共兩千六百多年，中世紀約占整個西方哲學史一半的時間。2. 創見最少。中世紀哲學對於宇宙、人生和價值等問題都預先給了答案，很難再有個人的特殊看法。

　　想要了解中世紀哲學，一定要知道一個宗教和兩位代表人物。一個宗教是指天主教，兩位代表人物是指奧古斯丁（Augustine, 354-430）與多瑪斯・阿奎那（Thomas Aquinas, 1225-1274）。兩人都信仰天主教，分別代表中世紀前期的教父哲學（Patristic philosophy）和後期的經院哲學（Scholastic philosophy）。

　　本節要介紹以下三點：

　　第一，什麼是基督宗教的「一教三系」？

　　第二，教父學派與經院學派。

　　第三，中世紀是黑暗時代嗎？

（一）基督宗教的一教三系 ── 天主教、東正教與基督教

　　天主教（Catholic）本來是猶太社會的一個宗教團體，創始人是耶穌（Jesus, 4 B.C.-29 A.D.）。猶太人是一個宗教性的民族，自古以來就相信自己是上帝的選民，受到上帝的特別照顧。他們雖然飽經憂患，甚至遭受國家滅亡的災難，但仍然相信會有救世主來拯

義大利藝術家李奧納多・達文西創作的「最後的晚餐」。（圖片來源：Shutterstock）

救他們。猶太人稱救世主為「彌撒亞」或「基督」。耶穌是猶太人，很多人相信他就是救世主，於是就稱他為「耶穌基督」。凡是相信耶穌是基督的人，統稱為「基督徒」。在今天的世界上，基督徒人數眾多。

　　如果想了解天主教開始是怎麼回事，最好去看看由達文西創作的「最後的晚餐」。位於畫面中間的人就是耶穌，左右兩邊是他的十二個門徒。這次晚餐之後，耶穌就被其中一位名叫猶大（Judas）的門徒出賣給猶太人的當權派。猶太人當時被羅馬帝國統治，猶太人當權派排擠耶穌，便把他交給羅馬當局。耶穌最終被判了死刑，並於當晚過世。這個故事對西方人的影響很大，因為當時是十三個人在星期五晚上共餐，所以後來如果某月十三日恰逢星期五，對西方人來說便成了非常兇險的日子。

　　在這幅畫中，位於耶穌右手邊第二位的是他的大弟子彼得（Petrus）。耶穌過世後，彼得召集所有的門徒開始傳揚耶穌的宗

教，稱為天主教。彼得後來被天主教奉為第一任主教，也稱為教宗。今天位於羅馬梵蒂岡的教會，就是從彼得傳教開始，至今一脈相承的天主教。

天主教成立初期，教徒遭到羅馬帝國的迫害。西元 313 年，羅馬皇帝君士坦丁大帝（Constantinus I Magnus, 272-337）宣布皈依天主教。從此天主教變得有權、有勢、有錢，發展得非常順利。羅馬帝國分裂後，西羅馬帝國於西元 476 年滅亡，整個西歐隨即陷入混亂。當時掌握西歐政權的都是文明尚未開化的蠻族，正是依靠天主教，才使得社會人心得以安定。

1054 年，以君士坦丁堡為中心的教會同羅馬天主教分裂，他們自居正統，自稱為 Orthodox（意為正統的）。由於君士坦丁堡位於羅馬的東部，所以中文翻譯為東正教。它的影響範圍從希臘半島經過東歐，發展到俄羅斯。

1517 年，馬丁‧路德（Martin Luther, 1483-1546）對天主教內部的腐化狀況忍無可忍，於是著手進行宗教改革，這時才出現中文翻譯所謂的基督教（Protestant）這個詞，這個詞的原意是「反對派」或「更正宗」，即更正天主教的錯誤。因此，今天不能說「中世紀的基督教」，因為中世紀只有天主教，當時基督教尚未出現。

可見，在歷史發展的過程中，由最初的天主教逐漸演化出東正教與基督教，這三大系統可統稱為「基督宗教」（Christianity），三者的共同之處在於：都相信同一本《聖經》、同一位上帝、同一位耶穌。如此一教三系，便不易引起誤會。

（二）教父學派與經院學派

基督宗教在一開始的階段，只有天主教一個系統，主要分為兩個學派：

1. 教父學派

首先出現的是教父學派。教父就是包括主教、神父在內的宗教領袖。他們之中有些人很有學問，便努力做一件事情：先學習古希臘哲學，再設法使之與宗教的教義相結合。他們認為，古希臘哲學雖然卓越，像柏拉圖和亞里斯多德都建構出完美的哲學系統，但最後都沒有出路；他們強調存在著一個最高的力量，但都沒有說清楚那到底是什麼，究竟是一種最高的形式還是一種最高的原理？

教父學派認為，他們的宗教可以提供答案，答案就是上帝。從前透過哲學找到的最高原理無法與人溝通，但宗教裡的神具有人格性，你可以放心的與神溝通，對於生前死後的種種問題，神都會予以解決。教父學派努力證明神的存在，但這種證明有沒有效果呢？你如果相信，則不必證明；如果不信，聽了之後也不見得會接受。

這樣一來，哲學的意義何在？在古希臘時代，哲學被界定為「愛好智慧」。到了中世紀則認為「敬畏上帝是智慧的開始」。這意味哲學只能為神學服務，宗教才是主人，哲學只能幫助宗教證明教義的正確性與合理性。哲學失去自身的獨立地位，人類的理性思考也就逐漸變得黯淡無光。

2. 經院學派

經院學派出現於九世紀。聽到「經院學派」一詞，就知道它和大學差不多。中世紀的教育掌握在教會手中，教育的目標是要培養傳教士，透過學習哲學推動宗教的傳播。

經院學派在學習中遵照一套嚴謹的程序：第一，提出問題，譬如人生下來是否有原罪？上帝存在嗎？第二，正方和反方提出各自的觀點；第三，逐條加以辯論；第四，得到結論。經過上述四步之後，才能證明上帝真的存在。

這樣的論辯過程有正反兩方面的效果。首先，所有的證明看起

來就像是虛構的故事，既然早就知道答案，又何必證明？但不能否認的是，在證明過程中，大腦開始思考和運作。中世紀的經院哲學又被稱為「繁瑣哲學」，但它也能幫助每個人進行細緻的思考，使思維更加周延而沒有漏洞，因此效果有利有弊。

經院哲學以多瑪斯·阿奎那為代表，他著述甚豐，內容包羅萬象。根據他的著作，一方面可以建構起整個宗教的神學，另一方面也可以為宗教的哲學立場加以辯護。

對於中世紀哲學，如果對一個宗教、兩大哲學系統、兩位代表人物都能了解的話，就可以掌握本節的重點。

（三）中世紀是黑暗時代嗎？

很多人認為中世紀是「黑暗時代」，就人的理性沒有得到自由思考的機會、百姓沒有得到適當的教育來說，中世紀確實是黑暗時代。但如果沒有宗教信仰，情況恐怕會更加複雜。

如果今天去英國或愛爾蘭旅遊，會發現牛津大學、劍橋大學、都柏林大學裡都有「三一學院」。在歐洲很多地方都會看到「三一」，什麼是「三一」？「三一」是天主教重要的神學觀念，指上帝「三位一體」（Trinity）。「三位」是指父、子與靈，「一體」是指只有一個神而不是三個神。基督徒相信「神就是愛」，任何愛一定有「能愛」與「所愛」，只有在兩個主體之間才能相愛，而父子之愛是人間最親密的情感；同時，由父子之愛產生的某種力量被稱為「靈」。這樣的解釋聽起來也有一定的合理性。

歐洲有很多歷史悠久的大教堂都保存大量的藝術精品，包括建築、雕塑和繪畫等。譬如，羅馬梵蒂岡的西斯汀教堂保存著米開朗基羅、拉斐爾和達文西的許多曠世名作，這些作品都與宗教的背景有關。另外，近代歐洲偉大的音樂家幾乎都創作過耶誕歌曲。可

見，對於中世紀，不能簡單的用「黑暗」二字將其一筆抹殺。我們不見得要接受中世紀哲學的結論，但其思考過程和辯論程序仍然值得參考。

收穫與啟發

1. 中世紀哲學的時間最為漫長，長達一千三百多年，占整個西方哲學史一半的時間。宗教信仰安頓了當時民眾的心靈，在很大程度上維持社會的穩定。以此為基礎，才有了近代西方民族、國家和整個現代化的發展。

2. 中世紀哲學是為宗教服務的，對此只要記住一句話：「敬畏上帝是智慧的開始。」當宗教遇上哲學，難免會有一番辯論。中世紀哲學有兩個發展階段：教父哲學強調要為宗教信仰辯護；經院哲學則把重點放在理性論證的過程上。

3. 中世紀哲學並非一無是處。它上承古希臘的柏拉圖和亞里斯多德，使兩大哲學家的思想得以傳承；對後續的近代西方哲學，它提供許多重要的哲學概念，如本質、存在、質料、性質、共相等；同時，近代許多學者探討問題的方法也受到中世紀經院學派的影響。

4. 宗教消除當時一般百姓對於痛苦、罪惡和死亡的疑慮。

因此，中世紀哲學雖然創見不多，但對於整個西方哲學來説，它仍是不可或缺的一環。

課後思考

中世紀哲學家奧古斯丁説：「有多少力量就有多少愛。」

你贊成這句話嗎？或者可以反過來説：「有多少愛就有多少力量。」你認為哪一種説法比較合理？

導論-3　近代哲學核心

本節要介紹近代西方哲學的核心。近代哲學的時間是從十五世紀中葉橫跨到十九世紀中葉，在這四百年間出現四大社會思潮和兩大哲學陣營。

近代西方有兩點特色：1. 科學取代宗教，成為知識的權威；2. 人的理性和經驗取代神學，成為了解宇宙和人生的主要依據。這已經很接近今天的情況了。現在簡單說明西方是如何從中世紀的「黑暗時代」，逐步變成接近現代的想法。

本節內容包括以下兩點：

第一，近代西方的四大社會思潮是什麼？

第二，近代西方的兩大哲學陣營又是什麼？

（一）近代西方的四大社會思潮

1. 文藝復興運動（十五世紀）

歐洲在十五世紀出現文藝復興運動。「復興」二字是專門針對古希臘和羅馬初期來說的。中世紀哲學「以神為本」，以宗教為其主導力量。文藝復興則要恢復和發揚古希臘和羅馬初期「以人為本」的精神。這一時期最重要的趨勢就是人文主義的興起。

文藝復興時期的人文主義以米蘭德拉（Mirandola, 1463-1494）為代表。他在二十三歲時蒐集了當時的各種問題，計劃邀請歐洲所有學者進行公開辯論，後來因為教會反對而作罷。他為此編寫《論人的尊嚴》一書，強調：上帝是造了人，但上帝並沒有給人一種固

定的性質，而是給人可貴的自由；人可以自由的改造自己，既可以
達到像神一樣的高貴，也可以墮落成像禽獸一樣的可憐，這完全取
決於人自己的決定。一般就把這篇文章當做文藝復興的宣言。

2. 宗教改革運動（十六世紀）

歐洲在十六世紀發生宗教改革運動。馬丁・路德是天主教神
父，並擔任神學教授，是一位神學權威。他發現天主教出現各種複
雜的問題，令人無法忍受，主要有以下三點：

(1) 天主教的教會組織錯綜複雜，許多信徒根本不知道自己所
信的是什麼，只能接觸到傳教士。

(2) 天主教的宗教儀式過於瑣碎複雜，許多信徒都忘了宗教最
需要的是真誠之心。

(3) 天主教強調要有善行才能得救，善行包括向教會捐款。梵
蒂岡的聖彼得大教堂的部分興建經費，就是靠販賣贖罪券
來支應的。

馬丁・路德對這些現象忍無可忍，於是倡導宗教改革。他的改
革強調三個重點：

(1) 只要相信就可得救（faith only）。這是信仰的原則。

(2) 只要恩典就可得救（grace only）。得救不是因為個人的功
勞，不是因為你做了好事，而是要靠神的恩典。

(3) 只要《聖經》就可得救（scripture only）。得救完全依賴於
《聖經》。

此前的《聖經》只有拉丁文版本，馬丁・路德和其他各國學者
開始將《聖經》翻譯為本國語言。

馬丁・路德將《聖經》譯為德文，對後來德國文學的發展產生
深遠的影響。這時才出現中文所謂的「基督教」，按西方文字直譯
應為「反對派」或「更正宗」。

3. 科學革命（十七世紀）

第三大社會思潮是科學革命。科學革命的歷程長達一百多年，始於哥白尼（Nicolaus Copernicus, 1473-1543）提出「日心說」，認為地球繞著太陽旋轉，地球並非宇宙的中心。一百多年後，牛頓（Isaac Newton, 1643-1727）才正式確立整個古典物理學的原則。牛頓提出的萬有引力定律和運動三大定律，清楚解釋地球在繞太陽公轉的同時，本身還在自轉。科學革命讓西方人感到天翻地覆，眼界大開。在這個時期，西方人透過航海發現美洲新大陸。與此同時，西方哲學也有了蓬勃的發展。

4. 啟蒙運動（十八世紀）

第四大社會思潮是啟蒙運動。啟蒙運動對於西方來說非常重要。這一階段出現許多傑出的思想家，從休謨（David Hume, 1711-1776）、盧梭（Jean-Jacques Rousseau, 1712-1778）、伏爾泰（Voltaire, 1694-1778）一路下來，都能夠針砭時弊，力圖擺脫傳統王權的控制和宗教信仰的禁錮。只有擺脫政治和宗教的干擾，世人才有自由思考的空間。

想要了解近代西方哲學的核心，就要先了解上述四大社會思潮——十五世紀的文藝復興、十六世紀的宗教改革、十七世紀的科學革命與十八世紀的啟蒙運動。啟蒙運動最後引發 1789 年的法國大革命，它開創歐洲的全新格局，但過程亦十分慘烈。

（二）近代西方的兩大哲學陣營

近代西方哲學有什麼特色？隨著十七世紀科學革命的突破，西方哲學也有了蓬勃的發展。近代哲學分為兩大陣營：一派是位於歐洲大陸的理性論（Rationalism），始於笛卡兒（René Descartes, 1596-1650）；另一派是位於英倫三島的經驗論（Empiricism），

始於培根（Francis Bacon, 1561-1626），經過洛克（Locke, 1632-1704）發展而成。

　　哲學為什麼會分成兩大陣營？理性論和經驗論爭執的焦點何在？在追求真理的過程中，首先要確保知識的可靠性。知識來自於先天還是後天？理性論認為知識來自於先天，人與生俱來的觀念，這樣才能確保知識具有普遍性。經驗論則認為知識來自於後天，人依靠後天的印象形成觀念，再逐漸累積構成知識，這樣才能確保知識具有擴展性。

　　理性論的問題在於，「天生本具的觀念」雖然可以確保知識具有普遍性，卻無法用後天的經驗來擴充知識的範圍。經驗論的問題在於，如果知識全部來自於後天經驗，那麼只能採用歸納法，從許多個案中歸納出共同的原則，其有效性只能到此為止，而無法把握未來的情況，這樣建構的知識顯然缺乏普遍性。

　　在理性論和經驗論的爭論中，開始占主導地位的是理性論的代表笛卡兒。笛卡兒被譽為「近代西方哲學之父」，他二十三歲時為了能夠外出旅行、增廣見聞而從軍，期間連續三個晚上夢到自己這一生具有特殊的使命 —— 以理性探討真理。這句話今天聽起來很平常，但在當時，真理通常是由宗教界所決定，「以理性探討真理」代表要擺脫一切束縛。

　　笛卡兒說：「每一個人在一生之中，至少要有一次，要去懷疑所有能被懷疑之物。」

　　這句話到今天依然適用。譬如，我現在可以懷疑：

1. 這個世界真的存在嗎？世界可能是假的，它與我做夢看到的世界不同，夢裡的世界未必更虛幻。
2. 我真的存在嗎？我以為我存在，事實上我可能是在做夢。
3. 上帝存在嗎？上帝也可能是假的。

　　笛卡兒說，我懷疑一切，最後發現我不能懷疑那個正在懷疑的自己，否則是誰在懷疑呢？他由此斷言：「我懷疑，所以我存在。」他接著指出，懷疑屬於思想的作用之一，思想還包括肯定、猜測、感受、喜悅等。因此，笛卡兒修正自己的說法，說出一句至今所有人提到笛卡兒都會引用的名言。

　　笛卡兒用拉丁文說：

Cogito, ergo sum. ── **我思故我在**。

　　另一方面，經驗論的代表培根，在其代表作《新工具》中指出，要用嚴謹的歸納法來找到真理。西方的思想自此分為兩大派。事實上，從柏拉圖和亞里斯多德就已經有了這樣的區分。對近代西方哲學影響較大的則是笛卡兒這一派。理性論一路發展，影響到康德的思想。

　　康德（Immanuel Kant, 1724-1804）建構完整的唯心論（Idealism）系統，隨後便出現唯心論與唯物論的對峙。康德之後的黑格爾（G. W. F. Hegel, 1770-1831）建構了絕對唯心論，費爾巴哈（L. A. Feuerbach, 1804-1872）針鋒相對的提出唯物論，馬克思（Karl Marx, 1818-1883）則進一步提出辯證唯物論。西方哲學由此進入烽火連天的局面，各種觀點紛紛出現，每種觀點都有可取之處，也都有些漏洞。這在近代西方哲學的發展過程中是很普遍的現象。如果以西方化或現代化做為今天生活的參考，可以說，近代西方的每一次運動都深深影響著二十一世紀的人類。

> （收穫與啟發）
>
> 　　近代西方的重大變革可以概括為兩點：
>
> 1. 科學取代宗教，成為知識的權威。
> 2. 人的理性和經驗取代神學，成為了解宇宙和人生的主要依據。

課後思考

　　康德説：「你不能只以別人為手段，而不同時以他為目的。」
他的意思是説，我們不可避免的會把別人當成手段，但同時也
要尊重對方是一個人。你對此有什麼看法？

導論-4　現代哲學核心

　　接著，要介紹現代哲學的核心。現代西方哲學從十九世紀後期至今不過一百多年，但可謂百家爭鳴，流派眾多。若想了解當前西方哲學的大致情況，要掌握以下三點：

　　第一，上帝死了。

　　第二，尋找根源。

　　第三，人類如何自處？

（一）上帝死了

　　西方哲學史流傳一則笑話：「尼采說上帝死了，上帝說尼采瘋了。」上帝是否死了我們不知道，直到今天還是很多人信仰上帝；但尼采確實瘋了。尼采（F. W. Nietzsche, 1844-1900）是天才，二十五歲尚未獲得博士學位，就被瑞士巴塞爾大學聘為希臘古典文教授，三十五歲因病退休，四十五歲精神失常，五十六歲過世。

　　尼采為何要說「上帝死了」？他到底想表達什麼？事實上，西方經過中世紀發展到近代，上帝除了在少數信徒心中還有牢固的地位，在知識界已經岌岌可危。從中世紀開始，整個西方社會的道德觀、價值觀均建立在宗教信仰之上；但到了尼采生活的時代，西方社會已經相當墮落，很多人陽奉陰違，只有在星期日是虔誠的信徒，平常則肆意妄為，巧取豪奪，口是心非，相互傷害。

　　尼采毫不客氣的說「上帝死了」，他的意思是：你們信仰的上帝已被你們這些信徒殺害了，上帝名存實亡。很多人以宗教信仰做

為道德的基礎，但他們的道德出了很大問題，這代表宗教信仰已經失效。因此，「上帝死了」並不是說有一個叫「上帝」的神因衰老而死亡，而是說上帝被這些人用不道德的行為謀殺了。大家口口聲聲說自己是上帝的信徒，但行為並沒有比非信徒更好。

尼采提醒當時的歐洲人重新界定價值的系統。人活在世界上，要採取什麼樣的道德觀、審美觀和價值觀，不能再以宗教做為藉口、以傳統做為根據，必須自己面對新的挑戰。可見尼采具有大無畏的精神和令人震撼的魄力。尼采後來提出「超人哲學」：上帝死了，我們要成為超人。西方人不能再以上帝為藉口來滿足個人的私欲，這也包括巧取豪奪的殖民主義和帝國主義。

（二）尋找根源

現代西方哲學的第二個方向是尋找根源。有一件事值得參考。二戰後，1946 年夏天，德國哲學家海德格（Martin Heidegger, 1889-1976）在德國南部的森木市場巧遇中國學者蕭師毅先生，兩人聊得很投機。海德格崇拜老子，讀過各種版本的《老子》翻譯本，他總覺得自己懂老子，而現有的翻譯都不理想。此時碰到一位可以直接閱讀原文的中國學者，當然很高興，他決定每週六下午邀請蕭教授到他家，兩人相對而坐，重新開始翻譯《老子》。

從第一章〈道，可道，非常道〉開始，到第八章〈上善若水〉，兩人因為意見不合而發生爭吵。海德格年紀稍長，有點倚老賣老，他指著蕭教授說：「你不懂老子。」蕭教授不甘示弱，也指著海德格說：「你不懂中文。」其實，懂中文不一定懂老子，而懂老子也不一定非要懂中文不可。

海德格為何如此崇拜老子？因為他發現，老子所說的「道」是對古希臘時代探討的「存在本身」（Being）的最佳描述。海德格

認為，從古希臘時代以來，西方學者早就遺忘什麼是存在本身，他們用「存在的東西」（beings）來代替存在本身，但這兩者是完全不同的。存在本身是根源，存在的東西是個體。個體充滿變化，生生滅滅；存在本身則像老子所說的「道」一樣，永遠不會變化或消失。海德格透過各種翻譯本了解《老子》的思想後，簡直喜出望外，遂決定將《老子》再度翻譯成德文，可惜此事未能成功。

由此可知，西方人在尋找根源時，通常會考慮以下幾個方面：

1. 原始的少數民族未經現代化的汙染，保存某些原始的智慧。

2. 從古代的宗教或神話中尋找靈感。

3. 從其他民族的智慧中尋找材料。對西方人來說，老子的《道德經》就屬於東方民族的偉大智慧。

（三）人類如何自處

人類在二十世紀經歷兩次世界大戰，人類的未來應該何去何從？因此，要把焦點拉回到人類如何自處。關於這個問題，有個小故事很有代表性。

二戰期間，德軍占領包括巴黎在內的法國大部分地區。有一天，在巴黎一家咖啡館的沙龍裡，法國哲學家沙特（Jean-Paul Sartre, 1905-1980）和卡繆（Albert Camus, 1913-1960）辯論「人有無絕對自由」。沙特主張人有絕對自由，卡繆則認為沒有。兩人都是哲學系的畢業生，口才和學識均屬一流，辯論不分勝負。

最後，較為年輕的卡繆因為失去耐心而使出「殺手鐧」，他說：「沙特先生，如果人有絕對自由，請問你能否向納粹檢舉我是地下抗德份子？」沙特沉吟良久，然後說：「不行，我做不出這樣的事。」卡繆說：「因此，人沒有絕對自由。」可見，自由至少應該以朋友間的道義做為底線。如果人與人相處完全沒有底線，如果

我不能尊重別人也像我一樣是個主體，這個世界會變成什麼樣子？他們辯論的話題就是有關人與人應該如何相處的問題。

現代西方哲學已經開始轉向：由以前形上學的思辨——到底存在本身是什麼，上帝是否存在，人性的本質如何，轉到人的存在處境；由以前知識論的討論——人到底能夠認識什麼，觀念是先天的還是後天的，你所認識的能否禁得起檢證，轉到人的生命需求。傳統西方哲學重視形上學與知識論，現代西方哲學則轉而重視倫理學，就是要問：人活在世界上，什麼是善？什麼是惡？應該如何行善避惡？為什麼要行善避惡？理由何在？

哲學研究的焦點轉向人與人之間。不要把別人當做「他」——「他」是不在現場的；而要把別人當做「你」——「你」是在我對面、與我平等互動的。再進一步，不要把別人當做另外一個「我」，而要把別人當做「他者」。

「他者」像我一樣具有位格，是某一位先生或女士，有獨立的人格與思維。他者與我不同，不是我的複製品，不是另一個我。他者的面貌對我來說可能千變萬化，每一種變化對我都是一種啟發，我由此也可以了解自己的生命，因為我對別人來說也是一個他者。我與他者該如何相處，也牽涉到我與自己該如何相處。這樣就使問題變得更加複雜而深刻。

西方許多學者都在探討這一類問題，其中發展得最為充分和完整的就是存在主義，它對現代世界產生廣泛的影響。「存在」是指用真誠的態度選擇成為自己，承擔自己的命運與挑戰。這不正是我們今天所面臨的處境嗎？

存在主義人才輩出，前面談到的卡繆和沙特都曾獲得諾貝爾文學獎。卡繆的《異鄉人》和沙特的《作嘔》這兩部小說，使一代人都感受到世界有多麼荒謬。《麥田捕手》也影響整整一代人，它描

繪主角無比苦悶、彷徨，直到精神崩潰的整個過程。

　　存在主義影響世界半個多世紀，直到今天仍發揮作用。無論小說、電影還是其他藝術形式，都不停講述現代人的荒謬處境。然而，在荒謬中能否找到未來？向上尋求宗教，它已與人產生了隔閡；向下尋求科學文明的發展，它與人隔閡更深。那就從人與人之間的關係去尋找吧！當你與別人來往時就要問：我和他的關係是什麼？因此，現代哲學發展到最後，特別強調「我」與「他者」的關係。

收穫與啟發

　　關於現代哲學，要記住三句話：

1. 上帝死了。人類不能再繼續依靠上帝或宗教的啟發，來解決人間的價值觀問題。
2. 回到過去，尋找根源。人類的終極答案可能要到古希臘、原初民族或東方哲學裡去尋找。
3. 影響現代文學、電影、藝術最深刻的哲學觀點是存在主義。

　　現代哲學仍在發展之中，可以從多方面加以欣賞，譬如：

1. 重視方法論的，可以參考現象學與詮釋學。
2. 關心社會現狀的，可以注意批判理論與正義理論。
3. 志在尋找根源的，可以研究結構主義與初民存有學（最初的原始部落或少數民族的存有學）。
4. 強調人際相處的，可以探討生命哲學與存在主義。

課後思考

　　針對現代哲學的三個方向，你覺得哪一項比較重要？或者哪一項是今日社會最需要的？

Part 8

存在主義思潮

第三十四章

齊克果

以存在為個人抉擇

34-1　西方哲學的兩個主軸

　　存在主義思潮非常特別，也非常重要，所以我們要先簡單回顧西方哲學。本節主要探討西方哲學的兩個主軸。「兩個主軸」的說法難免有點奇怪，西方哲學一路發展下來，不都是以理性為主導嗎？愛智慧不都是用理性去探討宇宙與人生的真相嗎？

　　本節要介紹以下三點：

　　第一，簡單回顧西方哲學。

　　第二，兩種立場一直存在。

　　第三，希臘與希伯來的對峙。

（一）簡單回顧西方哲學

　　從古希臘時代以來，就有少數愛智慧的人想對宇宙與人生做完整而根本的理解，由此建立宇宙觀、人生觀與價值觀，這就是西方哲學的由來。他們建構了一些學說，但是與一般民眾的思想與生活始終有些距離。哲學遠遠不如文學與藝術那麼貼近民眾的生活。

　　到了中世紀，基督宗教取得文化上與政治上的主導權，形成以宗教為主、哲學為輔的局面。當時強調兩點：

　　1. 敬畏上帝是智慧的開始，哲學是愛智慧，就應該由信仰入手；

　　2. 哲學是神學的女僕，哲學要設法論證神學的教義都是合理的。

　　到了近代，從培根（Francis Bacon, 1561-1626）、笛卡兒（René Descartes, 1596-1650）以來，哲學愈來愈專業化。哲學中大量使用專門術語，大部分學者在學院裡都有教導上的傳承。近代哲學逐漸

擺脫中世紀宗教的束縛，漸漸依附於科學。這可以從兩個人身上看出來：一位是史賓諾莎（B. Spinoza, 1632-1677），他的代表作是《倫理學》，這本書的副標題是「以幾何學方式證明」；另一位是啟蒙運動時代的伏爾泰（Voltaire, 1694-1778），他特別寫過一本書，名為《牛頓哲學要旨》。可見，近代以來，理性思維遷就於科學上的進步，與大眾的生活還是有一段距離。

西方哲學的發展從整體上看來好像是理性獨大，尤其是從笛卡兒說了「我思故我在」以後，到康德（Immanuel Kant, 1724-1804）時出現清楚的唯心論立場，後面德國唯心論一路發展，到黑格爾（G. W. F. Hegel, 1770-1831）時達到頂峰。黑格爾之後到十九世紀中葉，哲學的世界再度分裂，黑格爾的思想分裂為左派、右派，兩派都希望與現實進一步結合。十九世紀興起浪漫主義運動，對理性進行深入質疑，各種新的學說隨之湧現。

（二）兩種立場一直存在

西方哲學的「兩種立場」指的是什麼呢？

英國哲學家懷德海（A. N. Whitehead, 1861-1947）說：「兩千多年的西方哲學，只不過是柏拉圖思想的注腳而已。」古希臘的柏拉圖（Plato, 427-347 B.C.）確實是一位體大思精的學者，他建構了一個完整的系統。從他開始，有六位人物可謂理性至上的典型，代表西方哲學的主流：首先是柏拉圖及其弟子亞里斯多德（Aristotle, 384-322 B.C.）；中世紀的代表是經院哲學（Scholastic philosophy）的多瑪斯・阿奎那（Thomas Aquinas, 1225-1274）；近代的代表是笛卡兒、康德、黑格爾。黑格爾之後，情況開始轉變。

除了理性至上的立場，還有一種立場一直存在，只是較少受到注意。理性固然重要，愛智慧當然要靠理性，因為理性可以使人相

互溝通，尋求最大的共識。但是，就人的真實存在來看，有許多方面不是理性說得清楚的。人的生命是完整的，因此要考察人的整個生命結構及歷程。第二種立場有四位代表人物：

第一位是柏拉圖的老師蘇格拉底（Socrates, 469-399 B.C.）。蘇格拉底沒有留下任何著作，但是他的許多言行都被記錄和保留下來。他認為理性應該是輔助的立場。他雖然說過「知識即是德行」，但他的重點在於德行的實踐。

第二位是中世紀初期的奧古斯丁（Augustine, 354-430），他是教父哲學（Patristic philosophy）的代表，要以理性來配合信仰。

第三位是近代法國哲學家帕斯卡（Blaise Pascal, 1623-1662）。他有一句名言：「我的內心另外有它的理由。我如果用理性思考，當然可以找出許多理由；但我活在世界上該如何對待我的存在？」他認為內心另有它的理由，所以提出賭注論證來支持他的信仰。

第四位是盧梭（Jean-Jacques Rousseau, 1712-1778）。他在啟蒙運動中提出情感主義，在當時產生很大反響。

在傳統西方哲學裡，這四個人往往被排除於主流思想家之外。一般認為，主流思想家應該探討邏輯、知識論、形上的本體等領域。然而人是完整的，人生有三大奧祕：痛苦、罪惡、死亡。人活在世界上，要如何分辨痛苦與快樂？在善惡之間該如何抉擇？人死之後到底是怎麼回事？一個人若想徹底了解人生的意義，必須對這三大奧祕有某種覺悟。

（三）希臘與希伯來的對峙

希臘與希伯來的對峙，就是西方所謂的「兩個 H 的對峙」：希臘是 Hellas，希伯來是 Hebrew。希臘是指古希臘，它一路發展西方的主流哲學。希伯來是指猶太人，這一系列思想透過中世紀一

千多年的基督宗教，對西方世界產生深遠的影響，對於人生的三大奧祕有明確而深入的說明。

　　簡單說來，希臘強調「理性人」，所以要用理性來規定一種標準的人生。希伯來強調「整體人」，整體人體現於個體上，即每一個個別的人身上。可以從以下五個方面來說明雙方的分歧：

1. 希臘認為「人是理性的動物」，這是亞里斯多德對人的明確界定。而希伯來認為「人是信仰的動物」。「信仰」不光意味著相不相信，還意味著以信仰做為整個生命的基礎。人不是只有理性，還有情感、意志等方面。

2. 希臘看到萬物的抽象本質，所以從柏拉圖的理型論開始，到亞里斯多德談到形式，一路下來，都在探討認識的方法，以掌握萬物的本質。而希伯來看到人的具體存在，每一個人都是活生生的個人，面臨痛苦、罪惡與死亡的威脅。

3. 希臘以超然的態度旁觀，冷靜的觀察這個世界，再做出合理的說明。而希伯來以獻身的態度投入。人不能旁觀，必須做一個決定，要選擇站在善或惡的哪一邊。

4. 希臘認為，永恆的境界可由理性來推得。人窮盡理性之力，就可以推知「第一個本身不動的推動者」，找到人生的安頓之道，如亞里斯多德所說的觀想（theoria）。而希伯來認為，永恆的境界總在神祕之中，需要人去體驗與實踐。

5. 希臘認為，人有能力追求美善合一的理想。古希臘文裡就有「美善合一」這個詞，把現實世界當做可能達成理想的境地。希伯來認為，由於人的有限與軟弱，所以不可能達到美善合一的境界。人永遠只能改善自己，不斷向上提升。

　　西方哲學兩種立場的對峙，不但在兩大思想陣營裡出現，其實在每個人的身上都有類似的表現。當然，這兩者也有互補的作用。

1. 回顧西方哲學就會發現，從古希臘到中世紀，一路都是由理性在主導。理性可以說明德行，也可以做為信仰的輔助。近代以來，更是理性獨大，由理性主義發展到唯心論。理性至上的立場到黑格爾時達到頂峰。

2. 事實上，西方哲學一直存在兩種立場。占主導地位的是理性這一邊，但每隔一段時間，就會出現另類的學者，如蘇格拉底、奧古斯丁、帕斯卡、盧梭等等。到了存在主義上場，甚至表現出主客異位的現象。

3. 希臘與希伯來的對峙體現在五個方面。希臘看人是理性人，希伯來看人是完整的人，這個完整的人在存在主義思潮中得到全面展開。若想了解存在主義，就要對西方哲學這兩個主軸有基本的認識。

課後思考

　　在你自己的經驗中，理性與存在這兩種立場各占多少比例？換句話說，你覺得主導你人生的是理性更多些，還是存在更多些？

34-2　什麼是存在主義？

「存在主義」（Existentialism）這個詞有複雜的背景。

本節要介紹以下三點：

第一，存在主義這個名稱的來源。

第二，「存在」這個詞的特殊含義。

第三，存在主義的思想特點。

（一）存在主義這個名稱的來源

第二次世界大戰之後的歐洲，法國做為戰勝國，它的思潮在歐洲占據了主導地位；德國做為戰敗國，思想受到壓抑。法國在這一時期湧現許多重要的作家，他們表現極為傑出，以小說、戲劇、散文和少量的學術論文，引領文化界的風潮。

1957 年，法國作家卡繆（Albert Camus, 1913-1960）榮獲諾貝爾文學獎。1964 年，法國作家沙特（Jean-Paul Sartre, 1905-1980）也榮獲諾貝爾文學獎。在短短七年之內，有兩位法國作家得到諾貝爾文學獎，這是極為少見的，代表他們的影響力已經擴展到全世界。當時的法國，與他們水準相當的作家還有好幾位。他們的作品引發文化界的思潮，其中最有影響力的就是存在主義。

沙特於 1946 年發表了一篇重要的文章，題為〈存在主義是一種人文主義〉（Existentialism Is a Humanism）。從這個題目就知道，當時眾人對「存在主義」這個名稱還不太了解。說存在主義是一種人文主義，代表這種新的學說關心人的價值與尊嚴，對人性有

基本的尊重，順著這個方向思考就對了。

　　但是沙特也知道，存在主義變成一種文化風潮，就很容易被人濫用。沙特說：「有一位女士每一次在緊張時說一句髒話，就會抱歉的對旁人說：『唉呀，我相信我正在成為存在主義者。』」存在主義者怎麼會和說髒話有關係呢？沙特用這個小故事表明，存在主義這個詞已經被用得很浮濫了。

　　在這篇文章中，沙特正式提出「存在主義」的說法，隨後列舉四位代表，他說：「存在主義分為兩大派，無神的與有神的。」在無神的標籤底下，他列出海德格（Martin Heidegger, 1889-1976）與他自己；在有神的標籤底下，他列出德國的雅士培（Karl Jaspers, 1883-1969）與法國的馬塞爾（Gabriel Marcel, 1889-1973）。德國、法國各有兩位代表，說明這純粹是一種歐洲的思想。

　　沙特列了四個人，除了他自己，另外三位紛紛發表聲明，說他們不是存在主義者，那只是沙特個人的想法。事實上，做為存在主義者，拒絕被列在「存在主義」下是很合理的，後文會詳細說明。

（二）「存在」這個詞的特殊含義

　　想了解「存在」這個詞有何特殊含義，要考慮以下三個角度：

1. 存在與本質互相對立，卻彼此互補

　　「存在」與「本質」是互相對立的概念，但兩者彼此互補，不能分開。傳統西方哲學一向認為：本質先於存在。譬如，我要造一輛汽車，一定要先對汽車的本質有充分認識，亦即要先了解汽車的原理、結構、目的如何。我這樣想的時候，汽車尚未出現，這就是「本質先於存在」。人類所有的發明創造都是如此。

　　上帝創造世界也是一樣的過程。《聖經》中描寫，上帝一說話就創造了宇宙萬物；但不要忘記，上帝先有對世界的觀念才能說出

來，再由此創造具體的存在物。所以，只要是合理的、不含矛盾的、可以想得通的東西，都可以說出來。所謂「合理的」，就是對本質的認識。由此延伸出後面黑格爾所說的「凡是合乎理性的都是實在的，凡是實在的都是合乎理性的」。這些觀點都叫做「本質先於存在」，它們肯定理性具有特別的作用。

2. 存在先於本質

沙特說「存在先於本質」，體現了存在主義的特色。這裡所謂的「存在」顯然有特別的用法。

從古希臘到中世紀，「存在」這個詞一直有兩種寫法。一種寫法是 beings，它做為名詞，代表存在的萬物。譬如，一棵樹，一塊石頭，都是已存在的東西。第二種寫法是 Being，它變成動詞，代表唯一的、做為根源的、具有活力的、使萬物得以存在的基礎，亦即宇宙萬物的來源與歸宿。為了避免混淆，就譯為「存在本身」。

3. 把「存在」限定在人類身上

存在主義把「存在」這個詞限定在人類身上，甚至只用在個人身上，這是存在主義的明顯標誌。當與存在本身進行對照時，人的存在最為特別：萬物只是在那裡，它就是那個樣子；而人可以做出選擇，只有人具有創造力，甚至能夠創造自己。因此，只有人是真正存在的，他面對痛苦、罪惡與死亡，有各種煩惱、焦慮與恐懼。存在主義的「存在」就來自於這樣的背景。但個人有時也像萬物一樣，存而不在，只是活著而已。存在主義要進一步探討這個問題。

（三）存在主義的思想特點

存在主義的思想特點表現在以下四個方面：

1. 存在主義肯定單獨的個人，個人不能再依附於群體中。經過兩次世界大戰，所有人清楚意識到：每個人都是獨特的，不

能把他當做群體中的一員或戰爭中傷亡的數字來看待。

2. 重視個人的自由與抉擇。你是獨特的個人，要自己負責，做自由的抉擇，否則你這個人可有可無。

3. 強調主體真理（主觀真理）。一般認為，真理是客觀的，要由理性加以掌握。但存在主義強調，真理一定要結合個人的體驗。這種真理除了發現真相之外，還能產生行動的力量，它不能脫離行動的主體，所以稱之為主觀真理或主體真理。

4. 存在主義強調，人要向著存在本身去尋找定位。個人的「存在」是一個動詞，你必須找到根源，與存在本身接上線，才能使個人的生命找到定位，才能證明自己的存在。

　　沙特把存在主義分為有神論與無神論兩個系統。他所謂的有神論，就是把「存在本身」當做西方傳統宗教信仰的上帝。沙特認為，自己與海德格屬於無神論。海德格對此不能苟同，他認為自己既不是有神論也不是無神論，而是「等待神的來臨」。可見，每一位存在主義哲學家都會根據自己的人生體驗，提出個人獨特的觀點。

收穫與啟發

1. 1946 年，沙特提出「存在主義」這個名稱，後來被廣泛使用。他列舉四位哲學家做為代表，除了他本人，另外三位都否認屬於存在主義陣營。但是，把他們與其他學派對照後就會發現，他們有共同的特性，確實可以代表存在主義的思潮。

2. 「存在」一詞含義相當複雜。傳統西方哲學發展了兩千多年，一直認為「本質先於存在」，人的理性可以了解本質。譬如，我了解了恐龍的本質，就可以正確的加以描述，並與別人進行溝通，但恐龍現在不存在，這叫做「本質先於存在」。宇宙萬物的本質都可以被人的理性所掌握，但它是否存在則要看有沒

有具體的東西在那裡。可以從三個角度思考「存在」。

(1) 將「存在」與「本質」進行對照，兩者對立並且互補，否則不可能有任何東西出現。

(2)「存在」一詞在傳統上有兩種用法：「存在」做為名詞（beings），所指的是萬物；「存在」做為動詞（Being），所指的是萬物的來源與歸宿，亦即使萬物得以存在的最根本的力量。西方中世紀直接說「存在本身就是上帝」。

(3) 存在主義將「存在」一詞限定在個人身上。個人能否存在，要看他在關鍵時刻能否做出抉擇。

3. 存在主義的特點是：肯定單獨的個人，重視個人的自由與抉擇，強調所有的真理必須與主體相關，並且要向著存在本身尋找自己的定位。

（課後思考）

對存在主義有初步認識之後，請你思考一下：如果一個人從未做出真誠而負責的抉擇，他算是真正存在的人嗎？

（補充說明）

「存在本身」與道家所講的「道」很接近。

「存在本身」對應的英文是大寫的 Being，代表它永遠不變、永遠在產生力量，就像能源一樣。萬物可被稱做「存在」、「存在物」或「存在者」。萬物要靠「存在本身」這個能源，才能獲得能量，從而不斷生成和發展。存在主義的代表之一海德格晚年非常崇拜老子，想把《道德經》再一次翻譯成德文。因為他發現老子的「道」，就是古希臘時代探討的「存在本身」，可惜後來西方世界遺忘了存在本身。這是海德格的一種判斷。

34-3　齊克果要喚醒昏暗的時代

　　本節的主題是：齊克果要喚醒昏暗的時代，要介紹齊克果（S. Kierkegaard, 1813-1855）的生活與思想的背景，內容主要包括以下三點：

　　第一，獨特的生活背景。

　　第二，齊克果的作品。

　　第三，齊克果要喚醒時代。

（一）獨特的生活背景

　　齊克果的生活背景相當獨特。他長期患有憂鬱症，曾經想過要自殺，後來經歷了一次道德與宗教上的覺悟，整個人生才有了明顯的轉變。齊克果是丹麥人，他的父親生了七個孩子，只有兩個存活下來。他有個哥哥，精神方面也有問題。

　　齊克果的父親遭遇非常奇特，十一歲時還是個貧窮的牧童，曾在冰天雪地中舉起雙手詛咒上帝，這件事讓他自覺有罪。不久之後，他卻意外得到一個遠方親戚留下的遺產，忽然變成有錢人，他懷疑這是上帝在跟他開玩笑。後來他五個孩子都夭折了。他一生都有嚴重的罪惡感和憂鬱症，到了八十二歲還念念不忘曾經詛咒上帝這件事。父親的遭遇深深影響了齊克果，他說父親為他安排了最好的教育，但是自己卻生活在不堪的回憶中。

　　另外，齊克果訂婚這件事也對他造成重大影響。他在二十七歲時認識了雷吉娜，兩人很快就訂婚，但他後來發現自己不適合婚

姻。他承認自己心中有許多不可告人的祕密，如果兩人無法溝通，又怎麼能結婚？而且，他的五個兄姊都夭折了，所以他很擔心自己壽命不長。此外，他隱約覺得自己肩負著遙遠的使命，因此並不適合婚姻。於是，他在訂婚一年之後解除了婚約。在此過程中，齊克果的內心經歷極大的掙扎。解除婚約之後，他很希望與未婚妻保持友好的關係，但這顯然是不可能的。

齊克果獲得文學碩士學位，取得牧師資格，但他沒有從事過具體的宗教活動。他的碩士論文題目是《蘇格拉底的反詰法》。蘇格拉底與別人談話時，總是用反問的方式來探討真理。齊克果聽過德國唯心論者謝林（F. W. J. von Schelling, 1775-1854）的課，讀過黑格爾的書，對他們的觀點無法苟同。他多愁善感，心靈常受到極大困擾，他說：「從小我就是一個被悲慘的憂鬱侵襲的人。所有存在的東西，從最小的蚊子到耶穌基督的降生，都讓我感到害怕。對我而言，一切都無法解釋，而最無法解釋的就是我自己。」心靈經常受到這樣的困擾，怎麼可能快樂？

齊克果機智過人，憑藉聰明與口才，很容易就成為聚會的焦點人物。他外表看起來像是輕浮放蕩的花花公子，他以這種方式來掩飾自己的憂鬱。他的穿著打扮與眾不同，經常流連於咖啡館、歌劇院。他在《誘惑者的日記》這本書裡說：「我剛剛從一個我是靈魂人物的團體中走出來。在那兒，幽默從我口中湧出，所有人都笑了，都佩服我。但這時我卻想要立刻離開，並且想要舉槍自盡。」可見，他的內心經常處於極度的矛盾衝突之中。

（二）齊克果的作品

齊克果的年代是 1813 年至 1855 年，他只活了四十二歲。他的後半生幾乎都在寫作，作品很多，大致可分為兩個階段。

他三十歲左右所寫的主要是感性作品，最著名的是《非此即彼》這本書，他也因此而成名。街上經常有小孩跟在他後面，邊追邊喊：「非此即彼，非此即彼。」所謂「非此即彼」是要讓人做出選擇。但是應該如何選擇？很多人就用這本書的書名來調侃他。

齊克果無法接受理性至上、系統完備的德國唯心論，他早期的作品大多是隨筆或是有啟發性的談話，如《哲學片簡》。他還寫過一本有名的書，標題是《對哲學片簡之最終非學術的附筆》。雖說是「附筆」，居然長達五百五十頁！

齊克果三十四歲以後，轉而寫作宗教作品。齊克果所謂的宗教，不是理性化的上帝或形式化的儀式，而是要真誠面對自己、面對人的痛苦與罪惡、有一個上帝會回應你的那種宗教，也就是原始的基督宗教。

（三）齊克果要喚醒時代

齊克果要透過自己的作品喚醒整個時代，他主要針對的是文化界與宗教界兩個方面。

當時的文化界充斥著德國唯心論的思想，齊克果不以為然。他譴責那個時代，認為一切都在理性的支配下，都在有限的思考中，沒有感情，沒有感動，也沒有行動。理性的主宰使人類的存在陷於模稜兩可。

齊克果指出：「到處都是理性，沒有絕對的熱情，取而代之的是理性的婚姻，大家都在尋求高大上的人做為結婚的對象，而沒有真正的愛情；沒有絕對的順從，取而代之的是以理性判斷為基礎的順從，要思考、顧慮事情的利弊；沒有冒險，取而代之的是對可能性的精明計算，算準了才會出手；沒有行動，取而代之的是一個個事件，也不清楚是誰做的，這樣就形成了一些事件。」齊克果對整

個時代的思潮做出了批判。

　　針對宗教界，他明確批判當時的丹麥教會（基督教的一派）。齊克果對宗教有深刻的體會。當時有一位受人推崇的主教過世，齊克果公開說：「這位主教是一位真理的見證人，這是真的嗎？」他認為教會已經俗化，大家都不談自我犧牲，不談人生的痛苦該如何解脫，信仰變成一種與社會協調的、高雅的人文主義。齊克果無法接受這種與世俗妥協的宗教。

　　他一生最佩服的人是蘇格拉底，因為蘇格拉底以死亡捍衛了真理。他最輕視的人是歌德，認為歌德在近代足以代表最沒有性格的人，只知道追求一己的享受，又用詩歌來裝點自己高貴的表面。他鄙視丹麥教會的牧師們，認為他們只追求安逸的生活，完全沒有耶穌基督那種修身克己的精神。

　　齊克果這些觀念與當時的社會格格不入，為此他要承受來自各方的壓力。他寫作時經常使用筆名，包括維克多隱士、靜默修士、沉默的約翰等等。齊克果對宗教有獨特的看法。由他所啟發的存在主義，在這一方面也有很多獨到的見解。

　　齊克果如何形容自己呢？他說：「我就好像是為上帝服務的特務。我必須到處去探查『存在』與認識是否一致，基督教界與基督宗教是否一致。」換言之，他要探查別人的言行與思想是否配合，不能滿口仁義道德，卻沒有付諸行動。他還要探查當時丹麥的基督教團體與原始的基督宗教的理想是否一致，因為當時有許多人言行不符，知行不一。

　　齊克果嚴屬批判德國唯心論，他甚至說：「像黑格爾主義，把個人生命的意義全都寄託於歷史、國家或普遍精神的演變中，一切都用正反合的辯證程式進行，要看你在這個程式裡扮演什麼樣的角色。這種說法與個人的生命毫無關聯。」

　　他描寫當時整個社會的特色，就像一個酒醉的農夫駕車回家。表面上是他在駕車，其實是靠識途老馬把他拖回了家。「回家」比喻一個人走完生命的全程，但他可能一路醉酒不醒，糊裡糊塗，不知道自己是怎麼回事，也不知道自己要去哪裡。

　　齊克果去世後將近一百年，到了二十世紀二〇、三〇年代，才開始受到廣泛推崇。德國學者把他奉為存在主義的創始人，認為他的使命是喚醒昏睡中的人。

收穫與啟發

1. 齊克果是存在主義的創始人，他的生活背景相當獨特。有兩件事影響他的一生：一是他父親的精神狀況非常複雜，一輩子都有嚴重的罪惡感與憂鬱症，使得齊克果也有類似的困擾；另一件事是他與雷吉娜訂了婚，一年之後又解除婚約，所以他的未婚妻成為他心目中完美女性的典型。根據專家研究，他的創作之所以源源不絕，與這件事有直接的關係。

2. 齊克果幾乎一生都在寫作，早期作品大多是感性作品。後來因為經歷了一次深刻的宗教與道德上的覺悟，他轉而寫作宗教作品。他的生命一直受到憂鬱症的威脅，曾經在瘋狂的邊緣想要自殺，如果沒有思想上的覺悟，又怎麼會寫出一部又一部的作品呢？

3. 他難以忍受當時整個時代的思潮和教會的俗化，所以對其提出嚴厲的批評。

課後思考

　　如果你發現周圍有些人處於醉酒農夫的狀態，你會去喚醒他嗎？什麼是最好的方法？

　　我們可以從以下三個方面進行思考：

1. 分辨誰是醉漢

　　千萬不能太主觀，以為「眾人皆醉我獨醒」，而要捫心自問：我活得踏實嗎、心安嗎、快樂嗎？如果答案是肯定的，在人際交往中自然會表現出一種自信，散發出一種力量，讓周圍的人感到詫異。也許有一天，別人會問你：「你為什麼那麼樂觀積極、特立獨行？」這說明他對你好奇，也說明他可能有點喝醉，但他分得清誰真正在生活。這時你才可以提醒別人。

2. 裝睡的人叫不醒

　　裝睡的人其實很厲害，他知道裝睡對他有利，可以在模糊地帶保存自己。對於這種人，你根本沒有必要喚醒他，因為他比誰都「聰明」。不過，這只是一種適應環境的聰明，而不是真正的智慧。他並不了解自己生命的價值，更不可能去實踐它，因為時間就在「裝睡」中逝去了。如果「裝」一輩子的話，這一生不是等於在 VR（虛擬實境）裡嗎？把自己想像成另外一個人在過日子，內心一定會有強烈的失落感。

3. 要自己示範，而不要總想著去喚醒別人

　　讓自己每天不斷進步、活得充實，這已經是很大的挑戰了。每個人都有自己的功課要做。齊克果寫書為什麼常用筆名？因為他不希望別人知道是被他喚醒的。人很奇怪，一旦知道是被誰喚醒的，就會覺得自己比不上這個人，隨之會產生壓力。所以，我們要具備一種智慧，讓別人自己感覺到應該醒了。這可以做為我們共同的目標。

34-4 人生的三種絕望

本節的主題是：人生的三種絕望，要介紹齊克果對絕望的看法，內容包括以下三點：

第一，人為什麼會絕望？

第二，有哪三種絕望？

第三，絕望是致死之疾。

（一）人為什麼會絕望

關於「絕望」這個觀念，在但丁所寫的《神曲》中有這樣一段描述：地獄的門上寫著一句話 —— 入此門者，當放棄一切希望。這代表地獄就是沒有希望的地方。人活在世界上，絕望是最可怕的心理壓力，簡直就像身陷地獄一樣。

人為什麼會絕望？因為人的生命很特別：人是身體與靈魂的綜合，是有限與無限的綜合，是暫時與永恆的綜合，是可能性與必然性的綜合。齊克果標舉了兩系列元素：一邊是身體、有限、暫時、可能性；另一邊是靈魂、無限、永恆、必然性。兩系列元素的關係構成了自我的處境。自我當然要找到自己最後的根源，否則人怎麼可能得到安頓？

人生是兩種元素之間的競合關係，始終處於一種緊張狀態。換句話說，人一旦與內在的自我相接觸，就會發現自己是兩種元素、兩個層次的綜合。人只靠自己的力量無法把兩個層次協調好，於是就會出現絕望的情況。在歷史的長河中，有許多人取得巨大的成

就，但是他們的生命未必能獲得安頓。到最後，似乎只有立足於某種信仰之上，才能讓自己站得穩。

（二）三種絕望

齊克果提到人生有三種絕望：不知道有自我，不願意有自我，不能夠有自我。

1. 不知道有自我而絕望

有的人隨俗浮沉，得過且過，經常羨慕或崇拜別人，把偶像做為自己心裡投射的對象，把自己歸類為某一種人，屬於某一個階級、某一個族群。這樣的人只注意到自己的身體與心智，卻沒有意識到還有一個靈性的、永恆的自我，不知道靈性是一個人最獨特、最重要的成分；但他照樣覺得安全與滿足。他處於無可救藥的境地，但他卻完全沒有意識到這一點。

一個人受身體的支配，迷惑於感性與情欲，這就是不知道有自我。他只是糊裡糊塗的隸屬於一個更大的群體，對自己沒有清楚的認識，不知道自己有靈性的成分。表面看來，他有活動的能力，但他不知道這種能力最後的來源。不論他在現實世界取得什麼成就，那都是一種絕望的人生。

有些命定論者認為自己的命運早就被決定了，成敗得失都已注定，一切都是必然，這就是不知道有自我。另外還有些人雖然相信上帝，但把上帝等同於必然的規律。如此一來，上帝不見了，只剩下必然的規律，這同樣沒有自我可言。把上帝當成命運，等於沒有信仰的態度，也談不上個人的責任。

2. 不願意有自我而絕望

我意識到自己是屬靈的，有一個應該去完成的自我，但是我不願意去完成。因為我已經學會了像別人一樣生活，不願意做自己，

更願意做別人。我透過外在的活動來轉移注意力，經常對自己說：等一等再看吧，過一陣子再說吧，先這樣過下去吧。我始終不敢跨出腳步去過靈性的生活，以為關心靈魂是在浪費時間。真正做自己就要做出抉擇，會面臨很大的壓力，而且未來又是不可知的。因此，很多人不願意有自我，他們對自己感到絕望，並在絕望中想要擺脫自己。

3. 不能夠有自我而絕望

就算你知道有自我，也願意有自我，但是你能夠做到嗎？你會發現，只靠自己的力量無法完成自我。這時唯有開放自己，接受永恆力量的幫助。你需要鼓足勇氣，「喪失自己以得到自己」，亦即要完全放棄自己，無條件的接受援助，服從另一個力量的安排。

然而，人往往害怕失去在這個世界上的有利條件。一旦承認自己的軟弱，被另一個力量所提拔，就會覺得自己好像真的是無用的。所以人在絕望中仍要堅持自己的軟弱，寧可隨自己的思想走上偏差的道路。這就是不能夠有自我而絕望。

關鍵是你沒有明白：只有喪失自己，才能得到自己。所謂「喪失自己」，代表你覺悟自己的真正處境——只靠自己，無法找到得救或解脫的途徑。譬如，儒家有「殺身成仁」、「舍生取義」的說法。一個人明明死了，但他居然可以「成仁」、「取義」。這與「喪失自己以得到自己」是類似的觀念，可以對照參考。

（三）絕望是致死之疾

齊克果在三十六歲時（1849 年）創作了《致死之疾》一書。這個書名來自《約翰福音》裡的一段故事。有人對耶穌說：「拉撒路病了。」拉撒路是耶穌的一位朋友。耶穌說：「這病還不至於讓他死。」拉撒路後來死了，但耶穌在他死後幾天又讓他復活了。齊

克果從中得到啟發，以《致死之疾》為書名，代表絕望是致死之疾、無藥可救的。絕望在人間其實相當普遍。如果想了解齊克果對人性的認識，就要從「三種絕望」入手。

收種與啟發

1. 人活在世界上，偶爾會對某些事感到失望和挫敗，覺得沒有機會重來，甚至自己所做的一切沒有任何效果，好像這一生都白過了。就算一個人有再大的成就，偶爾也會有這樣的感觸。

   我 1998 年在荷蘭萊頓大學教書，有一次參觀梵谷美術館，看到六十幅梵谷的畫作。展覽的終點引用了一句梵谷的話做為結束語。梵谷創作了這麼多傑作，但他認為自己的一生是「徹底的失敗」。

   人活在世界上，本以為自己可以成就偉大的事業，取得重要的成果；但是真正做出來之後才發現，不過如此而已。換言之，所有能力在尚未實現之前，似乎都有無限的可能性；一旦落實之後，就會發現不過如此。在浩瀚的宇宙裡、在永恆的過程中，人所能成就的就像一粒微塵而已。很多藝術家或宗教家在回顧自己的一生時，很容易有這樣的體會。

2. 齊克果特別舉出三種絕望：

   (1) 不知道有自我而絕望，過一天算一天，覺得大家都差不多，不去思考自己的生命有什麼特別之處。

   (2) 不願意有自我而絕望。有些人知道自我與別人不同，有特殊的任務，要完成靈性生命的要求。但他們很快就發現，做自我很辛苦，很多事都要自己做決定，還要承擔後續的責任，很多人就退縮了，乾脆不做自己了。

   (3) 不能夠有自我而絕望。我知道有自我，也願意做自我，但

是我努力了很久，發現自己的能力不夠，要做真正的自己不能只靠自己，還要尋找自己的根源。此時有一個關鍵：要先放棄自己，才能真正得到自己。

譬如，有些人看起來有很大的內在力量，這說明他透過自我修練，超越自己和有形的世界。簡單說來，他完全沒有私心，只為了自己的人生理想與信念而工作，化解自我的執著，反而可以發揮最大的力量。

3.「絕望」這個觀念與齊克果的宗教信仰直接相關，它來自於《約翰福音》中耶穌所說的一句話：「這個病還不至於死。」但齊克果認為，絕望是致死之疾。這個觀念讓很多人受到震撼，於是開始反思：我的生命到底是怎麼回事？

（課後思考）

到目前為止，你有過絕望的經驗嗎？譬如對一件事、對一個人，或者是對自己感到絕望。了解了齊克果所說的「三種絕望」之後，你覺得自己的絕望屬於哪一種？你後來又是怎樣走出這種絕望的？這一點當然更重要。

（補充說明）

齊克果提到了三種絕望：1. 不知道有自我而絕望；2. 不願意有自我而絕望；3. 不能夠有自我而絕望。我們要對這個問題做一個比較完整的反省。

聽到齊克果說「三種絕望」，就要把焦點放在第三種絕望上，因為「不知道、不願意、不能夠」代表一個循序漸進的過程。你原本不知道，現在知道的話，那麼你願意嗎？你原本不願意，現在願意的話，那麼你能夠嗎？所以，關鍵在於第三種絕望。這就

好比人的生命結構可以分為身、心、靈三個層次，它的焦點在於「靈」，這是決戰的關鍵所在。養成這樣的思考習慣，就比較容易掌握到重點。

可以從兩方面加以分析：反思「三種絕望」、化解「三種絕望」。

（一）反思「三種絕望」

1. 反思「不知道有自我而絕望」

請問：如果你知道有自我，會出現什麼情況？當然想要自我實現。但是，我們通常會把「自我實現」放在身和心兩個層次上。譬如你身體條件很好，可能會成為專業運動員，得到很多人的支持。在「心」方面，你可能數學很好，或有電腦方面的天賦，可能就會往這些領域發展。因此，知道有自我就會追求自我實現，但大都集中在身和心兩方面，要與別人進行比較或競爭。

2. 反思「不願意有自我而絕望」

假如你願意有自我的話，會出現什麼情況？你願意有自我，代表你能夠負責任。齊克果時提到人生有三個層次──感性的、倫理的、宗教的，「願意有自我」顯然進入到倫理的層次。「負責任」一般側重於對別人負責，「別人」包括家人、朋友、同事等等。請問：你要對別人負責到什麼程度？別人需要你負什麼責任？在這個世界上，沒有人可以為他的言行負全部的責任。一個人的言行會影響身邊的人，你該如何算這筆帳？因此，就算你願意有自我、願意負責，但該對誰負責、負責到什麼程度，都是很複雜的問題。

3. 反思「不能夠有自我而絕望」

假如你今天能夠有自我的話，代表你要設法自我超越。齊克果最深刻的話就是「喪失自己以得到自己」，正所謂「有捨才有

得」。因此，真正成為自己就是要設法自我超越：要從「有我」提升到「無我」，再進一步提升到「大我」。「有我」的「我」是「小我」。「無我」看上去像是犧牲了自我，但唯有如此才能進入「大我」。「大我」跟「小我」屬於不同的層次，你沒有到「大我」的層次，根本無法想像「大我」是什麼情況。這就像人生的修練，沒有抵達更高的層次，根本不會意識到自己現在有什麼問題。

　　這就是我們對三種絕望的反思。你要去想：如果我知道，那是什麼情況？如果我願意，那是什麼情況？如果我能夠，那又是什麼情況？經過充分反思之後，才會了解齊克果思想的重點所在。

（二）化解「三種絕望」

　　可以從以下三個角度來看。

1. 向外對照

　　首先要分辨「絕望」與「挫折」的不同。像考試失敗、與別人交往不順，或工作上面臨重大挑戰等，這些只能算是挫折。它們也許會帶來失望，讓你暫時看不到未來，但那談不上絕望，並且挫折也是一種磨練。齊克果強調「絕望是致死之疾」，由此可見「絕望」的嚴重性。不能只是「向外對照」，看到別人有成就，就覺得有一種挫敗感。這些都屬於相對的情況，只是生命中的一些考驗而已。

2.「向外對照」之後，接著要「向內觀照」

　　這就比較深刻了，因為絕望往往來自於你對身體的重視遠遠大於對靈性的重視，亦即重外輕內。所謂「身體」，包括所有可以衡量、有形可見的外在成就。你透過向內觀照就會發現：糟糕，我內在屬於靈性的成分太少。你可以問自己：如果一無所有，

我活得下去嗎？外在一無所有，才可能盡量鍛鍊和充實自己的內在。或者問：我可以不需要別人的稱讚，不需要物質方面的資源，站在自己的雙腳上去面對人生的複雜情況嗎？向內觀照會讓你發現「身」與「靈」失去了平衡。要想改變這種狀態，「心」是一個關鍵。你的心要往哪裡走？是繼續沿著「身」的方向發展，還是改變方向，往「靈」的層次提升？

3. 向上求照

　　向上開放，或者說「向上求照」，希望得到上面的光照。很多人都會像禪宗二祖慧可禪師那樣，希望得到一個好老師，最好是宗教界或教育界的老師，可以給自己開示。「向上開放」當然包括向高人或前輩求教，但更重要的是向「超越界」開放，這才是齊克果強調的重點。

　　人為什麼「不能夠有自我」？因為對許多事情都捨不得，不願意把有形可見、可以量化的成就全部放下，不願意思考「生不帶來，死不帶去」這八個字。你如果真的了解這八個字，把一切都放下，在做出犧牲之後，才能得到某種成全。否則，你永遠不可能成為真正的自我，永遠被局限在有形可見的世界上，封閉在你以為有用的資源裡。「死而復生」是靈修的最高境界，它並非宗教裡的神祕事件，而是從「小我」提升到「大我」的必經階段。

　　在成長的過程中，我們一定要記得四個字 —— 脫胎換骨。我在大學教書四十年，常有學生問我念大學會怎樣，我就用「脫胎換骨」來回答。每個人都有自己的生命來源，是父母親給了我們身體的生命。但是我們還有精神的生命。你要找到一位好老師，古今中外的人都可以，如果他能夠啟發你，讓你感覺到生命的意義和價值，使你決心走上一條內心修練的路，那就是你脫胎換骨的契機。

　　向上開放不能把希望寄託在某個人身上，要記得佛教所說的「依法不依人」，因為人只要活著，就可能會陷入困境。由於修行程度有別，有些人很容易陷入困境，有些人則很難陷入困境；但只要是活著的人，就無法完全超越這種可能性。人生是永無止境的修練過程。孔子活了七十三歲，他說自己「七十而從心所欲不逾矩」。假設他像孟子一樣活到八十四歲，肯定還會有更高的境界。

　　因此，向上開放「求照」，更重要的是向著「超越界」開放。超越界就是西方哲學家所說的「萬物的來源與歸宿」，有宗教背景的人稱之為「上帝」。在中國來說，老子稱之為「道」，孔子稱之為「天命」。但知道「天命」與得到「天命」加持是兩回事，這就是最特別之處。

　　「人生的三種絕望」是齊克果相當深刻的反省。我們要學會從反面思考，譬如，不知道有自我而絕望，如果知道會是什麼情況？進一步思考，如何化解絕望？齊克果做為西方學者，提出一種思考的架構和模式。我們可以拿來做為反省自己人生的重要材料和依據，但是推論的過程或結論卻不一定要完全相同，如此可以活學活用。

34-5　勇敢向上跳躍

　　本節的主題是：勇敢向上跳躍，要介紹齊克果在 1844 年《哲學片簡》裡所提到的「人生三個階段」，他指出一個人存在的可能性。在每個階段之間，都是一種存在的抉擇，就像面臨懸崖，前面是彌天大霧，你能否勇敢的跳躍？對面可能是一片新的陸地，也可能是萬丈深淵，跳下去會粉身碎骨。所有的跳躍都要放棄過去、走向未來，但未來是否存在？是否與你設想的一樣？這些都是問題。

　　「人生三階段」是齊克果所有作品背後的預設，三階段分別是：

第一，感性階段。

第二，倫理階段。

第三，宗教階段。

（一）感性階段

　　有些地方把「感性階段」譯為「審美境界」，這不太適合。齊克果所謂的「感性」，在希臘文裡與「審美」一詞有相同的字根。審美一定要透過人的感覺官能，不能脫離人的感性能力，有人就誤以為那是一種審美的境界。其實，審美需要用到感官，而感官所得未必都是審美的。另外，在感性階段不需要進行特別的修練，所以談不上什麼境界。因此，譯為「感性階段」比較符合齊克果的原意。

　　齊克果認為，一般人很容易耽溺於官能享受。他在《非此即彼》這本書一開頭就說：「詩人是苦悶的象徵，觀眾要他吟唱，他就吟唱。詩人的靈魂始終不安，因為在剎那生滅的感性生活中，找

不到固定的價值。」齊克果以詩人做為代表，很容易讓人誤會這個階段與審美有關。其實，齊克果所強調的是一個人只重視當下的感受，這時的口號就是：今朝有酒今朝醉，好好享受吧！

但是，你如果耽溺在官能享受中，換來的只是對現實世界的疲乏倦怠、失望憂鬱、嘲笑憤恨、虛無絕望。在這個階段，所謂的友誼就剩下酒肉之交，所謂的愛情就剩下性愛。最後一切都是虛幻的，人只剩下軀殼，內心的自我消失了，一定會覺得厭煩與憂鬱。

感性階段的特色是「外馳」。就好像坐馬車飛馳，只是向外而沒有向內。此階段的特色是沒有責任感，沒有反省性，而只有瞬間的存在。只是活在當下，不去想過去與未來，怎麼談得上責任？不做反省，因為反省需要回到內在的自我，而感性階段正好要消解自我。同時，只有瞬間的存在，不做任何選擇與承諾，當下有什麼就是什麼，以享樂為主，只有量而沒有質。在飽嘗一切又厭倦一切之後，依然覺得飢餓，最後難免陷於莫名其妙的不安與憂鬱之中。

此時要做出抉擇，是否勇敢的跳躍？你永遠無法確知，在脫離這個階段之後，另一個階段是否更有價值、更值得追求，以及自己能否堅持下去。

（二）倫理階段

一旦躍過去，就進入到倫理階段。倫理階段的最大特色是，能夠把現在、過去和未來都連在一起，構成一個比較完整的人生。昨天的承諾今天要兌現，今天的行動明天要負責，由此出現一種責任感，也就是道德感。

到倫理階段才有真正的婚姻與友誼，可以用浪漫的愛來代替感性的情欲，用真誠的互助來建立友誼，個體與社會能夠保持和諧，由此超越感性階段的虛幻生活。進入道德層次，可以突破個人封閉

的世界，開始與別人互動，接受責任與義務，活在實踐的過程中。

倫理階段的特色是「內求」。自我開始出現，生命變得完整而有目的性，不再依感受來決定好惡，而是用理性來判斷道德責任。

倫理階段的主要問題是「自以為義」，即相信自己是正義的，肯定道德的無上價值；但是忽略了人的根本軟弱，人根本不可能達成道德上的完美要求。我們現在可以平安度日，是因為沒有受到太大的誘惑。當遇到真正的誘惑時，誰也不敢說自己一定可以抵擋得住。這說明道德有它的極限，在道德方面絕不能自負或自以為義。

進入道德階段，我們一方面可以與別人合作，按照道德規範來進行社會生活；另一方面，我們雖然沒有犯法，卻不能自覺無罪。看到社會上的各種罪惡，總覺得直接或間接與自己有關。這時要繼續冒險跳躍到第三個階段 ── 宗教階段。

（三）宗教階段

齊克果是虔誠的基督徒，有深刻的宗教信仰。

宗教階段的特色是「依他」，要從「外馳」到「內求」，再到「依他」。人為什麼要「依他」？因為人知道自己的軟弱，永遠沒有把握可以抵擋所有的誘惑，在道德上成為完美的人。在道德上自認為完美，就已經是一種缺陷了。

在這個階段要超越理性的層次，接受絕對的超越界（上帝）所要求的一切，要用啟示勝過理性，用信仰超越人倫。在倫理階段會強調人倫、家庭、愛情、財富、名譽等等，此時必須整個放下，把這一切都當做執著，才能成為真正的基督徒，順利完成信仰的跳躍。

齊克果強調，人本來就是身與靈、有限與無限、時間與永恆的綜合。順著神的指示，就會得到永恆的幸福。為何會有這種把握？因為基督徒相信，耶穌是神取得人的身體，是無限與有限的融合。

以耶穌做為示範，才有可能化解人生的問題。

齊克果進一步把宗教分為兩種：第一種是宗教 A，第二種是宗教 B。

所謂宗教 A，在世界各地都能看到這樣的宗教，特點是依他。一個人自覺生命有限，就要尋找一個無限的基礎，並設法與這個基礎建立關係，可以用蘇格拉底做為代表。蘇格拉底承認自己的無知，所以他要追求真知、追求永恆，但是他沒有問永恆是什麼。這種宗教的重點是人，由人來界定人與神的關係。

宗教 B 就是基督宗教，重點在於永恆的神，核心是一個難以解釋的弔詭（paradox），即自相矛盾、似是而非、似非而是。譬如，有限與無限結合在一起，這怎麼可能呢？耶穌是人也是神，他死而復活，這些都讓人難以理解。齊克果承認，信仰是違背理性的，一定有冒險的成分。

收種與啟發

齊克果認為人生有三個階段：

1. 第一個是感性階段，即透過人的感官能力去享受人生，今朝有酒今朝醉。這樣只會讓人憂鬱，覺得重複而乏味。這時必須做出選擇，是否向下一步跳躍。

2. 第二個是倫理階段。在倫理階段可以接受某些道德規範，在社會上與別人互動。處於這個階段的人有一定的道德水準，但可能過於自滿，認為自己有道德。這樣的道德缺乏穩固的基礎，你只是尚未遇到大的誘惑，所以暫時能夠維持表面的穩定。當你看到社會上的各種痛苦與罪惡，總覺得與自己有關。從第一階段的「外馳」到第二階段的「內求」，已經有了進步；但還要再進一步尋找自己的根源，再次進行跳躍。

3. 第三個是宗教階段。這一階段的特點是「依他」。宗教 A 從理
   性出發，找到理性的極限，然後接受一個超越的力量，即哲學
   家的上帝，以之做為萬物的來源與歸宿。宗教 B 就是齊克果信
   仰的基督教。他要求基督教的表現完全符合《聖經》的原始教
   訓，所以他對於當時教會俗化的情況深表不滿。齊克果的上述
   說法值得我們參考。

課後思考

　　齊克果認為人生有三階段，你根據自己的觀察，認為人生可以
分為哪幾個階段？

補充說明

　　禪宗有一段公案：第一步，看山是山，看水是水；第二步，看
山不是山，看水不是水；第三步，看山還是山，看水還是水。這
時要問：第一步「看山是山，看水是水」與第三步「看山還是
山，看水還是水」之間有什麼不同？如果到了第三步還是跟原來
一樣，那麼修不修行有什麼差別？

　　這個比喻的用意是：你透過修行，了解山並不是你原來看到的
那個山，水也不是你原來看到的那個水。你知道山不是你所看到
的、所想像的、從外表掌握的、從概念了解的那個山。但是最後
你還是要像坐飛機一樣返回地面，說山還是山，水還是水；否則
你怎樣跟別人溝通？

　　我年輕時喜歡王國維的《人間詞話》，書中用三首詞來說明人
生的三種境界。第一境是「昨夜西風凋碧樹，獨上高樓，望盡天
涯路」。第二境是「衣帶漸寬終不悔，為伊消得人憔悴」。第三
境是「眾裡尋他千百度，驀然回首，那人卻在，燈火闌珊處」。

第一境描寫我在特別的心境下，獨上高樓，可以看透整體，望盡天涯路，知道自己的目標何在。第二境描寫我要為這個目標努力奮鬥，衣帶漸寬也不後悔。最後發現，我在世界上尋尋覓覓，真正要找尋的其實是自己。我們這一生所要成就的並不在外，而是在內要實現真正的「自我」。因此，「驀然回首」四個字是關鍵。「那人卻在燈火闌珊處」，代表此時的「自我」仍有一點模糊，需要把它充分彰顯出來。這樣描寫人生境界非常生動優美，但還是有一點抽象。

我在美國念書的時候，對於人生境界有了更深的思考，喜歡蔣捷的〈虞美人〉，他描寫了人生三個階段聽雨的感受。

第一階段是年輕時聽雨。「少年聽雨歌樓上，紅燭昏羅帳。」代表今朝有酒今朝醉、盡情享受人生的階段。

第二階段是中年聽雨。「壯年聽雨客舟中，江闊雲低，斷雁叫西風。」我在美國念書時已步入中年，對此深有感觸。蔣捷和王國維都提到「西風」，因為根據中國的地理形勢，東邊吹來的風溫暖溼潤，而西邊吹來的風陰冷蕭瑟，密雲不雨。

第三階段是老年聽雨。「而今聽雨僧廬下，鬢已星星也。悲歡離合總無情。一任階前，點滴到天明。」詩人到廟裡暫住，已經兩鬢斑白。人生的悲歡離合是無情的，還是讓臺階前，一滴滴的小雨下到天亮吧。

這首詞同樣是對人生三個階段的生動描寫，但它跟齊克果所謂的「感性－倫理－宗教 A、宗教 B」有很大的不同。中國的文人作家能準確把握當下的情緒，描寫非常到位，但他並沒有告訴你要往哪個方向去發展。對西方哲學家來說，一定要有一種方向感，因為愛智慧要對人生有完整而根本的理解，進而指出一個明確的方向。一定要從最後那一點回頭來看，才能真正理解人生。

第三十五章

齊克果與尼采

存在主義先驅

35-1　齊克果的核心觀念 —— 焦慮

　　本節要介紹齊克果的核心觀念 —— 焦慮。它既是存在主義的一個核心觀念，也是貫穿每個人一生的一種狀態。人生是不斷選擇的過程，選擇就會帶來焦慮。

　　本節要介紹以下三點：

　　第一，焦慮是什麼？

　　第二，焦慮的產生。

　　第三，焦慮的背景。

（一）焦慮是什麼？

　　人在選擇時都會有焦慮。譬如，第一種情況，你買一件衣服、吃一頓飯、買一輛車子，這些選擇能使生活更加便利，此時所面臨的焦慮是比較具體的層次。第二種情況，你選擇什麼行業、與什麼人交朋友甚至結婚，像齊克果訂婚之後又解除婚約，這些都是非常關鍵的抉擇，對每個人的意義或重要性都不一樣。第三種情況，你選擇是否忠於自己。這聽起來有點抽象，其實是最根本的問題。

　　選擇為何會帶來焦慮？原因有三：

1. 選擇是一次性的。任何選擇都在時間中進行，而時間一去不復返。所謂「一失足成千古恨」，就有類似的意味。

2. 選擇是有後果的，這種後果未必合乎預期。一個選擇之後，可能接著還要繼續做選擇。選擇就要負責任。人往往前半生粗心大意，後半生補救過錯。選擇的後果讓人面臨壓力，也

帶來責任的問題。

3. 最關鍵的是要選擇成為自己。每個人都是獨一無二的，要對
自己的生命負責。人終究要面對死亡，所以要自問：我這一
生該怎麼過？

選擇面臨時間上與責任上的壓力，最終還要面對死亡的壓力。
因此，選擇必然會帶來焦慮。齊克果所謂的「焦慮」（dread）並
非一般意義上的，它有三點重要的內涵：

1. 焦慮不是恐懼（fear）。恐懼有明確的對象，如怕鬼、怕怪
物等；但焦慮沒有明確的對象。

2. 焦慮讓人坐立不安，必須做出選擇，才能安頓自己。

3. 選擇之後可能換來空無的結果，焦慮的對象是空無。所謂
「空無」，是指一種可能性。可能性又與人的自由緊密相
連。所以，焦慮就變成人在本質上最基本的狀態。

因此，焦慮沒有明確的對象，因為它的對象是空無，而空無又
與人自由選擇的可能性密切相關。

（二）焦慮的產生

人為何會產生焦慮？齊克果說：「如果人是動物或天使，則根
本沒有焦慮的問題。」動物只有身，天使是純粹的靈，而人是身與
靈的綜合體。人除了身與靈，還有意識。如果意識尚未意識到自
己，就好像在睡夢中或小孩，他可以保持平靜而沒什麼掙扎。但人
一旦意識到自己有靈性，而靈性成分太少，就會產生焦慮。另外，
意識到自己命中注定要由自己來創造自己的存在，焦慮就會更嚴重。

這兩種焦慮都歸結為人的罪惡感。人常常會感到愧疚或抱歉，
覺得自己靈性不夠，又覺得自己有責任創造自己的存在。齊克果直
接說：「罪惡由焦慮而進入世界，同時罪惡也帶來新的焦慮。」換

言之，人之所以會焦慮，是因為他的自由行動有可能犯錯；而這些錯誤就是使罪惡產生的根本原因。

一個人要把自己存在的可能性化為現實，此時的感受可以用「暈眩」來形容，就好像站在懸崖邊上，看著腳下的萬丈深淵而頭暈目眩。人因為擁有自由而產生暈眩，他察覺自己是身與靈的綜合體，此時產生的情緒或狀態就稱為焦慮。更清晰的表述是：

1. 存在的焦慮是對所焦慮之物的渴望及厭惡。人渴望身與靈的統合，以達到自己本然的存在；但自己根本做不到這一點，於是產生厭惡。
2. 焦慮時刻都會出現，令人無法逃避。因為它展示了人的可能性，要求人以熱忱開展行動，在剎那之間可以接觸到永恆。
3. 齊克果稱這種焦慮是「神聖的憂鬱症」，因為它可以讓人接上永恆的世界。

（三）焦慮的背景

人一旦察覺到自己的自由，就可能產生焦慮。焦慮的原始背景為何？齊克果追溯到《舊約・創世紀》的神話。上帝造了亞當、夏娃之後，把他們安置在伊甸園裡，只有一個禁令：不准吃知善惡樹和生命樹的果子。生命樹還沒有上場，知善惡樹就成了關注的焦點。

亞當和夏娃吃了知善惡樹的果子，結果「他們眼睛張開，發現自己赤身裸體」。這句話很關鍵，代表他們以前雖然有眼睛，但只能向外看，而沒有向內的自我意識。他們吃了果子後，產生了自我意識，於是知道了善惡。因為必須先有一個「自我」存在，才能做出善惡的選擇。換言之，在吃這個果子之前，亞當是無罪的。

齊克果認為，人的始祖一開始是無罪的。其實，無罪就等於無知，那時的精神狀態還在睡眠之中，感覺到平和、安靜。同時，他

知道有一個禁令──禁止吃某種果子。禁令喚起了自由選擇的可能性，你可以遵守，也可以不遵守，否則就不叫禁令。這種選擇的可能性帶來虛無的可能，由此產生焦慮。

所以，無罪最深刻的祕密就在於它同時也是焦慮。當精神在睡夢中，它投射自己的存在，這個存在就是虛無。無罪始終在自己以外看到這樣的虛無，因為你選錯了就會落空，進入一種空無狀態。焦慮是精神在夢中的一種限制。因為當你清醒的時候，與他人的區別是明顯的；但睡著的時候，這個區別被擱置了。所以在夢中，虛無被襯托出來。人的精神狀態常常以對自己的可能性躍躍欲試的形象顯示出來，但精神要去掌握這樣的形象時，它就消失於無形，只剩下令人焦慮的虛無。

簡單說來，齊克果強調，無罪就等於無知，無知就是精神在睡夢中。人在夢中會投射自己的實在，此時看到自己的虛無，從而產生焦慮。任何一種禁令都會喚醒你自由的可能性，那也是犯罪的可能性。這種禁令使亞當焦慮，也是此後人類焦慮的根源所在。

分析焦慮問題之後，齊克果做了簡單的結論，他說：「人在犯罪之後，心靈受悔恨所困，這時焦慮就絕望似的投身到悔恨之中。但悔恨不能取消罪惡，只能使人悲傷，除非你找到信仰，可以投身於無限的上帝。」

以今天的情況來看，焦慮是由選擇帶來的。人可以選擇不成為自己，就像齊克果所說的三種絕望──不知道有自我，不願意有自我，不能夠有自我。所以，關鍵的選擇有兩種：如果選擇不成為自己，或不選擇成為自己，都是逃避而不負責任的；但是選擇成為自己的話，壓力可能更大。

齊克果說：「個人向著一個無法完全理解，也不能一勞永逸實現的目標前進，因而一直處在變化之中，必須藉著一連串的抉擇來

塑造自己。」這種抉擇把自己投身到選項中，要對某個目標託付自己，獻身於這個目標，但又不知道它能否達成。

1. 人在一生中會面臨各種各樣的選擇，選擇時都會產生壓力。因為選擇是在時間之中，而時間一去不復返，對於選擇的後果要負責任，最後還要面對死亡，這些壓力會使人產生焦慮。焦慮不是恐懼，因為它沒有明確的對象，它只是自由所必須具備的可能性而已。焦慮讓人坐立不安，必須做出選擇，不能推脫。但選擇之後，也可能陷於困惑。

2. 人會產生焦慮，因為人既非動物又非天使，而是身與靈的綜合體。人一旦意識到這種綜合，就會發現自己靈性成分太少，以致於無法平衡，找不到真正的重點；同時你會意識到，自己的命運就是要去創造自己的存在。這些壓力會使人產生罪惡感。

3. 齊克果探討焦慮的背景，追溯到《舊約‧創世紀》中上帝創造亞當的神話。人最初的無罪狀態就是無知，等於精神在睡夢中。同時，他知道有一個禁令，禁令就包含自由選擇的可能，焦慮由此而生。除非依靠信仰，否則人一生都不能免於焦慮。

課後思考

焦慮來自於人必須做選擇，選擇有三個特色：

1. 在時間之中，而時間一去不復返；
2. 要負責任，因為有後果要承擔；
3. 人終究要面對死亡，所以選擇關係到人的生命品質。

對於如何面對焦慮或降低焦慮帶來的壓力，請問你有什麼想法？

35-2　齊克果對真理、信仰與存在的看法

　　本節要介紹齊克果對真理、信仰與存在的看法。齊克果是存在主義的創始人，他提出的基本術語和觀念，以及他在作品中表達的生命特色，對後代學者有很大啟發。

　　本節要介紹以下三點：

　　第一，齊克果強調真理的主體性。

　　第二，齊克果的信仰觀是什麼？

　　第三，齊克果對存在的看法。

（一）齊克果強調真理的主體性

　　齊克果強調「主體性的真理」，有時也譯為「主觀性的真理」。兩者意思一樣，但譯為「主觀性」容易產生誤會，所以譯為「主體真理」或「主體性的真理」更為適合。

　　所謂「主體性的真理」，是指我這個主體所體驗到的、對我為真的真理，我可以為之生、為之死。傳統所謂的「真理」，是指某種學說、觀點或是命題與實際狀況相符合。齊克果所強調的是主體性的真理，而不再是客觀真理。換言之，只了解真理還不夠，一定要付諸行動，才是真正的真理。

　　齊克果一向主張言行一致或知行合一。他批評丹麥教會的牧師只追求生活的舒適，與耶穌的精神背道而馳。在希臘哲學家之中，

他最佩服蘇格拉底，因為蘇格拉底忠於自己的思想，甚至不惜一死。主體性真理可以激發人無比的熱忱，與信仰幾乎是同一件事。

齊克果強調，人生唯一重要的是人的內在世界，那才是生命的根本所在。人要找到主體性的真理，而不必在乎所謂的客觀真理，因為我們並不住在客觀真理之中。他有一段話把他的真理觀與信仰觀聯繫起來，他說：「真正認識自己就是認識上帝，而認識上帝就在於認識自己之中。人的內心就是神的殿堂，在那兒與神面對面。所以，真正的人生是成為上帝面前的我。」

傳統哲學一向採用理性的方式，重視普遍的應用，但是這種方式對個人實際的生命能有多少啟發？存在主義走的是另外一條路線。存在主義每一位代表，都以個人生命體驗做為思想的基礎。他們個性鮮明，遭遇獨特，他們的心得未必能普遍應用在所有人身上。但我們可以從中學到一些基本觀念，以之對照自己的人生，會獲得深刻的啟發。我們發現，人不再是抽象的、有理性的動物，而是一個活生生、有血有肉、有苦有樂、可以行善也可以為惡的人。

因此，主體性真理才是我們真正需要的。把整個生命全方位的投入某個真理之中，這本身就是一種要求信仰的態度。從齊克果所處的時代和社會來看，他很自然就會信仰基督宗教。

（二）齊克果的信仰觀

齊克果批評西方過於重視理性，導致現代人出現精神官能症等諸多問題。他曾經評論希臘文化說：「當一切都從屬於美的時候，美會引導我們到一個沒有精神的綜合，這就是希臘文化的全部祕密。因此，希臘型的美有一種安全、平靜的莊嚴。但正因為如此，也有一種希臘人自己也許沒有理會到的焦慮。在希臘型的美之中，既沒有精神，也沒有痛苦。正因為如此，反而有一種深刻而無法理

解的痛苦。」換言之，感性的審美並非罪過，而是一個不能理解並使人焦慮的謎。天真無邪伴同著一個無法深究的虛無，那就是焦慮的虛無。焦慮沒有明確的對象，而是以虛無或空無做為它的對象。

　　齊克果在信仰方面也有獨特立場。他強調，在信仰面前，每一個人都是單獨的個人，而不是人群或群眾之一。他要求別人在他墓碑上寫上一句話：「那一個個人，他是要做一個在神面前獨立的人。」換句話說，他的信仰與他單獨的個人連在一起。所謂「單獨的個人」，超過一般人所能達到的情況。一般人沒有個性，躲在人群中，談不上負責。他們跟著大眾走，可以高談闊論，卻沒有熱情與行動；或者藏在哲學理論的空殼中，自命不凡；或者披著宗教的外衣，卻沒有宗教的精神。

　　齊克果要做一個單獨的個人。他引用《聖經》中所羅門王的話：「上帝創造萬物各按它的時間，在時間中成就一切美好，另外又把永恆安置在人的心裡。」（《傳道書》，3：11）換句話說，齊克果發現，人與萬物的不同之處就在於人性深處具有永恆，永恆是人之所以為人的本質所在。人與永恆的上帝在這一點上有了特定的連結。要做在上帝面前的人，才是真正做人；做一個真正對自己生命負責的人，才是一個站在上帝面前的人。

　　人是有限與無限所構成的關係，人的自由是可能性與必然性之間溝通的元素。所以單獨的個人要運用自由，把有限與無限聯合起來，使可能的人成為必然的人，從而與永恆結合。所以，人是自身存在的創造者。

（三）齊克果對存在的看法

　　齊克果如何看待「存在」？簡單來說，所謂「存在」並不是選擇這個或那個、選擇善或惡，而是選擇成為自己。

　　他再一次強調人的二元性。人是身體與靈魂的組合，有限與無限的組合，時間與永恆的組合，可能與必然的組合。這樣的自我永遠在深度變化之中，一直想要成為自己。已有的自我已經過去，我要努力實現自我的可能性。如果只是幻想自我的可能，而不採取行動使它成為必然，這個自我就會消失於虛無中。這種可能性像一面鏡子，它照見的自我只是一半，而另外一半則要把可能性加以實現。人生就在這種可能性與必然性之間來回行動，由此顯示出人生的奧祕。

　　簡單說來，存在就是選擇成為自己的可能性。這種可能性就是自由，由此也帶來了焦慮。這些觀念反覆糾纏在一起。關鍵在於：成為自己到底需要什麼？首先，要有可以為之生、為之死的主體性真理。接著，還要有純真的信仰。

　　齊克果後期作品的焦點都放在宗教上面。他甚至用一段類似禱告的說辭，來談論人與永恆者之間的關係。這個永恆者就是上帝，而上帝就是愛。齊克果說：「天父啊，人沒有你，算得什麼呢？人若不認識你，他所知道的算得什麼呢？雖然他有浩瀚的知識，也不過是瑣碎的碎片而已。唯一的神吶，你是一，也是一切。求你在人憂愁、悔改的時候，把他所需要的勝利賜給他。他的勝利就是專注於一件事，也就是成為他自己。」

　　齊克果有關信仰的這些表述，反映他個人獨特的生命經驗。如果沒有類似的經驗，則只能從文字上了解他的意思。但是深入思考就會發現，其實每個人的心中都有類似的願望，只是讓內心獲得安頓的途徑各有不同。

　　譬如，中國禪宗的二祖是慧可，他在拜訪禪宗初祖達摩祖師的時候，提出了一個具有普遍意義的問題，他說：「求大師為我安心。」每個人在生命的關鍵階段，都會想到這個問題，也都希望能

得到一個答案。

　　內心不安這個問題始終存在，這就是齊克果所說的「焦慮」。齊克果在他的文化背景中找到了答案。我們有不一樣的機緣和文化背景，不一定非要接受他的答案。齊克果引發了二十世紀最重要的學派 —— 存在主義。存在主義學者的思想有極大的差異，但他們還是有共同的問題與關懷。

（課後思考）

　　齊克果認為，存在就是選擇成為自己的可能性。你對這句話有哪些個人的體會？你曾經在哪件事情上選擇成為自己，並因此而付出某些代價，但是你覺得心安理得？

35-3　尼采的成長經驗

　　本章的主題是：尼采的超人哲學。

　　西方哲學家通常會給人一種感覺，好像他們高人一等，與平凡大眾格格不入。尼采是這些哲學家當中最特別的一位。他說過一句人類所能想像出最自負、最狂妄的話，尼采說：「如果有上帝存在，我如何能夠忍受自己不是上帝？」難怪西方哲學界有個笑話說：「尼采說上帝死了，上帝說尼采瘋了。」

　　尼采確實瘋了。尼采只活了五十六歲，他在四十五歲時就進了瘋人院。所以，他正常生活及思考的時間只到四十五歲為止。尼采確實瘋了，但上帝死了嗎？直到今天，仍然有很多人信仰上帝。事實上，尼采說「上帝死了」有他特別的指涉。

　　尼采（F. W. Nietzsche, 1844-1900）這個人不容易被了解。有人形容他像火藥一樣，可以破壞一切。他也認為沒有人可以了解他，他說：「我或許是一個怪人。」尼采說過許多狂妄的話，不是正常人所能想像的，因為他吃的苦比別人多。他從年輕時開始，在身體與心智方面就有嚴重的病痛，使他備受煎熬。此外，他的知識比別人廣，對於古希臘到當時的哲學都有清楚的認識。同時，他的思考比別人深，從西方傳統的有神論到無神論、一直到虛無主義都想通了。可見，尼采碰觸到人的最高以及最低的底線。或許可以說，尼采代替人類測試所有的底線，以致於最後崩潰發瘋了。

　　本節的主題是尼采的成長經驗，要介紹以下兩點：

第一，尼采的生平簡介。

第二，影響尼采的四個元素。

（一）尼采的生平簡介

　　尼采的曾祖父、祖父、外祖父、父親都是基督教的牧師，他的父親還擔任過普魯士王國四位公主的老師。尼采五歲時，父親不幸車禍身亡，尼采就在母親、妹妹、祖母、兩位姑姑之間慢慢成長。這種特別的生活背景，使尼采對於宗教、道德、女性等問題都產生偏激的看法。

　　尼采有宗教背景，喜歡音樂和詩篇，十歲就可以作曲。他小時候被人稱為「小牧師」，能夠用讓大家感動掉淚的方式，背誦《聖經》的箴言與聖詠。他在中學時代，打下很好的希臘文基礎。二十歲念大學，攻讀語言學與神學。他在語言學方面表現傑出，在二十五歲還沒有拿到博士學位時，就已經得到老師的推薦，出任瑞士巴塞爾大學古典文學的客座講師。但是十年之後，他三十五歲時就辭職了，因為那時他的眼睛幾乎失明，常常出現幻覺。之後他全力從事創作，經歷了人生各種複雜的遭遇。

　　尼采從小生活在女性親友之中，對女性覺得既害羞又難解。他曾經先後向兩位女子求婚均被拒絕。在知識方面，他從古希臘文化開始研究，第一本著作就是《悲劇的誕生》（*The Birth of Tragedy from the Spirit of Music*）。

　　從上述對尼采的簡單介紹，可以想像這個人注定要度過不平凡的一生。

（二）影響尼采的四個元素

　　影響尼采的有四個重要的元素，分別是基督教、希臘悲劇、叔本華（Arthur Schopenhauer, 1788-1860）以及華格納（W. R. Wagner, 1813-1883）。

1. 基督教

尼采生活在信仰虔誠的家庭中，因為相信人有原罪與缺陷，所以產生很深的罪惡感。他的良心常受到困擾，性格傾向於憂鬱，終於產生強烈的反抗情緒，認為宗教抹殺了人性，窒息了理性，否定了現世的價值。尼采後來對基督教的道德提出嚴厲批判。因此，他所說的「上帝死了」，與一般的無神論者不信上帝是兩回事。

2. 希臘悲劇

希臘悲劇是西方文化的源頭之一，尼采對其有透澈的理解。他認為悲劇是由日神與酒神合作產生的。日神阿波羅（Apollo）代表太陽，光天化日，顯示生活中必須有的形式與規範。酒神狄奧尼索斯（Dionysus）代表人在喝酒之後的混亂無序，充滿無限的創意，可以配合及突破形式，產生創造的力量。這兩種力量匯合之後產生了希臘悲劇，使希臘人可以忍受現實生活的種種煩惱與痛苦。尼采說：「只有這種悲劇藝術，才能把人在現實世界中的厭煩感轉變為使他活下去的想像力。」

3. 叔本華的哲學

尼采二十一歲時，在書店裡讀到叔本華的代表作《作為意志和表象的世界》。他一看到這本書，內心立刻發出一種聲音：要把這本書帶回家。他後來說：「這本書中的每一句話，都是否定、棄絕、不認命的呼喊，使憂鬱的特質在我身上發生作用。」

尼采從叔本華那裡學到了什麼？他認為，人的生命中難免會有痛苦。我們愈享受人生，就愈受其奴役。所以要摒棄物質，力行禁欲。尼采年輕時還在桌上放了一張叔本華的照片，每當遇到困難，他就喊：「叔本華，救命啊！」但是十一年之後，尼采三十二歲時去義大利旅遊，讀到另外幾位作家的書，包括蒙田（Michel de Montaigne, 1533-1592）、司湯達（Stendhal, 1783-1842）、歌德（J.

W. von Goethe, 1749-1832）等，使他產生了新的想法。他認為叔本華的觀念過於悲觀消極，他開始聲稱自己不同意叔本華的學說。

4. 華格納

尼采在二十四歲時，結識了當時德國重要的作曲家華格納。尼采一開始對他推崇備至，他的第一本書就聲明要獻給華格納。他視華格納為德國的愛斯奇勒士（Aeschylus, 526-456 B.C.，希臘悲劇的創始人），把他當做振興文化的希望所在。但是交往多年之後，他看到華格納表現出權威主義與利己心態，逐漸向王權與宗教權威妥協，便與華格納分道揚鑣。

尼采後來聽到比才（Georges Bizet, 1838-1875）的歌劇《卡門》，他連續聽了二十次，他說：「這是我美學的第一樂章，可以使人大病初癒，使我成為更好的人、更優秀的哲學家。」比才的歌劇給了尼采很大的啟發，使他決心離開華格納，把華格納當做虛偽的、已經毀壞的作曲家。尼采對音樂相當重視，他說：「沒有音樂，生活將是一種錯誤。」

尼采年輕時受到上述四方面的重大影響。叔本華與華格納的影響有階段性。尼采發現叔本華過於悲觀消極，華格納放棄初心，與基督教妥協，便與他們分道揚鑣。基督教與希臘悲劇則始終對尼采的作品有重要影響。尼采說「上帝死了」，對基督教表達最極端的反抗。在希臘悲劇方面，尼采常以酒神狄奧尼索斯做為自己的典型。

收種與啟發

1. 深刻探問生的理由

尼采是非常特殊的哲學家。他具有反抗的個性，即使不去求生，卻不能不探問生的理由，並抗拒死亡的種種。為了賦予人生一種意義，他勇於接受考驗。他說：「那些沒有消滅你的東西，

會使你變得更強壯。」他又說：「一個人知道自己為了什麼而活，他就可以忍受任何生活的折磨。」這些都是深刻的人生體會。

想了解尼采並不容易，他在整個西方哲學史上屬於明顯的異類。但這正好讓他有機會擺脫西方的背景，替整個人類測試人在理性上、感情上、意志上、信仰上的各種底線。他在四十五歲的時候發瘋，但是他提出的各種觀念在一百多年後的今天，依然顯示出強勁的吸引力。

2. 測試做為人的各種極限

每個人只要閱讀尼采，都會不斷測試自己做為人的各種極限，所以他的作品有很大的危險成分。但透過尼采，也能感受到人生命的真實價值。把尼采與存在主義放在一起，是因為他為後代學者提供了無比的勇氣。要選擇成為自己，必須具備這樣的勇氣。

尼采經常到阿爾卑斯山上度過夏天。他說：「哲學，就我目前所了解並實踐的，就是自願到冰天雪地的高山上生活。」高山上空氣稀薄，讓很多人難以忍受，但尼采說：「你要愛智慧就必須如此。要真正體驗生命，就必須站在生命之上。為此要學會向高處攀登，為此要學會俯視下方。」他甚至說：「一個人一天至少要有三分之一的時間，遠離激情、人群與書本，否則怎麼可能成為思想家呢？」

(課後思考)

學習尼采必須提高警覺，尼采的很多觀念來自於他獨特的生命經驗。我們學習的時候，首先要盡量客觀的去理解；但是在自己的生命裡應用時，則要加倍小心。請問，你的人生中有哪些特殊經歷，對你日後思考問題有很大影響？你會用哪些特殊的方式說明自己的思考？

35-4　尼采說「上帝死了」

本節的主題是：尼采說「上帝死了」，要介紹以下三點：

第一，「上帝已死」這句話的出處。

第二，「上帝已死」引申的意義。

第三，尼采對宗教的批判。

（一）「上帝已死」的出處

「上帝已死」這句話出自何處呢？尼采說過「上帝已死」，這是一句非常特別的話。尼采當然不是隨便說的，他對基督教有深刻的認識與體驗。他在三十八歲時出版了《歡悅的智慧》一書，其中有一段寓言故事提到上帝已死。尼采這樣寫道：

有一個瘋子大清早提著燈籠，在市場上大喊：「我在找上帝！我在找上帝！」旁觀的人聽了就大笑，說：「你這個上帝走失了嗎？像小孩子一樣迷路了嗎？還是他故意藏起來了？他害怕我們嗎？他到遠方去旅行了嗎？他搬走了嗎？」我們一般人很容易就會表現出類似的反應。

這個瘋子說：「我告訴你們，我們殺了他，是我們人類把上帝給殺了。好像大海傾斜，海水被倒光了，天地的分界線被擦掉了，地球與太陽的紐帶被割斷了。請問，地球還在轉動嗎？或者在到處亂撞，跌入深淵，前後左右不斷的飄蕩？一切不是在走向虛無嗎？黑暗不是愈來愈深沉嗎？早晨不是也需要燈籠嗎？」換言之，對西方世界來說，如果上帝死了，整個宇宙就會全部瓦解。

上帝死了對人有什麼影響呢？這個瘋子說：「誰能擦去我們手上的血跡呢？我們是謀殺者。誰能用什麼樣的水來洗滌我們？有什麼樣的贖罪儀式可以幫助我們？因為殺死上帝這個舉動太嚇人了，就憑這一點，我們已經足夠使自己變成上帝。」尼采在這裡轉了一個彎，說明人生觀必須從此改變。如果沒有上帝，而我們又不能變成上帝，那麼整個宇宙根本就沒有一個合理的解釋，人生將找不到真正的意義。瘋子繼續說：「過去沒有見過這樣的事，將來也不會再有。就因為這件事，人將成為前所未見的歷史的主角。」

瘋子說完這話，就甩掉燈籠，臨走的時候說：「我來得太早了，我的時間還沒有到。這件事情正在發生的過程中，沒有人願意聽。」接著，這個瘋子進了好幾座教堂，在裡面唱了《祝上帝安息曲》。他出來的時候，自言自語：「這些教堂現在除了是神的墳墓，還能是什麼嗎？」

尼采透過這個簡單的寓言，說明西方人的宇宙觀已經瓦解，人生觀受到挑戰，而價值觀必須重建。簡單來說，要把「上帝已死」理解為，尼采要為西方文化重新界定價值系統。

（二）「上帝已死」引申的意義

「上帝已死」有什麼引申的意義呢？

首先，尼采本人不再相信上帝。他從小在虔誠的宗教家庭中長大，對基督教的教義非常熟悉。但是，尼采現在不再相信人有靈魂、有來世、有永生，他也不再相信超自然的上帝會來救人。人活在今天的世界上，你有一個身體，而身體屬於大地（地球），所以沒有仰賴上帝的必要。

第二，尼采說「上帝已死」，但他無法掩飾內心的矛盾。他說：「如果沒上帝，我如何能夠忍受自己不是上帝呢？」所以，他

反抗上帝是為了取而代之。排除了上帝，自己才能成為上帝。但是，你把做為權威的上帝打倒了，自己變成權威，那個「自己」又是誰呢？不可能是人類，因為「人類」只是一個集合名詞。所以，尼采由此延伸出他的超人哲學，要用超人來取代上帝的位置。

第三，事實上，尼采最厭惡的是當時在歐洲隨處可見的掛名的教徒。這些人宣稱自己是基督徒，卻沒有相關的行為表現。換言之，就是這些基督徒殺死了上帝。不信教的人對基督教並不了解，他們是無法殺死上帝的。

尼采認為，推翻上帝之後，人才會覺悟到自己的責任。如果人過於依賴上帝，就不會自己努力，這樣反而對人有害。他說：「上帝因為過多的憐憫而死。上帝憐憫人，人接受這樣的憐憫，於是不知道去承擔自己的責任，人活著也顯示不了人的價值。」

尼采說：「所有教會都是耶穌基督墳上的墓碑，他們拚命在阻礙基督的復活。」換句話說，正是這些教會以及信徒不讓耶穌復活的，因為他們掌握了現實世界的既得利益，習慣既定的生活方式，而不再願意顯示真正的宗教精神。總之，基督徒扼殺了上帝。上帝如果死了，就不再對人的存在負責。所以接下來，人必須負責自己的生命。

（三）尼采對宗教的批判

這裡所謂的宗教主要是指基督教。尼采如何批判基督教？

1. 宗教要人信賴上帝，上帝可以對人憐憫，這樣反而使人委靡不振。一個經常被憐憫、被原諒、被寬赦的人，不可能成長和獨立。
2. 宗教使人的注意力向著來世，總想到死後要升天堂，而忽略現在這個生命。

3. 宗教的賞罰觀念降低人的道德水準。行善是為了受賞，而不是為了其他高尚的動機，譬如愛。如此一來，人就會缺乏獨立自主的心態以及承擔責任的心態，使人走向「奴隸道德」，而缺乏高貴的「主人道德」。

4. 宗教偏重以靈性來壓迫身體，總是強調要節制欲望才能提升靈性，使現實人生變得消極而蒼白。換句話說，懺悔使人降格。經常懺悔讓人覺得自己不堪、不完美、有原罪。所以，尼采要完全否定宗教。

收穫與啟發

1. 先知是寂寞的

尼采在《歡悅的智慧》一書裡提到「上帝已死」，他用一個瘋子做比喻。這個瘋子最後認為自己來得太早，他的時間還沒有到。這正是尼采自己的寫照。先知往往是寂寞的，因為他的警告在目前只是初露端倪。

尼采後來有很多觀念發人深省，譬如他說：「哲學家是文化的醫生。」醫生可以憑藉專業能力與儀器對病情提出預判。文化是人類生活的具體表現，也可能生病，哲學家能夠見微知著，判斷文化的發展趨勢。尼采發現，文化已經出現重大危機，只是一般人尚未察覺。

2. 人必須自己負責

尼采說「上帝已死」，是要強調今後這個上帝不再為人的存在負責，人必須自己負責。尼采從小對基督教耳濡目染，他清楚知道這種宗教會對一個人（特別是對一個孩子）的心理狀態造成各種負面的影響，所以他不再相信上帝。但他無法掩飾內心的矛盾，因為人不可能活在一個沒有上帝的世界中。如果上帝已死，

就要讓人取而代之，所以尼采後來提出超人哲學。尼采這句話真正想要表達的是，他最厭惡那些掛名的教徒，正是成群結隊的基督徒殺死了上帝。當時幾乎沒有人不信仰這個宗教，但他們的表現與真正的信徒之間有明顯的落差。

3. 尼采對基督教提出批判

他認為，信仰上帝會使人委靡不振，不能自立自強；宗教使人的目標轉向來世，而忽略現在的生命；宗教的賞罰觀念會使人的道德水準降低，總是為了將來有好的報應才去行善；宗教以靈魂壓迫身體，使現實人生降低了格調。

從尼采所說的「上帝已死」，至少可以學到三點：

1. 宇宙從此失去意義，不可能被人理解；
2. 人生只能靠自己，為了使人生有意義，必須訂立新的目標，讓自己成為超人；
3. 原有的善惡標準不再有效，人必須重新界定價值系統。

尼采整個哲學就從「上帝已死」這句話推展開來，他的目標是要重新界定價值標準，否則人生何去何從？

課後思考

聽到尼采說「上帝已死」，就算不是基督徒，也會深受震撼，因為這是對傳統價值觀的反思與挑戰。請問：對於你一向接受的價值觀，有哪一點值得重新反思？

35-5　尼采的超人哲學

　　尼采認為上帝死了，人陷於孤獨之中，被新的悲哀與新的幸福所困擾。他感覺自己被遺棄，有一種無目的的鄉愁。最痛苦的問題就是：我在內心何處能感受到自己？你向外尋找，已經失去了根源；向內尋找，自己又常在猶豫不定、驚慌不安之中。由此出現了虛無主義的危機。尼采自稱是歐洲完全的虛無主義的先驅。上帝已死，所以不必再談上帝的偉大。你要麼否定偉大，要麼創造偉大，只能在這兩條路中選擇一條。尼采選擇的是創造偉大。順著這個邏輯，尼采要進一步闡述他的超人哲學。

　　本節的主題是：尼采的超人哲學，要介紹以下三點：

　　第一，「超人」這個概念在說什麼？

　　第二，超人是大地的意義。

　　第三，超人的本質是戰士。

（一）「超人」這個概念在說什麼

　　人活在世界上，有理解及選擇的能力，總希望自己能達到比一般人更高的層次。尼采的所謂的「超人」有其特殊含義。

　　1859 年，達爾文（Darwin, 1809-1882）發表《物種起源》，提出演化論的觀念。尼采的年代是 1844 年至 1900 年，那時演化論的思想已經開始流行。所以很多人會以為，就像猿猴演化為人，人將來還會進一步演化為「超人」這個新的品種。但尼采並非強調自然演化的過程，而是希望每個人不要滿足於現狀，要不斷的提升超

越，向超人的目標前進。

　　提到「超人」這個詞，也容易讓人誤以為是好萊塢的電影。尼采的原文是德文的 Übermensch，英文譯作 Overman，意為「走過去的人」。尼采把人比做懸在深淵上的繩索，人是一座橋梁，而不是一個目的，所以要「走過去」。每個人身上都有超人的可能性，人應該被超越。

　　所以，尼采的超人與演化論無關。他強調每一個人都有這樣的可能性，但要經過特殊的修練過程，才有可能成為超人。

（二）超人是大地的意義

　　尼采說：「超人是大地的意義。」這句話是什麼意思？所謂「意義」，是指理解的可能性。譬如，你說一句希臘文，我聽不懂、無法理解，這句話對我來說就沒有意義。所謂「大地」，就是我們生活的這個地球。地球有什麼意義？它有開始、有結束，隨時可能因天災人禍而毀滅。地球的存在是為了什麼？尼采的回答是：為了出現超人。可以從以下五個角度來加以說明：

1. 尼采肯定大地與自然界的一切。他認為只有大地是唯一的真實，所以人應該對大地忠誠，活在它上面。

2. 自然界的一切現象都有必然性，所以人要愛那個必然的東西。這就是尼采一再強調的愛命運。愛那個必然的東西就是自由的精神，這兩個觀念是一種辯證的統合。

3. 尼采認為人完全就是身體，他反對把人分為身與靈，或其他分法。他認為，所謂的「心靈」只是身體的一個名稱而已。所謂「靈魂」的那個理智，其實是身體的工具。身體本身就是一個大的理智，所以人要保持本能的無邪。不要談禁欲，不要談捨棄或克制。只要保持本能，讓它自然發展，就是忠

於你的身體，也就是忠於大地。

4. 生命本身就是成長、延續、累積以及追求力量的本能。缺乏這種「求力量的意志」就是墮落。要肯定生命本身就是快樂的途徑。

5. 要做英雄式的肯定，肯定自己的痛苦，接受一切高尚的矛盾與苦惱。

因此，地球存在的意義，是為了讓人成為超人。但是，成為超人不是靠自然的演化，而是要靠個人的抉擇，要進行特別的修練才有可能。

（三）超人的本質是戰士

尼采強調，超人的本質是戰士。既然上帝已死，不再為人的存在負責，人就必須自行決定該如何行動。換言之，只有在推翻上帝之後，人才能發揮自己的責任，做自己的主宰，重新建立正義與秩序。尼采進行的是一種大破大立的工作。

尼采強調自己是第一個反道德者，他說：「我是根本的破壞者，寧可絕望，也不投降。」這些話都像格言一樣，充滿震撼力。尼采進一步說：「我是第一個發現虛偽之為虛偽而宣揚真理的人，我就是真理的聲音。」尼采反抗上帝，是要讓自己成為上帝。他進一步強調，超人的精神就是酒神狄奧尼索斯的精神，他要揭開生命的神祕虛無，藉著悲劇意識，由生命的火焰中淨化，重新領悟生命的喜悅。這是大悲之後的大喜，大破之後的大立。

尼采透過舉例來說明他心目中的超人，他舉的例子非常極端。在古代，超人就是凱撒加上耶穌。凱撒是羅馬皇帝，代表身體的力量；耶穌是宗教家，代表心靈的力量。有趣的是，尼采雖然反對基督徒，但他從來不反對耶穌基督，因為耶穌已經為了理想而被釘在

十字架上。尼采晚年寫了一本類似自傳的書，取名為《瞧，這個人》。這句話出自《聖經》。耶穌臨終時，別人說：「看哪，這個人！」表示他受苦至此，即將被釘死，還能怎麼樣呢？尼采居然用「瞧，這個人」做為這本自傳體作品的名稱。

　　在近代，可以代表超人的是拿破崙加上歌德。拿破崙在武力方面取得成就，屬於身體的層次，與凱撒類似；歌德在心智方面有傑出表現。

　　這樣前後各兩個人的組合，在一般人看來，根本是不可思議的。但尼采就是要以這個至高的目標提醒我們：超人對每個人來說都是至高的挑戰，人永遠不能鬆懈，要把生命在身心方面的潛能發揮到極致，才能真正超越平凡的自我。人只是一座橋梁，而不是一個目的。你要成為「走過去的人」，那就是超人。

收穫與啟發

1. 尼采所謂的「超人」，不是說人會自然演化出新的物種，好像從猿猴演化為人，人再演化為超人；而是說每個人都應該要提升及超越自我。「超人」的原意為「走過去的人」。人要走過懸在深淵上的繩索；更重要的是，要走過人類各種軟弱及虛幻的處境。

2. 「超人是大地的意義」是說，地球存在的目的是為了讓超人得以出現。要成為超人，首先要把基督教的上帝擱在一邊，所以尼采肯定自然界的一切，要對它忠誠。自然界的一切都有必然性，所以要愛那必然的東西，由此推出愛命運，這才是自由的精神。一方面接受命運的安排，另一方面創造自己的命運，這聽起來是矛盾的；但尼采認為這是一種辯證的統合。人完全就是身體，一切心智的能量或靈魂都是身體的工具而已。所以

要充分肯定本能，肯定生命本身是一種「求力量的意志」（權力意志）。對自己要做英雄式的肯定，因為沒有經過痛苦的粹鍊，就不可能提升轉化。

3. 超人的本質就是戰士，他永遠在戰鬥之中。上帝已死，不再為我們的存在負責，所以人必須自己承擔所有的責任，重新建立新的價值觀。所以，尼采要進行大破大立的工作。他把一切都歸結為「求力量的意志」或「權力意志」，由此建構出一個哲學系統。

課後思考

隨著生命的成長，我們在許多方面都不斷超越過去的情況。對於超越過去，我們一般都會想到量的問題，譬如，得到更好的待遇、更高的地位，這些都是可以衡量的，屬於程度上的差別。請問：你在哪些事情上覺得自己有了本質上的差別？

第三十六章

從尼采、現象學到
杜斯妥也夫斯基

36-1　求力量的意志與強者道德

本節的主題是：求力量的意志與強者道德，要介紹以下三點：

第一，求力量的意志是普遍存在的。

第二，強者道德是指什麼？

第三，剖析禁欲主義。

（一）求力量的意志是普遍存在的

尼采說：「不論在任何地方，我找到了生物，便找到了求力量的意志。其次，在服從者的意志裡，我也找到了做主人的意志，因為他想做為更弱者的主宰。生命所在之處都有意志，這就是求力量的意志。」

「求力量的意志」（the will to power）常被翻譯為「權力意志」，就好像叔本華的「求生存的意志」常被譯為「生存意志」。翻譯的時候，如果少了「求」這個關鍵字，就無法表達「朝向特定目標、顯示意志動力方向」的用意。因此，最好完整譯為「求生存」、「求力量」。

植物、動物都要展現自己的影響力，讓生命的潛能充分發揮，掌控的範圍愈大愈好。人也一樣，要表現自己的力量。這種力量不僅表現在身強體壯這一方面，更多的是透過豐富的知識，經過某些特定的詮釋角度，讓自己的思想能夠擴大影響力。

人不應該止於目前的狀態，生命的本質就是要追求更大、更多的力量。尼采有些話要參考這個背景才能被理解，他說：「最大的

輕蔑就是對人最大的崇敬。」我輕蔑一個人，代表我認為這個人目前的狀況還不夠理想，他應該進一步展現出求力量的意志，讓自己往上提升，努力成為超人。輕蔑其實是對他最大的崇敬。

尼采還有一句話也頗具反諷性，他說：「這是一個可鄙視的時代，因為人不再鄙視自己。」換言之，如果人覺得自己了不起，醉心於自己的成就而不再鄙視自己，這個時代就是一個墮落的、可鄙視的時代，因為你忘記了求力量的意志，不再往上提升了。

（二）強者道德是指什麼？

談到意志，顯然與人的自由選擇有關。自由選擇涉及道德問題，所以接著要介紹尼采所謂的「強者道德」或「主人道德」。

尼采四十五歲時發瘋。在此之前兩年，他四十三歲時發表了《論道德的系譜》一書，指出道德就像一個家族有它生命的發展一樣。尼采在這本書裡探討道德偏見的起源。談到道德，一般都會從善惡的觀念來加以說明。尼采的基本觀點是：要用主人道德來代替奴隸道德。尼采認為自己偏愛主人道德而歧視奴隸道德。

「主人道德」以優勝劣敗的方式來表達，亦即用強弱原則來代替善惡原則。所謂「奴隸道德」，是指傳統以來尤其是基督教所提倡的道德。「奴隸道德」純粹從弱勢方面去看待善惡，由宗教得到啟發，顯示群眾的願望，希望每個人都能謙虛、博愛、慈悲。尼采說：「羔羊怨恨猛獸並不奇怪，但是不能因為猛獸捕食羔羊而責備猛獸。」換言之，猛獸就是主人，羔羊就是奴隸；不能因為主人比較強勢，就說這樣的作為不對。

尼采指出，基督宗教是奴隸道德的始作俑者。猶太人與羅馬人進行鬥爭，羅馬人是強者、統治者，猶太人充滿怨恨。但猶太人最後透過基督宗教馴服了當時的人，猶太人所使用的就是弱者道德。

基督宗教告訴你要愛、要退讓、要謙遜，這些都是奴隸道德，無法顯示你的優勢與強盛的實力。

宗教特別推崇良心的作用。尼采認為，良心不是上帝在我們心中的聲音，它其實是一種殘酷的本能，目的是為了控制人的欲望與野蠻的習俗。譬如，古代德國人使用各種酷刑讓人記住五六個「我不要」，這樣才能享受團體生活的好處。亦即讓人用理性控制情感，對某些事說「我不要」，這樣就形成了良心。

良心不能脫離負責的觀念，負責的觀念來自於欠債，欠債代表有契約關係。按照基督教的背景來說，上帝是債權人，人類是債務人，人類對上帝欠了債。債權人過於富有，就寬赦債務人的欠債。債務人因而轉向對付自己的內心，成為良心的譴責。人為了自身而受苦，然後渴望得到平息，就向內發展，出現靈魂的概念。因此，懲罰在於喚起犯人心中的罪惡感，良心的譴責讓人懺悔。尼采認為這些都可以得到合理的解釋。

上帝是人類最大的債權人，他用自己兒子的犧牲來償付自己的債權，替人類還了債。尼采完全不能接受這樣的信仰。他說：「近代人繼承了千年以來的良心解剖與動物式的自我折磨的傳統，這些是建立在對上帝盲從基礎上的傳統，都要被取代。要把我們從理想的延伸物中拯救出來，從龐大的債務中解救出來，從虛無的意志中解脫出來。」由誰來做這樣的工作呢？這個人就是查拉圖斯特拉。

（三）剖析禁欲主義

在尼采《論道德的系譜》中有一個重要的部分，剖析什麼是禁欲主義的理想。他特別考察了三個人做為代表，分別是華格納、叔本華與康德。

談到華格納，他說：「華格納年輕的時候追隨費爾巴哈，以青

年德國人自居，表現了健康的情緒與欲望。但是晚年時竟然崇拜貞操，表現出反自然的禁欲主義，跟他的過去告別了。」尼采後來認為，你可以欣賞一個人的藝術作品，但最好忘記藝術家本人。他後來與華格納絕交，主要就是因為華格納頌揚基督教的道德。

尼采考察的第二個人是叔本華。尼采曾把叔本華當做自己孤獨時最佳的慰藉，叔本華以意志來解釋一切現象。但尼采認為，這是一種消極無為的求生存的意志，因為叔本華認為只有否定生命才可以否定意志。叔本華為了擺脫意志的悲慘壓力，於是推崇禁欲主義。尼采對此表示反對。

尼采考查的第三個人是康德。他說：「康德以鄉村牧師般的天真，講授人的感覺，為禁欲提供了一個無關實際利益的前提。」也就是前文介紹的無關心、無私趣。尼采認為這是空洞的、缺乏自我體驗的結論。康德的學說讓叔本華了解到美有鎮定意志的作用。

尼采對這些音樂家與哲學家做了一個結論，他說：「他們推崇禁欲主義，原本是為了擺脫悲觀主義的折磨，但這些說法都只是門面話而已。」

尼采最後還是回到基督宗教，他說：「基督教無所不在的威力使禁欲成為一種新工具，要幫助人抗拒生理障礙與心理枯竭。禁欲之後，這兩方面的問題都得到化解，但是這樣的人是在病態中。」尼采認為，禁欲主義的僧侶有「求力量的意志」，可以去掌握其他病人，最後形成一整套懦夫的道德，亦即奴隸道德。換言之，基督教的道德鼓勵人仇恨生命，蔑視自己肉體的欲望，給人來世幸福的幻想，讓人厭惡此生，成為精神上的奴隸。為了對抗禁欲主義，必須期待「超人」的出現。

總之，尼采以強弱原則代替善惡原則，有明顯的反理性主義色彩。但他顯示出的英雄主義氣概，對後代的道德重建有不少啟發。

（收穫與啟發）

1. 尼采對萬物的基本觀念是：凡存在之物皆有求力量的意志。這種意志在人的身上表現為，在做自由選擇時需要某些道德的原則。尼采批判基督教所塑造的奴隸道德，它讓人慈善、謙卑，壓抑身體本能的欲望，追求來世的福報等等。

2. 強者的道德是自我肯定的道德，尼采說：「對那些只靠上帝而不自己努力奮鬥上進的人來說，上帝不是等於已經死了嗎？」他甚至認為，傳統的基督教道德觀念要人自我犧牲，這不也是一種虛無主義嗎？尼采對此加以批判。

3. 另一方面，需要一種與求力量的意志相配合的道德觀。如何去了解善惡？善就是增強人的力量感，惡就是減弱力量感。尼采用強弱取代善惡。這樣的道德顯示出做為主人的高貴性，他只願意給予，而不願接受外來的援助。強者的高貴不在於來源，而在於去路。一切的自由是什麼？你能，因為你要。換句話說，你為什麼能夠做這些事？因為你「要」表現求力量的意志。

（課後思考）

尼采談到求力量的意志時強調，我們依附一個更強的人，目的是為了成為比我更弱者的主宰。請問，你是否有這方面的觀察或經驗？

36-2　精神有三種變化

　　本節的主題是：尼采所說的「精神有三種變化」，要介紹以下三點：

　　第一，《查拉圖斯特拉如是說》是一本什麼樣的書？

　　第二，精神有三種變化是指什麼？

　　第三，尼采與虛無主義的關係。

（一）《查拉圖斯特拉如是說》是一本什麼樣的書？

　　尼采在四十歲之後出版了一本重要著作——《查拉圖斯特拉如是說》。查拉圖斯特拉是古代波斯的宗教改革家，尼采也認為自己是上帝死亡之後的宗教改革家。尼采筆下的查拉圖斯特拉表現出令人讚嘆的氣魄，他說：「我是急流邊的欄杆，能抓住我的人抓住我吧，但我並不是你們的柺杖！」

　　在這本書裡，尼采的思想有如連續的閃電，言辭有如澎湃的洪流，他比喻自己「立於天之涯、地之角，手持天平，衡量世界。要摧毀一切，再造人類與世界；要呼籲人類，只靠自己去努力成為超人」。

　　尼采自己對於這本書有極高的評價，他說：「即使把世界上所有偉大靈魂的精華聯合起來，也創造不出一段查拉圖斯特拉的談話。」如果不考慮尼采的精神接近瘋狂的邊緣，這種話怎能被理解呢？尼采總是在人類的理性、情感與意志的能力極限上衝撞，才會說出這樣的話。

尼采認為自己是這個時代第一位哲學家，也是兩千年之間最重要的，也最具災難性的哲學家。他說：「我有重要的使命，它將會使人類的歷史分裂成兩半。」他的使命是要迫使人類下定決心，決定所有的未來。他也強調：「我自稱為最後一位哲學家，因為我是最後一人，除了我自己，沒有人和我說話。」上述言論都是他快要發瘋之際由朋友轉述的。他長期在孤獨與病痛中進行深刻的思考，認為自己是在替人類從事這樣的工作。

《查拉圖斯特拉如是說》出版後，賣出四十本，送出七本，沒有得到任何讚賞，只有一個人回信說「書收到了」，由此可見尼采在精神方面的孤單與寂寞。這本書描述查拉圖斯特拉在三十歲離家，到山上隱居修道，孤獨的過了十年，最後覺悟了。有一天清晨，他起身對著太陽說：「你這個偉大的星球啊，假如沒有被你所照耀的人，你的幸福何在呢？」他的意思是，太陽固然偉大，但如果沒有地球被它照耀，這種偉大又體現在何處呢？查拉圖斯特拉在山上修行十年，已經有了智慧，如果不能用他的智慧去光照芸芸眾生，那麼他的光明和智慧又有什麼用呢？

查拉圖斯特拉四十歲時下山，經歷各種遭遇，說出許多讓人震撼的話。他要把智慧的火種帶下山，因為他愛人類。他認為：「人類之所以偉大，正在於他是橋梁而不是目的；人類之所以可愛，就在於他是一個跨越的過程而不是完成。人類是一條懸在深淵上的繩索，聯繫在動物與超人之間。要從一端走到另一端是危險的，行走於其間是危險的，回頭觀望是危險的，躊躇不前也是危險的。」

（二）「精神有三種變化」是指什麼？

在這本書裡面，尼采用很短的篇幅談到人的精神有三種變化，非常富有啟發性。人的精神有哪三種變化？

1. 變成駱駝

　　駱駝意味著尊重傳統，保持信念，負重而行。駱駝是沙漠之舟，可以背負很重的物品持續前行。這代表尼采的思想一開始是尊重傳統的，他認真探討希臘的心靈，發現太陽神阿波羅代表節制與秩序，酒神狄奧尼索斯代表放縱情欲與毀滅的原則，可以迸發出巨大的創造力。兩者共同塑造了希臘文化的最高成就 —— 悲劇。

　　駱駝階段到最後是文化信仰的破滅。尼采最初以華格納這位音樂家做為新文化的象徵，最後發現華格納是衰敗的徵兆，他反映了整個時代的虛無主義。歐洲文化充滿動亂、粗暴、草率，不再能夠思考，也害怕思考。因此，人不可能長期處於駱駝的位置。「駱駝」階段的特色，就是聽別人對你說「你應該如何！」

2. 變成獅子

　　人先是像駱駝一樣深入沙漠，然後要像獅子一樣進行反抗與鬥爭，排除奴隸道德，瘋狂求真，即使被一切既定的真理所驅逐都在所不惜，具備克服一切困難的意志，忠於大地。獅子是奮鬥的象徵，代表一種主動的精神力量，能夠離群獨立，突破所有困難。「獅子」階段的特色，就是對自己說「我要！」此時，信仰可能已經破滅，因此要展現自由的精神。

3. 變成嬰兒

　　尼采說：「好了，獅子來了，我的孩子也快到了，比我們更好的超人已經在路上了。」尼采所說的超人，就是以查拉圖斯特拉為代表的精神力量。「嬰兒」代表克服虛無主義的危機，顯示純潔及新生的力量。

　　「精神的三變」可以體現一個人的成長過程。人在年輕的時候就像「駱駝」，要接受傳統，遵守規矩，承擔責任，聽別人對你說「你應該如何」。進入大學就變成「獅子」，過去的一切僅供參

考，你必須由內而發，找到讓自己幸福的價值觀，這時就要對自己說「我要如何」，顯示主體求力量的意志。最後再變成嬰兒，從「我要」進一步變成「我是」，德文是 Ich bin，英文是 I am。這裡用的是現在式，代表嬰兒是一個全新的開始，永遠有新的希望。

　　「精神的三變」對人生有深刻的啟發。我們從小都是聽父母、長輩、老師說「你應該做什麼」。有一天，我們覺得應該自己面對未來，就對自己說「我要做什麼」。從「你應該」到「我要」是很大的轉變。最後到嬰兒階段，從「我要」變成「我是」，肯定當下的一切永遠可以重新開始。

（三）尼采與虛無主義的關係

　　虛無主義很容易出現在獅子這個階段，因為獅子充滿自由的精神，要開創自己的未來。事實上，從尼采之後，西方明顯展現出虛無主義。簡單來說，虛無主義有三個層次的意義：

1. 世人對於真理的信念幻滅了。即便有科學知識的進步，也不可能掌握真理，因為任何真理都有偏差、錯誤的可能。
2. 道德方面。你可以宣稱某些道德的行為，但你的行動與之脫節。沒有任何價值可以被肯定，也沒有任何意義可以被理解。因為傳統的道德是違反生命與自然的。
3. 宗教方面，尤其是基督教。基督教毀滅了自己，它一開始就拋棄了生命自然的要求，讓人節制欲望，壓抑本能的衝動，進行修行的活動，這已經是虛無主義了。所以，宗教是人類粗製濫造的產品。

　　因此，虛無主義表現為一切都與真理無關、一切都與道德無關、一切都與宗教無關，所有一切都是虛幻的。

　　問題是：人能否停留在虛無主義中？尼采認為虛無主義是一個

過渡階段，因為他強調精神最後可以變成嬰兒。到嬰兒這個階段，還是可以得到肯定的說法——「我是」。換言之，所有價值的基礎在於生命。所有價值來自於人類本身，而不必訴諸超越界。從人類本身就可以發展出「超人」。

收穫與啟發

1. 尼采認為《查拉圖斯特拉如是說》是他重要的代表作，是他留給人類最好的禮物。存在主義的重要代表，如海德格、雅士培，對尼采都有專門的研究。存在主義的其他代表，沒有人不推崇尼采那種求力量的意志，以及為自己負責的態度。可見，尼采對存在主義有很明顯的啟發。

2. 尼采提出著名的「精神三變」——從駱駝到獅子到嬰兒。這「三變」既可以說明個人生命不同的發展階段，也可以清楚展示整個西方文化的發展歷程。在駱駝階段會肯定傳統的信念。到獅子階段要擱置一切、懷疑一切、破壞一切，以致於陷入虛無主義的危機。最後到嬰兒階段，又是一個全新的開始。

   尼采的思想非常豐富，他經常一有靈感就寫下幾句簡明扼要的話。很多話都發人深省，讓人震撼。就算不看前後文，單看一句話，都能讓你體會到它的價值。

3. 尼采思想中比較明顯的矛盾是「永恆復現」的觀念。他認為，既然沒有超越界，所有星球都處在一個封閉範圍之內。在封閉系統中，所有物質與能量會不斷的組合、消散，再組合、再消散。譬如，你今天在教室裡聽課，可能再過幾百萬年之後，這件事又會重複發生。在一個封閉系統中，不可能有其他可能性，這就是永恆復現的觀念。因此，人應該愛命運，對於發生在自己身上的各種遭遇，都要接受它、愛護它。但問題是，既

然要愛命運，一個平凡人為何非要成為超人不可呢？這個問題恐怕尼采也無法回答。

課後思考

學習了尼采所謂的「精神三變」，你能否就自己的人生經驗思考一下，你是否已經經歷了駱駝與獅子的階段，正在走向嬰兒階段？或者你還有不同的想法？

補充說明

尼采在《查拉圖斯特拉如是說》一書中提到精神有三種變化：第一變變成駱駝，第二變變成獅子，第三變變成嬰兒。精神變成駱駝和獅子比較容易理解，但精神變成嬰兒不太容易掌握。嬰兒代表「我是」，用的是現在式，代表永遠都是一個新的開始。尼采認為精神的最高層次是嬰兒，其實很多哲學家與宗教家都說過類似的話，可以從中國和西方兩方面來看。

在中國古代，道家與儒家不約而同都有類似說法。老子提到要「復歸於嬰兒」（《老子・第二十八章》），就是讓你再回到嬰兒的狀態。孟子說：「大人者，不失其赤子之心者也。」（《孟子・離婁下》）道家讓你「復歸」，儒家讓你「不失」，到底要如何理解呢？

簡單來說，道家認為「道」無所不在，人從「道」裡所獲得的本性與稟賦就是人的「德」，人的「德」是充足圓滿的。從小到大從外界學到許多東西，以致於產生很多欲望，這些都要設法減去，叫做「為道日損」。減去之後才會發現，真正的我從「道」而來，所有的一切都是足夠的。所以老子說：「專氣致柔，能如嬰兒乎？」（《老子・第十章》）要隨順氣息以追求柔和，能

夠像嬰兒一樣嗎？又說：「含德之厚，比於赤子。」（《老子．第五十五章》）即擁有人的本性與稟賦最為深厚的就是初生的嬰兒，因為他還沒有分別心，一些都是整合的。老子為何要說「復歸」？因為人在不知不覺中就失去了純真之心。老子經常使用兩種比喻，在自然界以「樸」為喻（樸就是原木），在人類世界以嬰兒為喻，這兩者都是未經雕琢的。既然失去原初狀態，就要設法「復歸」。

孟子說：「大人者，不失其赤子之心者也。」孟子這裡所謂的「大人」是指德行完備的人，其特色是沒有失去像嬰兒一樣的心。我們不是嬰兒，不清楚嬰兒的心是怎麼運作的。但透過觀察可以發現，嬰兒很單純，可以用《中庸》裡的「毋自欺」三個字來形容，嬰兒絕不會自欺欺人。儒家強調「不失」，是讓你「守而勿失」，但是沒有人可以完全守得住，那怎麼辦？失去的話就要「反求諸己」，回到自己身上去找原因，這就是修練的過程。儒家強調真誠，我們要把嬰兒當做一種象徵來理解。

可見，儒家與道家都強調嬰兒是一種理想狀態，這意味著人生之路是險惡的，很容易讓人迷失。實際情況也確實如此。

在西方，基督宗教的創始人耶穌也有類似的說法。有人帶著小孩來見耶穌，要耶穌摸他們，門徒便責備那些人。耶穌看見就惱怒，對門徒說：「讓小孩子到我這裡來，不要禁止他們，因為在神國的，正是這樣的人。」（《馬可福音》，10：13-14）耶穌認為小孩是天真無邪的，是無罪的。人生在世會遇到各種考驗，難免失足犯錯；但只要誠心悔改，就可以重新開始。

尼采強調，嬰兒是修練的第三個階段。駱駝是聽別人對你說「你應該如何」，獅子是你對自己說「我要如何」；嬰兒則肯定當下，永遠是現在式。嬰兒接受一切，正如尼采所說：「愛命運

就是接受一切。」其實，嬰兒完全任人擺布，不接受也得接受，他頂多會哭；但老子說嬰兒「終日號而不嗄」（《老子・第五十五章》），即嬰兒整天號哭，嗓子也不會沙啞，那是一種本能的表現。嬰兒除了接受一切，還代表充滿活潑的力量，永遠面向未來，可以重新開始。這才是尼采真正想要表達的。

尼采、老子、孟子和耶穌，其實都有類似的體會：讓人效法無形無相的天使實在難以把握；讓人效法動物更說不過去，因為動物本身也非常複雜。那讓人效法誰呢？只有讓人回到最原始的階段，體會內心深處的「鄉愁」，嚮往兒時那種單純而圓滿的快樂。

其實，對「嬰兒」狀態的鄉愁只是一種類比而已，更根本的是對「存在本身」的鄉愁，嚮往回到母體中的那種圓融一致。很多哲學家強調大地是人類的母親，其實還可以再深一層。中國古人就說「天生萬物」、「天生烝民」，老子就說「道生萬物」，這些說法都是讓你設法回到根源。生命開始時是由「合」到「分」的過程，但「分」的最終目的還是要「合」。

這就像禪宗的公案所言。一個人沒有修行之前，見山是山，見水是水，這是一種「合」的狀態，你完全按照別人所教的去認知。經過修行就不同了，山不是山，水不是水，你知道它們的「不是」。我們這一生不就是在困惑之中不斷努力的過程嗎？最後覺悟之際，山還是山，水還是水，重新回到「合」的狀態。中間的歷練並非無用，它讓你知道山在什麼情況下不是山，水在什麼情況下不是水，這樣你就不會再執著於任何東西，知道這一切只是過程而已。

對於人生問題有一個簡單的解釋。我們這一生是要來做測驗的，只測驗一個很簡單的問題：你能否回到開始？你可能會問：那為什麼還要經過這麼複雜的中間過程，以致於讓很多人墮落、

犯錯？這個問題沒有人可以回答。人性在開始階段並不完美，因為還沒到「自我覺悟」的階段。自我覺悟也是煩惱的開始，你要繼續問：覺悟之後，應該要往哪裡走呢？尋尋覓覓之後才發現，「驀然回首，那人卻在燈火闌珊處」。等於你後來不圓滿了，才能體會到自我最初的那種圓滿狀態。上述說法都是用比喻的方式來啟發我們的思考。

學習一個哲學家的思想要分兩方面：一方面要盡量對其學說有一種「同情的理解」；另一方面則要為我所用，否則為什麼要學？我不是兩腳書櫥，不是記憶的機器。一定要活學活用，把哲學家的觀念納入自己的思想系統。但不要忘記，一定要有自己的思想系統。

我們在學習過程中，往往是聽到一個哲學家說的有道理，就把其他哲學家的話擱在一邊，因為實在記不了這麼多東西。只有一個辦法，就是不斷實踐。要練習用自己的話把所學的觀念再說一遍，也許開始說得不夠精準，但這個練習的過程不可少。

我們對照了中國和西方談到嬰兒的名言，它們各有不同的重點。其實每一個人都是從嬰兒走過來的，「道」並沒有離開我們的生命。每個人都可以透過深刻的思考與反思，領悟到自己的原始狀態是什麼。不要執著於透過修練氣功來返回嬰兒狀態，那是不可能的。你要繼續往前走，把嬰兒狀態當做一種修行的境界，當做一種圓滿合一、充滿生機、可以重新開始的力量。這樣一來，尼采的說法就能帶給我們深刻的啟發。尼采讓人接受命運，同時也讓人重新出發。

36-3　現象是什麼

　　下面兩節要介紹存在主義者使用的方法——現象學。本節的主題是：現象是什麼？「現象」一詞有各種用法。近代哲學家康德探討了「我能夠認識什麼」，結論是：我只能認識現象，而不能認識物自體。這裡所謂的「現象」是與「本體」相對照的概念，它是由本體顯示出來的。而現象學中的「現象」是不同的概念。

　　本節要介紹胡塞爾的現象學，內容包括以下三點：

　　第一，胡塞爾的學術發展。

　　第二，現象學不是什麼，又是什麼？

　　第三，現象學的關鍵在於意識的意向性。

（一）胡塞爾的學術發展

　　胡塞爾（Edmund Husserl, 1859-1938）是現象學的創始者。他原本研究數學，後來聽了布倫塔諾（Franz Brentano, 1838-1917）的課，就決心從數學轉向哲學。他發現，哲學不但是一門學術，還是一門非常嚴肅的學術。他把研究哲學當做自己的使命。

　　他認為，哲學應該建構成為一門科學，可以掌握到客觀的真理。哲學要求完全的清晰，並且沒有任何在它前面的預設。換句話說，胡塞爾要為哲學找到最可靠的立場，並使哲學成為其他學科的基礎。胡塞爾在 1910 年出版《哲學做為嚴格科學》，這個書名顯示了他的基本觀念：哲學不能只做為自然科學的一部分，它必須是現象學。

胡塞爾被稱做現代哲學之父，他的現象學是一種重要的學術方法。哲學的研究要注意「材料、方法與見解」三個方面。在方法上創新，可能開創新的局面；在見解上突破，可能建立新的學說。三者當中，方法尤其重要。譬如，笛卡兒之所以被稱為「近代哲學之父」，是因為他在《方法導論》中提出思辨方法，開創了新的格局。康德之所以受到後人的重視，是因為他提出先驗的方法。

胡塞爾的現象學也提出一種新的方法。現象學不僅直接影響哲學裡的存在主義、詮釋學等，對於相關的人文學科，包括法律學、語言學、文學、社會學以及心理學，也都有明顯的啟發作用。

（二）現象學不是什麼，它又是什麼？

你在思考和研究的時候，要如何掌握到你的對象？過去盛行德國唯心論，都是在意識裡尋找它的內容。現在胡塞爾提出一句口號：回歸事物本身。這代表了現象學的基本立場。但是這句話很容易被誤會，所謂「事物」是指什麼？

胡塞爾強調，「回歸事物本身」不等於化約主義。化約主義經常把豐富的事實簡化為幾個重點。譬如，談到邏輯，說「邏輯只是心理學的法則，僅此而已」。談到道德律，說「道德律只是社會上多數人的共同表現，僅此而已」。這些「僅此而已」只看到經驗上的歸納結果，卻忽略還存在著其他部分。它們都是標準的化約主義。

胡塞爾強調，現象學不是以下三種化約主義，即現象論、心理學的原子論以及科學主義。

1. 現象論

「現象學」（Phenomenology）與「現象論」（Phenomenalism）完全是兩回事。使用中文翻譯西方哲學術語，「論」這個字有兩種用法：一種等同於「主義」，另一種是指某種理論。對於第一種用

法，譬如獨斷論是指獨斷主義，懷疑論是指懷疑主義。對於第二種用法，譬如宇宙論是關於宇宙的理論，認識論是關於認識的理論，而不是什麼認識主義。

「現象論」是指現象主義，它的代表人物是英國經驗論的休謨。休謨認為，我們所見的物體與我們人類自身，都只不過是可察覺的特性的集合體而已。譬如，他說「自我只是一束知覺」，因為我只能察覺到某些知覺，把它們整合起來就是「自我」，除此之外並沒有什麼「自我」的存在。他以現象做為唯一的真實，是標準的現象論。

「現象學」與「現象論」不同。簡單來說，現象論把現象當做唯一的存在，而沒有本質的問題；現象學正好相反，它要透過對現象的描述，掌握到一樣東西的本質。

2. 原子論

胡塞爾所反對的第二種化約主義是心理學的原子論。這種學說把各種心理元素當做一個個原子，彼此之間可以互動、互相影響，使一個人產生某種心理感受。胡塞爾反對當時正在興起的德國心理學家馮特（Wilhelm M. Wundt, 1832-1920）。馮特於 1879 年在萊比錫大學成立心理學實驗室，備受關注。他把意識當做一套內容，包括感覺、感受、感情，基於這些內容才能產生各種聯想與知覺作用。意識只是這「三感」所產生的聯想與知覺作用，一個影響一個，牽制一個，有明確的因果關係。這種立場偏向於由心理來決定一切。一樣東西的存在，只是心理學範疇裡各種因素的作用而已。

3. 科學主義

胡塞爾反對的第三種化約主義是科學主義。科學主義認為，科學命題是哲學命題的前提。如果沒有科學命題做基礎，哲學的說法都不能成立。事實並非如此。胡塞爾的現象學認為，科學裡使用的

「數字」，以及知識論裡使用的「意義」與「真理」，這些概念都
要經過哲學思辨才能說清楚。所以哲學未必要以科學做為它的前提。

　　總之，胡塞爾反對以現象為唯一存在的現象論，反對意識內容
僅由純粹感覺所產生的心理學的原子論，反對以科學命題做為哲學
命題的前提的科學主義。這樣一來，現象學的立場逐漸鮮明起來，
它要回歸事物本身。

（三）現象學的關鍵在於意識的意向性

　　「意識的意向性」最早是由布倫塔諾所提出的。胡塞爾從中受
到啟發，了解到人的意識一定具有意向性。換句話說，意識在本質
上都是指向意識之外的事物，不可能有意識而沒有意識的對象。

　　我們常用的詞，如知覺與概念、觀念與幻想、渴望與欲求，這
些在意識裡出現的活動都指向某物。如果沒有意識的對象，意識也
就不可能出現。因此，所謂的「意識」就是意識到某個對象。

　　所謂「回歸事物本身」，就是要排除各種成見、理論或預設，
而只就現象本身來看。認識任何東西，這樣東西當然在我們之外；
但是，認識的時候不能脫離意識的作用。換句話說，「回歸事物本
身」絕不是回歸到外面的某樣東西或某個人，而是回歸到你意識裡
的一種指向作用，也就是回歸到那個顯示於你的意識裡的事物。因
此，所謂「現象」，是指在意識中呈現出來的事物。現象學是一種
方法，目的是使現象不受曲解，並在現象出現時正確的加以描述。

收穫與啟發

　　1.「現象」這個詞有各種用法，但直到胡塞爾推廣現象學運動，
　　　才使現象學成為一種嚴肅的方法論，目的是讓哲學成為嚴格的
　　　科學。現象學的影響很大，對人文領域的研究有深刻的啟發。

2. 現象學的口號是「回歸事物本身」，但它不是一種化約主義，好像什麼都不要，只要事物本身。胡塞爾分辨了三種化約主義，認為它們與現象學沒有關係。

   (1) 反對現象論。現象論把由知覺所得的現象當做一切；現象學則要透過對現象的描述，掌握到現象背後的本質。

   (2) 反對心理學的原子論。這種學說把意識當做一個個原子，有各種具體的內容，由它們的組合而產生聯想與知覺。這樣一來，就完全忽略意識的意向性。

   (3) 反對科學主義。科學主義把科學命題當做哲學命題的前提。胡塞爾認為，哲學、科學各自獨立，哲學反而可以解釋科學本身無法說明的概念，如數字、真理、意義等等。

3. 「意向性」是意識的基本性格。所有的意識都具有意向性，意識一定有某個對象。意識的意向性不是純粹外在的東西，因為人永遠只能在意識裡面去認識。但是，你所認識的並非意識隨意想像的。所謂「回歸事物本身」，就是要回歸那個在意識裡面顯現出來的事物，那就是胡塞爾所謂的「現象」。

課後思考

　　我們分辨了現象學與現象論。現象學要透過對現象的描述，掌握現象背後的本質。現象論是說現象就是一切。當你平常看到一個人或一樣東西，你所見的現象就是一切嗎？你能夠透過對現象的描述，掌握到它的本質嗎？

36-4　現象學要如何應用

　　本節的主題是：現象學要如何應用。胡塞爾提出現象學運動，目的是找到一種方法，以獲得純粹狀態的現象，也就是現象本身。

　　「現象學」的英文是 Phenomenology，德文、法文都類似。Phenomenon 意為現象，在希臘文裡是指「在自身顯示自己的」。尾碼 -logy 來自於 logos，代表言說、說話。所以，現象學就是經過談論，把一樣東西的本身顯示出來。從字面來看，「現象學」是指使人見到事物在自身顯露自己的方法。亦即不要有成見或預設，好像有一種光明，可以讓你看到事物本身的情況。

　　本節要介紹以下三點：

　　第一，現象是什麼？

　　第二，現象學的應用。

　　第三，自由想像法。

（一）現象是什麼？

　　胡塞爾是數學家，習慣用數學的名詞或做法來達成理想的效果。他慣用的方法之一是放入括弧，存而不論。數學運算中經常使用括弧，對於括弧內的運算可以暫時跳過。

　　現象學是一種方法，它要透過對現象的描述，掌握到現象的本質。現象是什麼？任何事物，不論是想像中的或確實存在的，理想的或真實的，也不論以何種方式出現，只要它本身能夠呈現在人的意識裡面，就是現象。簡單說來，在意識裡面呈現出來的東西就是

現象。任何東西只要在你意識裡面出現，你都可以透過現象學的方法，排除所有成見、預設、理論等等，只就現象本身來看，這樣才能回歸事物本身。

　　胡塞爾的目標是要找到一個沒有預設的學科。它本身是最原始的，不但沒有預設其他學科，反而可以做為其他學科的預設。唯有如此，才能使哲學成為一門嚴格的科學。

（二）現象學的應用

　　應用現象學方法時，要注意到「兩種還原」與「一種循環」。
1. 兩種還原
所謂「兩種還原」，是指「本質的還原」與「現象學的還原」。
(1) 本質的還原。第一步，要把本質之外的東西放入括弧，存而不論。要暫時把自我的感受、認識的行動、對象的存在等等，統統存而不論，只以對象的本質為念。這個本質包括人可以描述的所有具體條件。
(2) 現象學的還原。第二步要擴大範圍，把思想內容與意識無關的部分也統統存而不論。換言之，要把你見到的現象與外在世界之間的一切關係統統擺在一邊，這樣才能讓現象與本質合而為一。現象學把它的對象僅僅當做對象來看。至於這個對象是不是獨立存在的某種東西，可以先不去管它，而只把這個對象看做與意識相關的。

　　經過這兩種還原或存而不論，剩下的是純粹的但不是空虛的意識。這時你會發現，意識裡面只剩下能知與所知。能知就是能認識的，所知就是所認識的。換言之，不要以實際存在之物的資格放在我們的認識中，由所知建構的才能成為我們的對象。

　　由此可以重新定義什麼是哲學。胡塞爾認為，哲學就是關於內

在意識內容的純粹描述性的本質理論。換句話說，哲學是一種理論，它要掌握我們意識內容的純粹描述性的本質。這種說法肯定了：人的認識永遠只能在人的意識裡發生，而無須討論外在世界如何。現在只要求做到一點：如何在意識裡認識外在事物，讓這個外在事物如同一個現象，就它本身可以展現它自己？

2. 一種循環

所謂「一種循環」，是指認識論的循環。我們在認識一樣東西的時候，一定會對它有某種預先的了解，否則根本不知道它屬於哪一類東西。運用現象學的方法之後，會使你原來模糊的認識逐漸清晰，到了關鍵時刻就可以明確肯定它是什麼。譬如，你原來不認識張三，只聽別人描寫過他。當你真正見到張三時，原來對張三模糊的印象會變得清晰。這就是認識論的循環。如果你對張三沒有任何認識，當你看到他的時候，根本無從理解他。

現象學裡有個重要的概念叫做「地平線」（視野）。我站在曠野，放眼四顧，視野的邊界就叫做地平線。我看到遠處有一個尖尖的東西，一開始不能確定那是教堂的塔尖還是一隻犀牛的角。我慢慢走近它，到達某一個點，忽然發現：啊！原來那是教堂的塔尖，而不是犀牛的角。

所謂「認識」，用現象學的術語來說就是「視野的融合」。譬如，我聽一個人講話，開始聽不懂，代表我和他的視野原來沒有交集。經過他的介紹和解釋，我終於知道他講的是什麼，代表我們兩個人的視野有了交會，這樣才能繼續進一步的溝通。

「地平線」這個觀念很有啟發性。譬如，在學習的過程中，可能多看幾遍，忽然就明白了。但是，如果你事先完全不了解，那麼意識的意向性要指向何方呢？因此，一定要有一種預先的、模糊的理解，到某個關鍵時刻，才會恍然大悟。這就是認識論的循環。

（三）自由想像法

現象學如何具體應用？有一個方法叫做自由想像法，就是要舉出各種例子。舉例並非舉出某種普遍的經驗，也不是講個故事讓別人明白，而是要針對這個現象舉出一些例子，這些例子同時具有說明與證明的雙重作用。例子慢慢趨於精確，我就會掌握到一樣東西的本質。

自由想像法可簡單分為四個步驟：

1. 我想認識一樣東西，先簡單描述這樣東西的一個例子；
2. 增加或減少我的描述語中的某一個詞，變成新的描述；
3. 每次增加或減少一個語詞的時候，我都要問一個問題，修訂之後這個新的描述是否還是原來同一個對象的例子？
4. 經過一一考察之後就會發現，這個對象有它必要而不變的特性，那就是它的本質。

譬如，你可以透過自由想像法來了解一個朋友的本質。首先可以從外表開始描述，這個朋友身高、體重、長相如何，有沒有戴眼鏡等等。然後問，他如果沒有那麼高，他還是原來的他嗎？他如果沒有這樣的體型，他還是他嗎？進一步，你還可以問，他如果沒有學過某種專業、不具備某種能力、沒有在某間公司上班，他還是他嗎？再進一步，他如果沒有對某些事表現出特別的熱情、沒有某種理想或信仰，他還是他嗎？最後你會發現，如果少了某一樣或某兩樣，他就不再是他了。

有時說一個人已經變了，並不是說他變胖、變老了，而是說他已經沒有了當年的理想，或者他內心基本的價值觀已經改變了。我們舉出各種例子來說明一個人，然後增加或減少某些條件，看看到底哪幾項條件是他的本質所在，這就是自由想像法的應用。因此，

現象學是用描述的方法，闡明一個對象中普遍、必然、不變的特性，那就是它的本質。

　　最後對現象學做一個簡單的評論。現象學固然是一種不錯的方法，但是光在意識裡面打轉，再怎麼純粹，難免會有所限制。我要如何走出自己的意識，與其他人的意識相遇呢？胡塞爾晚年時察覺到這一點，於是把焦點轉向生活世界。早期的胡塞爾把外在世界、歷史發展統統存而不論，現在他則要從歷史的變遷中來觀察具體的世界。因為人不能脫離這個世界，人迫切需要這個世界。1936 年，胡塞爾在第二次世界大戰即將爆發之際，撰寫《歐洲學術危機和超越現象學》一書，此時他所關心的已經是人類具體的世界了。

　　現象學做為一種方法，目的是要讓人排除所有不必要的預設與成見，從而更精確的認識他的對象。後期的存在主義哲學家，如德國的海德格與謝勒（Max Scheler, 1874-1928），法國的沙特與梅洛龐蒂（Merleau-Ponty, 1908-1961）等人，都受到胡塞爾很大的啟發。

收穫與啟發

1. 任何東西只要呈現在我們的意識裡，就是現象，你不用考慮那是你的想像還是確實存在的。因為如果不在你的意識裡呈現的話，你無法掌握到任何東西。重要的是「回歸事物本身」，即回歸那個呈現在意識裡面的意識對象。這個對象經常不能呈現自己，因為它被我們先入為主的成見給扭曲或遮蔽了。所謂「現象」，就是讓一個事物在意識中呈現出來。

2. 現象學在應用時，要注意兩種還原：第一種是本質的還原，就是把本質之外的東西（包括自我的感受、認識的行動以及對象的存在）統統存而不論，只以對象的本質做為考慮的重點；第二種是現象學的還原，就是把現象與外在世界之間的所有關係

統統存而不論，讓這個現象能夠單獨出現。

另外還要注意認識論的循環。所有認識都會有預先的、模糊的認識，就像在地平線上出現了一個東西，剛開始無法清楚的辨認。經過現象學的運作過程，會出現某個臨界點。越過那一點，你會清楚的發現那是什麼。從預先的認識到明確的認識，這就是認識論的循環。

3. 自由想像法就是透過自由想像各種例子，來說明一樣東西不可缺少的本質所在。

課後思考

學會自由想像法，你能否運用這樣的方法來描述並認識自己的本質？

36-5　俄國文學家杜斯妥也夫斯基

　　存在主義反映了整個時代的處境，本節要介紹俄國文學家杜斯妥也夫斯基。首先簡單介紹俄國的文化背景。俄國在十一世紀接受由君士坦丁堡傳來的希臘東正教，俄國人對這個宗教有極大熱忱，他們稱莫斯科為第三個羅馬。第一個羅馬是指天主教的羅馬，第二個是指東正教從天主教分裂出來之後的君士坦丁堡。但東羅馬帝國在 1453 年滅亡，君士坦丁堡也淪陷於土耳其人之手。所以，俄國人認為莫斯科是第三個羅馬，是基督宗教的核心之一。

　　直到十八世紀後期，俄國才開始接受以歐洲為主的啟蒙運動思潮。宗教的背景使俄國人的心靈進入一種深刻的反省。譬如，比沙特早一百年的巴枯寧（Mikhail Bakunin, 1814-1876）就說過：「如果上帝存在，人就沒有自由，變成了奴隸。因此上帝不存在。」巴枯寧認為，按照邏輯來說，如果肯定神的存在，就必須放棄或是否定人的理性。可見，他們對於宗教問題有深度的反省。

　　俄羅斯的思想特點可以概括為以下四個方面：第一，有烏托邦（理想主義）的傾向；第二，容易走極端，正所謂「理想主義旁邊常常住著虛無主義」；第三，以人為思考的核心，不喜歡太抽象的想法；第四，理論要與實踐配合。俄文的「真理」一詞，同時也代表「正義」。這正好反映了理論要與實踐相結合。

　　本節要介紹以下三點：

　　第一，為什麼要介紹杜斯妥也夫斯基？

　　第二，信仰與不信仰的複雜問題。

　　第三，基督宗教的共同挑戰。

（一）為什麼要介紹杜斯妥也夫斯基？

杜斯妥也夫斯基（Fyodor Dostoevsky, 1821-1881）與幾位著名的俄國作家年代相近，如屠格涅夫（Ivan Sergeevich Turgenev, 1818-1883）、托爾斯泰（Leo Tolstoy, 1828-1910）等人。杜斯妥也夫斯基生平有兩件重要的事。第一件是他十八歲時父親被殺。第二件是他二十八歲時因為參加讀書會之類的團體，涉嫌反叛政府，被判處死刑；在 1849 年 12 月 22 日，他被綁赴刑場，卻臨時宣布了特赦，被放逐西伯利亞五年。

在鬼門關前走了一圈，讓他開始思考時間與永恆的關係。他在《罪與罰》的結尾處說：「那種新生活不會無緣無故的給他，需要以極大的代價、極大的掙扎和極大的痛苦去換來。」這反映了他個人的經驗。父親被殺以及自己被判死刑又臨時被放逐，對他一生造成深刻影響。這種影響在他的作品裡也一再以不同形式顯示出來。杜斯妥也夫斯基一生忠於他的祖國俄羅斯以及他的信仰東正教，他希望在這兩方面能產生改造的力量，讓世界得到新的救贖。

他是典型的作家，筆耕不輟。他的作品主要是小說，其中反覆出現各種哲學問題，再配合他深刻的人生體驗，往往能給讀者帶來巨大的震撼。談到西方哲學，我們總會想到康德。康德先在認識方面說上帝不可知，又在道德實踐方面說必須設定上帝存在。這些理論聽起來有點抽象。而杜斯妥也夫斯基的作品一再出現兩個主題：

1. 如果上帝不存在，我為何不能為所欲為？
2. 如果人的靈魂在死後不能繼續存在，我為何要有道德？

這樣一來，就把康德抽象的觀念變成有血有肉、活生生的挑戰。

杜斯妥也夫斯基幾部重要作品的主題都很明確。在《罪與罰》這本書裡，他表現出對人性深刻的同情。一個人犯了罪就要接受懲

罰，問題是怎樣才能贖罪？首先要認罪，然後要受苦、接受懲罰，最後要用愛來轉化這一切。

在《卡拉馬助夫兄弟》這本書裡，四個兄弟中的老二——伊凡是無神論者，他說：「不是我不接受上帝，而是我不接受也無法接受上帝所創造的這個世界。因為這個世界上很多事情既沒有公理也沒有正義，甚至完全不能理解。」

在《白痴》這本書裡，杜斯妥也夫斯基所說的白痴在別人眼中是個笨蛋，事實上他是一個溫和的、甘願自我犧牲的人，簡直像聖人一樣。在《群魔》這本書裡，杜斯妥也夫斯基描寫各種附魔的人，他們都很粗鄙，沒有良心，完全否認神的存在，其中甚至還有一些謀殺犯。

（二）信仰與不信仰的複雜問題

信仰不是一件容易的事。杜斯妥也夫斯基說：「上帝折磨我一生，我別無念頭。信仰從來就不曾完全克服不信仰的誘惑，但是無神論也從來沒有完全戰勝信仰的傾向。」在《卡拉馬助夫兄弟》中，他藉著無神論者伊凡說：「讓人驚訝的不是上帝應該真正存在，而是上帝必須存在的想法，會進入到像人這種野蠻、邪惡的野獸的腦袋中。這實在太抬舉人了！」

他的意思是說，人只從他的生物性來看，跟野獸差不多，他怎麼會有上帝必須存在這種想法呢？他不斷反省：如果沒有上帝存在以及人的靈魂不死，人要怎麼過這一生呢？如果一切都被允許，人可以為所欲為，那何必再行善呢？要為誰去愛呢？為誰去唱聖詠呢？人有可能沒有上帝而愛人嗎？所以，信仰始終在掙扎之中。但無論如何，信或不信都比漠不關心要好。

在《群魔》這本書裡，杜斯妥也夫斯基藉著主角說：「如果沒

有上帝，我就是上帝；如果有上帝，則一切都是他的旨意，我也逃不出他的旨意。」這句話的前半句與存在主義者沙特所說的幾乎完全一樣。那為什麼一定要有上帝呢？人發明上帝才能繼續活下去，而不至於自殺。人類的歷史就是如此。

《群魔》裡的一個角色說：「我是人類歷史上第一個不願意發明上帝的人，所以人應該自己給生命意義。」他甚至批評無神論者說：「我不了解一個無神論者如何能夠在知道無神的那一刻不立即自殺。如果無神剩下的是我的自由意志，自殺還可以證明我的獨立以及新的可怕的自由。」換言之，人在毀滅自己時也證明了自己的神聖性。人的自由意志一方面給人以神性，同時也會給人帶來死亡。人活在世界上，最後都會面對死亡，這是人類注定的命運。

杜斯妥也夫斯基反問道：如果沒有信仰，人怎麼活得下去？這相當於問：個人的存在到底有沒有價值？這一點顯示了存在主義的關懷。對於這個問題，歐洲有兩種立場。第一種是齊克果的立場，他要回到最原始的基督宗教，做一個虔誠的基督徒，他說：「做人就要做基督徒，否則怎麼活得下去呢？」另一種是尼采的立場，他把傳統的宗教整個放在一邊，要設法開闢一條超人之路。

杜斯妥也夫斯基是文學家，他的思想沒有明確的系統，但他的小說充分反映俄羅斯社會的複雜狀況。他認為，必須要有一種宗教觀點，生命才有意義。一開始就要相信上帝存在以及人的靈魂不死。如果上帝不存在，人也活不下去了。對杜斯妥也夫斯基來說，他所謂的上帝是指基督宗教的上帝，因為東正教屬於基督宗教的一系，也是源遠流長的傳統。天主教屬於拉丁語系，東正教屬於希臘語系，兩者在語言表達上存在著差異，但基本信仰是完全一樣的。

杜斯妥也夫斯基建議，你或者信仰上帝，或者做無神論者，但你要思考：哪一種可以給人更大的尊嚴？這個問題沒有明確答案。

《卡拉馬助夫兄弟》中的伊凡為何要做無神論者？他有三個理由：

1. 我沒有辦法愛眼前的鄰居，因為人與人距離太近，就會出現各種衝突；

2. 我看到許多小孩子受苦，顯然他們是無辜的；

3. 社會的正義還沒有實現。這就是前面提到的「神義論」方面的問題，你要如何為神辯護呢？

（三）基督宗教的共同挑戰

　　基督宗教的「一教三系」（天主教、東正教和基督教）有同樣的信仰：都相信耶穌是神的兒子降生來救人，替人犧牲又死而復活。所以，人生的意義就是要背十字架走自己的一生，讓自己變得更完美，以便在生命結束後到達理想的境界——見到上帝。這是對基督宗教信仰的簡單描述。

　　杜斯妥也夫斯基準確揭示了基督宗教所面臨的共同挑戰，即教會與耶穌形成一種對立狀態。教會中一直存在著危險，充滿了誘惑，甚至希望耶穌走開，不要再回來，因為耶穌的精神在教會裡很難體現。如果像耶穌一樣，在人需要時，讓他們吃飽喝足，給人各種憐憫，很可能會造成尼采所謂的「奴隸道德」。如果讓人可以自由的愛人，反而會帶來各種動盪不安。更麻煩的是，教會總有統治這個世界的欲望。基督宗教始終不能完全體現耶穌基督愛人、救人的精神。事實上，別的宗教也有類似的挑戰。

　　收穫與啟發

　　1. 俄國很早就接受東正教。杜斯妥也夫斯基的年代比齊克果稍晚，比尼采早二十三年。他作品中的思考與反省，與存在主義可以高度配合。他提出的問題其實是康德哲學的某種反映與延伸。

2. 杜斯妥也夫斯基對複雜的信仰問題並沒有給出簡單的答案，但他讓你思考：如果信仰會是什麼情況？不信仰又是什麼情況？

3. 基督宗教的共同挑戰直到今天依然存在。

課後思考

杜斯妥也夫斯基在《罪與罰》裡強調，要贖罪只有靠認罪、受苦與愛。人難免犯一些嚴重的過錯，你能否從你讀到的作品或個人的觀察中，説一説認罪、受苦與愛之間有什麼重要的聯繫？

補充說明

如果你犯錯而傷害了他人，對於受害者來説是無法彌補的，因為人生不能重來。所以，我們即使犯錯，無論如何也不要嚴重到讓人失去生命或無法生存。一旦越過這個界限，就是更嚴重的問題了。一個人犯錯之後為什麼要受罰？這是希望你覺悟三點：

1. 人性是軟弱的。別人跟你一樣，同樣可能因為軟弱而犯錯。因此對待別人的錯誤要有同理心，否則不可能有真正的愛。

2. 犯錯要自負其責。今後與別人來往時，你會更加小心。凡事只可要求自己，盡量不去欺凌別人，不強迫別人做他不願做的事。

3. 你的心態會更柔軟，有愛心，加入到行善的行列。所謂「有愛心」是指：一切的惡到我為止，由我開始只有善。惡經常會相互影響、連環發展，但到我這裡要停下來。正如「謠言止於智者」，我們要做「智者」，因為我們已經接受了教訓，應該有所覺悟。同時，從我這裡發出的只有善的力量，從我開始推廣，進行善的循環。

這是杜斯妥也夫斯基給我們的啟發：人性是軟弱的，所以要有同理心；人要自負其責，所以要更小心；同時寬容待人，有愛心。

第三十七章

雅士培

以四大聖哲為典範

37-1　雅士培的生命歷程

　　本章的主題是：雅士培以四大聖哲為典範。本節的主題是：雅士培的生命歷程。

　　對於存在主義的代表人物來說，他們的生命經驗與思想發展是緊密結合在一起的。

　　沙特把存在主義分為有神論與無神論兩組，其中有兩位德國學者，兩位法國學者。兩位德國學者分別是雅士培與海德格，雅士培被列為有神論，海德格被列為無神論。但是，他們兩人都不接受沙特的說法。

　　本節要介紹以下三點：

　　第一，人生的三大考驗。

　　第二，三位啟發者。

　　第三，雅士培的存在哲學。

（一）人生的三大考驗

　　雅士培（Karl Jaspers, 1883-1969）最讓人熟知的，是他在 1949 年出版的一本書——《歷史的起源與目標》。在這本書裡，他提出「軸心時代」這個觀念。他認為，西元前 800 年至西元前 200 年，這六百年是人類精神文明的「軸心時代」。在這一時期，不同的人類文明幾乎同時出現重大突破。從此以後，人類文化的發展進入到新的階段。

　　雅士培是德國人，先念法律，後改念醫學，三十八歲成為哲學

教授，一直在海德堡大學任教。對雅士培來說，人生有三大考驗：

第一個考驗，雅士培從小心臟方面就有嚴重的疾病。這讓他無法參加同儕團體的各種遊戲活動，他覺得自己的生命遭遇到嚴重的「界限處境」。他在學習上分秒必爭，因為醫生一再提醒他，他大概只能活到三十至四十歲；但他最後活到了八十六歲。他的心靈常常陷於孤單、悲哀與自憐，一直到二十四歲時遇到他的妻子，兩人極為契合，他的整個生命從此出現重大轉變，充滿奮鬥的勇氣與求生的願望。

第二個考驗，他在學術界受到排擠。他先是從醫學轉到心理學，後來因為著作具有深刻的哲學含義，所以又轉到哲學系任教。他在哲學系裡備受排擠，因為大家都不願意接納一個沒有任何傳統哲學訓練的人。他感慨的說：「在我看來，學院派的哲學並不算是真正的哲學，儘管它自稱是一門科學，但它所討論的東西根本與我們存在之基本問題無關。」同事的排擠讓他深感壓力，於是他更加用功，對西方哲學史上的大家一一深入研究，後來寫下《大哲學家》（*Die grossen Philosophen*）這部名著。

第三個考驗最嚴重，由於妻子是猶太人，雅士培的生命在二戰結束之前受到嚴重威脅。納粹德國迫害猶太人，先從全家是猶太人開始，再到猶太人娶了德國人，最後是猶太人嫁給德國人。雅士培屬於最後一種，本來定在 1945 年 4 月 14 日送進集中營，結果美軍在 4 月 1 日占領了海德堡，使他僥倖逃過一劫。這件事顯然對他的心理造成了嚴重的衝擊。

綜上所述，雅士培一生有三大考驗：第一是先天性心臟病，屬於身體方面的問題；第二是教書期間受到同事排擠，屬於心理上的壓力；第三是遇到納粹迫害，有死亡的危險。生命中的這些「界限狀況」促使他更深入的思考存在的問題。

（二）三位啟發者

雅士培認為，有三位先哲給了他很大啟發，分別是康德、齊克果與尼采。他首先提到康德，他說：「我的生活受《聖經》與康德的指導，使我與超越界可以保持關係。」《聖經》屬於基督宗教這個傳統，雅士培對於宗教本來就有深刻的理解；同時，康德也使他可以與超越界連上關係，因為康德在道德哲學裡指出，人的道德實踐需要先設定上帝的存在。

雅士培受康德啟發，一生關懷五個問題：

1. 科學，可以使我認識世界；
2. 溝通，可以使我與別人相處；
3. 真理，人的一生都要追求真理；
4. 人；
5. 超越界。

此外，他也深受齊克果與尼采的影響。他以人的「存在」做為思考的起點，強調個人存在的真誠與自由，明確反對黑格爾唯心論的立場。齊克果與尼采都強烈意識到自己的失敗、孤獨與界限。尼采說自己是某種力量為了試用鋼筆而胡亂畫成的線條：他被判定處在只能存在而不能去愛人的層次。齊克果說自己像是一條四處碰壁的沙丁魚，而不像一個完整的人，他是上帝手中不成功的嘗試。這些說法都促使雅士培對生命做出進一步的思考。一個人只有從負面的存在處境出發，才會產生一種認真負責的人生態度。

雅士培早期從醫學轉到心理學，在 1919 年出版《世界觀的心理學》，對於人生問題進行了深入思考。他把人簡單分為三種類型：實際型、浪漫型與聖賢型。實際型要追求權力，改變世界；浪漫型要追求內心的快樂，追求享受；聖賢型要與別人共同分享愛，

進而設法與絕對者接觸。在這本書裡，他受到齊克果的啟發，談到
「存在」的觀念；受到康德的啟發，談到「理性」的觀念。

（三）雅士培的存在哲學

　　雅士培不喜歡沙特所提出的「存在主義」這個稱謂，好像是有
某種特定立場的學派一樣。他以「存在哲學」這個詞，來說明自己
的立場。

　　雅士培對於哲學的看法是：哲學沒有新的發現，但它卻是有意
義的思想方式。「沒有新發現」的說法源於他的醫學背景。他長期
在醫學院做研究，同事們見面時經常會問：對某種病症有沒有找到
新的事實呢？「沒有發現新的事實」（原文為 ohne Befund，簡稱
o.B.）是醫學上的一個術語。

　　雅士培如何定義存在哲學？他認為，哲學是一種思想方式，人
藉著這種思想方式而尋求成為自己。這種思想方式對世界暫時存而
不論，它喚起一個人自己的自由，對他做存在的照明，讓他走向超
越界，使自己提升。

　　這裡提到三個概念：世界、自由與超越。對於「世界」，我們
基本上只能有一種淺顯的認識。不論是否關懷世界，世界都一樣存
在，所以焦點要轉到人自己身上。人的本質在於自由，這是人最根
本的特色，所以要喚起自己的自由。有了自由之後，要進一步走向
超越界。所以，世界、自由與超越三個詞，可以做為雅士培對哲學
的基本看法。他認為哲學有三重任務：第一是世界定向，第二是存
在照明，第三是追求超越界。

1. 世界定向

　　世界是已經在那兒的「經驗事物」，人生於世界之中，卻要試
圖了解世界的意義。人的理性要求突破「內存性」。換言之，人活

在這個封閉的世界裡面，都想突破這種處境。因此，要質疑這個充滿變化的世界：為何是有而不是無？由此去探討真正的存在本身。他認為，科學所知的世界不是世界的全部，而人的自我卻是整體的與獨特的，是人處在界限狀況、面對抉擇時才會實現的。

2. 人的存在照明

「存在」是自我在世界中的實現，同時又超越了這個世界。真實的「存在」僅限於人能夠完全超越自我的少數片刻。所謂「存在照明」，就像打開探照燈，把焦點放在人的存在上，要設法把它看得完整而透澈。

3. 對超越界的追求

雅士培宣稱他不信仰任何啟示宗教，也不是任何宗教的信徒，但他的學說裡面一再出現一個概念叫做「統攝者」（Das Umgreifende），有時也被譯為「包圍者」，好像它具有無限大的力量，把世界與人類都包圍在裡面。世界與自我都是相對而有限的，只有對照一個無法界定的統攝者，才可以被理解。換句話說，世界與人類要有一個來源與歸宿，才能把這一切統合起來；有了來源與歸宿，你才能理解世界與人生是怎麼回事。統攝者是一切新視野、新領域得以產生的根據，是那無法藉對象知識來認知的終極實在界，也就是存在本身。

雅士培研究過中國的老子，認為老子所說的「道」就是統攝者。他一生體弱多病，常常記得老子所說的「柔弱者生之徒」以及「柔弱勝剛強」。

雅士培最後認為，哲學的意義在於：敢於深入探究人類自身無法抵達的根基。這一探究過程就是不斷的超越。他說：「人體認到自己雖是有限的，但他這種可能性卻似乎伸展到無限。這一點就使人成為一切奧祕中最偉大的。」

（收穫與啟發）

1. 雅士培可以做為存在主義的代表，是因為他的生命經歷了身體上、心智上甚至死亡的特殊考驗。

2. 除了西方人熟悉的《聖經》之外，雅士培承認自己受到康德、齊克果和尼采的啟發。他對於哲學有特定的看法：哲學雖然沒有發現新的事實，但它卻是有意義的思想方式。

3. 這種思想方式可歸結為三種態度：如何對待世界，如何對待自己的自由與存在，以及如何對待超越界。這樣的哲學可以稱為「存在哲學」。

（課後思考）

　　請問：你或者你的親人，在身心方面有沒有受過嚴峻的考驗？這些考驗給了你哪些啟發？

37-2　界限狀況與統攝者

　　本節的主題是：界限狀況與統攝者。雅士培哲學建構的出發點，簡單來說就是「界限狀況」這個詞。

　　本節要介紹以下三點：

　　第一，什麼是界限狀況？

　　第二，人的基本結構是什麼？

　　第三，統攝者又是指什麼？

（一）什麼是界限狀況？

　　雅士培受到齊克果與尼采的啟發，認為人的具體存在就是一種「界限狀況」。他特別提到古代羅馬哲學家愛比克泰德（Epictetus, 50-138）的一句話：「哲學的起源，在於我們經驗到自己的弱小與無能。」我們經常會碰到生命的界限，感覺到生命根本禁不起打擊。痛苦、罪惡與死亡，就是很明顯的界限。當你覺得生命脆弱時，難免要問：我的生命到底是怎麼回事？

　　哲學的起點就在於對界限狀況的思考，以及對宇宙萬物的驚奇與懷疑。人活在世界上，一般不會想到痛苦的困擾、罪惡的威脅以及死亡的可能。但是不要忘記，一切都在偶然性的擺布之下，許多事情都會超出我們的控制。透過科學研究，世人對於大自然已經有相當深入的了解，但我們必須承認，各種意想不到的天災隨時都有可能出現。另外，在人類社會中，人與人相處要遵守一定的規範，表面上看好像愈來愈文明，但同樣可能發生各種人為的災難，遠遠

超出我們的預期。這些都屬於界限狀況。

　　人在生理上、心理上、倫理上以及精神上都有極限。身體上，會遇到衰老、疾病、死亡的威脅；心理上，會面臨各種痛苦與煩惱；倫理上，可能會遇到罪惡的挑戰，無法堅持行善；精神上，有可能失去信仰，或者完全無法肯定任何信仰。生命的局限讓人覺得自己就像一艘注定要沉沒的船，經常會處於失敗的狀況。你用何種態度面對這些失敗經驗，將決定你生命的品質。

　　雅士培認為，人在界限狀況中，一方面遇到空無，好像一切都是虛幻的；另一方面也可能由此覺悟，要去尋找存在本身。人要設法找到一種方式，把自己的生命與存在本身聯繫起來。「存在本身」用雅士培的術語來說就是「統攝者」，它把宇宙與人類全部包含在內，是一種無限的力量。

（二）人的基本結構

　　雅士培認為，統攝者有兩種形態：第一種是每一個人的自己，第二種是存在本身。

　　每一個人都是以自己為中心，去掌握所經驗到的一切。此時，人表現出三點特色：

　　1. 人是許許多多可經驗的事物之一。我可以經驗到別人，別人也可以經驗到我。在世界上，人是許多物種之一；在時空中，人是一個有生命之物。自然科學與社會科學都在設法了解人，但總是無法了解人的全部真相。人的生命在萬物之中無法被全盤理解。

　　2. 人是理解外界事物的意識。人藉著理性，幾乎可以理解一切。但真的能夠理解一切嗎？事實上，人的理性還是有很大的限制。

3. 人還是一種精神力量，有可能會對宇宙萬物形成一種整體的理解。

從以上三個角度，可以了解什麼是人，這就是雅士培所謂的「存在照明」。這三個方面各有特色，也各有限制，可以分別從正面與負面來看人的三種特色。

1. 人做為可經驗的事物，可以維護和發展自己的生命，這時需要與一個團體結合。從正面來看，人所發現的真理都具有實用性，並可以按照情況來調整。從負面來看，人做為可經驗的事物，無不追求幸福，但在自然界與人間，不可能有真正圓滿的幸福。譬如，這個世界直到今天還沒有發展出一種理想的政治型態。

2. 人做為意識，任何一種認識活動都要區分主體與客體。我認識別人，別人就是我認識的客體或對象。從正面來看，人使用理性的邏輯，可以得到大家普遍接受的真理。從負面來看，這種普遍接受的真理不一定可靠。不同的時代與社會，對於什麼是真理都有不同的看法。

3. 人做為一種精神力量，會按照個人在一個整體中的位置與別人溝通。人不可能脫離整體觀念去進行溝通。從正面來看，這個整體也包括人類的整個歷史，它與真理有明確的關係。從負面來看，當你把握整體觀念時，還有許多事實無法納入整體的範疇，結果總是掛一漏萬。

人是可經驗的事物，是存在的生物之一；人是意識本身，可以去認識這個世界；人也是精神，可以把一切看做整體。但是人也有明顯的限制，那該怎麼辦？這時可以把人看做一個小的統攝者，他一定要找到一個大的統攝者。

換句話說，人可以選擇做純真的自己，由此進入「存在」的領

域。「存在」讓我發覺自己的生命是獨特的、一次性的，也是具有歷史性的。這樣一種存在的抉擇，可以讓我接觸到真正的統攝者（超越界）。

（三）統攝者是什麼？

真正的統攝者只有一個，它最大的特色就是超越主客分裂。人這種小的統攝者一旦進行思考，必然會出現主客分裂：有思考的主體就有思考的客體，有能思就有所思。真正的統攝者把一切都整合到一起，包含主體與客體，不容許有任何分裂。它籠罩一切，又穿透一切。人的認識都有其限制。只有突破這些限制，才有可能接近真正的統攝者。

雅士培所謂的「統攝者」，它的真正含義不容易描述。每個人做為生命的主體，只能從自己的角度去掌握一切，成為一個小的統攝者。但我們看不清楚這個世界，也找不到恆久的秩序，人的生命注定結束，最後必然是全面的失敗。

這提醒我們，必須找到真正的統攝者，才能化解這種困境。這就好比你問：一滴水怎樣才不會乾涸？只有回到大海，與它的來源或母體結合，才能避免乾涸。

收穫與啟發

1. 雅士培面對人的具體處境，發現人注定會遇到許多界限狀況。所謂「界限狀況」是說，人在身心靈各方面都會遇到瓶頸，並且注定在結束之後陷入虛無。人僅憑理性，對於「痛苦、罪惡、死亡」這三大奧祕，無法徹底了解與解決。
如果生活在一個太平時代，處在青年或壯年階段，根本就不會想到這些，以為人生本來就是這麼美好。

但事實上，「天災人禍」四個字足以讓人警惕，人的生命最後注定是一個失敗。所以雅士培強調，一個人對失敗經驗的態度會決定他的未來和本質。

在界限狀況中，人要何去何從？很多人會陷入虛無主義，表現出悲觀的態度，沙特就明顯有這種傾向。雅士培則認為，處於界限狀況中的人需要進行溝通，不但要進行人與人之間的溝通，更重要的是進行人與統攝者之間的溝通。

2. 雅士培強調統攝者有兩種形態：第一種是每個人的自我，第二種是存在本身。每一個人的自我都是一個小的核心，表現出三種特色：

   (1) 人是許多可經驗的事物之一，與萬物同處在這個世界上；

   (2) 人是可以理解外界事物的意識，可以用理性來認識一切；

   (3) 人也是精神力量，可以把一切整合起來。但是人這種小的統攝者有明確的限制，最後還是會走入死胡同，必須承認失敗的可能性與必然性。

3. 人要突破這個小的格局，進入到真正的統攝者之中。雅士培所謂的「統攝者」，是指包圍一切的、最大的一種力量，他偶爾也會用「超越者」這個詞。

   西方學者在探求宇宙和人生的來源與歸宿時，經常稱之為「超越界」。

   雅士培不願意把「統攝者」稱做「神」或「上帝」，因為那樣很容易被認為是某種宗教立場。他不相信任何制度化的宗教，尤其是啟示宗教，他認為那些與他的哲學沒有直接的關係。可見，他不是西方傳統所謂的基督徒。你可以說他是有神論者，但必須說明所謂的「神」是指「統攝者」，這樣就不會有什麼誤會了。

課後思考

我們在人生中也會遇到各種界限或失敗的情況。這時你是否覺得生命是一個封閉的、局限於自我的、小的系統？你有沒有嘗試過將這個系統推展開來，尋找它的來源與歸宿，並最終找到像雅士培所說的「統攝者」這樣的概念？

補充說明

雅士培的思想有一個關鍵點：人是小的統攝者，每個人都是思想、情感、意志的核心；小的統攝者之外，還有大的統攝者。這有點類似於「小宇宙」、「大宇宙」的說法。但「大的統攝者」已經超越了「宇宙」的概念，因為它包含自然界和人類在內，是一個整體。

人是小的統攝者。每個人都是從自己的角度出發，從自己認知的地平線、情感的核心、意志的抉擇來考慮，綜合過去的經驗和現在的狀況，再做進一步的決定。在這一過程中間，人有各種局限。所以人需要向上提升，指向大的統攝者。

大的統攝者並非完全不可知。一套比較理想的哲學對於像「統攝者」這樣的觀念，一定會有兩方面的理解：一方面，人做為小的統攝者，可以對大的統攝者有某些基本認識，知道它有一定的規律，能在某種程度上回應人心的要求；但另一方面，沒有人可以完全了解大的統攝者。即便像孔子這樣的聖人，也只是了解「天命」（五十而知天命），然後「知其不可而為之」，代表孔子對於「天命」能否實現並沒有絕對的把握。孟子也說，如果天要治好天下，當今之世，舍我其誰？但天下仍然很亂。可見，孟子對於「天」這個大的統攝者，也是所知有限。

　　所以，真正的統攝者對人來說永遠有兩面：一面是可知的部分，一面是永遠不可知的部分。這樣才是完整的思維。

　　很多問題不需要解決，而需要解釋。前面提到「人生有可知的一面和不可知的一面」，「統攝者」就是用來解釋人不能回答的問題。哲學基本上是要提供一個解釋的原則。但這個解釋的原則用在每個人身上，究竟能解決多少問題、能解決到什麼程度，則需要透過自己不斷的體會和實踐，才能有所領悟。

　　人本身就是問題製造者，即便一些問題得以解決，新的問題照樣層出不窮，因此還不如有一個解釋的架構。這也是學習西方哲學的目的之一。歷代哲學家在不同時代、不同社會、不同的個人處境裡面，得到了一種個人的覺悟。我們參考他們的見解，可以形成一整套解釋的原則和方法。若能形成完整的系統，我們自己就變成哲學家了；如果尚未形成系統，那麼當我們遇到特定狀況時，也可以用哲學家的結論做為我們自己的解釋原則。

37-3 從溝通到信仰

本節的主題是：從溝通到信仰，要介紹雅士培的幾個核心觀念，內容包括以下三點：

第一，溝通與真理。

第二，密碼的作用。

第三，信仰是什麼？

（一）溝通與真理

前文提到，齊克果所謂的「真理」是指主體性的真理，是我主觀體驗到可以為之生、為之死的真理，它與我的生命密切相關。雅士培傳承了齊克果的思想，他說：「真理與人間的溝通不可分。」這樣一來就必須承認，人間並沒有絕對的真理，而是要無限制的互相溝通下去。雅士培把「理性」界定為「普遍的溝通意志」，理性的目的就是要與別人進行有效的溝通。

雅士培認為，人的理性在面對真理時同樣會遇到界限狀況，理性無法把握全部真理，最後會陷入全面的失敗。這時你會發現，所有的界限都朝向一個超越界開放。直到與超越界相遇，才可以肯定自我純真的存在。關鍵在於，要在溝通中與超越的基礎相遇。這個超越的基礎是一切存在物的基礎。這樣一來，溝通就變成為了追求真理而必須經過的過程。

雅士培重視溝通。他認為，人用理性可以得到知識，知識的目的是要使人與人聯合起來；可惜困難重重，因為每個人都有自己的

看法。人只有在與另外一個自我溝通的時候，才能成為真正的自己。一個人孤單的時候，自我是不完整的。所以，溝通是導向各種形式的真理之路。這裡再次強調，真理與溝通密不可分。

除了人與人的溝通之外，還有一種存在的溝通，就是設法使每一個人都努力成為自己。這時要由人與人的溝通走向人與超越界（統攝者）的溝通，由此可以引申到「萬物都是密碼」的觀念。

（二）密碼的作用

密碼是什麼？現實世界的一切都可能是密碼。譬如，一個字、一句話、一個手勢、一滴眼淚、一個暫停的動作，都可以讓我接觸到問題的核心。一個微笑、一個揮手，都可以傳遞那共同的、恆在的幸福。換句話說，當你與別人溝通時就會發現，一個簡單的言語或動作，或是一個簡單的對象，它們就像密碼一樣，似乎可以透過它們來解開宇宙萬物的奧祕。密碼最具體的表現是宗教與藝術中的象徵，以及哲學方面的思想。可見，密碼的範圍很廣，自然界與人文世界的一切都可以當做密碼。

在靜態方面，萬物都可以成為密碼。在動態方面，人可以透過抉擇，使自己與永恆接上線。宇宙萬物充滿奧祕，存在本身（統攝者或是超越界）藉著這些奧祕顯示它自己。以這樣的視角去看萬物，萬物都是透明的，可以成為密碼或象徵。一切都可以當做比喻，指向一個超越界。一切都可以做為密碼，因為一切都是存在本身的分享。換句話說，存在本身無所不在，所以萬物都是指向存在本身的密碼。

雅士培認為，歷代哲學家的思想也是過去留下來的密碼。所以他花了大量時間去研究西方歷代重要的哲學家，並在 1957 年出版了《大哲學家》一書。後文會介紹其中的重要內容。

人的生命與知識都是有限的。在這有限裡面，要如何與無限相遇？這時候要靠抉擇，抉擇可以使絕對性得以展現。譬如，在面對命運及死亡的時候，你選擇成為自己，此時就接上了無限。雅士培說：「抉擇使人在當下那一剎那接觸了永恆。」他對「一剎那」或「一瞬間」有一個很好的觀念，他說：「剎那就是時間與永恆的一致，它使實際的一剎那深入到永恆的現在之中。存在是一瞬間的深入，使時間上的現在成為一種完成。」可見，每一剎那都是永恆的表現。你在每一剎那都要有清晰、真誠的人生態度。所以，抉擇構成了人的存在。藉著抉擇，每一剎那都是絕對與永恆的實現。這樣就從密碼引申到人的抉擇。

（三）信仰是什麼？

雅士培被沙特歸類為有神論的存在主義者，他公開否認這種說法，並極力避免直接使用「上帝」這個概念。但是，在雅士培的思想裡面，到處都會發現「統攝者」（包圍者或超越者）這個概念。它能夠統合、包圍我們所知的一切，世界與人類統統在內。雅士培知道，一個人遇到界限狀況，除非立刻放棄一切希望，否則一定會碰到一個超越界，它是超乎宇宙之上、在宇宙之前的那個力量。傳統的宗教就把它稱做神。

因此，雅士培同樣肯定上帝的存在，他把「上帝」理解為萬物的來源與歸宿。他也不否認上帝的位格性，因為人與上帝之間可以互動的話，上帝就會展現出位格性。從這個意義上來看，可以說雅士培是有神論者。但是他並非基督徒，他甚至公開反對所有的啟示宗教，包括印度教、猶太教、基督宗教以及伊斯蘭教。他認為，沒有任何一種宗教可以獨占真理，真理是開放給每一個人的。

他進一步說明什麼叫做「無信仰」。凡是主張內在性是絕對

的，都屬於無信仰的態度。「內在性」也稱為「內存性」。簡單來說，所謂「無信仰的態度」，就是把我們所經驗的世界當做唯一的存在界，當做完整而獨立的封閉系統，而否認所有超越界的存在。這種無信仰表現為三種形態：

1. 向魔力投降。即推崇世界的力量，把它當做神聖的東西。把人的激情、權力、生命力、美麗、毀滅或殘暴當做絕對的力量，用人的衝動來取代上帝。

2. 把人加以神話。這種現象自古以來屢見不鮮。有些統治者希望別人把他當做神來崇拜；也有人把自己當做神的代言人，做任何事都以上帝之名。

3. 虛無主義。認為一切都沒有意義，懷疑並拒絕一切。

以上三種無信仰的結局都是空虛與絕望。雅士培進一步說：「真正使人產生信仰的，既不是宇宙萬物，也不是人生的特別遭遇，而是人的自由。一個人意識到自己是自由的，就等於確信了上帝的存在。」他的理由是：做為自由的存在者，當我真正成為我自己的時候，我知道我並不是靠我自己而成為自由的。下一節會專門探討自由的問題。

收穫與啟發

1. 雅士培認為，真理離不開溝通，它是一個正在進行的過程，沒有人可以壟斷真理。你要不斷敞開心房與別人溝通，同時向宇宙開放你的心態。

2. 宇宙萬物，或人與人之間各種簡單的言行表現，都可以成為密碼（暗號或象徵），使人與統攝者（超越界）接上線。人如果不能透過密碼去掌握萬物背後的來源與歸宿，則人生的結局只有全面的失敗，人間所有的成就最後都會結束。透過密碼，你

可能忽然會從剎那中看到永恆的曙光，這就是密碼的特色。

有時候我們覺得人生好像沒什麼希望了，忽然聽到小孩的哭聲、看到一個溫暖的動作、聽到一句溫暖的話，人生又重新燃起了希望，這些就是類似的經驗。印度詩哲泰戈爾（Rabindranath Tagore, 1861-1941）在一首詩中寫道：「上帝在哪裡？你爬上高山、深入大海都找不到，結果在路邊小孩子的哭聲中，在他含著眼淚喊著媽媽的聲音中，找到了上帝。」等於你忽然解開了密碼，接觸到統攝者。

3. 雅士培不願意接受任何一種制度化的宗教，但他始終相信存在著一個超越者（統攝者、包圍者），它對所有人開放，不能被某一個宗教壟斷。所以稱他為有神論，他基本上不會反對。他特別指出什麼是無信仰的態度，即一個人向魔力投降、把人當做神以及虛無主義。當我們遇到界限狀況時，這三種情況會讓人失去信心，放棄繼續探索的勇氣。真正讓人產生信仰的是自由。透過對自由的深刻反思，你會知道你並不是靠自己而成為自由的。

課後思考

雅士培的「密碼」觀念很有趣。請你想一想，你是否曾透過某個自然界的畫面，或透過一個簡單的眼神、一句簡單的話，忽然覺悟到人生有某種意義？雖然不見得很清楚，但至少你可以肯定它是有意義的。

補充說明

談到「密碼」的觀念，我想分享自己的一點心得。人活在世界上，放眼四顧，就會發現有兩個世界：一個是自然界，一個是人

類。這兩個世界都會為我們提供「密碼」，使我們可以抵達「超越界」的層次，也就是我們一直強調的「2+1」的「1」。

　　密碼可能來自於人類，尤其是人間的三種情感──親情、友情、愛情，進一步可以推廣到對故鄉、社會、國家、人類的愛。從金庸小說或某部電影中，同樣可以領悟某些永恆的啟示。重要的是，要培養接收和領悟密碼的能力。

　　密碼也可能來自於自然界。古希臘時代就強調，哲學起源於驚訝。對於一般人習以為常的春夏秋冬、日出日落這些現象，哲學家覺得很驚訝，為什麼會有規律的變化？難道可見的現象背後有一個永恆不變的本體嗎？因此，我們要學習用嬰兒的眼光來看待一切，對一切感覺到好奇。

　　人活在這個世界上，光是活著就是一件奇妙的事。歌德曾說：「知識是灰色的，生命之樹長青。」書籍都是以文字做為載體，你是否能透過文字，看到作者的心靈、體會到作者所覺悟的道理？這其實是很困難的。如果你有一顆善於覺悟的心，生命之樹就會長青。

　　在與別人來往的過程中，我們可以在這方面多做一些練習。譬如，我教書四十年，有許多課程都要重複開設，但每次面對的是不同的學生，每次上課的時間也是不同的。時間一去不復返，每一剎那都跟以前不同，每一次上課都是全新的開始。所以我養成一個習慣，每次上臺前都會對自己說：今天是我第一次上課。這樣一想，內心立刻會產生一種動力，可以鼓足精神，跟大家分享自己的心得，並體會到分享知識的快樂。學生們也會感覺到老師很投入，很在乎我們。

　　我們在乎別人，就是珍惜自己的時間。就算是再好的朋友，每一次見面都要把它當成第一次，甚至是唯一的一次。等到你與一

些知心的好友分隔遙遠，甚至他們可能會離開這個世界，那時你也許就會有特別深刻的感觸：早知如此，上一次就應該多談幾句，多關心幾句。

如果想要覺悟密碼，就要保持一顆善感的心、開放的心。要常常進行「換位思考」，想一想：假如我是你（If I were you）。當然，這種話說多了就會變成口頭禪，有誰能夠真正是別人呢？但僅僅是這樣一個簡單的轉換，你就會發覺，應該用一種不同的眼光來看待我們此刻的互動關係。

37-4　雅士培的自由觀

　　本節的主題是：雅士培的自由觀。前文已經從不同立場、不同角度，多次探討「自由」這一概念。但是，存在主義所謂的「自由」與傳統的說法還是不太一樣。對於存在主義學者來說，自由是極為特別的概念，它是人的本質所在，也是認識人的存在的關鍵所在。雅士培如何看待自由呢？

　　本節要介紹以下三點：

　　第一，自由是怎麼回事？

　　第二，對自由的深入思考。

　　第三，從自由到超越界。

（一）自由是怎麼回事？

　　雅士培認為，人生是一個人完成自己的過程。換句話說，人生的目標是讓自己的生命有一個圓滿的發展與結局。在人的面前有「無限制」的可能性。除非你限制自己，否則你的可能性是沒有限制的。因此，人就是自由。所謂的「自由」，就是選擇自己以及成為自己。

　　「人就是自由」這個說法，比「人擁有自由」或「人是自由的」要更進一步。到底什麼是自由呢？雅士培認為，自由需要三項條件：首先，要有某些知識，不能盲目做選擇，要知道有哪些選項或可能性；其次，要意識到某些規範，根據某些標準來做出選擇；第三，要有自由意志。

這三項條件不可或缺，但是它們都有明顯的限制。

1. 知識一定有局限，在做選擇的時候，未必知道所有的選項。

2. 規範或標準可能只是白紙黑字的條文，更值得重視的是規範所體現的精神。

3. 人有自由意志，好像可以自主做決定，其實很多時候你不得不如此做決定，否則就出賣了自己。換句話說，有些自由選擇身不由己，否則就不夠真誠。

可見，自由需要三項條件，又要超越這三項條件。表面上我在選擇做一件事，事實上我在選擇做我自己。我選擇的是一個有限的目標，但是我展望的是一個無限的目標。每一次自由選擇都讓我更加接近無限的領域；但是不管我如何選擇，與那個無限相比，其間總有無限的差距。人的自由選擇到最後注定會失敗。

雅士培一再提醒我們，人生注定失敗；但失敗也許是新的開始，由此可能會慢慢接近超越界。正如齊克果所說，人是身體與靈魂的綜合，是有限與無限的綜合，是時間與永恆的綜合。兩組力量綜合在一起，人怎麼可能妥善的做好每一次選擇呢？

當人的自由面對無法改變的界限狀況時，該怎麼辦？雅士培也認同斯多亞學派和尼采所說的「愛命運」，但是他說：「『我愛命運』是說我愛我自己的命運，因為只有在這個命運中，我確實把握了自我的存在。」這句話說得相當深刻。

（二）對自由的深入思考

雅士培接著從兩個角度對自由進行了深入思考：

1. 自由與命令

當我接到命令的時候，才會意識到自己的自由。這句話讓我們聯想到齊克果對《舊約‧創世紀》的詮釋。亞當在伊甸園裡，當上

帝對他說「你不能吃這棵樹的果子」（這叫做命令或禁令），他才意識到他有自由。有了命令，才有順從或反抗的問題，才有所謂的自由。既然是自己做決定，就要為後果負責。可見，自由與命令是不可分的。只有自我節制、自我約束，才能真正享有自由。

有時你會發現，自由竟然涉及一種無條件的命令，也就是沒得商量、非這樣做不可。雅士培用「愛」來比喻。愛上一個人會讓你身不由己，好像接到了無條件的命令，不得不接受。事實上，自由無法被強迫，我是自由做出決定的，我的生命因而有了意義。這時我會明白，我並非靠自己的力量得以自由，而是有一個超越的力量無條件的給予，讓我獲得真正的自由。譬如，人經常以為是自己在做選擇，其實從人性底層會發出良知的呼聲（如蘇格拉底所謂的「精靈之聲」），讓你不得不做某些選擇。

2. 自由與上帝的關係

雅士培所謂的上帝，是指統攝者、包圍者或超越界，與宗教沒有必然關聯。存在主義者對於「自由」有兩種基本立場：

(1) 無神論，如尼采和沙特認為，必須沒有上帝，我才能擁有真正的自由；

(2) 有神論，如雅士培認為，人的自由與超越界不可分，如果不談超越界，自由只是盲目衝動而已。

所以，首先要肯定「人就是自由」，接著要肯定「人是存在於對上帝的關係中的存在者」。換言之，我們並未創造自己，而是在自由選擇中發展自己。人能夠站得穩，是靠一隻無形的手。只有藉著自由，我才能確知有超越界。

雅士培也深受法國哲學家帕斯卡的影響，認識到人只是大自然中最柔弱的蘆葦，一點點空氣變動就足以讓一個人失去生命。面對如此脆弱的生命，雅士培說：「人由於依賴上帝而生活，這樣才可

以不必依賴世界而受它宰制。」換言之，你要做出選擇，在上帝與世界之間，你選哪一個？這個世界是量化的、物質化的、世俗化的。你若選擇世界，就會受到世界的宰制。選擇上帝則意味著要提升精神層次，向靈的方向發展。人的自由就是不要讓自己陷入物質領域，而要努力向上提升。

（三）從自由到超越界

自由與命令不可分，而命令與超越界有關。雅士培認為，人的自由要求被引導，以便達成他被賦予這個自由的目的。人被賦予自由，是要給人自我改造的機會，使人可以在自由中締造自己的歷史。只有被上帝引導，才能與上帝相遇。與上帝相遇不一定涉及宗教信仰，雅士培強調的是：要找到自己的來源與歸宿，使生命得到真正的安頓。

在什麼地方可以發現上帝的引導呢？

首先，在人類的傳統中，你會發現上帝是如何引導一代又一代的人。雅士培在哲學界有一個顯著特色，他細心研究西方歷代的大哲學家，也包括東方的重要哲學家。這些哲學家個人的心得與體驗，顯示出上帝的聲音。

另外，在個人的遭遇中，當你準備接納一切之際，上帝的聲音就會顯示在內心的自我覺悟中。最典型的例子就是蘇格拉底的「精靈之聲」。如果你足夠真誠，當遇到不該做的事情時，就會聽到內心有聲音對你說「不」。那就是超越界的啟示，讓你知道該如何做出選擇。

雅士培最後提醒我們，人對自己行為的判斷永遠是不確定的，因為世上的一切都在變化之中。所以千萬不能自以為是，不能把個人私意當成上帝的意思，尤其當你具有某種身分、地位或權力之後。

如何判斷自己的覺悟是否正確？這只能靠事後的回顧。當你回顧過去某些自由選擇的時候，你會深刻感受到被指引的喜悅。即使如此，你仍然不能確定可以轉達神明的意思，因為神明的指引無法被塑造為我們所占有的東西。所謂「彼一時也，此一時也」、「天意難測」等說法，都表達了同樣的意思。了解這一點，才能正確看待自由。

（收穫與啟發）

1. 人就是自由。自由的運作需要具備某些知識，事先了解有哪些選項；自由一定要有某些規範做為標準；此外還要有自由意志。這三項條件也有其限制：知識永遠有局限，規範的重點在於掌握它的精神，自由意志有時好像身不由己。我選擇做自己，而我是有限的，必須向無限靠近；但我與無限之間永遠有難以想像的距離，所以人生注定失敗。怎麼辦？你要珍惜自己的命運，並保持開放的態度；否則會陷入虛無主義的困境。

2. 對自由做深入思考就會發現，任何自由都有它的命令，有時甚至是無條件的命令。雅士培用愛做比喻，很多人都體驗過「不得不愛」這四個字，我必須如此對待自己，否則我就不是我了。所以，當我真正自由的時候，就知道我並不是由自己而得到自由。自由與超越界不可分，所以要依賴超越界，而不要依賴世界。

3. 從自由到超越界，人的自由有如被引導。要學習歷代哲學家的智慧，並準備接納發生在自己身上的一切，就有可能聽到超越界的聲音。但是永遠要有保留的態度，不管自己如何選擇，都不能認定那就是超越界的意思。永遠要保持開放的心態，在向著超越界回歸的過程中不斷努力。

課後思考

　　請你按照雅士培的自由觀，思考你曾經自由做過的一件事，你是否在其中體驗到某些深刻的內容？

補充說明

　　我們進一步闡述雅士培對「自由」的看法：

1. 運用自由時，必須要有某些知識，才知道自己的選擇有哪幾種選項；但這樣的知識永遠有其限制。對選擇對象的認知是一個不斷擴展的過程，就像現象學所說的「地平線」一樣。所以，你只能對自己當下的認識負責。

2. 必須知道某些規範。自由選擇一定牽涉到具體的規範。沒有任何約束，就不會有真正的自由。但一定要掌握規範的精神，而不能拘泥於字面的意思。

3. 必須運用自由意志，但你會發現，有時會有一個更大的力量，讓你身不由己去做某些選擇。

　　有自由必定有責任，這時要考慮兩點：

1. 誰做事誰負責，這樣的責任是必要的；

2. 不管多大的責任，都有相對性，沒人可為所做之事負全責。

　　你在運用自由時，有許多外在的客觀條件或內在的心理狀況，使你不可能有完全的自由，因而也不用負完全的責任。

　　因此，責任有必要性與相對性。任何責任都不是孤立的，不是把一件事情做完就算了。責任到最後還是要面對自己，以及自己與統攝者的關係。只要你還活著，自由意志就會一直運作，責任也將持續發展。

37-5　雅士培所推崇的四大聖哲

本節的主題是：雅士培推崇的四大聖哲，內容包括以下三點：

第一，四大聖哲是哪四位？

第二，四大聖哲有何特色？

第三，存在哲學的發展。

（一）四大聖哲是哪四位？

雅士培在 1949 年出版《歷史的起源與目標》一書。他在書中強調，從西元前 800 年至西元前 200 年，這六百年是人類精神文明的突破時期。後來被稱做人類文化的軸心時代。他指出，希臘、希伯來、印度以及中國，在這段時間內不約而同的出現了一些重要人物，他們的思想成為後代一再回顧的重要資源，給人類的生命帶來希望與信心。

八年之後，雅士培在 1957 年出版了《大哲學家》這套書。在書的開頭，他提到四位思想典範的創造者——四大聖哲，包括古希臘的蘇格拉底、古印度的佛陀（Śākyamuni, 560-480 B.C.）、中國古代的孔子（551-479 B.C.）以及猶太人耶穌（Jesus, 4 B.C.-29 A.D.）。事實上，耶穌的年代在西元元年前後，代表雅士培早期所說的軸心時代只是大概的估算。

他在談到希伯來人的時候，特別提到猶太教在當時出現很多大先知，他們提醒人間的帝王：雖然你們擁有很大的權力，但還是要知道自己的生命有來源與歸宿，應該照樣崇拜上帝，照顧百姓。

　　雅士培把蘇格拉底、佛陀、孔子與耶穌並列，讓人眼睛一亮。耶穌創立了基督宗教，後面發展為一教三系，佛陀創立了佛教，等於世界兩大宗教的創始者都在其中。孔子是儒家的創始者，儒家雖然不是宗教，但它對中國的影響不下於任何宗教。蘇格拉底是西方文化的關鍵人物，一般都將他視為西方人文精神的最初代表。他把焦點拉回到人的身上，讓一個人以真誠的態度認識自己，進而發揮生命的正面能量。後代西方人也把他當成求知識、求真理的典範。

（二）四大聖哲的特色

　　四大聖哲在各自的文化傳統裡，到底做了哪些事呢？

　　蘇格拉底讓個人從城邦裡解脫出來。在古希臘時代，個人不能脫離城邦。但是你如果愛好智慧，追求真理，就不能只做為城邦的一個單位或工具而已，而要以個人的身分去追求。佛陀要讓印度人擺脫種姓制度的掌控，他甚至提出「眾生平等」的普遍觀念。孔子要讓人擺脫當時封建諸侯國的格局，啟發一個人進行自我的覺醒，承擔自己的使命。耶穌要讓人擺脫猶太民族嚴密的傳統，走向「人之所以為人」這個正確的出發點。

　　四大聖哲的共同特色在於：讓個人獲得解放。個人解放之後，要建立新的宇宙觀與人生觀，以實現個人的提升轉化。人不能只是活著而已，還要使自己成為一種圓滿的人的典型。換句話說，人要慢慢消解生物性，減少身心條件對自己的控制，使精神層次得以展現並向上提升。

　　同時，四大聖哲讓人正視痛苦。人生有各種煩惱與痛苦，「愛別離、怨憎會、求不得」都是苦難，但這些苦難只是試煉。凡有生之物都會遇到這樣的考驗，所以不必排斥它，而要面對它、接受它。讓自己像浴火的鳳凰一樣，透過重重考驗，使生命得到淬煉，

以便能面對生命的最後一關——死亡的挑戰。

　　四大聖哲都提醒我們，死亡不是終結，而是一個解脫或拯救的機會。譬如孔子認為，每個人都應該成為君子，走向聖賢的境界；死亡是自然生命的結束，也是價值生命的完成。人這一生的目的，是要找到自己的使命，達成圓滿的人生境界。基督宗教與佛教在修行方面提出了更明確的方法。蘇格拉底最後面對審判團侃侃而談，他對死亡的看法讓他完全漠視死亡。

　　雅士培的《大哲學家》這本書，首先介紹以上四位思想典範的創造者，接著談到思辨方面的集大成者，包括柏拉圖、奧古斯丁與康德。然後談到有原創性的形上學家，包括古希臘的安納齊曼德、赫拉克利特、巴門尼德，羅馬初期新柏拉圖主義的代表普羅提諾、中世紀的安瑟姆，以及近代的史賓諾莎。值得注意的是，雅士培並沒有提到一般人都會強調的幾位哲學家，如古希臘的亞里斯多德、中世紀的多瑪斯‧阿奎那，以及近代的笛卡兒與黑格爾。

　　在非西方的代表中，他提到兩位中國人、兩位印度人。兩位中國人分別是孔子與老子。兩位印度人分別是佛陀與二世紀的重要佛學家龍樹。龍樹提出「中觀」思想，強調人需要有一種正確的、走在中道的思想，才可以擺脫所有執著。

　　雅士培對上述十五位哲學家進行了深入研究，這本書的程度遠遠超過一般哲學史家的水準。他的手筆難得一見，值得參考。這本書的中文譯本由中國的社會科學文獻出版社出版，翻譯得相當認真。但要把這本書讀完並正確理解，沒有幾年功夫恐怕難以做到。

（三）存在哲學的啟發

　　四大聖哲代表了某種典範。雅士培也承認，他們四位不能算是嚴格意義的哲學家，尤其是裡面還有兩位宗教的創始人。但是，哲

學的主要目標是建構宇宙觀、人生觀與價值觀。在人生觀與價值觀方面，有誰能比這四大聖哲對人類的影響力更大呢？

最後，我們再回顧一下雅士培的存在哲學。雅士培認為，存在哲學是一種思想方式，人藉著這種方式要尋求成為自己。這種思想方式對客觀世界暫時存而不論，焦點要轉向自己，要照明人的存在。這時所喚起的是人的自由，讓人覺悟到我就是自由。自由的目的何在？人在自由抉擇中，會發現自己的界限狀況，這時可以把所有的一切（宇宙萬物以及身邊的人、地、事物）都當做密碼、暗號或象徵，讓它帶我們走向超越界，找到萬物的來源與歸宿。

雅士培沒有把這個「來源與歸宿」講得很疏遠、很抽象，而是把它落實為萬物的統攝者或包圍者。統攝者與人的自由有一種直接的互動關係，可以讓人在自由中覺悟：有一種無法言說的力量或命令，給人的自由以明確的引導，使人走向存在本身。

收穫與啟發

1. 雅士培 1957 年出版《大哲學家》，中譯本厚達八百多頁，書中介紹十五位西方與東方的哲學家，以西方為主。他的研究十分深入，他講述西方哲學的方式是真正的「接著講」。每一位哲學家的思想經過他的詮釋，都展現出不同的深度與高度。

2. 雅士培提出四位典範人物（可稱為四大聖哲），按照原文的排序是：蘇格拉底、佛陀、孔子與耶穌。這本書以西方人做為閱讀對象，自然把蘇格拉底放在首位。四大聖哲面對他們所處的時代，力圖改變過去的傳統，以凸顯個人的生命。他們未必有顯著的成就，但他們留下的典範可以幫助我們認識個人生命的獨特價值。人一定要經過某種修練，才能得到提升與轉化。人在歷經各種考驗之後，可以對痛苦、罪惡與死亡採取全新的態

度，使生命抵達完美的境地。

3. 雅士培的存在哲學充滿了啟發與力量。雅士培的特色仕於，他從傳統哲學的偉大人物那裡學到了很多重要觀念，從而擺脫了個人生命經驗的局限。

（課後思考）

請問，你對「四大聖哲」中哪一位有比較深入的了解與體會？

（補充說明）

　大部分同學都認為自己更了解孔子。不過，你所了解的孔子是什麼樣的孔子呢？通常我們都會透過別人的介紹來了解一個人，但你除了聽別人介紹《論語》的一些觀念以外，有沒有親身實踐孔子的話？只有親身實踐之後才能體會到，為什麼孔子的學生對他有如此深厚的感情，因為他們整個的生命在孔子的教導下得到了提升轉化。所以我更希望你能親身實踐，使自己的生命境界得到提升。

　想真正認識孔子並非易事，因為經過歷代的詮釋，我們很難看到孔子的真面貌，總讓人覺得有點遙遠。

　孔子核心觀念當然是「仁」，但「仁」不容易説清楚。

1.「仁」字牽涉到自我方面，即自我的覺醒，我必須真誠去實踐。

2.「仁」不能脫離我與別人的關係，於是就出現了對「善」的界定：善是我與別人之間適當關係的實現。

3. 從「仁」的自我方面來看，要化被動為主動，擇善而固執之；

4. 從「仁」是我與別人之間的關係來看，我們要學習孔子十二個字的志向 —— 老者安之，朋友信之，少者懷之。有了這樣的認識，才算真正了解孔子。

第三十八章

海德格

堅持探索存在本身

38-1　海德格的生平與思想

　　本章的主題是：海德格堅持探索存在本身。本節的主題是：海德格的生平與思想。

　　如果要問二十世紀的西方哲學家之中，誰對文化界造成最大的影響？答案就是海德格（Martin Heidegger, 1889-1976）。海德格的一生比較平順，他沒有遇到像雅士培那樣嚴峻的「三大考驗」，也不像法國哲學家沙特與馬塞爾那樣是知名文藝作家，寫了很多小說、戲劇、散文。海德格是一位外表嚴謹的大學教授，他深受存在思想的啟發，被列為存在主義的四位代表之一。海德格思想的主要特色是：堅持探索存在本身。他接上了西方的傳統哲學，又能推陳出新，發展出對現代人極有價值的哲學思想。

　　本節要介紹以下三點：
　　第一，海德格相對單純的人生。
　　第二，海德格的學術貢獻。
　　第三，海德格的影響。

（一）海德格相對單純的人生

　　海德格的人生相對單純。他出生於德國西南部巴登區黑森林一帶的小村莊，外表看起來就像一個平凡務實的農夫。他在弗萊堡（Freiburg）大學先念神學，後來轉念哲學。他的博士論文批判了心理學主義，反對把邏輯學簡單化約為心理學主義。邏輯沒有時間性，所以不能把它化約為在時間變化過程中所歸納出來的心理現

象。他的人生最關鍵的轉捩點是擔任了現象學家胡塞爾的助理，跟隨胡塞爾一起研究現象學。

1927 年，海德格三十八歲的時候出版了代表作《存在與時間》（*Sein und Zeit; Being and Time*），從此聲名鵲起，受到各方注意，很快就受邀擔任馬爾堡大學的首席講座。後來，他的老師胡塞爾因為有猶太人血統而被迫退休，海德格就回到弗萊堡大學，接替了他的位置。

海德格就職時發表了一篇題為《何謂形上學》的演講，其中特別提到「空無」或「虛無」的概念。西方傳統的形上學一向要探討存在本身，但海德格認為，現在的形上學應該探討做為「存在」對面的「虛無」。有人據此認為他是虛無主義者，但是他說：「虛無（空無）是由焦慮所揭示的，由此使人接觸到存在本身。」

海德格出生於天主教家庭，但是他後來完全不談自己的宗教信仰，所以也有人說他是無神論、虛無主義、悲觀主義等等。但事實上，海德格想要描寫的是：一個沒有上帝的世界是什麼情況，人在裡面又應該如何生活。所以，他既不是有神論，也不是無神論，而是等待神的來臨。

因為《存在與時間》這本書，海德格被推崇為哲學界的名人。1933 年，納粹統治德國，他參加了納粹組織，並接受任命，出任弗萊堡大學校長。第二年，海德格因為理念與納粹思想不合因而辭職。這件事讓他後來一直受到批判。1945 年德國戰敗之後，他被限制講學。

退休之後，海德格回到老家黑森林，像隱士一般，過著簡樸的生活。他在哲學界聲名顯赫，所以經常有來自全球各地的訪客。只要有人來訪，都是他的夫人應門，她直接對訪客說：「請你們不要打擾，我的先生在思考。」

（二）海德格的學術貢獻

　　海德格把現象學方法運用得爐火純青，提出了許多獨到的見解。更重要的是，他深入研究古希臘哲學，對於古希臘文字可以回溯根源。

　　譬如，「現象學」（Phenomenology）在古希臘文裡是指，讓人見到一個在它本身彰顯自己的東西。海德格關心的是人的存在狀況，他把焦點放在人的存在上。另外，「真理」（alētheia）在希臘文裡的意思是「沒有遮蔽，揭示開來」。這種真理觀與後代所謂的「真理是指命題與外在的真實相符合」完全是兩回事。在海德格看來，「真理」就是揭開來，讓真相自己呈現，這樣才能讓存在本身展示出來。

　　特別的是，海德格用希臘文 physis 來描述存在本身。Physis 是physics（物理學）的字根，在希臘文裡本來是指自然界，用來描寫自然界「生生不息」的一種情況。可見，海德格認為存在本身不是靜態的，而是使萬物得以存在和發展的動力根源，具有「生生不息」的力量。

　　海德格更深入研究柏拉圖以及更早的赫拉克利特（Heraclitus, 535-475 B.C.）、巴門尼德（Parmenides, 514-? B.C.）等人。他特別肯定赫拉克利特所說的「一切是一，都歸於存在本身」，即一切存在物都在存在本身裡面。他也同意巴門尼德所說的「人的思想與存在是一致的」，他強調「思想與存在相歸屬」，亦即要由人的角度去了解存在本身。海德格哲學的主要任務，就是要回歸存在本身。

　　海德格進一步分辨「思想」與「理性」的不同。長期以來，西方哲學界都把理性當做人的主要特色；但是海德格說：「我們開始思想，才可以聽到尼采的呼喊。」尼采認為，西方哲學從蘇格拉底

以後都走入理性的領域，沒有反映出原始的對存在本身的覺悟。他甚至說：「我們要先了解，多少世紀以來受到推崇的理性，其實是思想最頑強的敵人。了解這一點之後，思想才可以開始運作。」

海德格表明他的立場，他說自己不是理性主義者。因為理性主義者是透過概念、表象來運作的，但人的存在不是概念或表象可以理解的。他又說自己不是非理性主義者。非理性主義者以感覺、意志、本能為主，認為這些比理性更為重要。海德格認為，齊克果與尼采像炸彈一樣，由街道扔進了學院之內。海德格本人則是標準的學院派教授，但他也要排除理性獨大的現象，讓人回歸到整體的人，可以連上他的根源，找到存在本身。

（三）海德格的影響

海德格的影響為什麼那麼大？一方面，他接受現象學的啟發，並加以應用和推廣，以他的著作影響後續幾個世代的人。另一方面，他在哲學上雖然被列為存在主義，但是他所關懷的範圍遠遠超過沙特所能理解的。他的思想沒有局限在人的生命裡面，而是要幫助人找到最重要的根源——存在本身。所以，他在哲學上所展現的思路與格局，都可以回歸到古希臘時代。

在哲學上，由他的思想直接發展出詮釋學，就是如何去詮釋一段經文、經典或一段話。繼現象學之後，詮釋學成為西方人文科學研究的重要方法。海德格的思想對於神學、文學批評、社會學、心理學等方面，都有很大啟發。

海德格的思想顯得晦澀難解，部分原因是他使用許多自己發明的詞。哲學家常會覺得傳統的概念含有過去的意思，不足以表達他現在的思想，於是就會對概念重新加以定義或發明一些新詞。

海德格如何定義哲學？他說：「哲學，是對存在者的存在本身

的回應。」這裡所謂的「存在者」特別是指人。事實上，「存在者」與「存在物」都可以用來指涉萬物。簡單說來，人活在世界上，最重要的是要找到自己的根源，知道自己從哪裡來，要回到哪裡去。如果這一點沒弄清楚，人生就落空了。

收穫與啟發

1. 海德格的背景相對單純。他不像雅士培那樣遭遇到身體健康、同事排擠以及死亡等界限狀況；也不像法國存在主義的代表沙特與馬塞爾那樣有許多文學作品，談到個人複雜的生命體驗。他是比較單純的學者型哲學家。他曾誤入歧途，被納粹所騙，當了一年校長就辭職，後來長期受到牽連。

2. 海德格在學術上主要師承現象學家胡塞爾，他進一步把現象學應用到人的存在上。他對古希臘哲學很有心得，掌握很多文字的字根，可以從根源上說明它本來的意思以及後來產生的偏差。他透過回溯本源，糾正偏差，再配合存在主義思潮，提出許多關於人生價值問題的深刻見解。

3. 海德格可以說是二十世紀對人類影響最深的哲學家。在哲學方面，他的存在主義可說是獨樹一幟，後來發展出詮釋學。在神學方面，他對全世界天主教與基督教神學家都有很大影響。另外，在人文科學的各個方面，都能看到他的學說的影子。

課後思考

海德格的成功之處在於：首先，他能夠掌握最根本的問題，就是人需要找到它的根源——存在本身，否則人生終究只是過客而已；同時，他對古希臘的傳統特別珍惜。既能掌握最根本的存在本身，又能回溯傳統的來源，這兩點特色可以給你哪些啟發？

補充說明

我們可以這樣去思考「回到根源」的問題：

1. 如果要回到自己的根源，就要問：我到底是什麼人？我們常常說要不忘初心、回歸本心，目的都是要了解自己。

2. 大地是萬物的母親，因此要回到根源，就要了解自然界。但是當人去了解自然界時，會發現有很大的限制，因為自然界總是顯示出充滿奧祕的一面，讓人無法完全理解。即便是科學家也會承認這一點。

3. 回到根源的最終目的，是要找到人類與自然界之外、萬物的來源與歸宿。那樣的根源如何展現出來呢？這要看你從哪裡入手。

過去的西方哲學有兩條探討路線，即兩套形上學。一條是亞里斯多德的路線，他把萬物當做存在物來看，想要找到萬物背後的存在本身是什麼。但是從存在物入手，永遠都擺脫不了存在物這個格局。找到最後，存在本身就變成被理性抽象之後的純粹概念，成為一個靜止不動的存在本身。由此造成兩個困擾：

1. 存在本身靜止不動，但人每天都在活動之中；

2. 研究萬物所針對的是客觀世界，但人的生命是主觀的力量在運作，不能脫離道德的實踐。

因此，康德提出另外一條路線。他認為，走自然界萬物的路線，永遠只能在同一層次裡打轉，再多的「零」加起來也無法得出「一」這個結果，還不如從人的生命特色著手。這兩種思維路線不同：一個從自然界出發，一個從人類出發。事實上也只有這兩條路線，否則就要走「密契經驗」這條路了。康德強調，人的道德實踐推到最後，必定有一個保證道德實踐可能性的最高力量，可稱之為上帝。康德的說法因而被稱為「道德形上學」。

　　海德格認為：走自然界的路線的確有困難，這讓人很早就遺忘存在本身；走道德路線也有困難，因為道德是相對於人類社會的存在。不同時代、不同社會，道德有不同的標準。在社會發展過程中，人的良心會被慢慢塑造成具有某種特定的內容，有其局限性。因此不如擺脫「理性」的思維模式，回歸「思想」的真正要求。理性的特色在於抽象，而思想的真正要求是找到思想最後的出路，或說找到人最初的來源。所以海德格特別重視思想本身。

　　海德格認為，要找到存在本身，只有從人的生命著手，但又不要牽涉道德的問題。人的思想總是要去探問：存在本身是什麼？因此先要了解，人這種會思想的主體，他本身存在結構如何？存在狀況如何？這時立刻會發現，人的生命不能脫離兩方面：

1. 人有理解能力，但要避免陷入理性的陷阱；
2. 人活在世界之中。可見，海德格並未忽略前面兩條路線，但他要強調的是，你提出一個問題，就必須對這個問題有清楚的認識，要把它放在自身的脈絡裡面，這個脈絡就是時間，所以他的代表作就稱為《存在與時間》。

　　海德格後面談到，要把自己個人的生命當做「此在」來看待，「此在」就是「存在者在此」。透過對此在的分析，最後找到一個明確的立場——向死而生。這時你必須深刻的面對相對的世界，並努力超越它，才有可能回到根源。

　　他接著提到哲學探討新的出發點。其實在哲學上並沒有所謂「新的出發點」，海德格只是回到古希臘時代，去探問最後的根源，也就是愛智慧。最後的結論簡單來說，就是從真理的「符合論」回歸到真理一詞最初的含義——不被遮蔽，使其自己開顯。

　　在存在主義學者當中，海德格的理論性特別強，讓許多人覺得難以理解，所以在此進一步加以說明。

38-2 海德格在西方哲學上的
獨到見解

　　本節的主題是：海德格在西方哲學上的獨到見解，要介紹海德格為什麼會有如此大的成就。內容包括以下三點：

　　第一，海德格認為西方哲學很早就遺忘了存在本身。

　　第二，海德格提出哲學探討的新的出發點。

　　第三，海德格注意到哲學的主題應該落實在人的生命上，他提出了一些基本術語。

（一）西方哲學遺忘了存在本身

　　海德格認為，西方哲學早就遺忘了存在本身。亞里斯多德的形上學本來是要透過有形可見、充滿變化的萬物，探討萬物背後的本體。他採用的方法是，把存在物當做存在物來看。換言之，當你看萬物的時候，不要只把它看成是一顆蘋果、一棵樹或一頭牛，而要看它是否存在。只要是存在的東西，都屬於「存在物」；與它相反的只有一個，叫做「虛無」。這樣一來，就可以用存在物把宇宙萬物統合在一起，然後尋找存在物之所以為存在物的根據，並把它抽象出來。但問題是，這樣去尋找本體，會受限於存在物的抽象性質，而忽略真正的根源。真正的根源沒有名字，只能說它是存在本身。結果人遺忘了存在本身，只是在存在物裡面打轉。

　　譬如，人類科學技術的初衷，是要幫助人來發展人的存在。結

果，科技發明的都是存在物，是有形可見的具體產品。久而久之，這些存在物好像具有獨立性。我們不禁要問：我們是這些科技產品的主人，還是它的奴隸？最後，人變成了科技的奴隸。這就是遺忘存在本身所造成的後果。

海德格提醒我們要注意「存在學上的差異」，亦即要分辨兩種「存在」：一種是我們所見的萬物，稱為「存在物」，其中也包括人，可稱為「存在者」；另一種是做為萬物來源與歸宿的「存在本身」。這兩者之間的差異稱為「存在學上的差異」。海德格認為，一定要清楚掌握「存在學上的差異」，否則很容易遺忘存在本身。

（二）海德格重新找到哲學思考的出發點

海德格認為，如果採取亞里斯多德的路線，把存在物當做存在物來看，藉此尋找背後的本體，則會讓人遺忘存在本身。康德另闢蹊徑，他不再研究萬物，而是從人的道德實踐出發，要找到這種倫理學背後的基礎，結果推出有關上帝存在的設定。海德格也沒有採取康德的路線，他的路線更具體，他提出哲學探討的新的出發點。他說：「必須從提出存在本身問題的存在者的存在狀況著手。」

是誰提出存在本身的問題？是誰認為存在本身被遺忘？是誰覺得這種遺忘對他造成了嚴重的困難？答案就是人。人是會提出存在本身問題的唯一的存在者。對海德格來說，探討存在本身是什麼，最理想的出發點就是從人類這種存在者的存在狀況著手。他為此特別發明了一些概念。

（三）海德格提出一些基本術語

海德格說：「哲學是對存在者的存在本身所做的回應。」存在者就是人類，人類的根源就稱為存在本身。如果你愛好智慧，從事

哲學工作，就要對自己的根源做一個回應。所以，哲學是探討根源的學問。

海德格為了顯示他的探討路線與眾不同，特別發明了一些術語，譬如存在本身、存在者、存在物等等。海德格談到人的時候，不願意說「人」或「個人」。這個世界上這麼多人，有幾個人會認真面對這個問題呢？所以，海德格把人稱為「此在」（dasein，德文），意即「存在者在此」。Sein 是「存在者」，da 是「在這兒」，代表我不是不在場，也不是在做夢，而是向著外界開放的。

此在（即每個人）有兩個明顯的特點：第一，此在有理解能力；第二，此在是在世界上的存在者。此在首先要理解自己的存在狀況，他可以成為自己，也可以不成為自己。了解這種狀況之後，此在要採取立場，由此才能決定自己的本質。可見，「存在」就是選擇成為自己或不成為自己的可能性，選擇才會決定一個人的本質。所以，對後來法國哲學家沙特所謂「存在先於本質」的說法，我們就不會感到太驚訝了。

事實上，海德格對沙特的說法沒有太大興趣，他有自己的思考路線。只有人會追問存在本身是怎麼回事，因此要把焦點放在人身上，從人的存在狀況開始思考。然後就會發現，我的生命是在時間過程中展開的，我的存在不能脫離時間。海德格的代表作就稱為《存在與時間》，他想藉此強調：只有了解了時間性，才能了解此在，進而從時間的角度找到存在問題的相關線索，最後才能回到存在本身。他以這本書做為上冊，本來計劃要寫下冊，結果一直沒有寫。直到第一版的二十五年之後，他才取消了「上冊」的說法。因為他後來的作品，足以彌補他原本在下冊中想要談的。

海德格在西方哲學界獨樹一幟。在二十世紀，整個世界紛紛擾擾，西方哲學進入了德國唯心論，後面再度產生分裂，各種學派百

家爭鳴。海德格透過回溯根源，掌握到最根本的問題；透過對古希臘思想的深入探討，找到哲學研究的新範疇，事實上也是最古老的範疇，並進一步推展哲學的主題。他的代表作《存在與時間》專門針對時間問題進行思考，批評了亞里斯多德、笛卡兒、康德等人對時間的看法。

收穫與啟發

1. 海德格指出，西方從古希臘時代開始，就已經遺忘了存在本身。把存在物當做存在物來看，最後找到的會是存在物的抽象性質，而不是那個永遠充滿動力、使萬物生生不息的基礎 —— 存在本身。西方哲學長期忽略存在本身與存在物的差異，海德格以此做為新的出發點。

2. 在探討存在本身的問題時，必須從提出存在本身問題的存在者的存在狀況著手。這裡所謂的「存在者」是指人。只有人會提出這個問題，所以海德格要進一步研究人的存在狀況。

3. 哲學的主題要以存在本身做為目標。但是要掌握存在本身，一定要先了解人 —— 此在（存在者在此），要分析人的日常生活。分析結果表明，人的一切都離不開時間性。所以他的代表作就稱為《存在與時間》。

課後思考

聽到海德格對於存在本身的說法，請問：你是否也有過類似的關懷，想要了解自己生命的來源與歸宿？你嘗試過用哪些方式去尋找？

38-3　海德格有關人的描述

本節的主題是：海德格有關人的描述，要介紹以下三點：

第一，此在是什麼？

第二，此在的三個特性。

第三，此在的喪失。

（一）此在是什麼？

海德格整個哲學的目標是要探討存在本身。當我們問：宇宙萬物有沒有來源與歸宿？那個最後、最真實的本體，就稱為「存在本身」。我們習慣說「所有東西都是存在的」，而「存在本身」就是這一切的來源與歸宿，也是讓萬物一直存在和發展下去的無窮動力。

「此在」就是「存在者在此」，這是海德格的術語。簡單說來，此在是指人（尤其是個人）的存在。但是個人要「存在」並不容易，因為人的生命非常特別。

海德格把宇宙萬物分為兩種：一種是「存在物」或「手前存在物」，另一種是「此在」。「手前」就是在我的手前面的。放眼四顧，你所看到的一切都是「手前存在物」，也就是外在的、真實的世界。不能從「手前存在物」的角度來研究人。譬如，人類學、生物學或是心理學，都把人當做手前存在物來研究，所以不得要領，無法了解人到底是什麼。必須另闢蹊徑，回到人的本身，把人當做「此在」。「此在」代表我在這兒，我對一切是開放的。

同時，此在一定是「在世界上的存在」。我們通常會用「在」

這個詞來描述手前存在物。譬如，水在杯子中，衣服在櫃子中，它們都只是在一個地方而已。人做為「在世界上」的存在者，這個「在」有不同的含義。「在世界上」的意思是：我住在世界上，我停留在世界上，我習慣於這樣的世界。代表我與世界有必然的聯繫，我與世界是互動的。

（二）此在的三個特性

此在固然可以對萬物、對其他人開放；更重要的是，要透過此在，向存在本身開放。此在有三個特性：

1. 心情，針對自己

此在的第一個特色是心情。我們可以把一個人的存在當做一個存在場，就像很多人所說的氣場。我就是一個存在場，我的心情像酵母一樣滲透著我整個的存在。我的此在（此時此地的我）總是以某種心情處於世界中，如歡喜、悲傷、恐懼等等。

人有一個最根本的心情，就是齊克果所說的焦慮。焦慮不是恐懼，因為它沒有明確的對象。我發現自己的基本心情是焦慮，所以要問自己：我有沒有讓存在本身展現出來？只有讓存在本身從我的此在中展現出來，我的此在才能稱為「存在」。存在主義對「存在」一詞的用法很特別，當此在選擇成為自己，做一個真誠的、屬於自己的人，這時他才是「存在」的。

2. 了解，針對萬物

此在的第二個特性是了解，這代表我是開放的。譬如，早上起床睜開眼睛，世界就開放在我四周。人永遠需要這樣的開放，沒有這種開放，人根本不可能存在。人的存在必須超出自己，開放於在我面前的世界中，才能進行生命的發展。

換句話說，人如果存在，一定存在於真理中。所謂「真理」，

就是開顯而沒有任何遮蔽。真理與存在本身不可分。但人是有限的，在追求真理的時候，開顯多少就遮蔽多少。我們一生中難免會有一些虛偽，經常會給自己找藉口，讓自己不必活得那麼真誠。

3. 言語，針對別人

此在的第三個特色是言語。所謂「言語」，不是聲音系統或象徵聲音的紙上記號。因為人活在言語之中，所以才會有言語的出現。海德格甚至說：「言語是存在本身的住所。」代表言語的目的是要開顯，人應該為這種開顯負責任。

海德格進一步分析言語深刻的一面。譬如，兩個人互相有一定了解，但談話很容易陷入沉默。陷入沉默是真正的言語，只有沉默才能產生共鳴，一切盡在不言中。能夠沉默，代表相互之間有某種共同的了解。一切言語，包括聲音、記號、符號等，都是由沉默而來。正因為人有沉默的能力，他才能擁有真正的言語。如果沒有沉默做為基礎，一切言談都是廢話。如果你要向別人一遍又一遍的解釋，代表你們之間沒有沉默做為根基，沒有共同生活最根本的脈絡。

換句話說，人與人說話時，因為有共同的脈絡，才會有不言而喻的了解，這種脈絡正是存在本身。因為彼此有一個共同的來源做為基礎，才能進行人與人之間的溝通，大家都以某種方式，讓真理在某種程度上得到開顯。

（三）此在的喪失

日常生活中，很多情況會使「此在」喪失。海德格提出三種：

1. 閒話

言語原是為了顯示及解釋此在，讓此在開放並與人進行溝通，最後抵達存在本身。但我們都喜歡聽閒話，尤其是在閒話裡會訴諸於某些權威，好像大家都這麼說，所以事情一定如此。所謂的「大

家」就是不知名的權威，就像一隻看不見的手，使人在還未明瞭的情況下，就以為自己了解一切，從而變得封閉，遠離了存在本身。

2. 好奇心

好奇心會使此在喪失。亞里斯多德說：「人在本質上都有看的欲望，就是從視覺開始，表現他的好奇。」中世紀的奧古斯丁也說：「人習慣用看來代表感覺。」我們常說：你看這道菜的味道怎樣？你看這個鐵盒很硬吧？你看這是哪一種聲音呢？其實，味道、軟硬、聲音，它們與視覺沒有直接關係。眼睛不會停留在同一個地方，它一直在更換目標，好像無根的樹一樣。視覺是理解的階梯，好奇心在任何地方，又不在任何地方。這樣一來，人很容易失落在萬物裡面，失去了自己。

3. 模稜兩可的態度

模稜兩可的態度也會讓此在喪失。對一件事情懂或不懂，與別人相處得好或不好，好像都沒有什麼把握，無法讓自己有一種明確的態度去選擇忠於自己。你要不要做一個屬己的、真正的自己呢？我們往往用世人、群眾、大家的看法，來進行欣賞、判斷或閱讀。於是，個人消失在人群裡面，每個人都成為別人，沒有一個人是他自己，「世人」其實等於「無人」。

當「此在」感到焦慮時，就是必須做出抉擇的時候。到底要不要「存在」？此刻必須做出抉擇。這種抉擇是「全有」或「全無」的考慮，既不能推脫，也不能找藉口。

以上是海德格對日常生活的分析，下一節再說明時間性的問題。

收穫與啟發

1. 海德格有一個專用術語叫做「此在」，意為「存在者在此」，所指的是每一個個人。此在是開放的，他對這個世界開放，因

為人是在世界上的存在者。

更重要的是，此在還要對自己開放，讓自己面對一個抉擇，由此與存在本身建立聯繫。

2. 此在有三個特性：

(1) 對自己來說，此在有某種心情或感觸，他是一個特殊的存在場，最基本的心情就是焦慮，在關鍵時刻總要問自己：要不要成為自己？

(2) 了解。存在本身也展現在萬物裡面，只是它在萬物裡面不會開顯。萬物開放在我四周，我要透過萬物來掌握真理。真理與存在本身不可分。但人是有限的，他掌握了多少真理，就會遮蔽多少真理。

(3) 言語。言語是存在本身的住所。重要的是，人與人之間的互相了解要以沉默做為基礎。你的話只表現了一小部分而已，大部分是在不言之中。因為有沉默的能力，人才能具備真正的言語能力。正如莊子所說，好朋友見面時都是「相視而笑，莫逆於心」（《莊子·大宗師》）。彼此之間深有默契，沉默反而是最有效的溝通。

3. 在日常生活中，有三種情況會導致此在的喪失：

(1) 說閒話，就是大量引述別人的說法，讓自己陷入封閉，遠離了存在本身。

(2) 好奇心，就是透過視覺，對一切都感到好奇，到最後卻什麼也無法掌握，對這個世界也談不上真正的照顧。

(3) 模稜兩可，就是對許多事表現出模稜兩可的態度。

麻煩的是，人在說閒話、好奇心與模稜兩可中，感覺到生活充實。於是，此在完全與他的自我失去了聯絡，與存在本身的距離也愈來愈遠了。

課後思考

　　海德格指出，有三種情況會導致此在的喪失──說閒話、好奇心、模稜兩可，這三點分別針對三種不同的對象。你認為這三者中的哪一種，會給現代人造成最大的困擾？

補充說明

　　對閒話、好奇心、模稜兩可三點還可繼續分析。好奇心是與生俱有的，眼睛張開來，就希望看看周圍的情況，並加以了解。由此出發，有三個方向：

1. 向著外在客觀世界出發

　　這就找到了科學技術，人要設法去了解並控制外在的世界。海德格認為，人類發明各種技術本來是為了延伸自己的能力，結果技術出現了獨立的生命，反過來宰制人類。你憑個人的力量，怎能抵擋成千上萬的科學家長期累積出來的科技成果？你根本沒有招架之力。所以如果向著外在世界出發，你終究會發現，個人的生命可能被這個世界所淹沒。

2. 轉向別人，就是說閒話

　　其實說閒話的範圍很廣，也包括網際網路上各種新聞，你不知不覺就會沉迷其中。人的注意力為什麼很容易向著別人呢？因為你對自己早已司空見慣，你就是這樣的人，生活在這樣的時代、社會、家庭，有這樣的朋友、工作，每天生活作息都差不多，所以自然就把好奇心轉向別人。那裡多采多姿，豐富有趣，也不用負任何責任。但最後你發現不行，還是要面對自己人生的問題。

3. 轉向自己，這時會出現模稜兩可

　　你已經習慣以好奇心來面對外在世界、面對別人，所以當你面

對自己時，也會把自己當做外在的世界或別人，這是最麻煩的情況。因此，模稜兩可是最致命的。在一些無關緊要的事情上模稜兩可倒也無所謂。譬如，別人請我吃飯，問我吃什麼，我一向說「隨便」，模稜兩可。因為在食衣住行方面，我沒有任何偏好，一向隨順自然。但對於人生的目的與意義、對於人應該如何生活等問題，我不會模稜兩可，我有自己明確的立場，並願意為自己的選擇負責。這樣我的生命才有實質，才是我在生活。

海德格認為，很多人在日常生活中都會喪失「此在」的選擇機會，因而提出這三點。最後你必須做出抉擇，不能再模稜兩可。你一旦做出抉擇，好奇心就不會再像浮萍一樣四處飄蕩，你不再願意說閒話，因為閒話沒有任何根據，純屬浪費時間，逃避自己應負的責任。生命不堪浪費，所以一定要擺脫模稜兩可的態度。

事實上，孔子在《論語》裡有兩句話與海德格所說的類似：

第一句話，孔子說：「飽食終日，無所用心，難矣哉！」（《論語·陽貨篇》）即整天吃飽了飯，對什麼事都不用心思，這樣很難走上人生正途啊。「無所用心」就是海德格所謂的「好奇心」，看上去對什麼都感興趣，其實對什麼都沒有真正的興趣。孔子規勸這些人說，還不如去玩擲骰子的遊戲。玩遊戲至少還需要互相競爭、保持警惕，可以讓心思專注於某件事情上。

第二句話，孔子說：「群居終日，言不及義，好行小慧，難矣哉！」（《論語·衛靈公篇》）一群人整天聚在一起，說的都是無關道義的話，又喜歡賣弄小聰明，實在很難走上人生正途。「言不及義」就是海德格所謂的「說閒話」。

孔子提醒我們不要浪費生命，與海德格強調的重點是類似的。可見，第一流哲學家的思維都有全面性，值得用心學習和體會。

38-4　走向死亡的存在者

　　本節的主題是：走向死亡的存在者。很多人都聽過海德格的一句名言——向死而生。人只有面對死亡的威脅，才會認真看待自己的人生，選擇一個屬於自己的、能夠自己負責的人生。

　　本節要介紹以下三點：

　　第一，人的本質就是掛念。

　　第二，掛念與時間性。

　　第三，良心與死亡。

（一）人的本質就是掛念

　　海德格認為，人的本質就是掛念。海德格從齊克果那裡學到，人的生命最基本的情況就是焦慮（Angst）。焦慮不是恐懼，因為它沒有對象。所謂「焦慮」是說，你活在世界上雖然什麼都有了，但依然會覺得孤單，好像無家可歸，有一種不安的感受，總覺得自己的生命找不到真實可靠的基礎。你要做選擇，但又沒有把握。

　　此在（個人的生命）的本質就是掛念。你要替自己設計，超出目前的自己，針對未來，選擇成為自己的可能性。為了說明這一點，海德格特別引述了一段拉丁文的寓言。他說：

　　掛念（Cura）過河的時候，看到一塊黏土，

　　她思念著，拿起黏土開始塑造。

　　她正在想自己做了什麼東西，天神朱庇特（Jupiter）來了，

掛念就請求朱庇特把精神賜給這塊土，

她輕易的得到他所求的。

當掛念要取它的名字時，掛念說取為「掛念」，

朱庇特不肯，他說應該取他的名字。

掛念與朱庇特正在爭論不休時，大地（Tellus）起來了，

她說應該取名為「大地」，因為是她提供了肉體。

於是他們邀請時間（Saturnum）來做法官。

法官作出這樣的公正判決：

朱庇特既然給了精神，死了之後你取回精神。

大地既然給了肉體，死了之後你取回肉體。

掛念既然最先塑造，有生之日就讓她來掌握。

但是現在因為名字而發生爭執，可以稱它為人（homo），

因為它似乎是由泥土（humus）所造成的。

在拉丁文裡，homo 就是人，它來自於泥土（humus），但人的一生都由掛念來掌握。這個寓言非常生動的表明，人活在世界上，一生都在掛念之中。人的掛念有些是瑣碎之事，有些則是比較根本的問題。

（二）掛念與時間性

掛念讓人始終把自己投射到未來。過去的我已經過去，未來的我尚未出現，現在的我必須對自己的可能性進行設計與抉擇，這樣才能展現出未來的我。這就是過去、現在、未來的時間性。換言之，每個人都有現在，自己目前正處在世間許多存在物的旁邊。回頭去看，「已經在世間的」就是過去。重要的是，要「先於自己的存在」，要向著自己，做一個抉擇。

時間性就是以過去為基礎，以現在為核心，然後走向未來。這樣一來，就把掛念與時間性結合在一起。人的掛念在本質上就是要先於自己，以未來做為它的焦點。而未來走到最後，結局必然是死亡。掛念與時間性的關係，生動的指出人的生命特色。因此，要把「此在」當做「走向死亡的存在者」。

（三）良心與死亡

良心是什麼？海德格認為，一個人如果聽閒話，就聽不到良心的呼聲。良心的呼聲要求你屬於自己。「屬於自己」的德文是 eigentlichkeit，譯為英文時經常用 authenticity（真誠）這個詞。一個人如果屬於自己，不屬於別人或其他任何東西，那麼他就是真誠的。所以，中文譯為「屬己性」更為直接，也更為貼切。

換句話說，良心的呼聲就是掛念的呼聲，它要讓你清楚的知道，自己的生命最後會結束。這個呼聲在我內心裡面，卻又超越在我之上。人之所以害怕死亡，是害怕死後整個生命沒有回到根源，變成最後的失落。此時內心就會發出良心的呼聲。這種呼聲提醒每一個人，要對自己的生命負責任。

負責任或罪惡感，是由一個「不」所限定的存在的基礎。因為我做抉擇的時候，可以選擇成為自己，也可以選擇「不」成為自己。人的所有掛念都是空無的來源，沒有掛念就沒有空無的問題。所謂「空無」就是我不選擇成為自己，我經常找各種藉口，附和別人的想法，失去了屬己的、真誠的良心，這樣的我到底是存在還是虛無呢？

人到最後都要面對死亡的威脅。掛念讓人投射到未來，先於自己目前的存在狀況，對未來的可能性進行設計，這種活動一直發展到死亡為止。換句話說，死亡使此在獲得完整性，但此在這個時候

已經不再活著，於是死亡使此在成為手前存在物——屍體。屍體需要埋葬、舉行儀式，因此是照料的對象。我們平常要照料萬物，但是屍體不是一般事物，人必須帶著尊敬的心，去關心、哀悼或懷念，有如與他同在。但是不論如何與死者同在，我都無法體驗到什麼是死亡，因為死亡是不可替代的。人的生命裡別的事物都可能被替代，只有死亡不可能。

關於死亡，海德格有三點說明：

1. 此在始終不完整，一直有某一部分尚未完成。因為人的本質是掛念，一直在朝著未來做抉擇。

2. 每個此在遇到死亡就不再是此在，不再是「存在者在此」。

3. 每個此在的終局（死亡）都是不可替代的。

遺憾的是，雖然每個人都知道自己將來有一天會死，但平常他心裡想的是：眾人、別人在一個個離開，死亡距離我還很遙遠，所以不用擔心。如果人意識到死亡必然降臨，就會變成向著死亡的存在者，他的本質就是焦慮，此時要選擇屬於自己或不屬於自己。這種使人不安的情況，就稱做良心的呼聲。

收穫與啟發

1. 人的本質就是掛念。海德格借用一則拉丁文寓言，說明：人的身體來自於大地，人的精神來自於天神；時間是最後的法官，代表人的生命有一定期限，有開始必有結束；而這一生裡面，都讓掛念去掌握。因為人的身體來自於泥土，拉丁文是humus，所以把人稱做 homo。

2. 海德格強調，人的有限性主要表現在時間上。時間使人永遠在超出自己，時時向著未來去開展。所謂「過去」是不再存在的，所謂「未來」是尚未存在的。「不再」與「尚未」兩個否

定詞充滿在人的存在裡面。時間讓人意識到自己的結局必然是死亡,所以時間在人的生命中具有關鍵性的位置。

人生就是三個時間性:「不再」是指過去,「尚未」是指未來,而「此時此地」我應該站在自己外面,努力超出自己。「存在」(eksistence)這個詞就是「站出來」的意思。不要只靠過去的支撐,要站出來,脫離過去。這一連串的現在是以過去和未來做為背景,讓你站出來向前瞻望。如果沒有向前瞻望,你不可能認識到自己現在的情況。海德格説:「人這種存在,無論自覺的程度如何,總是從歷史的角度去了解自己。」這裡所謂的「歷史」也包括未來可能發生的一切在內。

3. 「良心的呼聲」在我之內,又超越在我之上,代表它真正的根源來自於我對存在本身的嚮往。良心的呼聲是由掛念造成的,它要求你負責任。你如果選擇錯誤或選擇不成為自己,你的選擇就是一個「不」的否定,這個否定就是空無的來源。這些觀念不但深刻,而且有繼續引申發揮的空間。

課後思考

海德格認為,掛念是人的本質所在,掛念把時間上的過去、現在與未來聯繫起來,讓人認真面對自己,選擇屬於自己,也就是完全的真誠。請問:你有沒有類似的經驗,在某一次選擇屬於自己之後,感覺到真理以某種方式展現出來?

38-5　海德格推崇老子的智慧

本節的主題是：海德格推崇老子的智慧，要介紹以下三點：

第一，海德格如何找回存在本身？

第二，海德格對老子的推崇。

第三，海德格哲學的啟發。

（一）海德格如何找回存在本身？

海德格如何看待西方哲學呢？他說：「在《聖經》裡面，亞當的墮落成為人類歷史的開端；而在古希臘時代，由於失落了存在本身，才引發後續的西方哲學。」所謂「失落了存在本身」，就好比你要在一個地面的背景上看出一個圖形，結果你看到了圖形，卻忘記了地面的背景。從古希臘時代開始，就把存在物與周圍廣大的存在本身分開了，結果因為掌握了存在物而忽略存在本身，以致於後來整個走偏了。

對於近代西方哲學，海德格指出：從笛卡兒開始，人類想要駕馭存在物，卻遺忘存在本身，最後人只剩下控制客觀事物的求權力、求力量的意志。到了尼采之後，西方哲學走入虛無主義。就像擁有財富與權力的人偶爾到鄉下度假，只是把度假當成一種休閒活動而已，而他的心從來沒有真正在鄉下，忙忙碌碌的心都放在日常生活的事務上。

海德格強調，人生最重要的是找回或回歸存在本身。海德格對於存在本身的觀念很清楚，可以從以下三點來看：

1. 存在本身並不空洞，因為我們可以清楚分辨存在與虛無完全不同。既然與虛無完全不同，還有什麼好擔心呢？
2. 存在本身最為特別，與它不同的只有虛無。存在本身是獨一無二的，沒有比較的可能性。
3. 存在本身是最確定的，但因為它的超越性與普遍性，又使它成為完全不確定的。

海德格認為，最適合描寫存在本身的希臘文是 physis，這種說法在西方別具一格。Physis 本來是指整個自然界，它的特色是生生不息，有無限的創造力，可以持續發展。

人是萬物裡最特別的，他屬於存在本身，是存在本身的守護者。所以人的生命只有一個目標：開放自己，從自己本身走出去，以接受存在本身。「存在」（eksistence）這個詞本意就是「走出去」。

換句話說，人的本質是掛念，每個人活在世界上，都會有很多根本的掛念。掛念離不開焦慮，因為人要在時間的過程裡選擇自己的未來。你可以選擇遺忘存在本身，就像傳統西方人失去精神故鄉一樣；也可以選擇回到存在本身，由於預期死亡的來臨，所以必須對存在本身開放，讓自己真誠的屬於自己。此時可以藉言語來彰顯存在，因為言語是存在本身的住所。人要走出自身，他要負責保護存在本身的真實，並且他在根本上屬於存在本身。

結論是：存在本身必須透過此在才可以彰顯。此在經驗到自己的時間性與有限性，就向存在本身開放。存在本身永遠是萬物的動力來源，並且包含萬物為一個整體。

（二）海德格對老子的推崇

我年輕的時候，聽蕭師毅教授講過這樣一段故事。在二戰結束之後的 1946 年，他在德國南方森木市場巧遇海德格。蕭教授在

歐洲做研究，他的夫人是德國人，他的德文很好，與海德格聊得很愉快。海德格讀過不少《道德經》的德文、法文翻譯本，認為這些譯本都不夠完美。他對老子的思想深有體會，希望把《老子》再一次翻譯成德文。他與蕭教授約定，每週六下午到他家裡，兩人合作翻譯《老子》。

翻譯到第八章，兩人的意見就出現了分歧。第八章是著名的「上善若水」那一章，談到在自然界與人類世界之中，水最接近於道。兩人因意見不合而發生爭執。海德格年紀較大，有點倚老賣老，指著蕭教授說：「你不懂《老子》。」蕭教授年輕氣盛，不甘示弱，就回應海德格說：「你不懂中文。」事實上，懂中文的人未必就懂《老子》，懂《老子》的也未必非懂中文不可，因為文字只是思想的載體。

海德格為什麼認為自己懂《老子》？海德格認為，此在很容易喪失在日常生活中，他提醒我們不要閒談八卦。老子也說：「希言，自然。」（《老子·第二十三章》）意即：少說話，才能合乎自己如此的狀態。

老子說：「我是一個愚笨的人，大家都興高采烈，只有我一個人好像悶悶不樂。」（眾人皆有餘，而我獨若遺。我愚人之心也哉。──《老子·第二十章》）代表老子對這個世界沒有什麼好奇心。老子又說：「如果要追求學問，要每天增加一點；如果要追求道，要每天減少一點。」（為學日益，為道日損。──《老子·第四十八章》）海德格也提醒我們，好奇心會使此在喪失。

另外，對自己的態度不能模稜兩可，必須像老子所說的那樣，「見素抱樸，少私寡欲」（《老子·第十九章》），掌握到自然的、原狀的東西，保持樸素的心態，減少個人的私心與欲望，這樣才不會模稜兩可。這三點與海德格的說法若合符節。

老子所謂的「道」等於是海德格所說的「存在本身」。如何才能悟道？老子提出的修練方法是「追求虛要達到極點，守住靜要完全確實」（致虛極，守靜篤。《老子·第十六章》）。「虛」代表放空自己，讓自己處於完全單純的狀態，以便讓道可以展現出來；「靜」就是安靜下來。很多人都認為老子專門談安靜，最後變得消極無為。但是，老子有兩次明確說「無為而無不為」，就是一個人沒有刻意要做什麼事，結果一切該如何就如何，全部都做完了。

在交往過程中，海德格請蕭教授為他寫了一副中文對聯，內容是《老子·第十五章》的一句話：「孰能濁以靜之徐清？孰能安以動之徐生？」意即：誰能在混濁中安靜下來，使它漸漸澄清？誰能在安定中活動起來，使它出現生機？代表老子的思想兼顧靜與動兩個方面。一方面，道是永遠不變的；另一方面，道使萬物一直處在生存和發展之中。可見，海德格對《老子》的認識絕非一般水準。可惜兩人的合作不歡而散，重譯《老子》的事情只能告吹。

海德格晚年時心裡所想的是中國老子的思想，說明人類的智慧在最高層次是相通的。這可以說是文化交流上的一段佳話。

（三）海德格對哲學的啟發

海德格對於許多概念把握得很精準，他的思想在西方產生了重大的影響。人活在世界上，就要使用思想。海德格分辨了「思想」與「理性」的不同。理性是純粹抽象的功能，掌握了概念，就被概念世界所取代。抽象是把存在物的性質抽離出來，結果脫離了使萬物生生不息的動力和基礎——存在本身。

要回到存在本身，只有靠人。人的生命是「此在」，是一個開放的、可以做選擇的存在者。此在處在掛念與焦慮之中，要選擇成為自己，也就是要對存在本身做出回應。海德格掌握到根本的關懷

以及具體的入手之處，他從提出存在本身問題的人的存在狀況著手，由此去探討存在本身。他的探討回應了古希臘時代把「真理」做為「沒有遮蔽、全面開顯」的傳統，這個過程可以在人的身上展現出來。

在思考存在本身的時候，海德格特別指出，德文裡的「思想」、「感謝」、「回憶」有相同的字根。就像朋友分別時說「勿忘我」，這並不是讓你在心裡塑造一個我的形象，而是說「讓我與你同在」。我們想到存在本身，就要讓我們與存在本身同在。沒有人可以想像存在本身的形象是什麼，但是想到它就是感謝它、回憶它。這樣一來，人就成為透明的，他向著存在本身開放，讓存在本身得以開顯。

在存在主義學者中，海德格的思想完整而深刻，並且具有高度的概括性。他雖然沒有具體說明人的每一種實際狀況，卻表現出大的格局。他用精準的線條，以素描的方式，把人類所能思考的領域全都勾勒出來。他的思想可以與老子遙相呼應，實屬不易。

收穫與啟發

1. 海德格如何找回存在本身？他設法糾正從古希臘時代就走偏的路，把它轉到正確的方向上。

2. 海德格對老子推崇備至，他認為自己深刻的懂得老子的思想，想把《老子》再一次譯成德文。可惜因為各種限制，沒有完成這個目標。

3. 海德格對西方文化產生重大影響，因為他找到了根本的問題，可以從根本著手。根本的問題表現為兩個方面：一方面，他找到古希臘時代的問題；另一方面，人類自古以來都在思考這個問題，就是要找到人類生命的來源與歸宿。

課後思考

　　我們可以直接閱讀《老子》的原文，對於海德格的思想有了基本認識之後，請你根據海德格提出的觀念，重新思考《老子》，並說說你的心得。

補充說明

　　《老子》中有個比較大的問題：老子談到「道」，有時會用「無」來描述，他到底在說什麼？

　　老子談到「無」，是要針對萬物的「有」。萬物的「有」其實並不是真有，因為萬物一直處在不斷的生滅變化中，萬物來自於道又回歸於道。萬物既然稱為「有」，那麼「道」做為萬物的根源，則只能用「無」來描寫了。同時，道是無形的 —— 不可見，道是無相的 —— 不可說，只好用「無」來加以描述。但是，這裡的「無」並不是指「虛無」，因為「虛無」不可能生出萬物，而道生萬物。簡單說來，「道」是萬物的來源與歸宿，它跟海德格所謂的「存在本身」是一樣的意思。

　　老子與海德格最明顯的差異是什麼？《老子》全書五千多字，多次提到「聖人」。老子所謂的「聖人」是指「悟道的統治者」，聖人的表現體現了道的做為，他的目的是要管理眾人。在古代中國，社會的安定和百姓的幸福都取決於管理者；管理者如果悟道，整個社會就會步入正軌。到了二十世紀的西方世界，海德格認為，所有人都可以透過自覺和不斷修練而回歸「存在本身」，也就是悟道。因此，老子認為只有少數人有悟道的機緣，而海德格則認為每個人都有機會。這是兩人之間最明顯的差別。

第三十九章

馬塞爾

的希望哲學

39-1　馬塞爾的心路歷程

本章的主題是：馬塞爾（Gabriel Marcel, 1889-1973）的希望哲學。本節的主題是：馬塞爾的心路歷程。

沙特在 1946 年發表〈存在主義是一種人文主義〉，裡面列出四位代表，其中有兩位德國學者，兩位法國學者。德國方面的代表是雅士培與海德格，他們都建構了龐大而完整的體系，格局也非常明確。法國方面的代表除了沙特本人之外，另一位就是馬塞爾。法國哲學家擅長用小說、戲劇、散文等體裁來表達他們的思想。馬塞爾的名聲遠遠不及德國的兩位代表以及法國的後起之秀——沙特，但是馬塞爾在哲學與戲劇方面也有很高的造詣。

本節要介紹以下三點：

第一，孤獨中的成長。

第二，馬塞爾為何被列為存在主義？

第三，馬塞爾的信仰之旅。

（一）孤獨中的成長

存在主義哲學家的思想大多與他們個人的生活經驗有直接的關係，從齊克果、尼采以來都是如此，馬塞爾也不例外。他從小就體驗到孤獨，他說：「人間只有一種痛苦，那就是孤獨。」馬塞爾的父親是法國著名的外交官、國家顧問，當過博物館館長，屬於上層社會人士。馬塞爾四歲的時候，母親過世，父親娶了他的姨媽，沒有再生孩子，所以全家人的注意力都集中在他一個人身上。他身體

稍有不適，功課有點問題，就成為全家大事。這種無微不至的關心，反而讓他痛苦不堪，覺得自己處處受到監管。

由於母親早逝，他四歲時就會問：人死之後要去哪裡？活著的人與死去的人能溝通嗎？他一生都感到孤獨，總覺得母親「臨在」他的身邊。所謂「臨在」就是現在在場，好像就在他身邊一樣。另外，父親與繼母原本都有宗教信仰，但因為是高級知識份子，後來都變成不可知論者。馬塞爾從小就討厭天主教，認為只有愚笨、偽善的人才會相信天主教，所以他只能自己設法去擺脫孤獨。

他八歲時就寫了兩部劇本，劇中的角色都是小孩，成為他想像中的兄弟姊妹。他的劇本有一個最大的特色，劇中的主要角色都有他們自己的生命，他也不知道這些角色會怎樣發展，好像他們的生命可以自由成長一樣。他強調，一個人做事的時候未必清楚自己行為的動機，只有在上帝眼中，人才能「一如所是的被認識」。

馬塞爾特別重視他的戲劇作品，他說：「哲學與戲劇在我的靈魂裡結合起來。如果不研讀我的劇本，一切替我的哲學思想所做的詮釋注定是要失敗的。」換言之，只有藉著戲劇，才可以把握他的形上學的思想。

馬塞爾大學時代聽過法國哲學家柏格森的課，對柏格森的生命哲學深有體會。馬塞爾因為有不錯的家庭背景，所以一生的大部分時間都可以用來寫作。他也愛好音樂，他說自己在聽了巴哈《受難曲》的清唱劇之後，才開始思考上帝的愛與力量。有一次，他在教堂裡聽巴哈的《雙小提琴協奏曲》的時候，認識了他的妻子。所以，是音樂使馬塞爾走出了憂鬱的困境。

他說：「這個世界千方百計使人陷於失望，是音樂並且只是音樂，讓我發現救援的光明。音樂為我打開了一條通往真理之路。這個真理超越一切由科學所證實的特殊真理。這個真理燭照過最偉大

的作曲家，如巴哈與莫札特的作品。」他還說：「音樂不含有意義，也許音樂本身就是意義。」他甚至說：「音樂是無形與有形之間、理想與現實之間、價值與知識之間、無限與有限之間最佳的橋梁。」這些都是他個人的深刻體會。

（二）馬塞爾為何被列為存在主義

　　馬塞爾與德國的海德格都於 1889 年出生。巧合的是，海德格在 1927 年出版了代表作《存在與時間》，馬塞爾也於 1927 年出版了代表作《形上日記》，那一年他們都三十八歲。馬塞爾被沙特列為有神論的存在主義，從後面的發展看來，這的確是事實，一般都稱他為基督徒存在主義。存在主義是一種時代趨勢，反映當時世人內心的動力和方向。一個人有宗教信仰，也可以成為存在主義者，齊克果就是最好的例子，馬塞爾與之類似。

　　他最大的轉變發生在第一次世界大戰期間。當時他二十五歲，因為身體健康不佳，只能參加紅十字會進行服務工作。他的工作是要為下落不明的士兵的家屬提供資訊，每天都要接受家屬的詢問，然後查閱資料，再回答問題。

　　他於是開始思考：什麼是詢問？詢問就是努力使一種懷疑狀態明朗化。每個問題都蘊含著一組選言判斷：活著或沒活著，安全或不安全等等。答案在什麼情況下有效呢？要答其所問，提供對方渴望的資訊，還要設身處地為對方著想。他最後得出結論：只有詢問者才有資格提出答案。他在這段時間裡，第一次面臨了許諾或投身（commitment）的問題。亦即人不能置身事外，必須投入到與別人的互動裡面。這些資料來自於他早期的《形上日記》。

　　在紅十字會的服務，使他從自我中解放出來。只有我與別的主體共存、互動的情況，才會帶來真正的自我體認；孤單一人是體認

不了自己的。他從小承受孤獨的痛苦，現在慢慢打開心房。他肯定，所謂「存在」就是與別人一起存在；所謂「存在本身」就是愛的力量，它是一切價值的根源，是恆久的人間之愛的保證。馬塞爾的哲學被稱為希望哲學，因為他從愛出發，連上存在本身。這種愛具有活力和創造性，可以給生命帶來希望，甚至能克服死亡的威脅。

馬塞爾早年喪母的經歷，使他對於「靈媒」這種副心理學的資料始終非常重視，也經常在作品中提出相關看法。

（三）馬塞爾的信仰之旅

馬塞爾受到家庭背景的影響，從小就對宗教保持距離。後來由於音樂的啟發，他才逐漸對宗教有了正面的看法。他認為自己的宗教啟蒙老師是巴哈的《受難曲》，他認為這首樂曲的影響力要遠大於法國哲學家帕斯卡對他的影響。

他在四十歲那一年寫了一篇評論，批評另外一位法國重要作家莫里亞克（François Mauriac, 1885-1970）的劇作《神與金錢》。莫里亞克讀到這篇書評之後，給他寫了一封信，其中有一句話說：「但是，既然你這樣講，為什麼你不加入我們呢？」莫里亞克是天主教徒，他的意思是，既然你在評論裡談到人生必須做一個抉擇，那麼為何不加入我們的陣營呢？神與金錢是《聖經》裡很重要的比喻，耶穌說：「你或者侍奉神，或者侍奉金錢，必須做個選擇。」

馬塞爾說：「莫里亞克的這句話像閃電一般，好像神直接向我提出了邀請。」他接著在《形上日記》中寫道：「我既害怕又渴望投入我自己。」幾天後又寫道：「我不再懷疑。今天早晨，有奇蹟似的幸福。我第一次體會到恩寵，我終於被基督的信仰所包圍，我沉浸在裡面。」於是他信奉了天主教。

需要說明的是，馬塞爾是透過自己的哲學思考，轉進到天主教

的信仰；馬塞爾從來沒有接受過天主教內部的正統哲學 ── 多瑪斯主義。換言之，馬塞爾的哲學並非來自於宗教的啟示。

收種與啟發

1. 馬塞爾是法國存在主義的代表人物。他四歲喪母，這讓他倍感孤獨，同時又覺得母親從來沒有離開過他。他從小就創作劇本，劇中角色成為他的兄弟姊妹或朋友。他的戲劇有一個明顯的特色，劇中人物就像活生生的人，有自己的個性、發展和對人生的反思。1914 年第一次世界大戰使馬塞爾有了明顯轉變，他開始注意到人與人之間有一種休戚與共的關係。

2. 馬塞爾被列為存在主義的代表並非偶然。他不像德國的兩位代表那樣，有嚴謹的學術著作；他擅長用戲劇、散文、雜記來表達他的哲學思想。巧合的是，他的《形上日記》也在 1927 年出版，與海德格的《存在與時間》同一年出版。他繼承齊克果的許多觀念，再進一步發展出積極的人生路線。

3. 馬塞爾早期對宗教保持距離，後來因為個人的體驗與覺悟，於是接受了宗教信仰。

課後思考

　　所有的存在主義學者都要求對自己真誠。譬如，馬塞爾認為，孤獨是人生最大的痛苦。請問：你認為人生最大的痛苦是什麼？

補充說明

　　我們可以從兩方面來看「痛苦」：

1. 所有痛苦基本上都來自於「求不得」。就是你知道什麼是好的，你去追求卻得不到。佛教有所謂的「三毒」：貪、嗔、

痴。貪與「求不得」有關，瞋（發怒生氣）與「怨憎會」有關，痴與「愛別離」有關。所以由「三毒」（貪、瞋、痴）會導致「三苦」（求不得、怨憎會、愛別離）。在日常生活中，我們很容易找到對應的例子。所以，痛苦的根源是求不得。

2. 「求不得」是因為你忽略了笛卡兒所說的「不要讓我的欲望超過我的能力範圍」。你可能會說：如果我所求的都在能力範圍內，豈不是很容易達到？的確，人有時需要一些動力，去追求目前看來達不到的東西。在追求過程中，人也會不斷改變與成長。這正是生命中比較複雜的地方。

事實上，最痛苦的「最」很難界定。用現在流行的話說：沒有最痛苦，只有更痛苦。「更痛苦」是一種比較的關係，而「最痛苦」代表已經比較完了。我認為最痛苦的，別人未必認同，因為每個人的感受本來就不同。

既然沒有最痛苦，只有更痛苦，我們應該對人生採取什麼態度？要時刻準備接受挑戰。人活在世界上，生命在不斷發展之中，無論你喜不喜歡，都要接受挑戰，不斷進入新的層次。就像玩電玩要一關關去突破一樣，現實人生是一種比電玩複雜千萬倍的大型遊戲。如果你不能把握自己的初心，不能選擇人生的目標，在這個遊戲中，你根本不知道自己要去哪裡。

因此，不了解自己可能是一種更大的痛苦。古希臘的蘇格拉底之所以非常強調德爾菲神殿上的第一句話 ── 認識你自己，因為這永遠是一個重要的課題。本書介紹西方哲學，就是要讓讀者接觸到許多西方思想家，學習他們是如何認識自己，又是如何找到愛智慧之路的。

39-2　馬塞爾提出第二反省

本節的主題是：馬塞爾提出第二反省，要介紹以下三點：

第一，馬塞爾批評笛卡兒的第一反省。

第二，第一反省帶來哪些後患？

第三，馬塞爾的第二反省是什麼？

（一）馬塞爾批評笛卡兒的第一反省

近代哲學之父笛卡兒是法國哲學家，他提出「我思故我在」做為我們認識世界新的出發點。「我思故我在」是說：我思等於我在，我等於思。笛卡兒把思想當做人的本質所在，那身體怎麼辦呢？如此一來，就變成身心分裂的二元論，從而帶來各種複雜的問題。

馬塞爾也是法國哲學家，他認為笛卡兒的思想有嚴重的後果。笛卡兒的方法有三個步驟：第一，我懷疑；第二，我思想；第三，我存在。笛卡兒先是懷疑所有能被懷疑的東西，然後發現不能懷疑正在思想的自己，因此才說「我思故我在」。但是這樣的「我在」是什麼樣的存在？我可能完全封閉在自己的思想裡面，徹底失去溝通的能力；而馬塞爾最重視的就是人與人之間的溝通。接著要詳細說明馬塞爾如何批評笛卡兒的這三點：我懷疑、我思想、我存在。

1. 批判我懷疑

首先，馬塞爾批評笛卡兒的「我懷疑」。他認為，「我懷疑」是一種不信任的心態。笛卡兒把存在放在第三步；事實上，存在才是第一個資料，它先於理性的任何限定。換句話說，一個人用理性

去思考什麼是存在的時候，他早已經存在了；否則，根本不可能有任何思想。所以，存在必須在一切之前，它是任何思想可以運作的必要條件。笛卡兒把存在放在最後，由於「我思」才到我存在，這是一種顛倒的情況。馬塞爾認為，存在不是名詞，而是具體的事實；它不是一個有待證明的東西，而是思想的出發點。

笛卡兒的做法有三個問題：他先把人與外在世界隔離，再把人與自己的身體分開，最後人對自己也成了陌生人，不知自己是怎麼回事了。哲學起源於驚訝，但笛卡兒用方法的懷疑取代了驚訝。這種做法有助於科學與認識論的發展，但對存在來說並不公平。

馬塞爾認為，對存在應該從驚訝到喜悅到信任。先肯定存在，而不要以為存在是為了思想的主體才出現的。馬塞爾把笛卡兒的思考當做第一反省，把自己的思考當做第二反省。他強調，理性的光明應該在存在的光明之前退卻。先存在，才有理性運作的空間。

2. 批判我思想

接著，馬塞爾批評笛卡兒的「我思想」。他說：「如果由『我懷疑』推到不可懷疑之物就是『我思想』；但這個『我思』只是一個守門人，就好像集中營裡的牢頭一樣。於是，這個『我思』所證明的存在是很貧乏的，因為它只能掌握到認識的主體，而這個主體只是做為把握客觀知識的工具而已。『我思』不但不是一個泉源，反而成了一個阻隔器。由『我思』出發的哲學，由於沒有參與及投入，就有危險成為永遠接不上存在本身的哲學。」

3. 批判我存在

最後，馬塞爾批判笛卡兒的「我存在」。馬塞爾認為，康德的「先驗自我」就是把「我思」實體化；這個「先驗自我」獨立存在，卻不等於存在於世界上。換句話說，這種獨立存在並沒有「臨在」（不是親臨在現場）。於是，每個人都以自我為中心，封閉在

自己的心裡面，成為第一反省的犧牲品。

（二）第一反省帶來的後患

笛卡兒的第一反省帶來哪些後患呢？馬塞爾指出，第一反省會使每個主體都像單子一樣：表面上我是一個「我」，事實上這個「我」也是一個「他」。所謂的「他」就是沒有臨在於現場的。由此不難理解，為何在笛卡兒之後，會出現萊布尼茲的單子論，還強調單子沒有窗戶，彼此之間不能溝通。

第二個後患就是抽象的人際關係。你聽到我說的話，卻沒有聽到我，也就是用意象取代具體的人。政治領域中的抽象主義更麻煩，它把人民當做抽象的客體。馬塞爾指出，沒什麼比法國大革命的口號更為動聽、更為騙人、更為不真實。當時人人天真的相信，自由、平等、博愛這三者可以相提並論。事實上，平等根本就不可能，只能說抽象的人是平等的。在這個世界上，你如何肯定人人平等？

所以馬塞爾強調，第一反省的做法是先把「我」從存在裡抽離出來，再去面對存在，將其視為客體；但是存在不是一個資料而已，它也是提供資料的主體。換句話說，第一反省的結論有很高的效率，合乎科學的要求，但它不適合用來建立人與人的關係。因為你不可能再信任任何東西，除非你先證實它是存在的。你可以談在主體意識裡面的認識論，但是談不上「意向性」，因為每一個人都成為封閉的主體。馬塞爾後來也批評了沙特，因為沙特在他的代表作《沒有出路》中，就把別人當做地獄來看。

（三）馬塞爾的第二反省是什麼？

馬塞爾的「第二反省」強調存在。要尊重每個存在的對象，不能把他當做一個不在場的「他」，不能再有批判心態或意識心態，

不能忽略人是一個自立體。但自立體不等於自足體（好像自己就足夠了）。任何一個主體的本質，都是主體與主體之間的相互關係。

馬塞爾要透過第二反省，超越及修復第一反省所失去的存在。第一反省強調客體，肯定抽象性。超越這些，才能回到存在本身的完整性。第二反省也是一種覺悟，由這種覺悟能找到真正的存在。

同時，第二反省還要回到第一反省之前的經驗，即尚未分裂的我們，找到主體與主體之間的關係，用馬塞爾的術語來說叫做「主體際性」（intersubjectivity）。人與人之間是主體與主體的關係，而不是像各自分離的單子一樣，只是擺在一起而已。總之，第二反省要透過由愛出發的生命經驗與存在反省，使人重新回到存在本身的奧祕之中。

收穫與啟發

1. 馬塞爾認為，笛卡兒把「我懷疑、我思想、我存在」三者連在一起，最後存在的只是一個思想的主體而已，它是封閉的，沒有溝通能力。人要先存在，才能有思想；而不能用思想來規定存在，使存在變成像單子一樣貧乏，這是本末倒置。這種學說也許有助於發展科學、產生效率，但對於實際的人生卻是一個很大的傷害。

2. 馬塞爾指出，第一反省帶來許多後患，它讓主體變成單子，讓人際關係變得抽象。尤其是在政治領域，人民變成一個抽象的名詞，政治人物可以用很多口號來迷惑群眾。

3. 馬塞爾提出第二反省。他要回到第一反省之前，修復第一反省所失去的存在本身，找到人與人之間的「主體際性」；透過由愛出發的生命經驗與存在反省，使人重回存在本身的奧祕之中。「奧祕」這個詞是馬塞爾哲學的核心觀念。

（課後思考）

　　馬塞爾對笛卡兒的第一反省提出批判，並進一步提出第二反省。你能不能嘗試提出第三反省，把前面兩種反省做一個簡單的綜合？

（補充說明）

　　這個問題沒有所謂的標準答案。笛卡兒與馬塞爾兩人思考的重點不同。笛卡兒說「我思故我在」，把思想當做最基本的原則，把「我」等同於「思想」。馬塞爾與笛卡兒對「存在」的定義不一樣。笛卡兒的「我在」是說我能確定的對象只有自我——能思想的自我。馬塞爾的「存在」強調一個人的客觀存在，我是有生命的，我的生命有豐富的內容。

　　其實，「思想」與「存在」這兩者要兼顧，既要重視個體的思想，又要注意人與人之間的感受。這兩者之間有一種辯證關係：思想可以讓你不斷增加存在的內涵，而存在亦能為思想提供許多不同的材料。這是一個不斷發展變化的過程，最後能讓你的整個生命發生轉變。

　　在此，也可以對照王陽明的「知行合一」。王陽明提出「知行合一」是因為前面有人討論：到底「知」比較困難，還是「行」比較困難？雙方各執一詞。有人引用《尚書・說命中》的話「非知之艱，行之惟艱」，認為知比較容易，行比較困難；也有人說「知難行易」，像後來的孫中山先生就如此說。王陽明的「知行合一」並不是簡單的綜合別人的觀念，而是來自於他個人深刻的體會。他所謂的「知行合一」側重於道德層面，與西方的笛卡兒和馬塞爾所說的有所不同。

39-3　分辨奧祕與問題

　　本節的主題是：分辨奧祕與問題。

　　存在主義學者對於「存在本身」通常都有特定的觀點。譬如，海德格特別強調，不可遺忘存在本身，要區分存在本身與一般存在物。雅士培乾脆發明一個新的詞，用「統攝者」或「包圍者」來代表存在本身。

　　馬塞爾也不例外。他把存在本身稱為「奧祕」。但是說「奧祕」，並沒有告訴我們什麼明確的東西。馬塞爾所謂的「奧祕」，用大寫就代表存在本身，用小寫就代表宇宙間處處都有奧祕，它們都是存在本身的展示。

　　本節要介紹以下三點：

　　第一，馬塞爾的第二反省是要回到原始的統合狀態。

　　第二，分辨奧祕與問題的不同。

　　第三，奧祕可以引申出哪些觀念？

（一）馬塞爾的第二反省是要回到原始的統合狀態

　　馬塞爾批評笛卡兒的第一反省。他認為，近代以來的二元論都來自於笛卡兒所謂的「我思故我在」，它明顯是一種認識論取向。談到認識，一定會有主體與客體的對立，有「能知」與「所知」的對立，這樣一來就破壞了存在本身的完整性。所以，第一反省最後會走向抽象，走向唯心論。

　　馬塞爾沒有研究過胡塞爾的現象學，他知道有這套流行的學術

方法。他把自己的方法稱為「超現象學方法」，其中有兩個重點：第一，要忠實的描寫現象；第二，要人自由以走向超越之路。即一方面要描述現象，同時還要回到事物本身。

　　簡單說來，他要使認識論回歸到本體論，只有本體論才能接上存在本身的關懷。所以，第二反省是要讓人回到經驗的原始統合狀態，而不要把經驗割裂。這種思考路線使存在本身變成與具體經驗有關，也可以深入到人性底層。因為人就是具體的生命，活在具體的世界上。

（二）分辨奧祕與問題的不同

　　人在思考時，通常都在想一些問題。什麼叫做問題？問題是可以冷靜分析、處理的資料。但存在本身是一個「奧祕」，不能用面對「問題」的方式去探討存在本身，因為這兩者屬於不同的層次。

　　所謂「奧祕」，並不是無法認識的事物或者無法解決的問題。馬塞爾說：「奧祕是一種與我自身的實質互相滲透纏繞的問題。」可見，奧祕也是一個問題，但它是一個「超問題」，超出任何單純的問題。

　　我們對於一般所謂的「問題」，都預設了某種技術或方案可以去解決它；只要找到適當的技術或方案，問題就會消失。譬如，我發現車子有問題，就可以找專家幫我修好。但是，任何與人有關的，都不是單純的問題。譬如，我們常常會說「青少年問題、夫妻問題、老人問題」。事實上，這些都不是問題，而是奧祕，它們都不可能被解決。

　　所謂的「奧祕」是什麼呢？一方面，奧祕在我面前；另一方面，它又包括我在內，所以我永遠無法給它一個完全的回答。換句話說，我的生命不是一個等待解決的問題。面對自我的奧祕時，要

靠具體的、直接的經驗。

　　存在本身做為奧祕，要靠我的投入、許諾與信賴才能夠接近；因為真正的生命不是眼前的生命，不是到此為止的生命。馬塞爾說過一句深刻的話，他說：「存在就是存在得更多。」他所指的就是人。人活在世界上，每一剎那都與過去不同，並不是簡單的重複而已。人的生命嚮往絕對者，因為那是對存在本身的信賴，由此可以帶來信仰與希望。

　　馬塞爾用奧祕來詮釋存在本身，他認為，人生最大的悲劇是喪失對存在本身奧祕性的感受。一個世界如果取消存在本身的奧祕，人將無法忍受。換句話說，如果沒有萬物的來源與歸宿做為基礎，人生將無法理解，也無法忍受。

　　就像雅士培的「統攝者」一樣，馬塞爾的「奧祕」也有兩個層次：一個是奧祕本身，也就是存在本身；另一個就是人。對於人來說，最明顯的奧祕就是：人是身體與靈魂的結合。這種結合是我對自己的臨在。身體與靈魂是一致的，不能分開來做分析。

（三）奧祕可以引申出哪些觀念？

　　馬塞爾對於「我與你」的「與」這個字深有體會。首先要確定的是，奧祕就是臨在。「臨在」就是現在在我前面，與我同在。譬如，上課時點名，出席的就是臨在，缺席的就是不在場。任何東西都有名稱，但是只有當它與我同在時，才能說它與我是臨在的關係。只有臨在，才能帶來對奧祕的體會。如果忽略臨在的話，奧祕就消失了。

　　馬塞爾舉了一個生動的例子，他說：「我們活在一個破碎的世界裡，就像一隻破碎的手錶：表面上沒有什麼改變，但發條已經失去作用；每個零件都在，但不再滴答滴答響了。現在人的世界應該

有一顆心，但它已經停止跳動。」

　　不臨在或不在場，會帶來痛苦、疾病、罪惡與死亡。如果常把臨在放在心中，那麼與任何人或任何對象交往時，都會產生一種「我與你」的關係，奧祕隨之出現。

　　馬塞爾強調「奧祕」，並非要搞神祕，故意讓別人聽不懂。他想要透過「臨在」這一觀念，使身體與靈魂不再割裂，我與你也不再隔絕。

收穫與啟發

1. 馬塞爾透過對笛卡兒的批評，提出第二反省，目的是要回到原始的統合狀態，回到「我思故我在」之前的一種自然狀態。

2. 馬塞爾分辨奧祕與問題的不同。我們有一個壞習慣，會把一切都當做問題來面對。所有問題都預設了一個正確的解答；找到了答案，問題就會消失。但不要忘記，人不是某種外在的客觀對象，人本身就是問題製造者，人的生命有非常複雜深刻的一面。如果把人當成問題來對待，會導致各種誤會、衝突或異化。所以不妨換個角度，從「奧祕」的視角來思考人的生命，再推到最根本的存在本身。

3. 把存在本身做為奧祕，可以引申出「臨在」的觀念。所謂「臨在」就是在現場，同時存在。人是身體與靈魂的結合，每一個「我」與別人都可能成為「我與你」的關係。如此一來，思想就會變得比較積極。

課後思考

　　假如有朋友遇到困難請你幫忙，你會把他想成是一個問題，還是一個奧祕？你能否對這兩者做出簡單的分辨？

補充說明

　　「問題」涉及的是有形可見的「身」這個層次。譬如，朋友的車壞了，你可以幫忙修；朋友做生意遇到資金困難，你可以幫忙周轉；朋友身體生病了，你可以幫忙找個好醫生。這些都屬於問題。問題一旦解決，就不再是問題了。因此，只要是錢可以解決的都是小事。一般來說，「問題」都很清楚，你只要幫忙就能解決，但是你未必有能力幫忙。

　　什麼是「奧祕」？人除了「身」這個有形可見、可以量化的層次，還有「心」與「靈」的層次。譬如，我的朋友不快樂就是一個奧祕，它牽涉到我這個主體的臨在。我給朋友出主意，投入到朋友的問題中，這個問題對我來說就成了奧祕。所謂「奧祕」就是問題環環相扣，互相纏繞，最後未必能解決，甚至未必能理解。對於奧祕，我們只能接受它、理解它，並與它一起生活。

　　對於朋友的問題，你可以表示關心，但千萬不要添亂，隨便出主意。朋友有他自己的考慮，我們最多給他一種心理上的鼓勵和支持，讓他知道：不管遇到任何狀況，不管他最終如何處理，我都會在背後支持他，在他需要時伸出援手。這就是一種「臨在」的力量 —— 我在現場，你並不孤單，不用擔心；在這個世界上，只要有我這個朋友在，就一定在背後支持你。

　　因此，朋友的問題很有可能成為奧祕，奧祕是不能解決的，你要跟它一起生活。交一個朋友等於多涉入一個世界。所以交朋友為什麼要謹慎？因為你不知道自己有多大能耐。涉入太多世界，到最後恐怕會難以招架。另外不要忘記，你把朋友的問題當做奧祕，但朋友是否把你的問題也當做奧祕？如果不能完全對等，這樣的朋友關係最終也會遇到困難。

39-4　馬塞爾認為我就是我的身體

本節主題是：馬塞爾認為我就是我的身體，要介紹以下三點：

第一，馬塞爾提出存在感覺論。

第二，「身體主體」在說什麼？

第三，馬塞爾的說法有何影響？

（一）馬塞爾提出存在感覺論

馬塞爾首先區分兩個詞：一個詞是我們常說的「存在物」，就是外在的客體，宇宙萬物都是存在物；另一個詞是馬塞爾提出的，叫做「存在化」。所謂「存在化」，就是參與存在本身，與存在本身有互動關係。馬塞爾認為，存在化就是要互為主體，等於是同在。人不但要與存在本身互為主體，更要與其他人互為主體。同時，我與我的身體也互為主體。

馬塞爾進一步提出「存在感覺論」，也可以稱為「感覺形上學」。他認為，傳統的感覺論總是把感覺當做發報員或收報員，只負責傳遞或接受資訊。也就是把感覺當做外在感官所產生的作用，而不是人的生命的一部分。

馬塞爾認為，感覺是感官的當下參與、直接參與，如此才能排除任何二元因素。換言之，感覺並不是內在自我的某種代表，感覺是純粹的當下，它不可錯誤。因為所有對錯的分辨都是由反省而來的，而感覺是直接的。身體不是工具，所以感覺不能被看做只是傳遞和接收資訊而已。

（二）「身體主體」在說什麼？

當時有幾位哲學家已經開始思考「身體主體」的觀念，而馬塞爾是最早提出這個觀念的人。

從笛卡兒以來，談到「主體」當然是指心靈，因為「我思」的「我」是一個思想的主體。現在，馬塞爾認為身體也是主體。你不能說「我有一個身體，我使用我的身體，我感覺我的身體」，因為身體與靈魂是合一的。所以，不應該再說「人是身體加上靈魂的組合」，而應該說「人是成為身體的存在者」。

「成為身體」（incarnation）是專用術語，這個詞在西方源遠流長，指「進入身體」或「取得身體」。在基督宗教裡，耶穌就是神取得人的身體。馬塞爾強調，人這種存在者當然有精神成分，但他是成為身體（或取得身體）的存在者，而不是抽象、純粹的精神。

這樣一來，就把身體從客體變成了主體。如果身體不是主體，難道身體是像鏟子、麥克風一樣的工具，人可以藉著它擴大自己的能力？假如身體是工具，那麼工具的使用者與工具本身應該有某種同質性，才能拓展工具使用者的能力。如果工具使用者是純粹精神，他怎麼可能使用外在的物體做為工具？假如你沒有手，怎麼使用鏟子？所以，任何工具一定在某種程度上反映了精神的能力。譬如，你造了一輛車子，車子就要適合人駕駛或乘坐。所以，由人所造的工具都具有人的生命特色。但人的身體不是這樣的工具。

當然，我的身體可能成為別人觀察的客體或對象，但它不能成為我自己的客體或對象。因此要肯定兩點：我就是我的身體、我的身體就是我。當我說「我就是我的身體」，我不是在講唯物論，更不是講單子論。換言之，當我說「我就是我的身體」時，我不僅僅是有形可見的物質。另外，「我的身體就是我」，我被別人或被自

己認知時，別人看到我的身體就知道那是我，而不是另一個人。

　　進一步要分辨「是」與「有」這兩個詞。「有」就是我所擁有的，譬如，我有工作、有房子、有車子。但是我所「有」的與我所「是」的不一樣。馬塞爾有一句話很有啟發性，他說：「在這個世界上，你擁有的愈多，你所是的就愈少。」換句話說，我要擁有很多東西，就要花很多時間和精力去取得我想要的，結果根本沒有時間認真面對自我，無法活出真正的自我。所以，「有」與「是」經常是此消彼長的關係。馬塞爾進一步指出：「擁有就是被擁有。」一個人擁有的東西愈多，他就愈不自由，因為他也被他所擁有的東西所擁有。

　　但是在身體方面不一樣。一方面我是我的身體，另一方面我也有我的身體。這個「有」是絕對的擁有，這種絕對性在於身體參與了我的「是」。我對於身體以外其他東西的擁有，都是以某種方式對照著我的身體而加以界定的。譬如，我有一張書桌，我有一個書櫥，都是對照我的身體來界定的。因為我坐在書桌前面，看著我的書櫥。如果沒有身體的話，我不可能擁有任何東西。我與我的身體是「同是與同有」的關係，這顯然是最特別的，是一個奧祕。

　　我就是我的身體，我的身體與臨在不可分，我的身體永遠與我在一起。同時，我與過去的主體不可分，所以可以進一步說「我就是我的過去」。很多人會敦促自己往前走，把過去放在後面。其實沒有人可以擺脫過去，我們身體有許多記憶就是過去留下來的。換句話說，過去的主體與現在的主體不可分。過去的主體會隨時闖入，透過回憶讓你想起來。這代表你又重新變成過去的主體，從而使你的現在充滿了過去，使現在與過去連在一起。這樣一來，才有所謂的忠信與希望，才能讓人面對未來。

　　我的身體就是我，我與你構成了我們，由此出現主體之間的關

係，形成共同的主體。所以，從身體主體可以進一步引申出「主體際性」（即主體之間關係的性質）等觀念。

（三）馬塞爾的說法有何影響？

馬塞爾分辨了許多概念，影響很大。他首先分辨「奧祕」與「問題」，然後認為身體與靈魂不可分，把人界定為「成為身體的存在者」，精神不再是抽象的東西，身體從客體變成主體，由此又延伸出「是」與「有」的關係。這些觀念對後起的哲學啟發很大。

馬塞爾的思想被稱做「希望哲學」，可以從一句話看出來。他說：「有兩種死亡是不一樣的：一種是犧牲，一種是自殺。犧牲是有希望的，譬如為了國家、為了人群、為了誰而犧牲，這個犧牲最後可能付出生命，但他抱著希望；而自殺是沒有希望的死亡。」

收穫與啟發

1. 馬塞爾的思想有開拓性。他提出存在感覺論，認為感覺不可錯誤，它是純粹的當下；反省後才有對錯的分辨。感覺來自身體，而身體不是工具。這樣感覺才不會只被視為資訊的收發而已。

2. 馬塞爾的創見在於，把身體當做主體，把人當做成為身體的存在者，可以說「我就是我的身體，我的身體就是我」。這兩句話同時說可避免誤會。我與我的身體是「同是與同有」的關係。

3. 馬塞爾學說的啟發仍在不斷擴展之中。

課後思考

馬塞爾提到「是」與「有」的關係：我們擁有的愈多，所「是」就愈少。我的「所是」是指我真誠成為自己的能力。你是否有這樣的壓力，因為擁有的多，而讓自己所「是」的變少了？

補充說明

　　這裡要對「是」與「有」做一番深入的反省，包括以下五點：

1. 一個人的所「是」與他的所「有」之間有明顯的消長關係。有的多，是的就少；是的多，有的就少。因為時間與心力都有限。

2. 老子說：「少則得，多則惑。」這是特別就「有」來說的。你「有」的少，就容易有心得，因為你能消化它，變成自己的資源。「有」的多，反而容易迷惑，正所謂「貪多嚼不爛」，那會讓你的敏感度下降。

3. 馬塞爾特別指出，我與我的身體可同時兼顧「是」與「有」。我是我的身體，我也有我的身體。分開來看，我是一個精神主體，身體是一個具體的身體；但我與身體又構成一個整體。因此，兩者可合可分。

4. 進一步聯想到孟子所說的，身是小體，心是大體。代表「我」是一個統一的人，身與心都是「我」的具體表現。小代表次要，大代表重要。心做為「大體」，要主導身體的作為；但沒有身體的配合，我也不可能行善。所以我的心要求行善，身體就會有具體的作為，包括我直接伸手去幫助別人，或是我使用自己所擁有的資源去行善。

5. 「有」可得可失、可多可少，身體也一樣，可能老、病、死亡；而「是」屬於我的本質，它跟那些可量化、可衡量的東西無關。不管我的身體如何變化，我的心靈（精神）另有它的境界。
　　因此，談到「我與你」的關係，最後一定要提出一個「絕對你」來做為永恆的保障。不管我「有」什麼或「是」什麼，最後都會結束。「絕對你」跟「我」相對，使我的生命有一個絕對的基礎。我的一切選擇的最後根據，在於對「絕對你」的信念。

39-5　我與你

本節的主題是：我與你。聽到「我與你」，自然會想到猶太人哲學家馬丁‧布伯（Martin Buber, 1878-1965）。他比馬塞爾年長十一歲，有一本重要的代表作，書名就是《我與你》（*I and Thou*）。

本節要介紹以下三點：

第一，「我與你」的一般觀念。

第二，馬塞爾所謂的「我與你」。

第三，創造的人生。

（一）「我與你」的一般觀念

在馬丁‧布伯看來，我們與別人的關係以及與萬物的關係可以簡單分為兩種。一種是「我與它」，「它」（it）是沒有生命的，純粹是一樣東西。另一種是「我與你」，我與你（Thou）都是大寫，代表我與你都在現場，要互相面對，互相尊重。

馬丁‧布伯的這種區分得到很多人的認同。「我與它」的「它」是我觀察的對象，而「我與你」的「你」是可以與我互動的。在「我與它」的關係中，我只呈現了一部分，而保留了大部分，這樣我比較安全。在「我與你」的關係中，我的全部存在都投入了，這樣顯得比較危險，因為兩個人都有自由，會出現許多不可預測的情況。但是，如果採取「我與你」的態度，就可以不受過去的控制而進行創新。

馬丁‧布伯的觀念最後歸結為：人與上帝也是「我與你」的關

係。我同任何人都可能形成「我與你」的關係，但這種關係也可能退化成「我與它」。只有我與上帝的關係永遠是「我與你」，上帝不會退化為「它」。

馬丁‧布伯從他的宗教背景提出上述觀念，給現代人很多啟發。我與別人相處時，不能只把別人當做「它」來互動；還要投入到這個關係裡面，形成「我與你」，如此才能與別人真正的溝通。

（二）馬塞爾所謂的「我與你」

馬塞爾認為，「我與你」的「與」並不是一種並列關係，而是兩個人之間可以愈來愈親近。馬塞爾舉了一個例子。他有一次坐火車，旁邊坐著一個陌生人。剛開始，那個人對他來說只是一個又瘦又小又近視的老頭兒，他們只是客套幾句。聊著聊著發現彼此有共同的背景，於是慢慢出現主體與主體的關係，這個人就從「它」變成「你」。所以，馬塞爾所說的「我與你」的「與」，代表兩個人之間有一種默契，由此可以引申到比較深刻的反省。

馬塞爾一向強調臨在。宇宙的根源是奧祕，奧祕就是臨在；人生的奧祕也是臨在。臨在所及之處，超越客體層次。一有臨在，「你」立刻出現。「你」是一個有價值的主體，「你」在我身上，會增加我的臨在感。在臨在關係中，主體的無限性向對方呈現出來，使自己的存在變得立體化，對方的地位由「它」提升到「你」。在臨在關係中的主體性連結，才是真正的奧祕所在。

換句話說，「你」大於也多於個別的臨在主體。這個「你」是使我體驗臨在的特殊對象，使我與臨在產生連結，並使我具有了無限超越當下所「是」的能力。馬塞爾提醒我們，一旦產生「我與你」的關係（比如當你愛一個人的時候），過去消失了，在當下我們兩人都成了新的人，這就是「我與你」所產生的創造性。從奧祕

的角度來看，兩個主體互相參與對方，這時臨在等於同在。這是一種一元化的存在境界，中間沒有仲介。你無法求證，也沒有必要求證，因為臨在就是存在的奧祕。

馬塞爾進一步指出，這個「你」會帶來很多啟示。你只要常常想到「你」，就會覺得有一個更大的「存在本身」在背後，那是真正的大寫的「你」（Thou）。這個「你」有什麼樣的魅力呢？他說，臨在得以呈現的方式之一，就是掌握「我與你」。這時出現的魅力不是主體所有的東西，而是主體本身自己流露出來的，好像打開了閘門，讓自己的本性自由流露。此時，人的不求回報的付出就是他的魅力所在。

換句話說，我們與別人來往，開始的時候可能斤斤計較，要考慮花多少時間和精力與他互動。一旦把「他」當做「你」之後，就不再計較這些，而是樂於提供各種不求回報的付出。這時的心態是開放的、慷慨的。

馬塞爾認為，因著魅力，我在另一個人的所「有」，發現他的所「是」，我才邂逅了他。我們平常與別人來往，都會先做一下外在的評估——這個人擁有什麼樣的身分、地位、權力、財富等等；當我把「他」當做「你」之後，我在他所擁有的東西之上，發現他真實的本性，這時才算真正認識了他。有些人只有外在美，而缺乏內在美，就談不上魅力了。「我與你」會產生一種特定的魅力，魅力所及之處會出現臨在，可以化平凡為神奇，讓永恆進入凡界。

這種臨在關係也會透過某些緣分，讓人體驗到結果遠遠大於原因。我原來做過的事就是原因，它產生的結果遠遠超過我所想像的，好像領受了一份太大的禮物，遠遠超過自己應得的程度。兩個人之間會有白白的恩賜，共同領受著感激。這就是主體之間交流的過程中，不需要償報的階段。進一步還會產生「全在感」（完全在

場），那才是真正的「我與你」的關係，我隨時都全面的在你身邊。此時的臨在可以描寫為一個注視、微笑、聲調、握手，當下顯示出我與你在一起。

（三）創造的人生

馬塞爾認為，所謂「聖賢」就是把「我與你」這種無償性（不要回報的性質）發揮到極致的人。聖賢所到之處，散發出「我們」的心態，人與人之間沒有任何障礙。最後，只有在神的愛裡面，自己仁愛的潛能才能最大程度的開發出來。

他接著談到自我創造。「我與你」的關係讓一個人的生命力源源而出，有活力，有愛心，兩個人互為主體，成為不可分的生命。最後談到自由，馬塞爾說：「當我們的行為從我們整個人格流露出來時，我們是自由的。這些行為表現我們整個的人格，就好像藝術家與他作品的關係。凡是肯為愛、為真理而犧牲自己的人，是最自由的人。」

馬塞爾說：「存在就是存在得更多。」生命的本質就是要求去創造。在臨在關係裡、在「我與你」的互動裡，這些都會逐漸實現。對馬塞爾來說，存在主義的最高理想就是聖賢，聖賢的主體性是向著絕對「你」、向著眾多的「你」開放的。

> **收穫與啟發**
>
> 1. 「我與你」的觀念是由猶太人哲學家馬丁・布伯首先提出來的。不過一般認為，馬塞爾並沒有參考他的著作，而是自己發展出一套「我與你」的完整觀念。
> 2. 馬塞爾談到「我與你」的關係，可以稱做一套臨在哲學。「臨在」是指我與你同時在場。「你」的啟示非常深刻，兩個人

互為主體，讓自己的存在立體化，接著有一種同在的關係。這種臨在會產生一種魅力，使我們在彼此的所「有」之上，發現彼此的所「是」，這樣雙方才會有真正的認識。進一步，我與你是「全在」——同時的、全面的在一起。再推到聖賢典範，最後談到自我創造。這種臨在關係會給人的生命帶來無限的動力，使人充滿愛心，同時完全自由。

3. 馬塞爾認為，聖賢展現無私的愛，他們或許沒有寫出什麼形上學的作品，但把它活出來了。在愛的階層上、在存在的階層上，聖賢的地位遠遠高於哲學家。

馬塞爾的哲學被稱做希望哲學，他認為：「死亡是絕對希望的跳板。一個沒有死亡的世界，希望只能以萌芽的形式存在。死亡不但不應該使人絕望，反而應該使人更相信接著還有永生；因為真正的生命不在眼前，它一直在出現之中。人原來就是走向永恆的旅客，如果不保持身在旅途中的清醒意識，也許無法重整持久的世間和平。如果想在這個世界建造永恆的居所，反而會使此世歸於毀滅。」

課後思考

「我與你」是理想的關係，但我們不可能與所有人都立刻變成「我與你」的關係。請問，在你自己的經驗裡，你同一個人從陌生到熟悉，最後把他當做臨在的「你」，大概會經過哪些階段？

補充說明

我與別人的關係可以有三種：

1.「我與它」。我把別人當做工具來使用，「它」只是我達成目的的一個工具，沒有主體性；

2. 「我與他」。「他」代表不在現場，我雖然重視他，但是不等
   於尊重；
3. 「我與你」。「你」是臨在的，可以與我互動。這種關係已經
   達到很高的層次，彼此之間雖然有差異，但可以互相欣賞。

　　在這個世界上，沒有任何兩個人可以到達「我與我」的關係。
有時我與自己都需要內部協調，哪個人的人格沒有一些矛盾衝突
之處呢？所以，達到「我與我」的關係顯然過於理想化。當然，
也許在少數片刻有這種可能，如莊子所說，幾個朋友都體驗到了
「道」，知道一切都是一個整體，所以可以「相視而笑，莫逆於
心」。不過，兩個人一直保持「我與我」的關係，不僅難以理
解，也超出人的自我的承受限度。

第四十章

從卡夫卡到沙特

的荒謬氛圍

40-1　卡夫卡的思想

　　本章的主題是：從卡夫卡到沙特的荒謬氛圍。本節的主題是：卡夫卡的思想。

　　卡夫卡（Franz Kafka, 1883-1924）是著名小說家，有猶太人的家庭背景，父親是商人。他在捷克的布拉格長大，大學念的是法律，後來在保險公司工作，然後專心寫作，可惜只留下三本書稿。他因為肺癆而長期住在療養院，只活了四十一歲。他的年代是在二十世紀前後，經歷過第一次世界大戰。卡夫卡的小說很有特色，反映世紀之交的荒謬氣氛。後來，世人就用「卡夫卡式的」來描寫那些超現實的、恐怖的、神祕怪誕的、創造失望氣氛的小說。

　　卡夫卡與存在主義有什麼關係？本節要介紹以下三點：

　　第一，異化的人生。

　　第二，荒謬的氛圍。

　　第三，後續的影響。

（一）異化的人生

　　卡夫卡的一生可以用「異化」兩個字來描寫。他的「異化」表現在五個方面：第一，卡夫卡在捷克長大，但他從小講德語；第二，在當時不管是德國人還是捷克人，都是國家主義高漲，但卡夫卡是猶太人，沒有歸屬感；第三，在卡夫卡周圍都是已經過著世俗生活、自由放任的猶太同胞，但他本人卻渴望信仰；第四，卡夫卡是天生的作家，但他周圍都是生意人；第五，卡夫卡性格內向，敏

感害羞，內心渴望愛，但在當時，愛的關係大都淪為外在化、開放化的表現。卡夫卡在他短短四十一年的生命中，常常覺得自己是局外人。「局外人」的觀念後來影響到卡繆，使他創作出《異鄉人》（又譯為《局外人》）這本小說。

卡夫卡過世時留下遺言，要把他的作品手稿全部燒掉。幸好他的朋友沒有照辦，才留下了三本重要的小說。他的小說敘事具有高度的原創性、預言性，但是其中有很多片段很難被詮釋。他在作品中採用各種元素，把存在主義對荒謬與焦慮的感受表現得淋漓盡致。但是，他還來不及從這類經驗中找到正面的方向與價值。他的作品的特色在於，以強烈的清晰度來探索整個時代的氛圍。

（二）荒謬的氛圍

卡夫卡有三本代表作，分別是《審判》、《城堡》、《失蹤者》。他原本學法律，對公平與正義有很高的要求。但他始終記得小時候受到父親教訓的一次經歷，他當時犯了一個小錯誤，卻受到父親很大的懲罰。這讓他無法理解，為什麼小的錯誤會帶來如此大的懲罰？這樣公平嗎？這件事影響他一生，使他對於正義深感懷疑。

《審判》這部小說的主角是一個年輕人，名叫約瑟夫·K。K是簡稱，就好像卡夫卡姓氏的首字母K。這個年輕人有一天起來，發現自己被捕了，但不知道自己犯了什麼罪，也不知道是被誰控告的。他怎麼問也問不出結果，沒有人理他；他想辦法解釋，別人也不聽；他想找人幫忙，也不知道該找誰。K本來是銀行職員，是個平凡百姓，沒有違反過什麼法律，他被捕後出現各種猜測、各種答案。這本小說是要挑戰讀者去思考什麼是罪過。

這個世界上似乎沒有人可以逃避有罪過的情況，內心常常覺得不安，認為自己一定出了什麼事，但又不能確定。原本許多微不足

道的行為，合起來就變成一連串有意的作為。這時談邏輯和知識根本沒用，因為你不知道自己為何被捕。進一步，你要與你沒見過的人、與你不知道的控訴去抗爭，你在不相信與希望之間、在困惑與失望之間分裂了，最後的結果是死亡。不知道法官在哪裡，不知道法院在何處。人努力尋求證明自己的無辜與正義，但不知道該怎麼做。不知道何以有罪，不知道如何才能得救，最後好像除了一死，無法走出罪過的情況。這種觀念似乎預先暗示了後來沙特所寫的《沒有出路》這本書。一個人在無罪與正義之間、在挫折與無知之間、在罪過與死亡之間，常常會自覺有罪，好像要面對某種審判。

人活在這個世界上，世界的運作模式和它的意義都是不確定的。《審判》的情節可以歸納為一個簡單的公式：小的過錯加上弱勢的身分，再加上自己認為合義，這三者加起來就變成一種大的罪惡感受。你犯了小的過錯，比如闖紅燈、隨手丟垃圾、跟別人開一些無傷大雅的玩笑，因為你是弱勢的身分，處於被別人審判的地位，但是你又認為自己沒錯，這三點加起來就會出現一種很深的罪惡感。從客觀上的小過錯，變成主觀上大的罪惡感受。卡夫卡藉此描寫現代人的孤獨、無奈、委屈的心境。他經歷過第一次世界大戰，知道一般百姓確實有這種體會。

《城堡》是卡夫卡的第二部小說，描寫一個土地測量員（他的名字也簡稱為 K）被召喚去一個村莊，然後去附近一個城堡報到。村民知道城堡裡住著權貴，但沒人見過這些人。K 到了村莊，接著想去城堡，但他找不到路。他確實被召喚來這裡工作，但他不知道自己是被誰召喚的，一切都陷入困惑。他向遇到的所有人打聽自己的角色及任務，但找不到答案。小說一再陷入各種惡性循環。他覺得自己處在非常弱勢的處境，與周圍的人和環境格格不入，一切都充滿敵意，沒人可以信任，但他無法違背城堡所發出的命令。

　　這部小說旨在描寫一個人要探尋真理或真相，卻無法找到通往真理之路。你想找到正義，想讓別人接受你的存在，卻發現自己處在一個充滿殘酷與不義的世界。K 甚至不清楚自己是誰，好像需要一個像上帝那樣的角色來告訴他。這件事讓人焦慮，因為在上帝面前，人覺得恐懼，覺得戰慄。

　　這兩部小說都談到人的地位以及人在世上孤單的感受，充滿挫折與罪惡感。《審判》描寫一個人尋找正義卻沒答案，《城堡》描寫一個人尋找解脫或救贖，同樣沒答案，因為這些只能期待由上界賜予人。卡夫卡認為自己比任何人都了解人墮落的處境，人陷入這樣的困境。卡夫卡以猶太人豐富的歷史背景與深刻的宗教經驗，加上個人敏銳的觀察，創作出這兩部小說，反映了整個時代的心態。

（三）後續的影響

　　卡夫卡具有像先知一般敏銳的感受，他的小說似乎預言了二戰期間猶太人在集中營的處境。此外，他的作品對後續的存在主義作家，如沙特、卡繆等人，也有很深的啟發。《審判》這部小說在結尾處寫道，K 覺得自己會像一條狗一樣死去，他在說這句話的時候，有如他死了之後還會有一種羞恥心。

收種與啟發

> 1. 卡夫卡是捷克作家，他的名字後來被當做文學上的特殊術語，專門描寫那些恐怖的、超現實的、神祕的內容。但他並非空穴來風。他一生至少經歷了五方面的異化，讓他覺得自己在世界上像一個局外人。
> 2. 卡夫卡的小說創造了一種荒謬的氛圍。你要尋找正義嗎？要尋找救贖嗎？很抱歉，你找不到答案。我們在現實人生當中，也

　　許有某種程度的答案，但想要完全了解是不可能的。

3. 他的作品預言了二戰期間猶太人在集中營的處境，並對後續的存在主義作家有重要的啟發。

（課後思考）

　　卡夫卡的《審判》可以歸結為一個簡單的公式，一個人犯了小的過錯，他的處境是弱勢的，又認為自己沒錯，這三點結合，最後居然變成一種大的罪惡感受。對於這樣的心態，你能否提出自己的觀察或反省？

（補充說明）

　　可以這樣說，猶太人體現了人類負罪感的普遍化。猶太人確實是特殊的民族，在歷史發展過程中，他們特別顯示出一種宗教崇拜，使他們具有深刻的性格，而且他們在這世界上又到處被隔絕。卡夫卡經歷了五種異化，使他覺得自己與世界格格不入，像是一個陌生的局外人或異鄉人。這其實也反映出人類的根本處境。

　　沒有人是完美的，如果你內心太過敏感，會覺得世界上的罪惡都直接或間接與自己有關。你看到人間各種痛苦和罪惡，會覺得自己恐怕沒有盡到責任。這種人活得很辛苦，但我們必須承認，他活得很真實，因為他把自己的命運與人類的命運連結在一起。

　　因此，人要「入乎其內，出乎其外」。一方面要知道，每個人對他人都有某種直接或間接的責任；但另一方面，首先要對自己的生命負責，這是最基本的。我認為，一個人想要使世界有所改變，首先要改變自己，先讓自己能不斷的行善。這樣一來，不管這個世界發生了什麼事，你至少盡到自己的責任。你去行善一定會對周圍的人有正面的影響，這就是一個很好的開始。

40-2　沙特的人生際遇

　　本節的主題是：沙特的人生際遇。沙特（Jean-Paul Sartre, 1905-1980）是「存在主義」這個詞的發明人，他本身也是存在主義的重要代表，在思想上有其特別之處。

　　本節要介紹以下三點：

　　第一，沙特的家庭背景。

　　第二，沙特是一位重要作家。

　　第三，沙特與朋友的互動。

（一）沙特的家庭背景

　　沙特的家庭背景有些複雜，父親是法國人，母親是德國人。沙特兩歲時父親過世，他被母親帶回娘家，在德國長大。受父親遺傳的影響，沙特的身材比較矮小，而娘家的親戚都身材高大，這讓沙特從小就感到自卑。後來母親改嫁，讓他覺得自己是多餘的。沙特受到父母雙方的長輩的影響，使他的一生都具有一種反叛性。

　　先說沙特的祖父母。他的祖母原來是大地主的女兒，他的祖父娶了祖母之後才發現祖母家裡其實早已經破產了。所以他的祖父四十年不跟祖母說話，只用手勢互動。他的祖母稱他的祖父「我的房客」。即便如此，兩人還是生了兩男一女。

　　沙特外祖父母的感情也不好。沙特稱他外祖母為「純粹的否定」，她對任何事都持否定態度。外祖母到七十歲還在抱怨，她和外祖父蜜月旅行的時候在車上吃沙拉，外祖父把好吃的部分都拿走

了，她對此耿耿於懷。沙特還有一位遠房的舅舅，就是到非洲行醫的史懷哲醫生。

另外，家中長輩雖然信奉天主教，但他們做人處事完全是另一回事，所以沙特很小就失去了宗教信仰。沙特非常聰明，精通德文與法文，曾到德國進修哲學，學習胡塞爾與海德格的思想。他參加過第二次世界大戰，曾經被俘，不到一年就被釋放。

（二）沙特是一位重要作家

沙特是一位重要作家，他在 1964 年獲得諾貝爾文學獎，這是他在文學上的重要成就。事實上他是一位哲學家，寫過不少相當專業的論文。他在 1943 年出版《存在與虛無》這本書，長達七百二十二頁。從這個標題就知道，他想要效法海德格的《存在與時間》，用現象學的方法來探討「存在與虛無」的問題。

1946 年，沙特發表〈存在主義是一種人文主義〉，正式標舉出「存在主義」這個詞，使它變成一個哲學派別。他認為，存在主義真正的代表人物就是他自己。

到 1960 年代，他接受馬克思主義的歷史唯物論，出版《辯證理性批判》一書。從這個書名可以猜想，沙特大概是想超越康德的《純粹理性批判》與《實踐理性批判》。這本書長達七百五十頁，沙特稱之為上冊，不過下冊一直沒有出版。

沙特在 1964 年獲得諾貝爾文學獎之後，公開拒絕接受這一獎項。這讓一般人無法理解，這可能是因為他的性格對於所有制度化的東西都要反抗。譬如，他的女友是重要的女性主義者西蒙·波娃（Simone de Beauvoir, 1908-1986）。波娃與沙特結識後，兩人一起生活，但沒有正式結婚。中間雖有波折，但是直到沙特去世，波娃都沒有離開他，兩人一起生活了將近五十一年。可見，沙特對於世

俗的各種規定，譬如婚姻制度，都要予以反抗。

　　對於沙特拒絕接受諾貝爾文學獎一事，眾人猜測可能還有另外一個原因，就是沙特的朋友卡繆，比他早七年（1957 年）獲得諾貝爾文學獎。卡繆比沙特年輕八歲，他的第一本書《異鄉人》還是因為沙特的大力推薦才受到廣泛的注意。因此，卡繆的獲獎讓沙特難以接受。

　　沙特認為，人的本質就是自由，自由的具體表現就是對一切說「不」。他在很多方面確實有這樣的作為。

（三）沙特與朋友的互動

　　沙特在文壇上有三位重要的朋友。

　　第一位是西蒙‧波娃。波娃也是一位作家，出版了二十本著作，《第二性》是她的代表作。波娃在 1929 年認識了二十四歲的沙特，兩人長期同居，交往長達五十一年，波娃最後還替沙特送終。他們為什麼不結婚呢？一方面，身為存在主義者，他們認為不用在乎社會制度，應該要對自己的行為負責；另一方面，他們看到很多人婚後感情就變淡了，為了避免這一點，就決定不結婚。兩人志趣相投，在 1946 年合辦《現代》雜誌，對當時的法國知識界產生了很大的影響力。

　　沙特的第二位朋友是梅洛龐蒂。梅洛龐蒂也是重要的現象學家，他提出知覺現象學，肯定知覺和身體的重要。這一點與馬塞爾相近。當時在馬塞爾家裡會定期舉辦文人聚會，沙特與梅洛龐蒂都是座上客，他們兩人也一起參加過抗德運動。

　　沙特另一位重要的朋友是卡繆。1943 年，沙特為卡繆的小說《異鄉人》撰寫書評，使卡繆從一個法屬阿爾及利亞邊陲地帶的作家，一下子成為巴黎文化中心的重要名人。1944 年，沙特與卡繆

第一次會面，沙特還邀請卡繆擔任他的戲劇《蒼蠅》的導演。二戰期間，兩人合作從事地下抗德運動，編輯《戰鬥報》，曾經是革命的同志。

1951 年，卡繆出版《反叛者》一書。沙特對此書不滿，就讓他的編輯寫了一篇書評。卡繆隨後發表一篇〈致現代雜誌編者的一封信〉，替自己辯護。沙特更為不滿，因為卡繆明明知道《現代雜誌》的編輯就是他，卻不稱呼他的名字。這讓沙特難以忍受，兩人就此絕交。沙特後來說：「讓我們結合的因素很多，讓我們分開的因素很少，但是那樣的很少也已經是太多了。」後來，梅洛龐蒂與卡繆都在沙特之前過世，沙特撰文哀悼的時候，顯然非常傷痛。

收穫與啟發

1. 沙特是存在主義的代表人物，他的人生際遇很特別。他從小父親過世，跟著母親回娘家長大。他常常覺得自己是多餘的，再加上個子矮小，使他有很深的自卑感，一生對任何事情都持反叛的態度。由於家中長輩對宗教陽奉陰違，沙特很早就失去宗教信仰，一生都是著名的無神論者。他 1964 年獲得諾貝爾獎之後，一群記者在機場等他，他一下飛機就說：「我要告訴你們一個大消息。」當記者們注意傾聽的時候，沙特說：「上帝死了！」這根本算不上什麼大消息，因為在半個多世紀以前，尼采早就說過這句話了。

2. 沙特是一位重要的作家。他的著作有學術性的，也有文藝性的。他創作了很多小說和劇本，反映了他的哲學思想，對於人類的各種處境都有相當深刻的反省。

3. 沙特的朋友主要有三位：他的愛人西蒙‧波娃，他的合作編輯梅洛龐蒂以及另一位存在主義者卡繆。

從沙特的經歷可以看到，家庭背景對一個人的影響很深。在你的人生觀裡面，有沒有明顯受到家庭背景影響的地方？你是否有一種自覺，要設法去調整或超越它們？

家庭環境、家中長輩的人生觀、價值觀和實際表現，深深影響了沙特。沙特的思想在法國風行一段時間之後，後來為何會收斂呢？因為他受到結構主義的批評。聽到「存在」，就要想到在時間的過程中不斷做出選擇；聽到「結構」，就要想到它是一種靜態的、客觀的社會架構。結構主義認為，沙特根本沒有真正的自由，他的生命表現完全由他的家庭結構所決定，家庭背景決定了他的人生主軸。這樣的批評也有一定道理。

1. 首先，一個人的身體狀況、習慣動作，在某種程度上是被基因決定的。

2. 其次，一個人的思考方式，難免會反映出他的家庭背景以及階級特色。

3. 再者，一個人的價值觀也會受到家庭的影響。你追求什麼，認為人生最重要的是什麼，有哪些價值是絕對不能放棄的，都會受到家庭潛移默化的影響。

但是受影響並不等於真正被決定，人還是要有一種高度的自覺。所以為什麼要學習？學習的目的就是要認識到：我是一個獨特的個人，有選擇的可能，可以選擇自己認為最理想的身、心、靈的境界，來安排自己這一生。

40-3　存在先於本質

本節的主題是：存在先於本質，要介紹沙特的自由觀，內容包括以下三點：

第一，人有說「不」的自由。

第二，自由的運作。

第三，責任與焦慮。

（一）人有說「不」的自由

沙特在二戰期間曾經參加地下抗德運動，他是如何描寫這段時間的遭遇呢？他說：「我們從來沒有比在德國占領期間更自由過。因為失去了一切權利，你沉默的接受這種狀況。由於這種狀況，我們得以自由。常常面臨人必須死，常常想到寧死也不如何如何，日夜都在說『不』。」

沙特由此體會到，所謂自由在本質上是否定的。人無法剝奪的自由、終極的自由就是說「不」，至少能在心裡說「不」。說「不」代表否定，也就是虛無，人由此成為虛無進入世界的管道。

人有意識，就有自由。如果你要消滅人的自由，只有消滅他的意識。人的存在先於任何不變的本質或者價值的結構。這個存在之所以有意義，全在於說「不」的自由。簡單來說，你可以對現存的事物、狀態或處境說「不」，你的否定使它變成虛無。已存在的被否定了，未存在的尚未出現。所以人是虛無進入世界的管道，由此創造一個不同的世界。

（二）自由的運作

沙特在他的分析中指出，自由有兩種：第一種是本體的自由，第二種是處境的自由。

1. 本體的自由

意志自由是價值的基礎。這樣一來，就把自由提到本體論的高度，因為它是根源，是一切價值的基礎。沙特批判三種傳統觀念，認為那都是由假設造成的決定論：第一，上帝假設；第二，人性論的神話；第三，既定的倫理原則。這些觀念都會束縛人的自由，使人不能自由創造自己的價值，不能自由選擇要成為什麼樣的人。簡言之，這些都是決定論，是有問題的觀念，因為人擁有的只是自由。

「存在先於本質」是存在主義的第一原理。這裡所謂的「存在」，指的是選擇成為自己的可能性。「本質」則是在選擇之後才實現的，屬於我的特色之一。我如果沒有先「存在」，沒有先做出選擇，我就不可能獲得某種特定的本質。因為人原來並沒有什麼本質，是由自己自由創造的。自由就是人的存在。

沙特進一步說明，不是人選擇了自由，是自由選擇了人。人被判定為自由，所以要不斷否定自身，超越現在。這就是自由的作用。

2. 處境的自由

自由要在具體處境中才能運作，你的自由選擇會決定這些處境的意義。沙特列舉出五種處境：位置、過去、周圍、鄰人、死亡。

以「位置」來說，包括你是哪一國人、住在什麼地方。人的自由選擇決定了位置的意義。譬如，一個人從小生長在鄉下，如果他選擇成為政治家，就會覺得小時候住在鄉下是很不利的；如果他選擇成為作家，那住在鄉下可能是有利的。換言之，一個人處在某個位置、在某地生活，這個位置好或不好，完全取決於他的選擇。

　　再看「過去」，包括出生背景、專業、人生遭遇。你的選擇可以為你過去的背景賦予某種意義。此外，你「周圍」的條件、你的鄰居以及你的死亡，這些處境有沒有意義，都取決於你選擇的目標。

　　沙特是無神論者，認為死亡之後就結束了，所以他所謂的自由是絕對的自由。在自由選擇的時候，可以把某種處境化為虛無。如果不做自由選擇，任何處境都談不上有什麼意義。沙特在他的書裡提到，在納粹德國占領法國期間，有個年輕人請教他：應該留下來侍奉母親，還是參軍保衛國家？沙特回答說：「你是自由的，所以你選擇吧！」換言之，沒有普遍的道德原則能夠指點別人應該怎麼做。沙特這個回答與他的觀念是一致的。

　　關於存在與本質，沙特還有以下說法。一個人要先存在，才有確定的形態或本質。換言之，人要把自己投向未來，並意識到在未來要替自己設計。所以存在等於替自己設計，設計之後，人才有確定的形態或本質。沙特認為，人被宣判為自由，人始終要超過自己的本質而存在，超過自己的行為動機而存在，甚至可說人就是自由。

（三）責任與焦慮

　　沙特強調，當人被宣判為自由時，在他的肩膀上就負有全世界的重量，他要對自己與全世界負責。換句話說，一個人在做選擇的時候，是替全人類在做選擇。沙特認為這是他最得意的發現。他強調：「我們所選擇的始終是善；沒有一件事能夠對我是善，而不對大家都是善的。」換句話說，一個人行動的時候，他自覺是全人類的立法者，他無法逃避這一責任。

　　他在劇本《蒼蠅》裡面，透過一個角色對天神朱庇特說：「我是自由，自由就是我。你一創造了我，我便不再是你的了。沒有任何命令，既非善，又非惡。我已被處罰，除了我自己的法律，沒有

任何法律。因為我是人，每一個人都需要找到自己的途徑。」這句話十分扼要的表達了沙特的觀念。

　　這種責任也會帶來焦慮。人往往為了推卸責任、擺脫焦慮而接受某種決定論的思想，以為只能按照某種方式去行動。沙特認為這是自欺。「自欺」有三種表現：第一，該做選擇時不做選擇，把自己混同於無意識的萬物；第二，否定自己的自由，只知道按照既定的要求去行動，消極而被動；第三，信奉一種決定論，順從這種觀點所定的目標。這些都是自欺的行為。

收穫與啟發

1. 由於二戰期間地下抗德運動的經驗，沙特體會到自由就是說「不」的自由，至少可以在心裡說「不」。人被宣判為自由，只能按照自己的意識去做決定，沒有任何限制、規範或標準。

2. 沙特認為，自由的運作可以使處境顯示出意義。譬如，成長背景本來無所謂好壞，但是我現在做出選擇，設定一個未來的目標，就會使我過去的背景變成有利或有害。此外，我周遭的環境與條件，都會因為我的自由選擇而使它們變得好或不好。這樣的自由顯然會帶來責任與焦慮。

3. 沙特對責任的描述顯然有些誇張。他認為，我在做決定時，是在替全人類做決定。但是，「全人類」是一個相當抽象的概念，並且我的選擇未必都是重要的，難道我都是在為全人類做選擇嗎？「替全人類做決定」的觀念，顯然有康德所謂的「要把個人的格準轉變為人類普遍的道德法則」的意味。但是沙特把這種觀念應用得太廣泛了。責任意識太強，就會帶來焦慮。譬如，一個將軍要決定是否進攻，這個決定牽涉到很多人的生死存亡，他難免會產生特別的焦慮。這種焦慮讓人試圖逃避這

種不能逃避的狀況，由此產生各種自欺的行為。

總之，沙特的自由觀是：人被判定為自由，這點是人無法選擇的。在選擇其他一切時，不必找任何基礎，這就是人的原始處境。他也認為，人是一種熱情，但這種熱情最後可能變成無用的熱情，沒什麼創造力，只能無可奈何的不斷超越過去與現在。

課後思考

沙特主張人有絕對自由，他與卡繆在一次辯論中談到這一點。卡繆最後問沙特一句話：「沙特先生，如果你有絕對自由，請問你能不能把我交給納粹，說我是抗德份子？」沙特聽後沉吟良久，最後說：「我不能這麼做。」卡繆說：「因此，人沒有絕對自由。」請你思考一下：人有沒有絕對的自由？

補充說明

沙特認為，人有本體上的自由，還有處境上的自由。他說：「人被判定為自由。」這是指本體上的自由。從這個意義來看，可以說人有絕對自由，但這樣說其實不太合適。處境上的自由是指：我每時每刻都會出現特定的意識，它可以決定我的處境到底有何意義。有些人認為，探討人是否有絕對自由，要區分在思想上還是在行動上。

首先在思想上，可以說人有絕對自由。我的心靈可以自由想像各種情況，譬如想像自己可以飛，可以在水裡游等等。這種想像沒有限制，所以人有從事創造、發明的可能。不過，這並非我們探討的重點。

重點是：在行動上，人有沒有絕對自由？應該沒有，因為人是群居的動物，身處特定的時代與社會，難免參照當時的觀念和條

件去做某種選擇。行動上的絕對自由等於瘋狂。

西方哲學家史賓諾莎說：「自由是按照你本性的必然性去活動。」這種說法很特別。我是人，因此我只有人的自由，而沒有其他動物的自由，譬如我不能像鳥那樣飛，不能像魚那樣長時間潛游。可見，「絕對自由」這個概念不容易掌握。

進一步，可以從以下三點來思考：

1. 所謂「絕對自由」，代表你有無數的選項。這顯然是不可能的，你的選項往往只有少數幾個。

2. 具體行動時，你的行為不可能毫無限制。譬如，我在路上隨意開車，很容易就會發生車禍。可見，我們與別人來往時，如果行為沒有某些明確的限制，自由根本無法表現。每個人的行為完全無法預測，那要如何維持人與人之間的互動？

3. 任何自由都牽涉到後續的責任。自由做任何事而不用負責，那只是一種盲目衝撞。就像一頭牛到瓷器店盲目衝撞，牠是牛，又怎麼負責？因此，絕對自由意味著絕對責任，而絕對責任是無法想像的。人所能負的責任都是有限的，有時你竭盡全力，都未必能負完整的責任，還需要其他人來幫你善後。從上述幾方面來看，就會對絕對自由有比較清楚的了解。

另外，可以由以下三點來說明人沒有絕對自由。

1. 從生物學的角度來看，每個人都有基因的決定因素。

2. 從物理學來看，人不可能穿越時間。

3. 在具體選擇時，就像卡繆問沙特能不能檢舉他，理論上沙特可以這樣做，並且也確實有人這樣做，但沙特是一位負責任的哲學家，他不會為了利益、報復或開玩笑而那樣做。

學哲學目的就是希望學到有意義、負責任的思維方式。人在具體選擇上不能脫離環境和人群的影響，因而自由必定有某種限制。

40-4　存在與虛無

　　本節的主題是：存在與虛無。先想像一種情況：我參加一個宴會，離開時忽然覺得有點傷感，覺得我不是我自己。事實上，只有人才會對自己說「我不是我自己」。每次參加無聊的社交活動，我都會暫時失去或錯置我的存在；離開後，才有回到自我的感覺。所謂「我不是我自己」，是因為我沒有完全成為我自己，沒有實現我的存在之各種計畫或企圖。事實上，我永遠無法形成我自己，因為我的存在隨時向外伸展，超出我的本身。我總是同時多於自己，也少於自己。以這段話為出發點，可看到沙特思想的複雜性與深度。

　　本節要介紹以下三點：

　　第一，在己存在物與為己存在物。

　　第二，為己存在物的作用。

　　第三，為己存在物造成的結果。

（一）在己存在物與為己存在物

　　首先要分辨「在己」與「為己」。黑格爾在他的唯心論系統裡面，曾經用過這兩個詞；但沙特有自己特定的用法。沙特在《存在與虛無》一書中，把世界上存在的東西分為三種：第一種是人類之外的宇宙萬物，稱做「在己存在物」；第二種是我這個主體，稱做「為己存在物」；第三種是他人。

　　簡言之，人類以外的外在物質世界都是「在己存在物」。它們是已存在的東西，本身沒有意識、本質或價值。它們只是偶然在

那兒，與自身完全相同。譬如一顆石頭，它就是那個樣子，不多一分，不少一分。這些在己存在物，沒有過去、現在以及未來的區分。

重要的是「為己存在物」，也就是人的意識。它永遠會超出自己，總是會想到過去、現在與未來，想到世界的一切。為己就是為自己，等於我面對萬物，我有機會去了解它們，進而採取某種行動。

為己是人的意識，而人的意識總是在活動中。這種活動會帶來什麼後果？它會產生一種虛無。意識一定會針對未來，而否定過去的自己。就算它針對現在，在時間的過程裡也是不斷的剎那生滅。所以，對未來有任何願望、理想甚至失望，都會否定現在的自己，因為你注定要走向未來。這種「否定」是純粹的否定性。你總是要超越本身的情況，指向未來，才能使現在這一剎那得到意義。

「為己」的力量可使其他「在己」從背景裡凸顯出來。譬如，我在郊外特別注意到一輛車，這輛車（在己）就會從背景凸顯出來。我的意識就像探照燈，照到這輛車的同時，會忽略其他的背景。

（二）為己存在物的作用

沙特受現象學的啟發，強調為己存在物就是意識，而意識一定有意向活動，這個意向活動可以為其他「在己」賦予意義。

意識有內在結構與外在結構。就內在結構來說，它總是面對在現場的自我，自我與自身合一；但這是不可能的。因為你剛意識到自己，立刻就會出現別的狀況；才意識到自己的一剎那，你已經不是原來的自己了。

意識的外在結構就是面對在現場的世界。譬如，我們面對自己的身體，身體是我們處世的工具，有什麼樣的身體是偶然造成的，如高矮胖瘦等身體條件。我在特定處境中進行選擇，就可以給這個處境帶來意義。譬如，你生於何時何地、有何經歷、遇到何人、生

命何時結束等等，都是你的處境。這些處境有意義嗎？這就要看你的意識怎樣去掌握它的焦點，因為你是完全自由的。

「為己」的存在方式首先是時間性，其次是超越性。為己（人的意識）總在活動之中，它會不斷籌劃自己的未來，否定自己的過去，因為所有的過去已經變成「在己存在物」。即便在現在這一刹那，我的意識也在面對著自己的未來。只有針對未來，才能使你的現在顯示出意義。換言之，時間是從未來開始的。時間並非從過去向未來的流逝，而是一種從未來出發的永恆的否定性。如果沒有對未來的設計，你根本不知道現在該做什麼。

未來對於現在顯然是一種否定和超越，所以為己存在物的另一個特色就是超越性。我的意識總是企圖超越自身、超越世界，與它們保持距離。到最後，人生永遠在超越的過程之中。這個時候不用提到上帝，因為上帝是「在己兼為己」，是存在物與意識合而為一，而這是個矛盾的概念。所以沙特會說：「人生是無用的熱情。」

（三）為己存在物造成的結果

「為己」有時會有誘惑，想成為「在己存在物」，因為「在己」是安定自足的，不需要再變化。但只要你是清醒的，就注定要接受你的存在狀態，即極端的不安與偶然的狀態。正如海德格所說，人的存在充滿否定性的「不再」與「尚未」。「不再」針對過去，「尚未」針對未來。這兩個否定語詞都描寫了人的存在狀態。

沙特進一步探討虛無的醜陋面貌。人的存在是荒謬的，因為只有從他自己的虛無中開始做自由的投射，他才可以賦予意義。「存在」這個詞的原意是「站出來」。你要超越自己的過去甚至現在，面向未來，才能夠站出來。人生命的本質就是意識，他是一個「為己存在物」，一生注定要不斷的否定過去；現在這一刹那只能做一

件事，就是向未來投射，所以現在也可能被否定。

　　沙特的《存在與虛無》一書，大多數篇幅都在討論虛無。他認為，人是虛無的起因，是虛無藉以來到世界的管道。他甚至說，人可以分泌出虛無，隔離其他的一切。我的意識可以畫一個圓圈，把過去的一切都隔離開。這種隔離才能讓我有自由的可能性。

　　換言之，「存在先於本質」就是我的意識有當下的自由，能讓我把注意力投向未來的事物，從而把過去的本質加以隔離，因為本質是已完成的事物。人的自由是一切價值的基礎。人可以自由選擇，不需要任何理由。除了他自己所造成的自己以外，人什麼也不是。

收穫與啟發

1. 沙特的《存在與虛無》一書，專門討論存在本身的地方很少，重點都放在討論虛無上。虛無來自於人這種「為己」存在物。人的意識會把過去、現在與未來隔絕開來。當意識的焦點轉向新的東西時，所有的過去都變成了虛無，而未來尚未出現，所以虛無是經由人的意識而產生的。在虛無狀態中，人體驗到自己的自由，同時也帶來選擇的焦慮。換言之，為己存在物因為有意識，他在自己面前對自己採取距離，使自己的內部被虛無隔開。為己存在物是虛無的產物，同時又產生了虛無。

2. 「為己」的存在方式具有時間性與超越性。由於上帝不存在，所以不用談永恆的完美。人永遠在超越的過程中。

3. 「為己」造成虛無的後果，給人的處境帶來很大的壓力。

課後思考

　　沙特認為人就是為己存在物，他的焦點在於意識，他又顯示於自由中，由此也帶來了焦慮。你認為以下三種情況，哪一種更讓

人覺得焦慮？第一種，不知道自己就是自由；第二種，有自由而不知道該如何選擇；第三種，選擇之後並沒有改變任何東西。

補充說明

我們可以這樣思考：

1. 一個人不知道自己就是自由

這樣的人讓人覺得可惜，因為他把自己當做「在己存在物」，而未察覺自己是「為己存在物」。人的特色在於他的意識，意識與自由緊密相連。一般來說，人不可能一直處於這種情況。

2. 有自由而不知道該如何選擇

這樣的人讓人覺得可憐。不過，凡可憐之人，必有可恨之處。你有自由而不知道如何選擇，那為何不學習？為何不參考別人的做為？如果你欣賞別人的做法，那就照著去做；如果厭惡，自己就不要去做。有自由而不知如何選擇，確實會給人帶來最大的焦慮，但可以透過不斷學習和真誠面對自我，來改善自己的處境。

3. 選擇之後發現什麼都沒有改變

這種情況也會讓人覺得可惜，但這種可惜不是針對某個人，而是針對外在的世界。但是也不需要太可惜，之所以覺得沒有改變任何東西，是因為期望太高，原先設定的目標超過實際的狀況。

選擇之後，果真沒有改變任何東西嗎？首先要從自己身上開始思考：我選擇之後，自己有沒有改變？讓自己有所改變才是關鍵。如果選擇之後，發現自己毫無改變，就要調整思想和目標，從改變自己開始。當你發現外在世界沒有任何改變，那就繼續做自己該做的事。要不忘初心，知其不可而為之。一個人如果到八十歲還有十八歲時的理想與熱情，那才是所謂的赤子之心。

40-5　別人就是我的地獄

本節的主題是：別人就是我的地獄，要介紹以下三點：

第一，意識的虛無化作用。

第二，別人的注視。

第三，悲觀的人生。

（一）意識的虛無化作用

人是「為己存在物」，他的本質就是意識。意識本身空無所有，總是向外去注意，好像一面鏡子一樣。如果沒有外面的東西，就顯不出它是一面鏡子。這種意識的自覺的存在，永遠在擴展、超越之中。它是痛苦的來源，會讓人感覺到虛無、失落、焦慮。做為鏡子還好，它是安靜的，所有東西都反映在上面；然而意識則永遠在活動之中。

沙特舉過一個例子：我約了彼得在咖啡館見面。下午三點鐘，我到了咖啡館，腦袋裡想著彼得的形象，此時我會把咖啡館裡的非彼得全部化為虛無，這是第一度的虛無。我在咖啡館繞了一圈，沒有看到彼得，於是連彼得的形象也變得模糊了，這就造成了第二度的虛無。

這是非常生動的描寫，我們的意識確實會有這樣的作用。這種虛無造成失望，接著就要轉移意識的內容，否則一直失望下去也不是辦法。

（二）別人的注視

　　沙特所謂的「別人」，是指「我」之外的其他人，這樣的「別人」為數眾多。我有意識，可以把別人當做意識的對象，把他當做「在己存在物」，好像是被我注視的一個客觀的東西。但別人也有同樣的能力，也可以把我當成這樣的東西。

　　沙特對於「注視」這個詞非常在意。他的著作經過專家統計，使用「注視」及其同義詞多達七千多次。所謂「注視」是指意識的焦點集中。透過注視，你可以把別人化為「在己存在物」，也就是化為虛無。同樣的，別人也可以把你化為虛無。

　　為了說明注視的可怕，沙特特別引用一段希臘神話，即著名的美杜莎（Medusa）的故事。美杜莎原來是一位美少女，她與海神波賽頓（Poseidon）有染，在雅典娜神殿生下了兩個孩子。這件事觸怒了雅典娜，她把美杜莎的頭髮變成毒蛇，別人只要看到美杜莎的臉，就會嚇得變成石頭。沙特藉這個故事說明，當我被別人注視的時候，我的主體會淪為客體，就像一塊石頭、一張桌子一樣。

　　沙特舉了不少類似的例子。譬如，我住在旅館，很好奇隔壁房間裡的人在做什麼，我就由鑰匙孔去偷窺。此時走廊上正好有人過來，我被別人看到，會覺得很羞愧。今天的旅館很少有鑰匙孔，在沙特當時，確實是這樣的情況。值得注意的是，我被別人看到，才會覺得羞愧；如果沒有被人看到，我會覺得有趣。

　　換句話說，別人是我不自由的來源。他把我當做客體來注視，會使我的自由消失，使我感到羞愧。那怎麼辦呢？這時我就要反注視，反過去貶抑他，意思好像是說：「這關你什麼事？你是什麼東西？你又好到哪裡去？」

　　注視是最讓沙特擔心的。他強調，人的本質就是意識，意識可

以帶來否定的作用，並且總在否定之中。因為意識總是注意新奇的東西，它總在變化中，過去的一切都被否定了。所以，意識是虛無的來源。

沙特的戲劇《沒有出路》描寫三個人死後被關入地獄，他們都是自欺的人，有殺害嬰兒的、有同性戀、有賣國賊。他們在世的時候，逃避自己的人生責任，等於把自己當做「在己存在物」，以為可以自欺。結果死了之後，這一生的作為都不能改變了，他們真正變成了某種「在己存在物」。

他們三個人互相注視，每個人都變成在別人注視下的無生命之物（在己存在物），由此失去自己主體的存在。這樣一來，人與人之間完全無法溝通。在戲劇的結尾，雖然門開了，但三個人都不出去。因為如果出去的話，世間有很多人同樣會以他們的眼光注視你，對你議論紛紛。這部戲劇最後的結論是：他人就是地獄。

聽到霍布斯說「人對人而言就像豺狼一樣」，我們已經覺得過於消極，忽略了人性的正面價值；現在沙特說「他人就是地獄」顯然更加消極，地獄就是沒有希望的地方。可見，沙特的存在主義過於強調個人主觀的自由抉擇，最後變成我與別人無法並存，人與人之間充滿敵意，互相以自己的意識去否定對方。

（三）悲觀的人生

沙特思想後來的發展很特別。他後來發現存在主義就像一個過時的牌子，於是就投靠到歐洲的馬克思主義陣營裡面。因為馬克思主義不但有學說，還有政治上的具體主張與作為。沙特為了明確自己的立場，同他的朋友梅洛龐蒂、卡繆等人分道揚鑣。他對人生的看法走入了困境，思想找不到出路。

沙特到晚年時思想有了轉向，他似乎要努力回歸於人性的大旗

幟之下。越南淪陷時，沙特四處遊說法國人租船接運難民；蘇俄入侵阿富汗時，他公然抗議這一暴行；法國知識界勸諫政府杯葛（抵制）莫斯科奧運會的請願書中，沙特的大名也赫然在列。

大家都以為沙特變了，但他另有一番說辭。他在 1980 年七十五歲的時候，在過世之前最後一次訪問中強調，他 1945 年以後所關心的都是希望，而不是絕望。希望是行動的來源，人的行動必定以未來的目標為對象，而希望是人與目標之間的關係。他說：「即使目標無法達成，這種關係依然存在。人生沒有目標，則與死亡無異。」沙特認為：「人生的首要目標是使人類變得更完美，讓個人與團體都能符合人性的要求。人生是開放的，求完美的。」這聽起來不太像沙特早年的口吻。

他還說：「道德是人與人之間的關係。人人天生都有良心，良心都有基本的責任與要求，其中第一項就是關心別人的存在。人與人互相依存，大家都是兄弟姊妹。人類之所以為人類，因為大家都屬於同一類。道德的未來，在於人與人互相照顧，互相接濟，互相成全。」沙特回顧當時的情況，對人類的歷史感到觸目驚心。但他認為，這只是歷史潮流中的一段插曲，未來仍有希望。

沙特接受訪問時已離他去世之日不遠，他說：「我將在希望之中與世長辭。」他原來是徹底的無神論者，他的書充滿負面的情緒，引發時代的迴響與思潮的發展，他甚至進一步把別人都當做地獄，但最後他也開展出一種博愛的道德觀。由此可見，人性的力量還是強大的。沙特的思想發展到最後，總算走上一條比較平穩的道路。

收穫與啟發

　1. 意識有虛無化的作用。沙特把人的意識當做「為己存在物」的一個特色。意識可以選擇新的目標，否定舊的目標，不斷造成

虛無化的現象，這是虛無進入人間的一個管道。這樣一來，人
與人之間的關係顯然是比較負面的。

2. 沙特非常擔心別人的注視。當我們用意識的能力去注視一個人
的時候，可以把他當做萬物之一（在己存在物），而不是與我
平等互動的一個主體。我這樣做的時候，別人也可以這樣做。
人與人之間就在互相注視當中，產生了緊張、焦慮、不安，甚
至產生了各種罪惡的念頭。這樣的人生觀顯然是悲觀的。沙特
的思想一路發展，都帶著悲觀的情緒。

3. 沙特在生平最後一次接受訪問的時候，居然轉了彎，認為自己
有各種負面的思想，是因為內心還存著希望。也就是我們常說
的「破邪才能顯正」。只不過沙特所顯的「正」，在他的著作
裡顯然分量較輕。下一章要介紹的卡繆，在這一點上就與沙特
截然不同。

(課後思考)

　　沙特在分析人的意識與自由時，顯得非常深刻，但充滿負面的
情緒。他最後談到人與人應該互相關懷，似乎思想有了一種轉
向。請你思考，理論上你認為人性是什麼？而在現實世界中，你
實際感受到的人性又是什麼？這兩者之間有落差嗎？這兩者之間
的落差可以縮小嗎？

(補充說明)

　　在實際的人生中，可以透過觀察自己來了解人性的真實狀況，
你會發現：自己有時會對別人心存善念，有時也會心懷不軌。
　　講人性是善是惡都有特定的角度，也許過於局限。我在談人性
問題，一向強調真誠為先。但真誠絕不是天真，或者我以為自己

很真誠；真誠是需要修練的。關於真誠如何修練的問題，一直以來眾說紛紜。每個人可能都認為自己很真誠，事實上他未必知道自己在想什麼，所以人的世界充滿各種可能性。

　　沙特特別討厭注視。他認為，當別人注視你時，你可以反注視，以其人之道還治其人之身。這似乎又回到一種比較原始的狀態，要根據你在社會上的角色或權力，來界定你該如何體現自己的特色。沙特所講的只是一種可能的情況，其實還存在著許多其他的可能。譬如從卡繆來看，他人跟地獄的關係並不大，地獄有時就在你自己的心中。

第四十一章

卡繆

從荒謬走向幸福

41-1　卡繆反映了時代心聲

　　本章的主題是：從荒謬走向幸福的卡繆。前文介紹了存在主義在法國方面的兩位代表——馬塞爾與沙特，他們都同時在哲學與文學上有著作，有思想，有見解。本章要介紹的卡繆也具有同樣的特色，可惜他的壽命不長；作品雖多，精采的部分卻來不及發揮。

　　本節的主題是：卡繆反映了時代心聲，要介紹以下三點：

　　第一，卡繆生命中的反與正。

　　第二，卡繆的哲學與文學。

　　第三，卡繆做為當代文化的象徵人物。

（一）卡繆生命中的反與正

　　卡繆（Albert Camus, 1913-1960）是法屬北非阿爾及利亞人，從小說法語。他一歲的時候爆發了第一次世界大戰，父親參戰陣亡，母親靠為人幫傭才把他撫養成人。卡繆從小家境極為貧寒，從中學開始，就要靠獎學金才能維持學業。不過他生活在地中海畔，自然界的陽光與大海極為慷慨。這一反一正兩種處境，共同塑造了卡繆思想的特色。

　　卡繆的思想反映出時代的困境。他曾在一次演講中提到自己的遭遇：「我誕生於第一次世界大戰初期，稍後經歷了1929年的危機，二十歲時遭受希特勒的迫害，然後是衣索比亞戰爭、西班牙內戰以及慕尼黑協定，這些就是我輩教育的基礎。再加上第二次世界大戰，生長在這樣一個世界裡，我們相信什麼？沒有，除了我們最

初就被迫置身其中的頑強否定之外，一無所有。我們被帶入的世界，是一個荒謬的、無處可以避難的世界。」

　　但是，他始終對人性抱有信心，這與他的求學經歷和生活背景有關。他在中學時遇到一位老師，教導他人道精神與人生信念。後來，他考上阿爾及爾（Algiers）大學哲學系，畢業論文的主題是新柏拉圖主義者普羅提諾（Plotinus, 204-269）與中世紀教父哲學家奧古斯丁的對照。他的立場傾向於新柏拉圖主義，肯定我們的王國屬於這個世界。卡繆一生熱愛世界，他肯定的說：「要改善人生，而不是去改造世界。」

　　卡繆對於普羅提諾的「流衍論」頗為認同。普羅提諾用太陽比喻做為萬物根源的「太一」，用陽光普照一切比喻流衍理論。太陽與陽光是卡繆非常熟悉的題材，他從小就對自然界有親切的體驗。所以，卡繆一向認為人類分享共同的人性。他對人性從未失望過，不管遇到何種負面的處境，他總是相信：在人身上，可讚美之處多於可鄙視之處。他說：「我對人關心，我對人類絕無輕蔑態度。在我作品的核心，總有一顆不滅的太陽。」

（二）卡繆的哲學與文學

　　卡繆大學念的是哲學，但為了生活，他也從事過各種工作，主要是劇團表演與寫作戲劇，由此磨練出很好的文筆，他細膩的觀察讓人讚嘆。

　　卡繆比沙特年輕八歲，但是他的思考更完整，也更積極。二戰期間，兩人一起在巴黎從事地下抗德運動。他們曾經辯論過「人有沒有絕對自由」。卡繆認為，人不可能有絕對的自由，自由必須有所限制。

　　事實上，卡繆與沙特的關係密不可分。沙特是法國文化核心地

區的知名作家，而卡繆是法國文化邊陲地帶的後起之秀。1942年，卡繆出版他的第一本小說《異鄉人》（*L' Étranger*）。第二年，沙特為這部小說寫了篇一萬多字的書評，非常深入而細緻。沙特當時還不認識卡繆，他形容卡繆：「他推理的指向、觀念的明晰、剖析事理的一針見血，以及他某種陽剛的、哀怨而沉鬱的性格，無不顯示他那地中海人的古典氣質。」同時，沙特還把卡繆與帕斯卡、盧梭等學者進行了比較。沙特認為：「《異鄉人》這本小說沒有多餘的細枝末節，是一本經典之作、一本嚴謹的書，我們從中可以聽到荒謬與反荒謬的爭辯。」卡繆由此一夕爆紅，受到法語世界的普遍注意。那一年卡繆年僅三十歲。

卡繆的小說與戲劇都具有哲學的特色，他總是圍繞著一個核心問題，用小說或戲劇的方式表達到深刻的程度，因為有很多思想是無法用理論說清楚的。

（三）卡繆做為當代文化的象徵人物

卡繆生命中的重大轉變發生在第二次世界大戰期間。他在巴黎從事地下抗德運動，擔任《戰鬥報》的主編，發表很多社論，思考人在這種處境下的問題。他的思想慢慢從個人對荒謬問題的體驗，提升到人群與人類的高度，開始思考人類何去何從的問題。

二戰之後，卡繆在法國文壇受到高度重視，他陸續推出了幾部重要的作品，包括《鼠疫》（*La Peste*）、《反抗者》（*L'homme Révolté*）等等。

1957年，諾貝爾文學獎頒給了四十四歲的卡繆，他是有史以來第二年輕獲得這個獎項的作家。最年輕的是1907年獲獎的四十二歲的英國小說家吉卜林。卡繆獲獎的理由是：他對現代人良心的處境，有非常清晰而誠懇的闡述。卡繆成為現代人良心的代言人，

他的作品總是要替人類說話，為受壓迫的人發聲，由整個時代來反映人類的處境。卡繆有一種天賦，可以把一般民眾的感受與知識份子的心靈結合起來。他總是強調人的正直、誠信與獨立。

　　不幸的是，1960 年 1 月 4 日，剛過完新年假期，卡繆就遭遇車禍身亡。他原本要去法國南部，已經買好了火車票。這時正好有一位朋友開車帶著家人出行，約卡繆一道前往。這位朋友是法國加利瑪出版社家族的親戚，《卡繆全集》後來就由該出版社出版。卡繆連火車票都沒有退，就上了朋友的車。途中汽車輪胎脫落，撞上了路樹，卡繆不幸過世。

　　這件事震驚了法國文壇以及世界上關心文化的人。在法國，有很多重要的文人對他的過世表示哀悼。馬塞爾說：「卡繆使『人文主義者』這個詞重新獲得意義。」馬塞爾的朋友莫里亞克說：「卡繆的死，是當前所能影響法國文壇的最大損失之一。一整個世代的人，因為卡繆而覺察到自己的存在，以及自己的種種問題。」有不少媒體評論道：很多人以為卡繆的作品是悲觀主義，充滿失望的情緒；其實錯了，卡繆宣導要英勇面對生命的挑戰。

　　卡繆過世時年僅四十七歲，他的思想還來不及完成。他留下的著作總數不到十本，但是值得深入研究。他的思想呈現為一個不斷進展的過程，每本書都標誌著思想的一個進展階段。他有兩個最主要的觀念——「荒謬」與「反抗」，指向一個目標就是「自由」。「荒謬」、「反抗」、「自由」這三個詞，可以反映出卡繆思想的重點。

（收穫與啟發）

　　1. 卡繆生命中有明顯的反面與正面的處境。反面的，比如家庭極為貧困；正面的，是指自然界豐盛的資源。他在兩次世界大戰

之間長大，親身經歷過整個第二次世界大戰，見識到人類黑暗的一面。同時，他積極為人類揭示良心的處境，以他的作品喚醒了許多人，使他們願意接受人類命運的挑戰，並對人類的未來燃起希望。

2. 卡繆的作品結合了哲學與文學。他是哲學系本科畢業生，對古希臘與中世紀哲學有一定研究，對於當代哲學則比較少琢磨。對於認識論或形上學的爭議，他的興趣不大。他與沙特的交往是他生命中的重要事件。

3. 從 1942 年的《異鄉人》開始，卡繆的每一部作品都讓人驚豔。他在三十歲上下就能寫出這樣高水準的作品，所以他在 1957 年，年僅四十四歲就獲得了諾貝爾文學獎，比沙特獲獎整整早了七年。

課後思考

卡繆能夠協調生命中的反面與正面的元素，從而保持綜合的人生態度。請你思考一下，你能否讓自己生命中正面與反面的元素產生更大的能量，來幫助你面對人生的挑戰？

補充說明

如果你目前不太厭惡生命的反面，代表你現在的學習、生活各方面都比較穩定。如果你完全處在反面的情況，則很容易怨天尤人，覺得生命不公平。所謂人生的正面與反面，從客觀上來說，就是順境與逆境，從主觀上來說，就是快樂與痛苦，兩方面可以相互對照。

先看客觀。人生的修養在於，當遇到客觀上的逆境時，你能否「逆來順受」？這樣就把「逆」與「順」合在一起。我欣賞孟

子的一句話：「莫非命也，順受其正。」（《孟子·盡心上》）「命」代表遭遇。人生在世，可能會有各種遭遇，沒有一樣遭遇不屬於命運。要順著合情合理的方向，接受命運裡可能出現的事，這就是「順受其正」。孟子這樣說的用意是：希望你在逆境中修養自己，同時不要去冒不必要的危險。其實，逆境對人來說往往是一種很好的鍛鍊。

　　再看主觀。主觀上既然有樂與苦的分別，我們就要設法練習苦中作樂。一旦習慣某種痛苦，那種痛苦就無法進一步折磨你。

　　年輕人往往對未來充滿希望，為了美好的明天而努力奮鬥。老年人則常常把希望放在當下：我今天要做什麼事？我現在正在做什麼事？當然，現在的行動不可能脫離對未來的規畫。因此，對於生命既要有一種「長程」的觀點——對人生有全盤的了解；也要有「短程」的觀點，譬如這幾年或幾個月之內，我要做什麼事？如果有這樣的規劃，那麼生命中正反兩面的所有經驗，都可以成為我的能量來源。

41-2　荒謬是什麼？

　　本節的主題是：荒謬是什麼？由於深入探討「荒謬」這一概念，卡繆成為荒謬的代表人物，表達出整個時代的心聲。他是如何探討「荒謬」這個概念，又是如何看待人的荒謬處境呢？

　　本節要介紹以下三點：

　　第一，荒謬之出現。

　　第二，人在荒謬中何去何從？

　　第三，薛西弗斯神話的啟發。

（一）荒謬的出現

　　卡繆主要在兩本書中討論了「荒謬」這個題材：一本是小說《異鄉人》，另一本是哲學散文《薛西弗斯的神話》（*Le Mythe de Sisyphe*）。

　　卡繆曾在接受記者訪問時說：「我在《薛西弗斯的神話》中分析荒謬感受時，是在尋求一種方法，而非一種學說。我是在從事方法上的懷疑，試圖造成一種有如白紙一般的無瑕心態，做為建構一些東西的基礎。」這就好比笛卡兒的「方法上的懷疑」。對荒謬進行分析，是希望藉此找到一個新的出發點。

　　對卡繆來說，荒謬是不能逃避的，也是最先出現的情況。他說：「荒謬是最根本的概念，它是第一個我能肯定的真理，甚至是唯一一個我們思考的材料。」卡繆如此重視荒謬，那到底什麼是荒謬呢？可以從以下三點來看：

1. 荒謬是一種遭遇和對峙

人有理性，他生活在世界上。理性要求理解，否則沒有「意義」可言。卡繆說：「所謂荒謬，在於世界的非理性，世界是無法溝通的，但是人的理性對清晰有狂熱的期望，總希望一切都可以被理解。所以荒謬生於一種遭遇：人需要的是理解，但世界是不可理喻的沉默。」人的理性與世界的非理性之間的遭遇和對峙，就造成了荒謬。

2. 荒謬是一種關係

荒謬既不在人，也不在世界，而在於兩者共同出現。人活在世界上，就是荒謬的出發點。荒謬把人在世界上的情況表現出來，沒有人可以逃避這樣的情況，因為這種關係是結合，也是分裂。

3. 荒謬具備特殊的「三合一」狀態

「人的理性」與「世界」的不可理喻之間產生了「荒謬」。這是一種「三合一」的狀態。

卡繆認為，荒謬是人類最根本的處境，人無法擺脫這種處境。卡繆的《薛西弗斯的神話》開宗明義就說：「真正嚴肅的哲學問題只有一個，就是自殺。判斷生命是否值得活下去，等於回答這個哲學上的基本問題。」我們從未見過一本哲學著作一開始就把自殺拉到眼前。卡繆的意思是說：自殺問題就是生命意義的問題。如果生命毫無意義，就不值得活下去，因為人終有一死；只有承認生命有意義，才值得活下去。

《薛西弗斯的神話》中，有一段話被其他作品一再引述，卡繆寫道：「舞臺的布景也有崩塌的時刻。起床，搭車，在辦公室或工廠上班四小時；吃飯，搭車，工作四小時；吃飯，睡覺；然後是星期一、星期二、星期三、星期四、星期五、星期六，同樣的節奏。多數時候，這個軌道很容易遵循。只是有一天，突然產生了『為什

麼』這樣的問題，於是一切在預料不到的厭煩中重新開始。」

這裡所說的「為什麼」，就是意識的突然覺醒，隨之而來的是一片茫然，「靈魂空虛，日常習慣的環節被打破，心智無望的找尋新的環節。」

卡繆指出，我們熟悉的世界是一個能夠被解釋的世界，即使理由粗劣。因此，站在一個突然失去幻象與光明的宇宙中，人自覺是一個局外人。這個「局外人」面對著「死亡、世界、他人以及自我」，會產生荒謬的感受。

首先，「死亡」明顯讓人覺得人生荒謬，因為善惡沒有報應，所有努力最後都歸於徒然。其次，「世界」好像有某種敵意，各種天災讓人觸目驚心，對於熟悉的世界，我們忽然會覺得很陌生。至於「他人」，卡繆不會像沙特那樣宣稱「別人就是地獄」，但不能否認，別人身上確實有難以溝通的部分。最後是「自我」，有時候我們也不了解自己是誰，對著鏡子，好像看到了一個陌生人。

（二）人在荒謬中何去何從？

人在荒謬中該何去何從？卡繆說：「人一旦發現荒謬，就不免想寫一本《幸福手冊》。幸福與荒謬是大地的兩個兒子，它們不可分開。」這些話顯示了人道主義的關懷。他以尼采的論斷來對照自己的心得。尼采說：「上帝死了，我們自由了。」卡繆則說：「上帝死了，我們的責任更重了。」

《異鄉人》這本小說描寫了現代人荒謬的處境。一開頭，主角莫爾索（Meursault）的表現就令人震撼。小說寫道：「媽媽今天死了，或許是昨天，我不清楚。養老院寄來通知，說：『令堂過世，請來料理後事。』」西方社會往往把老人送到養老院。母親是一個人生命的來源，現在她過世了，莫爾索感到很茫然，但他繼續過著

平常的生活。

接著發生了許多事情。他替朋友出頭，莫名其妙殺了一個阿拉伯人。北非是法國屬地，白人占有優勢。如果殺了人，只要表現出一點後悔的情緒，或者把責任推給意外狀況，可能就不會受到極刑。但是，莫爾索對可能的死亡沒有什麼特別的感受。結局很簡單，他被判了死刑。整個審判過程在某種程度上與卡夫卡的《審判》有點類似，很多事情都模糊不清。犯的錯是怎麼回事？審判所使用的普遍規範是要求誰的？都不太清楚。卡繆用小說這種形式，描繪了現代人的荒謬處境。

（三）薛西弗斯神話的啟發

《薛西弗斯的神話》這本書雖取名為神話，但其中的神話部分就像附錄一樣，只占短短三四頁的篇幅；書的主要部分都在討論「荒謬」這個概念。

這本書的關鍵就是回應那個嚴肅的哲學問題——自殺。他說：「生活在這個令人窒息的穹蒼下，我們只有兩個選擇——離開，或者留下。要緊的是去發現：人如何離開，以及人為何留下。」所謂「離開」，就是指自殺而言。

卡繆認為自殺有兩種：一種是消滅自己的身體，一種是壓制自己的思想。

身體上的自殺是一種誤會，以為可以藉此化解荒謬，卻反而對荒謬不忠實，因為生活就是要使荒謬生存。要使荒謬生存，最重要的是注視它。換句話說，有些人以為自殺可以化解荒謬，於是選擇死亡；但這是逃避問題，而不是解決問題。荒謬無法被解決，所以不但要意識到死亡，還要拒絕死亡。

另一種是思想上的自殺。卡繆列舉出幾位存在主義的代表人

物，如齊克果、雅士培等人，認為他們逃避了荒謬的處境。因此，卡繆多次公開說自己不是存在主義者，他認為存在主義是以哲學的方式來自殺。有一次，記者問他是不是存在主義者，卡繆回答說：「我不是存在主義者，沙特和我都對我倆的名字經常被連在一起而感到詫異。沙特是一位存在主義者，而我已經出版的唯一的理論性著作《薛西弗斯的神話》，卻是要直接反對那些所謂存在主義的哲學家的。」卡繆認為，有些存在主義者毫不猶豫的投靠了一個絕對者或超越者的力量，而他願意繼續留在現實的處境裡奮鬥。

薛西弗斯神話的內容很簡單：薛西弗斯（Sisyphus）為了讓河神給人類水源，沒有遵從天神宙斯的命令，他洩露了祕密，讓河神知道自己的女兒被誰拐走了。這類似於普羅米修斯（Prometheus）的神話，他因為從天上盜取火種給人類而受到懲罰。在薛西弗斯神話中，神明為了懲罰薛西弗斯，命令他不停的推巨石上山；當他好不容易把巨石推到山頂時，巨石因為本身的重量，又滾回到山腳下。神明大概認為，徒勞而無望的工作是最可怕的刑罰。這個神話經常被用來描寫現代人的處境，他們日復一日、年復一年、周而復始的做著同樣的工作，生命漸漸老去，最後歸於結束。

在這本書的結尾處，卡繆寫道：「向山頂奮鬥的本身，已經足以使人心充實。我們應該想像薛西弗斯是快樂的。」他認為，面對荒謬的處境，人不需要逃避，既不能傷害自己的身體，也不能放棄自己的思想，而是要繼續奮鬥。有一個奮鬥的目標，就會讓人心覺得充實。人在這種處境之下，也有可能得到快樂。

收穫與啟發

　1. 何謂「荒謬」？有理性的人生活在不可理解的世界上，就出現了荒謬。卡繆一開始就完全不談上帝，因此他被許多人稱為

當代著名的無神論者。事實上，卡繆只是先把宗教問題擱在一邊，直接就人的現實狀況去思考。

2. 人在荒謬中何去何從？人在面對死亡、世界、他人、自我這四個方面時，都可能出現無法理解的情況。但是無論如何，人不能選擇自殺。自殺等於是面對死亡這個最大的荒謬來源，放棄自己的奮鬥。自殺行為本身就是不合理的。同時，在思想上也不能輕易就投靠一個超越界。

3. 卡繆在《薛西弗斯的神話》中，全面探討「荒謬」概念，他認為自己與當代存在主義哲學家的立場是不同的。薛西弗斯的神話從此深入人心，給眾人帶來很多啟發。

課後思考

薛西弗斯雖然明知石頭一定會滾下來，但他仍要將巨石推到山頂。請問：你有沒有類似的經驗，亦即有一個任務要去完成，雖然知道它到某個時候一定會過去，但就在奮鬥的過程中，你感覺到生命有某種意義？

補充說明

卡繆想要強調，薛西弗斯的巨石就是人被判定的某種命運。但很多時候這不是被判定的，而是我們自己找的。我們與任何人來往，彼此都會製造某些「石頭」。「巨石」則代表比較大的要求或責任。

人活著必定有巨石，沒有這一塊石頭，就有另一塊石頭。我從小開始，每當覺得日子很苦時就會想：沒有這個苦，就有別的苦。既然知道是這種苦，也就沒有太多懸念。針對這種苦的特色，我要努力撐過去。所以痛苦變成了鍛鍊，讓我調整自己的性

格，有能力接受更大的挑戰。

如果一個人真的沒有任何石頭要推的話，譬如退休之後不用承擔任何職責，很容易就會覺得無聊。退休後好像可以自由自在的休閒，但休閒的內容是什麼？目的何在？是為了更多的休閒，還是為了更有效的工作？休閒是相對於工作來說的。人活在世界上，如果什麼巨石都不用推，等於是生命快要結束了。因此，不要幻想著擺脫所有的壓力。

不過，這種幻想也能讓人在巨大的壓力下過得比較愉快。我人生中最苦的階段是在美國讀書的四年，那時我經常使用兩種方法。第一種方法是回憶過去的美好生活，因為人在痛苦時，記憶會自動把過去最美好的一面篩選出來。沒有當下的痛苦，往昔的快樂也不容易浮上心頭。第二種方法是暢想未來。一想到讀完博士之後，將來可以在學術界自由翱翔，心情就會變得開朗起來。所以，面對「巨石」有各種方法，關鍵還是要先了解自己。

41-3　如何超越荒謬處境

　　本節的主題是：如何超越荒謬處境。

　　卡繆在《異鄉人》與《薛西弗斯的神話》中，已經對「荒謬」這個觀念與處境做了相當深入的探討。本節要進一步介紹後續的發展，內容包括以下三點：

　　第一，虛無中的希望。

　　第二，荒謬引申出什麼？

　　第三，走向新的階段。

（一）虛無中的希望

　　如果荒謬注定無法擺脫的話，那麼人生還會有希望嗎？ 卡繆在 1944 年出版《誤會》（*Le Malentendu*）這個劇本，以此做為現代悲劇創作的嘗試。1945 年他又出版另一個劇本《卡里古拉》（*Caligula*）。這兩個劇本的內容值得介紹。

　　在《誤會》這個劇本裡面，男主角想要實現心中的某種願望。他從小就離開家鄉，到外面打拚；事業有成之後，希望回到老家，讓母親與妹妹也能享受幸福的生活。但是他心中有個念頭，就是《聖經》裡耶穌所說的「浪子回頭」的故事。浪子花光了父親給他的所有財產，回家時仍然得到父親無條件的歡迎。現在，男主角非但沒有花費祖產，反而從外面帶錢回來想要讓母親過好日子，所以他也幻想著能得到母親的歡迎，於是產生了嚴重的誤會，最後的結局非常悲慘。

　　《誤會》劇中，男主角的妻子問他：「我們在這兒很幸福了，何必還要回老家去呢？」他的回答是：「幸福不是一切，人還有責任。」這句話說得好。沒有人不追求幸福，但如果完全撇開人與人之間的責任，你還能得到什麼樣的幸福呢？所以，真正的幸福是你關心的人也能得到快樂，或者至少盡你的力量使他們得到快樂，這是人普遍的願望。《誤會》這個劇本說明，這種情況所造成的誤會是很難避免的。

　　在《卡里古拉》這個劇本當中，卡里古拉是羅馬皇帝。他在他摯愛的皇后過世之後，陷入失常狀態，他對大臣說：「我現在要得到月亮。」大臣問他為什麼，他說：「我突然有一種欲望，想得到不可能的東西。我要月亮，或者幸福，或者永恆的生命。」幸福與永恆的生命顯然是每個人的願望，但它們就像天上的月亮一樣，可望而不可及。羅馬皇帝可以為所欲為，他的自由沒有任何限制，但是最後也無法達成自己的願望。這說明，人在世界上要得到幸福，可能是一種奢望。

　　《卡里古拉》最後的結語讓人印象深刻。卡里古拉認為自己發現了一個真理：人死了，他們並不快樂。這就像我們常說的「蓋棺論定」。很多人去世，回顧他這一生，好像談不上什麼真正的快樂。即使活著的時候再怎麼快樂，死亡也會讓一切結束。可見，卡繆在描寫人生的荒謬處境時，已經慢慢顯示出：自由應該有所限制，人必須承擔某些責任。

（二）從荒謬中引申出什麼？

　　既然反對自殺，就要在荒謬中勇敢的活下去。卡繆清楚的強調，荒謬產生三個結果：第一，我的反抗；第二，我的自由；第三，我的熱情。這三點顯示了卡繆思想的進展。

1. 我的反抗

所謂「荒謬」，就是對某種處境說「不」，強調這樣是不對的、不合理的、沒有意義的。但是，當你說「不」的時候，等於以一種否定的方式去肯定事情的另外一面。譬如，我說「你這樣做是荒謬的」，代表你不這樣做，或者你那樣做，就不荒謬了。荒謬是以說「不」的方式，肯定另外一種模式的存在。

沙特在二戰中曾被俘虜，他說：「唯一的自由就是說『不』的自由。」我在荒謬中可以對荒謬說「不」，由此產生第一個結果：我的反抗。

卡繆說：「我反抗，所以我們存在。」透過「我」個人的反抗，可以肯定「我們」的存在。換句話說，我不是為了自己，而是為了整個人類而反抗，我對他們負有責任。

2. 我的自由

荒謬所帶來的第二個後果是什麼呢？既然沒有一個絕對的標準，沒有超越的世界，我們就把這些擺在一邊，只就現在的情況來看。卡繆提出一個相當特別的觀念，即「從質的倫理轉向量的倫理」。一般談到倫理，焦點會放在善惡的抉擇，這屬於「質」方面的考量。現在要轉向「量」的倫理，也就是要一而再、再而三的增加行動的數量。

從古希臘時代以來的快樂主義，就不談什麼絕對價值，只追求現在可以過得快樂，在量方面不斷增加。卡繆說：「如果荒謬使我無法獲得永恆的自由，那麼在另一方面，它就擴大了我行動的自由。當我的希望與未來被剝奪之後，我的自由幅度反而增大了。」換言之，如果存在一個超越界或上帝，那麼一定會有某種普遍規範來限制我的自由。現在這些都沒有了，我不就可以為所欲為了嗎？這種「量的倫理」也可以稱做「某種絕對的自由」。

然而卡繆認為，自由並不是放縱自己的欲望，為所欲為。他想要強調的是，你必須不斷的體驗生活，而不要想在本質方面一勞永逸，好像跨過某個界限，就能達到某種不同的境界。卡繆希望我們好好注意當下生命的處境，活在每一剎那中，用心去體會生命的特色，感覺到自己的自由。卡繆說：「荒謬者的理想是臨在，並且不斷的臨在於一個始終清醒的靈魂之前。」人要保持清醒，珍惜生命的每一刻，因為每一刻代表了「量」方面不斷的增加。人要站在自己的腳上，真實的過日子。

3. 我的熱情

荒謬產生的第三個結果就是我的熱情。卡繆說：「人一旦發現荒謬，就不免想寫一本《幸福手冊》。」所以，荒謬與幸福兩者不能分開，人要自己創造生命的意義。

有一位教授這樣評論卡繆的思想，他說：「卡繆的作品是未來任何一種倫理學的導論。」他認為，只有了解卡繆的思想，知道何謂荒謬，才能建立新的倫理學。換言之，人活在世界上，對於過去的某些信仰或道德規範，很多時候並沒有真正了解就接受了，這反而造成各種限制。

卡繆所謂的「熱情」就是關懷人間，希望給人類找到一種新的幸福。卡繆在成名之後，以他的作品和行動與讀者廣泛接觸，成為很多人希望的象徵。

（三）走向新的階段

卡繆超越荒謬之後，會走向什麼樣的新階段呢？二戰期間，卡繆在巴黎從事地下抗德運動，他在《戰鬥報》發表了一系列社論，其中包括連續四篇〈致德國友人書〉。他的基本信念可以歸納為以下三點：

1. 如果一切都沒有意義，那麼你們德國人的做法並沒有錯；但仍然有某些事物是有意義的，就是要尊重生命的存在價值。

2. 為了反對不義，人必須高舉正義；為了抗議這個缺乏幸福的宇宙，人必須創造幸福。這句話反映了卡繆內心的願望。

3. 人與人之間有共存共榮、休戚與共的關係。

　　卡繆在此表達出他的三個信念 —— 生命價值、創造幸福以及人際團結。二戰時的經驗使卡繆的思想提升到更高層次，注意到人與人之間深刻的關懷。他在二戰之後創作的作品，如《鼠疫》、《反抗者》，對此都有深入的發揮。

收穫與啟發

1. 當願望不能實現的時候，就會發現人生是荒謬的，最後的結局是虛幻的。但是，人仍然會有某些希望，正如《誤會》劇本裡所說的「幸福不是一切，人還有責任」。人在荒謬的處境中，要有活下去的勇氣。

2. 由荒謬可以引申出三點後果：
   (1) 我的反抗。我的反抗不是為了自己，而是要與別人一起對抗共同的命運。因此，我反抗，所以我們存在。
   (2) 我的自由。我的創造有無限制的可能性，要用這種自由來創造人生的幸福。
   (3) 我的熱情。要肯定人間的關懷，為人類找尋新的機會，走向新的幸福。

3. 二戰期間的地下抗德運動，使卡繆的思想提升到新的高度，對於人性有了比較完整而根本的理解。他認為，人生不能從平淡的生活去看，而要從許多臨界點、從許多底線的狀況去做進一步的考察。卡繆的探討帶給我們很多啟發。

（課後思考）

對於卡繆所說的「幸福不是一切，人還有責任」這句話，你有哪些觀察與體驗？請你簡單闡述一下幸福與責任的關係。

（補充說明）

這句話是我在念碩士的階段讀到的，是卡繆給我印象最深的一句話。幸福不能脫離責任。脫離責任的幸福是空的，很容易就感覺到輕飄飄的。承擔責任確實會帶來壓力，但生命本身就是要承受某種重量。就像一艘船的底部要有足夠的重量，這樣才能穩得住，禁得起風浪。

承擔責任的過程中，最大的問題是容易產生誤會。卡繆的《誤會》這個劇本曾經給我很大啟發，劇本裡的男主角基本上是善意的，卻與家人產生嚴重誤會。責任要區分對事還是對人，「對事」到最後還是會歸結為人與人的關係。所以責任就是以個人的身分，面對所有與我相關的人，由親到疏、由近及遠，最後是天下人。人生的幸福就在於我能夠承擔這樣的責任，能以我的方式，直接或間接的對某些人負責任，負責的範圍可能愈來愈廣，因為社會總要一代代的交棒。你還很年輕，但將來總要承擔這個世界的責任。

在承擔責任方面不能太主觀，否則很容易產生誤會。譬如你要對孩子盡教養的責任，但如果太主觀，往往會出現問題，你以為這樣對孩子最好，其實未必如此。美國哲學家杜威（John Dewey, 1859-1952）強調：對孩子的教育，一方面不能完全灌輸，譬如，直接讓他背誦《三字經》、《弟子規》，然後照著去做，這並非很好的教育；另一方面不能太過放任，譬如，認為孩子是

「小大人」，他有獨立思考能力，愛怎麼做就怎麼做，放任自流，這也不對。所有父母對於子女的教育都會有一定的焦慮。書本上寫得都很好，但到底怎樣才適合我眼前的這個孩子呢？

事實上，人活在世界上，如果沒有各種大大小小的誤會的話，人生也就沒什麼樂趣了。人是問題製造者，所以人生第一個功課就是：要練習如何了解問題、解決問題。

你可能以為，把誤會解釋清楚，問題自然就解決了。但解釋和解決不一樣。老子說：消除大的怨恨，還會有小的怨恨留下來（和大怨，必有餘怨）。僅僅「以直抱怨」是不夠的，所以老子才會主張「以德報怨」。世間並沒有所謂「客觀的公平」，每個人都有自己主觀認定的公平。譬如，我有一位朋友，我對他非常好，他對我只是普通的好，那我是否願意如此？我如果心甘情願，天下人有什麼意見呢？我如果心不甘、情不願，別人再怎麼勸我，又有什麼用呢？

由於人要承擔的責任非常不確定，並且你只要活著，責任就會一直存在，所以人生的幸福就像卡里古拉追求月亮一樣，可望而不可及。但是我們只要做到一點就可以了：慢慢的接近真相，你對每個人所負的責任，慢慢的接近他所期許的。就算有誤會，也要設法從言行上去溝通，把誤會降到最低。

王陽明臨終之際，學生問他有何遺言，他說：「此心光明，亦復何言？」他把自己做為一個學者、做為一個大臣、做為一個老師所應盡的責任都盡到了，才能說此心光明。他也不能說自己真的很幸福，但是他至少承擔了所有責任，這一生實實在在的可以安息了。

41-4　我反抗，所以我們存在

本節的主題是：我反抗，所以我們存在。卡繆的思想有三個重點，分別是荒謬、反抗與自由。

本節要介紹以下三點：

第一，從荒謬走向反抗。

第二，反抗的三個層次。

第三，形上的反抗。

（一）從荒謬走向反抗

卡繆早在 1936 年就在一本散文集裡提到「反抗」這個詞。他到義大利佛羅倫斯旅行，在一座修道院後面的墓園裡，寫下一段墓園獨白：「我孤零零的靠著石柱坐著，彷彿喉頭被扼住卻仍然拚死喊出自己信仰的人；整個的我都在抗議這種拋棄，也就是死亡。墓碑似乎在冷語：你必須接受。不！我該反抗。墓碑還想說服我對死亡認命，生命有如太陽，升起又落下。然而，即使反抗枉然，也不見得會失落什麼。可是我卻明白，將會由反抗獲得什麼。」由此可見，由荒謬自然會引發反抗。卡繆最初只是簡單的反抗死亡，他的語氣有點像帕斯卡的「賭注論證」：反抗無效也不會失落什麼，但是我知道反抗可以獲得什麼。

卡繆在 1951 年出版《反抗者》這本哲理散文，他在裡面寫道：「我喊說，什麼也不信，一切都是荒謬的。但是我不能懷疑我的叫喊，至少我得相信我的抗議。在荒謬體驗中的第一個、唯一

的、明顯的事實，就是反抗。」換言之，你意識到荒謬，認為這種情況不合理，至少在消極的意義上，這已經是反抗的初步形式了。

所謂「反抗」，就是對荒謬說「不」，然後對另一種情況說「是」。表達荒謬，在根本上是肯定荒謬的反面有一些東西存在。所以，在卡繆的思想中，從荒謬走向反抗是必然的發展。

（二）反抗的三個層次

反抗有三個不同的層次：第一，盲目的反抗；第二，反抗與價值；第三，反抗與革命。從中也可以看到卡繆思想的演變。

1. 盲目的反抗

盲目的反抗，就是為了反抗而反抗。人有自由，本來就可能說「不」。意識到自己的存在是一種荒謬的處境，這種意識本身就是一種反抗。這個時候什麼都不期待，也完全沒有希望可言，但他對命運仍然表現出一種頑強的否定，用自覺的深度來蔑視及超越自己存在的荒謬處境。但是，隨著經驗的擴展，卡繆逐漸走向人際層次的關懷。他認為，個人的命運也許是悲觀的，但是人類全體的命運卻有可能是樂觀的。由此可以進一步思考：人類可能團結嗎？反抗有無價值呢？

2. 反抗與價值

反抗的第二個層次，就是要把反抗連上價值。卡繆在《戰鬥報》的社論中提到「希望的廣度與反抗的深度」，他把「希望」與「反抗」連在一起，以此陳述法國抗戰的理由。後來他又直接寫道：「沒有反抗就沒有正義。」反抗於是成了正義的護身符。人的責任是要伸張正義，使希望得到保障。唯有如此，才有幸福可言。沒有反抗精神是不可能有幸福的。

卡繆在 1947 年出版小說《鼠疫》，書中描寫到：奧蘭城出現

黑死病，整個城市被封鎖，沒有外在的救援，只能自救。這座城市象徵歐洲在二戰期間的情況。其中有兩個重要的角色，一個是醫生，一個是牧師。醫生代表科學家，牧師代表宗教家。這兩種人平常井水不犯河水，彼此不相往來，但遇到像黑死病這種人類共同的災難時，科學與宗教攜手合作，因為他們都需要幫助受苦受難的人。反抗把眾人團結在一起。

3. 反抗與革命

反抗的第三個層次，就是反抗與革命。革命又分為兩種：一種是歷史上的革命，一種是形上的革命。

歷史上的革命主要表現在政治上，最後難免會出現殺人的情況。卡繆認為，不能以反抗做為殺人的理由，就像不能以荒謬做為自殺的理由一樣。因為生命是唯一的、必要的善，生命本身就是一種價值的存在與判斷。他說：「必須承認，絕對否定是不可能的；因為只要肯定生命，就是承認這一點。第一個不容否定的東西就是他人的生命。」

卡繆強調：在荒謬經驗中，痛苦是個體的；一有反抗活動，人就會意識到痛苦是集體的，是大家共同的遭遇。所以，卡繆在《反抗者》第一章的結論中說：「在我們日常承受的考驗中，反抗所扮演的角色正等於在思想層次的『我思』（Cogito）：它是第一個明顯的事實。但這個事實使得個體離開他的孤獨，進入到共有的場地，在所有人身上建立起第一個價值：我反抗，所以我們存在。」

中世紀教父哲學家奧古斯丁說：「若我受騙，則我存在。」近代笛卡兒說：「我思故我在。」現在卡繆則說：「我反抗，所以我們存在。」在西方哲學史上，這是第一次以格言的方式，明顯的把「我」個人的某種行為，連上人類的共同處境。這是對人性的充分肯定。

（三）形上的反抗

卡繆在《反抗者》中提到「形上的反抗」，他陸續提出四個非常深刻的問題：

1. 人能否在反抗中活下去？

可以，但是要把反抗推到極限，進行形上的革命。既然上帝和永生都不存在，新的人類就可以成為上帝。成為上帝就是什麼都許可，每一個人都可以為所欲為，世界將陷入一片殘殺，人對人必定失去信心。

2. 人能否什麼也不信而活下去？

人可以什麼都不信，不相信上帝與永生，但是必須自己建立秩序和法律。在達到這個理想之前，人類會遇到一個最傷痛的問題，也就是第三個問題。

3. 我在哪裡能感覺到是我的家鄉？

這是一種無家可歸的感受。如果局外人的感受瀰漫全球的話，怎麼辦呢？尼采會說：「上帝死了，我們自由了。」杜斯妥也夫斯基在他的小說裡面也提到：「若上帝不存在，一切都許可。」卡繆則認為：「若上帝不存在，一切都不許可。」自由必須有規範、有限制，否則必須回答第四個問題。

4. 人怎能沒有法律而生活自由？

如果沒有法律，大家各行其是，為所欲為，反而會導致天下大亂，陷入虛無主義。

卡繆一方面承認人是孤單的，沒有任何超越界的依靠。另一方面，在反抗這種荒謬的情況時，還是要有一個底線。人必須對人性有基本的信心，對他人有基本的尊重。所以，法律與自由是不能分開的。

收穫與啟發

1. 從荒謬走向反抗是卡繆從早期到後期一路貫穿的思想。稱卡繆為「荒謬哲學家」只是表面的初步觀察，因為他很早就知道荒謬與反抗不能分開。荒謬是對事實的覺察，處境確實如此不堪；而反抗是人的意識的直接反應，認定某種情況是荒謬的，裡面就包含對荒謬的反抗，進一步則要選擇自己的生活方式。

2. 反抗有三個層次，從盲目的反抗，提升到將反抗與價值連上線。最後，反抗一旦與革命發生關係，就要強調：不可輕易殺人，就像在荒謬的情況下不能輕易自殺一樣。這樣才能說「我反抗，所以我們存在」。

3. 談到形上的反抗，卡繆連續提出四個問題，值得我們深思：
   (1) 人能否在反抗中活下去？
   (2) 人能否什麼也不信而活下去？
   (3) 人在哪裡可以感受到是自己的家鄉？
   (4) 人怎能沒有法律而生活自由？
   最後的結論是：人必須對自己的世界負責。

課後思考

　　當聽到「我反抗，所以我們存在」這句話時，請問：你曾經反對過哪些事，你的目的不是為了自己得到某種滿足，而是為了所有處境跟你一樣的人而提出抗議？

補充說明

　　「我」（個人）與「我們」（群體）之間，為何會產生一種休戚與共的關係？關於「反抗」，可以從以下三方面來看：

1. 反抗也是為自己發聲。你在這種處境中覺得無法忍受，於是站出來替大家說話，其實也是為自己說話。這樣才有切身的體驗，說出來的話才會有臨場感。

2. 反抗是對未來抱有希望。抗議是希望將來的情況變得更好。

3. 要考慮「我們」的範圍有多廣。這是本問題的關鍵所在。

　　所謂的「我們」是指哪些人呢？它的範圍可以從個人的家庭開始，到生活的社區、上班的公司，到社會上的各種團體，到整個國家，最後到整個人類。「我們」的範圍可大可小。並非範圍愈大就愈好，範圍太大可能會顯得比較空洞。不管怎樣，反抗的目的是要在「我」與「我們」之間建立某種關聯。

　　這正是卡繆思想最為可貴之處。他面對荒謬，發現裡面含有一種潛在的反抗：說一種情況是荒謬的，等於是反抗這種不合理的情況。進一步，這種反抗牽涉到很多人，所以我的反抗就把我與很多人共同的命運連在一起。最後再擴展到：只要是人，在這種情況下都應該得到公平的待遇。

41-5　走出虛無主義

　　本節的主題是：走出虛無主義。把卡繆的思想稱做「荒謬哲學」並不適合，比較適合的說法是「反抗哲學」。

　　本節要介紹以下三點：

　　第一，何謂反抗哲學？

　　第二，反抗哲學的四點主張。

　　第三，走出虛無主義。

（一）何謂反抗哲學？

　　卡繆在 1951 年出版《反抗者》，旗幟鮮明的闡述了自己的立場。這本書出版之後，立場偏向馬克思主義的沙特立刻撰寫書評，對卡繆進行批判，兩人七年的交情就此結束。

　　上一節簡要介紹了卡繆的「形上的反抗」，本節要接著介紹「歷史上的反抗」。

　　卡繆認為，法國大革命之後，1793 年法王路易十六喪命於斷頭臺，這是西方社會進入革命的重要標誌。從此以後，各地革命的浪潮洶湧而來。然而，反抗者面臨著一個矛盾：一方面認為暴力不可避免，另一方面又認為暴力不合理。在他們眼中，殺人是必要的，但又不可原諒。

　　卡繆說：「誰投出了一枚炸彈之後，他一生的時間便在下一秒鐘一閃而逝，留下的只有死亡。」

　　卡繆認為，這時要思考兩個問題。一個是十九世紀的問題：

「沒有恩惠，人如何生存？」所謂「沒有恩惠」，是指沒有上帝的照顧。有些人不願意接受虛無主義，就會回答：「可以靠正義。」到了二十世紀，問題變成「沒有恩惠與正義，人要如何生存？」既沒有上帝的照顧，也沒有人間的正義，人怎麼活得下去呢？這時就要以「未來」做為嚮往的目標。但是，未來會實現嗎？

卡繆在分析歷史上的反抗時說：「與其為了產生我們所不是的存在而去殺人和自殺，我們反而應該活下去，並且讓別人活下去，為了創造我們已經是的存在。」換句話說，西方已經走向了虛無主義，卡繆現在要尋找一條新的道路。因此，卡繆過世之後，馬塞爾撰文稱讚他「使人文主義一詞重新獲得意義」。

卡繆認為：「反抗是少數一貫的哲學立場之一。」他從頭到尾都認為人生不合理、社會不合理，應該要努力創造合理的情況。所以，卡繆不斷賦予「反抗」以積極的價值，以之做為他的倫理學的基礎。

（二）反抗哲學的四點主張

反抗哲學做為一套哲學思想，可以概括為以下四點主張：

1. 肯定生命是善的

我之所以反抗死亡，是因為發現生命是善的，並且值得活下去。如果生命對我是善的，那麼對別人也一樣，所以我們要維護人性的價值與團結。我們活著，是因為在自己身上看到善；我們反抗，是因為在人類社會中看到善。這種主張可以歸結為兩句話：第一，因為荒謬，所以我反抗；第二，因為我反抗，所以我們存在。

2. 要尋求一位新的神

卡繆認為：「『反抗者』不知不覺的是在尋求一種道德，或一種神聖。反抗是一種修行……倘若反抗者干犯神威，那是因為他對

新的神抱有希望。」杜斯妥也夫斯基筆下的伊凡也說過：「人類需要的是一位能夠給予他們正義的神。」反抗者要求的不是生命，而是生命的意義。在反抗者眼中，世界缺乏一個解釋的原則。換句話說，世間的不義與罪惡問題引發了無神論，卡繆所尋求的新神一方面要做為道德規範的基礎，另一方面又要充當生命意義的根源。這兩點正是傳統西方基督宗教對於神的期許。這兩者之間可能融合嗎？卡繆曾經接近過天主教，但沒有正式皈依。

3. 尋求人類合一

反抗者所尋求的，是全有或全無。反抗所涉及的，是大家或無人。或是大家得救，或是救贖無望。卡繆強調：「同上帝一起未能實現的世界的合一，今後將設法實現以反對上帝。」換句話說，如果人類團結起來讓人間和平幸福的話，還需要上帝嗎？「為了能承擔大家共同的奮鬥和命運，反抗者拒絕神性。世界是我們的第一個也是最後的愛。我們的弟兄與我們活在同樣的天地間。有了這種快樂，在不斷的奮鬥中，我們將重整這個時代的精神。」這些話代表了一種開放的人文主義，肯定人類的合作將帶來新的希望。

4. 樂觀的奮鬥

卡繆強調：「在目前所處的黑暗的盡頭，必有一線光明出現，我們已經可以看到跡象，只待我們繼續奮鬥，促其實現。在廢墟中，我們每個人都準備著在虛無主義彼岸的新生。」

由此可見，卡繆的反抗哲學可以給人帶來希望。

（三）走出虛無主義

卡繆思想分為三個階段：荒謬、反抗與自由。在 1941 年的《札記》中說：「《薛西弗斯的神話》脫稿，三荒謬完成了。自由的開始。」他所謂的「三荒謬」，一般認為是指《異鄉人》、《誤

會》以及《薛西弗斯的神話》這三部作品。

　　隔了十年，1951 年，他在《札記》中寫道：「寫完《反抗者》初稿。這本書結束了前兩期。今年三十七歲。從今天看來，天下會自由嗎？」他所謂的「前兩期」是指荒謬期與反抗期；他最後問「天下會自由嗎」，代表接下來應該是他的自由期。他有一本書，預定書名是《第一人》，也可譯為《新的人》，但還沒寫成，他就在 1960 年因車禍去世。這本書直到三十多年後才面世。

　　天下會自由嗎？這個問題今天仍然值得思考。在虛無主義中，卡繆已經指出一個新的方向。英國學者里德爵士讀了卡繆的《反抗者》之後，他說：「壓迫歐洲精神一個多世紀的烏雲開始消散了，在憂患、絕望與虛無主義的世代之後，好像又能開始希望了，對人和未來又有了信心。」

　　最後引用沙特對卡繆的一句追悼詞，做為卡繆思想的總結。沙特說：「無論他未來的決定是什麼，都無損於他做為我輩文化的主力之一。或者說，以他的方式代表著法國的歷史與這一代的歷史。」卡繆是一位才華極高的哲學家，他不是以傳統的學術方式來說明人生的各種問題，而是以小說、戲劇、札記以及訪談的形式來表達他深刻的思想。

───

（收穫與啟發）

1. 談到歷史上的反抗，卡繆認為從十九世紀以來，各種問題的關鍵是：人能否在沒有上帝的恩惠、又缺乏人間正義的情況下，繼續活下去？

2. 卡繆的反抗哲學顯示了一種開放的人文主義，他的四點主張值得參考。

3. 卡繆的思想可以帶我們走出虛無主義。

課後思考

　　對我們來說，虛無主義的威脅可能只是偶爾出現就一閃而逝的念頭。如果讓你描寫今天這個時代，你覺得哪種說法比較適合？是虛無還是希望？或者是卡繆所說的「反抗」？

存在主義小結

　　齊克果被稱為「存在主義之父」，他是丹麥哲學家，由於宗教上的深刻體驗而掌握到了存在的特色。他認為，到最後一切都要歸結為：個人的存在有沒有一個歸宿。

　　尼采是德國學者，發現整個歐洲的價值系統需要重建，他從「上帝死了」這個震撼的命題展開思考，後續發展為存在主義的主軸思想。

　　第二次世界大戰前後，人類遭遇到共同的命運。德國學者海德格與雅士培重視建構系統，分別提出要回到傳統的存在本身，或者給超越界換一個名稱，稱之為「統攝者」或「包圍者」，以此代表最根本的來源。

　　法國學者擅長採用文藝的方式，以小說、戲劇來表達他們的哲學思想，往往使用虛構的人物關係、對話或是行動來反映人類共同的處境。馬塞爾與沙特可謂兩個極端：馬塞爾的哲學稱做希望哲學，他充分肯定了人與人之間的正面互動；沙特則把別人當做地獄，個人陷於意識虛無化的不斷否定之中，很難找到希望或是方向。

　　卡繆在文學上有很高的成就，他的作品是整個時代的縮影：從個人到整個人類，從人文走向科技發展，最後進入慘烈的戰爭；高度商業化嚴重影響了人的思想，對人生的處境極為不利。卡繆以荒謬做為出發點，然後進行反抗，目的是要走向自由。

　　有很多學院派的學者認為，存在主義的思想似乎哲學的成分不夠，它們最多只是順應了時代的要求。但是，離開了時代與社會，哲學所謂的愛智慧要如何體現？長期以來談到西方哲學，都會選擇系統建構比較完整、形上思考比較深刻的學者做為重要的

哲學家；但這對我們來說沒有太大的意義。譬如，近代以來，西方哲學在歐陸有現象學與邏輯實證論，在英國有語言分析學派，有的重視方法，有的強調立場，有的則受到專業的局限。譬如，語言分析學派與西方的語言直接相關，中國人學習這個學派很難有什麼心得。

　　存在主義思潮對於人類的啟發歷久彌新，並且還會一直發展下去。正如蘇格拉底的思想經過柏拉圖的介紹而流傳下來，真正感動人心的還是他對於真理的追求，以及用自己的生命做為驗證的那種態度。

Part 9

回應時代挑戰

第四十二章

從威廉‧詹姆斯的實用主義到謝勒的人格主義

42-1　詹姆斯的豐富人生

本章的主題是：威廉・詹姆斯（William James, 1842-1910）的實用主義。從美國本土發展出來的哲學，最有代表性的就是實用主義（Pragmatism）。「實用主義」這個詞聽起來好像太實際了，與傳統西方哲學所重視的認識論或形上學相比，似乎有些落差；其實並非如此。

美國於 1776 年建國，中國當時是清朝乾隆四十一年。美國建國後，於 1861 年發生南北戰爭。美國哲學在開始階段大量引進歐洲的系統哲學，尤其是德國唯心論以及英國的經驗主義。這樣合成的美國式哲學在說什麼？實用主義是否像表面所想的那麼簡單呢？

本節的主題是詹姆斯的豐富人生，內容包括以下三點：

第一，威廉・詹姆斯的生平簡介。

第二，威廉・詹姆斯在哲學與心理學之間。

第三，威廉・詹姆斯的幾本代表作。

（一）威廉・詹姆斯的生平簡介

威廉・詹姆斯生於 1842 年，尼采生於 1844 年，兩人的年代接近。不過，尼采直到今天仍有廣泛的影響力，而威廉・詹姆斯則較少受到注意。詹姆斯家境不錯，畢業於哈佛大學醫學院。詹姆斯的父親繼承大筆遺產，經常帶孩子到歐洲旅遊。他的父親本身也是文化人，與當時的美國哲學家愛默生（R. W. Emerson, 1803-1882）、梭羅（H. D. Thoreau, 1817-1862）等人都有密切的來往。

詹姆斯承認自己在年輕時曾出現過精神危機。他在二十八歲前後陷入困惑，他的問題是：不知道為何會有我這樣的人存在，一個很熟悉的我有時會忽然變成陌生的、荒謬的我，亦即不知道人生的意義何在。

幸好他當時閱讀了法國哲學家的書，從中得到啟發。他在日記中說：「我的第一個自由意志的動作，就是去相信自由意志。」「相信」這個詞跟詹姆斯後來的思想發展密切相關。他繼續說：「我要進一步運用我的意志，不僅用它來行動，還要用它來相信，相信我個人的真實性與創造力。」換句話說，要證明自己的存在有時並不容易，你相信自己的存在，就可以繼續去創造與發展。

詹姆斯三十歲開始教書。由於他曾就讀於醫學院，所在他在哈佛大學先是教生理學，後來改教心理學，結果大放異彩。一般認為，歷史上第一個心理學實驗室是由德國的馮特教授於 1879 年在萊比錫大學建立的。事實上，比馮特早四年，詹姆斯於 1875 年就在哈佛大學建立了生理心理學實驗室。該實驗室才是心理學方面的第一個實驗室。

（二）威廉・詹姆斯在哲學與心理學之間

威廉・詹姆斯在四十八歲時（1890 年）出版《心理學原理》。這本書後來成為心理學的經典之作，詹姆斯也成為學術界名人。但是從此之後，他就把主要精力都用於哲學方面的探討，而很少再談到心理學。

在此之前，他已從心理學改教哲學，他教的第一門課是「演化論的哲學」。達爾文的《物種起源》在 1859 年出版，影響了一兩個世代的人，詹姆斯也從中得到很大啟發。1890 年之後，詹姆斯發表了許多哲學作品，但是他的心理學背景影響了他的一生。

威廉‧詹姆斯以下幾段話很像現代人所謂的「心靈雞湯」，它們都與心理學有關。他說：「人類本質中最深切的需求是渴望被肯定。」他接著說：「一般來說，大家習慣上只用了他們真正擁有的能力的一小部分。」他又說：「與我們應有的成就相比，我們仍在半睡半醒的狀態。」可見，他鼓勵眾人開發潛能。

他有一句話經常被引用，他說：「行動養成習慣，習慣培養人格，人格影響命運。」詹姆斯關於大學教育的觀點比較特別，他說：「大學教育的目的，是要教你在看到好人時，可以分辨出來。」原來念大學的目的是要學會分辨好人與壞人。

他在五十六歲時（1898 年），公開宣布自己的哲學立場是實用主義。關於「實用主義」這個詞，需要說明以下兩點：

1. 皮爾士

首先使用「實用主義」一詞的是詹姆斯大學時代的同窗好友，美國哲學家皮爾士（Charles Sanders Peirce, 1839-1914）。皮爾士在 1878 年就發表過一篇文章，題為〈如何使我們的觀念清楚〉。他在這篇文章裡，首先提出了實用主義的概念。他強調，如果要讓一個觀念清楚的話，就要有具體的效果；如果觀念不能影響實際的狀況，那麼觀念是空洞的。威廉‧詹姆斯認為，皮爾士早在二十年前就提出了「實用主義」，但當時未受重視，所以他在 1898 年重新提出這個詞。

2. 譯為「實效主義」

「實用主義」譯為「實效主義」其實更適合，代表觀念有實際的效果。不過，大家已經習慣將其譯為「實用主義」，代表任何東西都要有實用價值，跟原意差別不大。如果一定要改譯為「實效主義」，會讓很多人以為是另外一種學說。所以，我們可以按照約定俗成的方式來翻譯。這一點與前文介紹的「效益論」不同。「效益

論」常被譯為「功利主義」，但「功利」一詞在中文有明顯的貶義，所以要改譯為「效益論」，所指的是在倫理學上重視效果、利益的學說。

詹姆斯自己也承認，實用主義飽受誤解。當然，哲學思想受到誤解並不是什麼新鮮事。詹姆斯認為，思想的作用在於指引我們達到令人滿意的終點，如此才能構成一物的意義與真實性。換言之，我提出一種觀念或思想，它可以讓我達到這個觀念所指涉的對象，這種觀念或思想才有意義，也才是真實的。可見，實用主義重視實效，一個觀念必須要有實際的效果。

（三）威廉‧詹姆斯的幾本代表作

詹姆斯於 1897 年出版代表作《要信仰的意志》（*The will to believe*）。在西方哲學中，只要提到「意志」這個詞，就會想到叔本華的「要生存的意志」（the will to live）、尼采的「要力量的意志」（the will to power），以及威廉‧詹姆斯的「要信仰的意志」。也可譯為「求信仰的意志」，兩者意思相同。

詹姆斯於 1907 年出版代表作《實用主義》。他自認為這本書最重要，就像馬丁‧路德的宗教改革一樣，此書具有劃時代的價值。但是偏偏「實用主義」這個學派經常被人誤解。

詹姆斯的另一本代表作是《宗教經驗之種種》（1902 年）。這本書受到知識份子的廣泛重視，主要是因為詹姆斯在書中沒有什麼成見。他不會說宗教是迷信的、不能驗證等等。他只是重視經驗，凡是能被人類經驗到的東西，都必須承認它的價值。對於研究宗教哲學密契經驗的人來說，這本書是必讀的，因為它蒐集了人類從古至今所能找到的各種相關材料，對於人的宗教經驗做了完整而充分的介紹。

收穫與啟發

1. 威廉・詹姆斯是美國實用主義的主要代表。他的父親與哲學家來往頻繁，也常常帶他到歐洲旅遊，使他在眼光、見解等各方面都超過同輩之人。威廉・詹姆斯有個弟弟名叫亨利・詹姆斯（Henry James, 1843-1916），是著名的作家。為了有所區分，世人就完整的稱呼他的名字——威廉・詹姆斯。他畢業於哈佛大學醫學院，後來在哈佛大學教書，先教生理學，再教心理學，後來又改教哲學。

2. 由於在心理學方面的貢獻，威廉・詹姆斯在心理學歷史上占有一席之地。他建立了歷史上第一個生理心理學實驗室。但因為該實驗室的名字前面加了「生理」二字，所以一般都認為德國馮特教授在萊比錫大學建立了第一個心理學實驗室。其實，詹姆斯的實驗室比馮特的要早四年建立。

詹姆斯在 1890 年出版《心理學原理》，受到廣泛重視，使他聲名大漲，成為學界的重要名人。但他就像後來的羅素一樣。羅素在出版他的代表作《數學原理》之後，就很少再談數學的問題，轉而走向哲學方面；詹姆斯在出版《心理學原理》之後，也不再專注於思考心理學的問題，轉而走向哲學的世界。他在哲學方面也做出很大貢獻。

3. 《要信仰的意志》是他的代表作，對於探討宗教的學者至今仍有很大啟發。他後來又發表《實用主義》，他認為這本書是他最有代表性、有劃時代意義的作品。

他的另一本代表作是《宗教經驗之種種》，這本書廣泛蒐集了人類歷史上各種經典中記載的宗教經驗，其中關於密契經驗的部分特別值得參考。

課後思考

詹姆斯從心理學走入哲學的世界，他有些觀念很有勵志作用，能夠激勵人心。譬如，他說：「跟我們應該有的成就相比，我們還在半睡半醒的狀態。」請你思考：

1. 我要在哪方面下功夫才能讓自己完全清醒？
2. 我如果完全清醒的話，我的成就大致會如何？

補充說明

「半睡半醒」是對一個人狀態的描寫。每個人清醒與睡著的比例不一樣，有些人可能醒著多一點，有些人睡著多一點。如何才能讓自己完全清醒？

我們可以從身、心、靈三個層次來看：

1. 身

要讓自己完全醒來，身體方面肯定非常勞累，每天睡眠的時間會愈來愈少。像愛迪生這樣的天才發明家，還有很多藝術家，以及像拿破崙這樣的軍事家，他們每天睡眠的時間一般不會超過四個小時，身體始終處在勞動狀態。長期如此當然會影響健康，但他們要讓自己完全醒來，所以對健康方面的考慮不是很多。所以，若要擺脫半睡半醒的狀態，首先就要讓身體醒的時候居多，每天的睡眠時間無論如何也不要超過八小時。

2. 心

不光身體要保持清醒，「心」方面更要想盡辦法讓自己醒過來。我們常說「苦心孤詣」、「處心積慮」，都是類似的意思。心的作用包括知、情、意三方面，要讓自己醒來，就要努力發現自己的志趣所在。

3. 靈

　　如果想完全醒來，非要靠「靈」不可，你會覺悟愈來愈多的人生真相和道理。但這種靈的覺悟也有個人的限制。所以，身、心、靈的發展是一個過程，永遠無法達到完美的境地。你也許會問：「如果一個人完全醒來，充分發揮自己的潛能，是否可以變成像神一樣，無所不知、無所不能？」事實上，神代表完美的境界，代表某種力量或根源。我們不可能變得像神一樣完美，只能努力讓自己成為真正的自己。

　　這裡不妨參考孟子的一句話。孟子說：「故天將降大任於是人也，必先苦其心志，勞其筋骨，餓其體膚，空乏其身，行拂亂其所為，所以動心忍性，曾益其所不能。」（《孟子·告子下》）需要注意的是，《孟子》原文說的是「是人」，而不是「斯人」，兩者意思一樣，但我們還是要尊重原典。上天要降大任給一個人，會怎麼做呢？「苦其心志」與「行拂亂其所為」都與「心」有關。「勞其筋骨，餓其體膚，空乏其身」，這連續三句都跟身體的勞累有關。經過身與心兩方面的磨練，才能「動心忍性，曾益其所不能」——震撼他的心思，堅忍他的性格，由此增加他所缺少的才幹，使他有更大的能力來面對未來的挑戰。

　　這樣一來，一個人就不可能再昏睡了，即使睡覺也是為了醒來做更多的事。譬如《孟子》書中提到周公，他學習古代四位聖王的典範，常常夜以繼日的思考；一旦想通了，就「坐以待旦」，坐著等候天亮，立即去實踐（《孟子·離婁下》）。這樣的人幾乎一直都保持清醒狀態，由此才能對整個社會做出貢獻。

　　在古代，做為傑出的政治領袖，或是像孔子、孟子、老子、莊子，他們是人類中少數完全清醒的人。以他們做為典範，我們會對詹姆斯的話有更清楚的認識。

42-2　兩種哲學家氣質

本節的主題是：兩種哲學家氣質，要介紹以下三點：

第一，在詹姆斯看來，哲學是什麼？

第二，詹姆斯所謂的「兩種哲學家的氣質」是什麼意思？

第三，詹姆斯為何反對一元論？

（一）在詹姆斯看來，哲學是什麼？

詹姆斯對於哲學有明確的看法，他的看法對於我們了解實用主義是非常關鍵的。他說：「哲學的全部功能是要找出來，假如某個世界公式是真的，則將對你我在生活的確定時刻中會造成什麼確定的差別。」所謂「確定時刻」，往往是人在碰到抉擇的時候，就像存在主義所說的「存在是選擇成為自己」。所謂「世界公式」，就是哲學家對世界的一套完整解釋。

簡單來說，假如你學了一種哲學之後毫無感覺，代表學了跟沒學差別不大。譬如，有人學了柏拉圖以後，發現他無論贊成還是反對柏拉圖，他的生活都沒什麼改變，並沒有讓他在某些確定時刻出現一些確定的差別，那不學也罷。換個角度來說，我做為一個現代人，如果不懂現代物理學、電機學等知識，並不會妨礙我的日常生活，我照樣可以使用汽車、手機等科技產品，所以我不了解這些科研成果也沒有關係。

詹姆斯對於「什麼是哲學家」也有一個簡單的說法，他說：「所謂哲學家，就是對於一般人並不覺得困惑與驚奇的東西，他覺

得驚訝,於是用想像力去解釋,並綜合成一套理論。」換句話說,哲學家以知性的態度去處理普遍的課題。一般人對於這些課題沒有興趣,但哲學家就是要問:萬物的原理或元素是什麼?宇宙的起點與終點是什麼?人的認識有哪些共同的條件?人的活動是否有共同的規範?這個世界上總要有一些特別的人去思考這些問題,一般人才能按照他們的結論去生活。

需要強調的是,詹姆斯認為:「哲學家是沒有共識或結論的,就像一個盲人在暗室中尋找一隻不存在的黑貓。」這個比喻非常生動。自古以來,哲學界一向充滿針鋒相對的說法,尤其是在科學革命之後,哲學界更是飽受批評。譬如,有以下三種常見的批評:

1. 科學一直在進步,並有明確的效益,而哲學沒有;
2. 我們探討真理時依靠的是具體的經驗,而哲學只是在做思考,甚至是獨斷的思辨;
3. 真實的世界是多樣的,混雜了各式各樣的苦樂,但是哲學遠離了人生。

威廉‧詹姆斯對這三種批評一一加以反駁。他最後說:「儘管哲學烤不出麵包,但它能鼓舞我們的靈魂,使我們振作起來。」在他心目中,哲學仍然有實際的效用。他強調,哲學家是人類的斥候(負責探路的人),要給人提供生命的起點與終點,加上一個方向。缺乏熱情的人無法成為深刻的哲學家,哲學家要有冒險的勇氣與過人的熱忱。

(二)兩種哲學家氣質

詹姆斯提出兩種哲學家氣質,這在哲學史上是很有名的說法。他認為,哲學家一向分為兩類,這是因為他們的氣質不同:一種是理性主義,另外一種是經驗主義。這種分法非常簡單。事實上,從

柏拉圖與亞里斯多德這一對師徒，就已經分出了這兩個方向。

　　詹姆斯認為，理性主義是軟心腸的，他們肯定人的知性的重要，會依照原則來推廣自己的思想。他們傾向於唯心論、樂觀主義，重視感情，強調意志自由，而且往往有宗教信仰。一般來說，理性主義都主張一元論，甚至傾向於獨斷論。他們總要給人一些希望，有時即使沒有充分的理由，也要提出獨斷的說法。

　　另一方面，經驗主義則是硬心腸的，他們偏重感覺，會按照事實去生活。他們傾向於唯物論、悲觀主義，不重視情感，強調宿命，也沒有宗教信仰。經驗主義主張多元論，甚至表現出懷疑的心態。他們會老老實實的告訴你：人生就是如此，不用想太多。

　　詹姆斯這兩種分法非常有趣，在某種程度上也能做出合理的說明。威廉·詹姆斯本人當然屬於按照事實行動的經驗主義者，因為當時德國唯心論在美國已經慢慢走下坡了。德國的費希特、謝林與黑格爾建構了各種唯心論的系統，也許可以與宗教信仰相配合，與人生理想相協調，但往往禁不起事實的檢驗，無法解釋人間各種負面的狀況。

（三）詹姆斯為何反對一元論？

　　詹姆斯屬於硬心腸的，他重視經驗，強調多元論。軟心腸的理性主義者通常是主張一元論，他們把世界當做一個整體，可以對它進行思考，事實上這是不可能的。所謂的「世界」只是一個名詞而已，它的內容千變萬化。威廉·詹姆斯指出，一元論認為萬物是連續不斷的，而不是各自獨立分裂的，他們要想盡辦法說明，這個世界從物質到生命到意識到精神，從無生物到有生物到人類，是一個相連的整體。如此一來，顯然會肯定有統一的目的與因果性，最後讓人可以做統一的認識與審美。

　　詹姆斯認為，一元論有許多不能驗證的地方，主觀想像的成分太多。他得出了一個結論：理性主義是往後看的。所謂「往後看」，就是看世界的來源是什麼。如果世界有來源的話，就應該有個歸宿。

　　詹姆斯主張實用主義，他承認實用主義是經驗主義的一種，但不是英國那種經驗主義。實用主義是「向前看」的，它看向未來。世界並沒有統一，統一需要人類的努力。

　　譬如我說「某樣東西是可能的」，這句話有什麼含義？

　　1. 它不是不可能存在的，亦即它的存在沒有邏輯上的矛盾；

　　2. 它不是現在實際存在的，所以才說它是「可能的」；

　　3. 它也不是必然存在的，只是目前尚未看到禁止它存在的因素。

　　換句話說，詹姆斯提出多元主義或多元論。他認為，從這個角度出發，才會發現創造的可能性。因此，詹姆斯對於人類世界採取改良主義的觀點，亦即要逐漸的、一點一點的去改善，不要幻想有超越的上帝會來提供拯救。世界的得救不能靠上帝，而要靠我們自己。使世界得以存在、免於滅亡的條件在我們自己身上。

　　實用主義並不排斥某些觀念。假如你問詹姆斯：「上帝存在嗎？」他會對你說：「你認為未來有沒有希望呢？」換句話說，上帝這個概念是否在未來造成了重大差異？如果人的行為沒有表現出差異，信或不信有什麼差別？那只是名義上的信徒而已。如果你問詹姆斯：「你相信上帝嗎？」詹姆斯會說，按照他對宗教經驗的研究，他相信存在一個更高的力量，它朝著與人類理想類似的方向，一起在努力拯救世界。

　　換句話說，威廉‧詹姆斯的多元論認為：世界尚未完成，人有部分的決定權，所以要用人的自由意志，找到正確的方向，然後去努力奮鬥。

收穫與啟發

1. 詹姆斯認為，哲學是要讓人分辨各種不同的世界公式哪種是真的。若它是真的，就會在我們生活的某些確定時刻造成確定的差別。若一種哲學無法造成任何差別，這種哲學只是說說而已。

2. 有趣的是，詹姆斯指出兩種哲學家氣質。一個人的哲學立場，往往取決於他天生的氣質是軟心腸還是硬心腸的。軟心腸的比較偏向於理性主義，強調唯心論，比較樂觀，肯定宗教信仰，重視感情、意志等等。威廉·詹姆斯本人則屬於硬心腸的，偏向於經驗主義，實事求是，說真話，不給人幻覺，談不上樂觀，而是比較實在甚至悲觀。他認為，一切都是多元的，並沒有所謂的一個整體。這種想法最後可能會陷入懷疑論。實用主義就是在這樣的背景下發展出來的。

3. 一元論最典型的代表是德國唯心論。唯心論的「心」所指的是精神，宇宙萬物都是精神的展現。這樣就忽略了宇宙萬物存在著矛盾、衝突、痛苦、悲傷，所有這些負面元素該怎樣解釋呢？所以詹姆斯認為一元論的假設是沒有必要的。

課後思考

詹姆斯認為，哲學找不到固定的結論，但它有一個好處，就算哲學烤不出麵包，但能夠鼓舞我們的靈魂，使我們振作起來。對於這種說法，你有哪些個人的感受或體會？

補充說明

我最早看到「哲學不能烤麵包」這句話，是在我的老師方東美先生的書上，他說：「哲學不能烤麵包，但它能使麵包增加

甜味。」當時我並不知道他是從威廉‧詹姆斯那裡得到的啟發。方先生年輕時留學美國，對於威廉‧詹姆斯、杜威，以及黑格爾的思想有很深的研究。哲學不能烤麵包，而且學哲學也不一定賺得到麵包，但哲學能讓麵包增加甜味。人活在世界上，靠什麼事情謀生，要看個人的機緣和能力。但是請問：這樣的人生有意義嗎？哲學就是讓你的人生有意義、讓麵包更香甜的方法。

多數人都會贊成詹姆斯所說的「哲學沒有什麼標準答案」，它一直提出問題，讓你思考。但我們還是要知道：西方哲學家各說各話；不過，他們有共同的思想基礎和脈絡——不偏重理性，就偏重經驗，或者兩者配合，由此找到生命最根本的狀態。

老子有一句話叫「自知者明」，一個人能夠了解自己就是「明」。老子所謂的「明」不只是聰明而已，還代表能夠從「道」來看待萬物。我的人生要設法悟道，了解自己是道的一部分，進而可以從整體來看每一部分的發展及其最後的歸向。

因此，哲學共同的目的是愛智慧，而智慧的特色是完整而根本。西方哲學家有的將重點放在邏輯與認識論上，其實這只是出發點；有的將重點放在形上學上，或是對宇宙與人性的根本看法上，這偏重於「本體」方面。裡面難免涉及到個人的抉擇或覺悟，很難說誰的看法一定對，或一定不對。

這就好比你去爬十層樓，在每一層所看到的景觀都不一樣。當你爬到第五層的時候，你說景觀如何美妙，底下的人還沒爬到那麼高，怎麼知道你說的是真是假？而上面的人會說，那不算什麼，繼續往上爬，還有更高的境界。不是每個人都有能力爬上十層樓，大概只有少數幾位聖哲能夠爬到頂層。他們之間一定深有默契，彼此「相視而笑，莫逆於心」，反而不會在意到底誰的說法比較正確了。

42-3　實用主義的觀點

本節的主題是：實用主義的觀點，要介紹以下三點：
第一，實用主義在說什麼？
第二，徹底經驗論是什麼？
第三，實用主義的真理觀。

（一）實用主義在說什麼？

　　威廉・詹姆斯提出實用主義做為美國哲學的代表，主要目的是為了調和科學與宗教的衝突。自從西方近代科學昌明以來，宗教可以說是節節敗退，而科學步步進逼，並且這種趨勢一直沒有改變。詹姆斯希望調和科學與宗教，他強調，科學對於自然界的研究的確取得了成就，但這並不代表宗教方面的說法都是錯誤的。

　　詹姆斯認為要保持一種開放的心態。他在《實用主義》一書的封面上寫著：將此書獻給彌爾（John Stuart Mill, 1806-1873）。彌爾是效益論的主要代表。詹姆斯說，他從彌爾那裡學到實用主義的開放心態，如果彌爾當時還活著，他願意以彌爾做為這個學派的領袖。《實用主義》一書副標題為「某些舊有思考方式的新名稱」。換句話說，詹姆斯認為實用主義並非某種創新的立場，而是把過去正確的思維模式重新加以介紹和闡發。

　　實用主義的基本主張是：我們可以有自己的信念，但要根據它的實際效果來解釋這些信念的意義，並對其加以證明。換言之，判斷任何信念是真還是假，要看它的效果。這種立場很合理。如果沒

有實際效果，不要說信念，就算是科學上的主張，也不能成立。

實用主義強調：它不是一個形上學的派別，不去決定關於任何事物的任何真理，不去強調它是唯心論還是唯物論；它只是一種方法，藉此確定很多困難字詞與抽象概念的意義。這就是我們一再強調的，哲學的第一步是要澄清概念。事實上，從古希臘時代蘇格拉底的反詰法開始，就已經在這樣做了。

詹姆斯強調，實用主義這種方法其實就是成功的科學家所採用的實驗的方法，可以由此得到高度的確定性。這也符合《聖經》裡古老的邏輯法則：要用一棵樹的果子來判斷它的好壞，好樹結好果子，壞樹結壞果子。

實用主義強調，你可以有任何主張，但是要看這種主張所造成的後果如何：它有沒有產生實際的效果呢？有沒有確實給人改善人生的機會呢？要根據結果來判斷你的主張是否正確。換句話說，人是認知者，也是行動者，並且以某種方式扮演著創造真理的角色。我們的行動不完全來自於認知，很多時候來自於從小接受的先入為主的觀念或傳統的信念。但在行動過程中，我們也創造了某些事實或真理。

詹姆斯強調，心靈的興趣、假設與設定，可以做為人類行動的基礎，使人類得以改造世界，有助於造就他所宣稱的真理。換句話說，人的情感與意志會展現為行動，產生改造世界的力量，使世界呈現出新的面貌。這不能完全由理性來掌握。

實用主義顯示出三點特色：

1. 重視經驗，任何抽象觀念的意義都要由具體經驗來界定；
2. 受到演化論的影響，認為個體與生存環境之間有密切的關係，經驗會變動，人需要適應它；
3. 重視未來，因為實踐的效果在未來才能加以檢證。

（二）什麼是徹底經驗論？

詹姆斯一再強調，他受英國古典經驗論（從洛克到休謨）啟發，但他主張的是徹底經驗論（Radical Empiricism），包括以下三點：

1. 徹底經驗論的基本設定是，只有可以經驗的事物才是哲學的合法題材。要談哲學，就不必談一些不能經驗的東西。
2. 各種經驗材料之間的關係本身也是經驗的對象。詹姆斯認為，古典經驗論最大的問題在於把經驗材料當做獨立的原子，而忽略材料之間的關係。
3. 經驗有整合的作用與連結的功能，所以不必另外找一個抽象的理性（譬如一個超越界或理性的力量）來把經驗整合起來。事實上，經驗本身就有連續性與整合性。

以打雷為例。根據古典經驗論的立場，我聽到「砰」的一聲，有點像火炮發射的聲音，我只能由我的感官（聽覺）來測定這個聲音，並給它取個名字叫做「打雷」。但是詹姆斯說：「打雷打破了安靜，安靜只有在被打破時，才會被你生動的體驗到。」換言之，打雷之前你並不覺得安靜，當聽到雷聲時，才發現原先是安靜的，安靜與雷聲同時被你經驗到。因此，經驗的內容有相關性、連結性與轉換性。這樣一來，就把古典經驗論的狹隘立場整個拓寬了，承認「關係」也是經驗的對象。

又譬如，「我與你」的「與」就是一種「關係」。我與你不是兩個互相隔絕的單子，除了「我」和「你」兩個人之外，還有某種「關係」存在。我一旦與你建立關係，就變成 1＋1＝3 的局面。我能改善的是「我」以及我們之間的「關係」。每個人都有三分之二的責任，而不是二分之一的責任。這就是徹底經驗論，要把各單元之間的關係也一併掌握。

（三）實用主義的真理觀

西方在傳統上對於真理有兩種立場。第一種是符應論（符合論），你說的一句話與事實相符合，它就是真的。真假在於一句話或一句陳述。第二種是融貫論，指一本書裡面的觀念彼此沒有矛盾，還可以互相推演，就像我們常說的「以經解經」。數學是最好的代表，它首先確立基本的定義和公理，然後步步推演，形成融貫一致的真理系統。

無論是符應論還是融貫論，都很難說明我們對歷史事件的信念。同時，數學裡也有無理數的運算，根本對應不到任何東西；邏輯上的同一律也對應不到任何東西。所以，實用主義提出他們的真理觀。簡單來說，真理讓人可以藉著它，與世界達成令人滿意的關係。這樣的真理是可以改變、可以進步的，它有以下幾點特色：

1. 實用主義的真理是個別的，並沒有統合的、絕對的真理。
2. 要考慮心理學的角度，而不是邏輯的角度。「邏輯的角度」往往強調像客觀公式那樣的真理；而「心理學的角度」強調尊重舊有的真理，再配合新的經驗與可能發現的真理。
3. 真理有可能錯誤，不需要什麼終極真理，因為真理不能脫離人生，這樣的真理包含了人的因素。譬如一條線，你可以說它是向東，也可以說它是向西。譬如人為萬物取名字，並沒有什麼決定性的標準，也可能會弄錯。
4. 真理不是先天的，而是我們在經驗過程中所造成的。
5. 真理就是有用。

換句話說，所謂「真理」，就是一個觀念必須造成令人滿意的效果。譬如，我在森林裡面迷路了，看到牛羊走過的小路，我想這個盡頭應該有住家吧。我沿著小路一直走，最後找到了住家。這裡

面涉及到：第一，我相信這條路的盡頭有住家；第二，我採取了行動；第三，後果證實我前面的相信是對的。

所以，真理取決於最後的效果。如果沒有效果，你說它真或假，又有什麼差別呢？

（ 收穫與啟發 ）

1. 詹姆斯強調，實用主義基本上是一種方法，是把過去正確的思考方式重新加以介紹和闡發，目的是要澄清概念。實用主義重視經驗，接受演化論的啟發，強調人與環境要相互適應，並且重視未來。

2. 詹姆斯一再強調，他的立場是徹底經驗論。他超越了英國的古典經驗論，強調一切都以經驗為主，但經驗要包括存在的單元之間的關係在內。以打雷為例，說明實用主義會注意到經驗內容的相關性、連結性與轉換性。這樣一來，可以把所有經驗單元之間的關係全部掌握住，人生將會變得豐富多采。

3. 實用主義的真理觀認為：真理是個別的，要尊重舊的真理，同時創造新的真理，真理可能會錯誤，它並非先天的，但它是有用的，可以被驗證。

（ 課後思考 ）

威廉·詹姆斯的實用主義在真理觀方面確實有新的看法，但他的這種說法常常被說成是「兌現價值」。好比你給我一張支票，這張支票能夠兌現的話，才能證明它是真的，不然就是假的。然而，有很多說法、觀念或是信念，它的價值可能需要很久才能兌現，甚至要到生命結束之後才能驗證。請問，你如何考慮真理的兌現時間問題？

補充說明

　　「兌現價值」是實用主義的一個標準口號。這種說法常常被人批評，說它好像立刻就要兌現一樣。我們要思考，從人類社會整體來看，兌現價值最好是多長時間呢？如果需要幾百年才能兌現的話，那個真理在當時根本無法造成實際的效果，那它還能算是真理嗎？

　　事實上，兌現價值一定要落在個人身上。即便整個社會都發現了某一個真理，而你個人沒有發現的話，那個真理對你來說，也只是一種說法而已。所以，實用主義最後要回到個人身上。一群人有共同的觀念，而那個觀念對個人產生具體的效果，我們就說它是真理。

　　有人認為，科學可以驗證，所以可以稱為真理，但哲學與宗教未必如此。事實上，對威廉‧詹姆斯來說，哲學與宗教有時比科學上的真理更有兌現價值。當你發現某種哲學上或宗教上的說法，先不要管別人怎麼看，這種說法能對你產生作用才是關鍵。譬如，你聽到老子的一句話，馬上有所領悟，這不就很好嗎？

　　另外，有人認為，兌現的時間不適合拖太久。但是，我在這裡引用一句《莊子》的話來做為總結。莊子說，我現在講個道理出來，就算是萬世之後才遇到一位大聖人能明白這個道理，就好像我早上講，晚上就有人了解一樣。（《莊子‧齊物論》）萬世是指三十萬年，可見，時間在真理面前是可以化解的。莊子說的是道家覺悟到的真理。這句話的關鍵在於：後代一定有人能夠了解。我們就要設法做這樣的人，以悟道做為自己努力的目標。

42-4　實用主義的應用

本節的主題是：實用主義的應用，要介紹以下三點：

第一，「要信仰的意志」在說什麼？

第二，詹姆斯對宗教的看法。

第三，實用主義的貢獻。

（一）「要信仰的意志」在說什麼？

1897 年，威廉・詹姆斯出版《要信仰的意志》。但他後來談到此書時，表示有點後悔，認為應該把書名改成《信仰的權利》，即每個人都有權利選擇自己的信仰。他的觀點是，當你在理性上找不到一個明確的理由時，你該怎麼辦？這種「要信仰的意志」並不是與自己不相干的東西。人活在世界上，有些選擇是必要而且重大的，選擇之後就會改變自己的生命，所以不能逃避。譬如，你是否選擇動手術呢？不動手術可以勉強活下去，動手術則可以恢復健康。你是要苟且活著，還是要恢復健康呢？這就是一個重大抉擇。

在什麼情況下，一個人可以自由決定自己的信仰？詹姆斯提到以下三種情況：

1. 你面對的是一個真實的抉擇，這個抉擇是有效的、必要的、重大的；

2. 此時你沒有足夠理由或證據，去證明某一個假設比相反的假設更有效，譬如你無法證明上帝存在比不存在的可能性更大；

3. 你信仰某種假設後，會在實質上使生活變得更完善。簡單來

說，當你遇到重大抉擇時，不能保持中立的態度。此時，理性的證據有限，人有權利選擇自己的信仰；不選擇也是一種選擇，等於選擇了放棄。

進一步來說，選擇本身也是證據的一部分。這一點特別重要。你的決定會在某種程度上影響未來的發展，甚至你的行動會影響世界的某一部分。因此，在接受某種信念時，雖然要靠理性去認知與研究，但不能忽略情感與意志的因素。換句話說，世間沒有絕對不變的真理或道德標準。

當我們以為自己只靠知性在追求真理時，其實已經摻入情感與意志的成分。詹姆斯認為，即使科學家做研究也是如此，這時有兩種選擇：第一，要認識真理；第二，要避免錯誤。如果為了避免錯誤就放棄一切信念，顯然不太合理。為了認識真理，必須願意冒一些風險，最後還是要看效果能否驗證。同樣的，你必須選擇某種信仰或世界觀，不能保持中立。

（二）威廉‧詹姆斯對於宗教的看法

詹姆斯有一本代表作叫做《宗教經驗之種種》，心理學的背景使他可以從心理學的角度，考察人類宗教方面的豐富經驗。他對宗教所下的定義是什麼？他說：「一個人在孤單的時候，由於覺得他與任何他所認為的神聖之物保持著關係，因而產生了感情、行為與經驗，這就是宗教。」

「孤單的時候」代表你跟群眾保持距離，不再依靠群眾的力量或別人的慈恩。「神聖之物」可以指涉超越界。你相信有某種神聖之物，並與他建立關係，由此產生特定的感情、行為與經驗，就叫做宗教。這個定義很好，因為「信仰」就是人與超越界之間的關係。

詹姆斯也強調個人宗教，亦即你個人對宗教的體驗是什麼。事

實證明，在某種意義上，個人宗教比神學的或制度化的宗教更為根本。神學理論或制度化的教會當然有其價值，但最重要、最根本的是個人的宗教。

在宗教方面，詹姆斯有兩個較為特別的觀念：

1. 他反對全能的上帝觀。他認為，上帝應該不是全能的，上帝想讓善遍在一切，但是力有未逮，因此世間依然存在著惡。人經常質疑，若上帝是全能的，為何世間還有惡？所以詹姆斯強調：上帝是全善的而非全能的，上帝還需要人的幫助。

2. 人是上帝的夥伴，要與上帝並肩努力，成就美好的世界。如此一來，人類存在的意義與尊嚴就得到了充分肯定。

詹姆斯對宗教的看法很有特色，由他的實用主義確實會得出這樣的結論。但是，基督宗教的神學家不可能推廣他的說法。他們寧可去解釋惡的存在是怎麼回事，而不會認為人與上帝是夥伴關係。

（三）實用主義的貢獻

過去三四百年來，西方文化的各個領域以科學的發展最為重要，結果造成人與自然界的分裂，價值與事實的分裂。現在的自然科學能夠談人嗎？所談的是一個完整的人嗎？如果重視事實的研究，如何肯定人的價值呢？

可見，西方文化出現了兩難的困境：如果要肯定人的價值，則無法面對科學的發展；如果接受科學，可能會進入到一個沒有人生意義或目的的世界。詹姆斯的實用主義強調，哲學應該為現代人找到一條出路，以擺脫這種困境，亦即擺脫科學事實與人類價值之間的矛盾。詹姆斯認為，科學上的信念能夠成為真理，有它自己的檢驗方式；宗教上的信念也能夠成為真理，同樣有它自己的檢驗方式。光是指出這一點，就已經是很大的貢獻了。

　　舉例來說，你要接受唯物論還是唯心論？在實用主義看來，這不難決定。假如今天地球被彗星撞擊而整個毀滅，那麼接受唯心論或唯物論有何差別？所以對於過去與現在來說，兩者差別不大；但對於未來，則會造成差異。如果主張唯物論，就會只承認事實，只注重科學研究，對人的價值沒有特定希望。如果主張唯心論，就會認為宇宙有精神上的力量，因而對人的價值有某種承諾。這不是真與偽、對與錯的問題，而是在情感上你要失望還是希望的問題。

　　詹姆斯認為，對於唯物論與有神論這兩者，就世界的過去而言，沒有什麼好爭論的；但對於世界的未來而言，則有很大差別。科學所了解的世界，最終的結局就是死亡，整個宇宙可能在八十億年之後完全結束。如此一來，人類歷經無數世代的努力，所達成的一切成就都無所謂好壞了。

　　詹姆斯並非反對科學，而是認為科學無法觸及人生的所有方面。科學無法保證所有人對生活充滿興趣、懷抱希望，無法滿足人心對於永恆道德秩序的深切渴望。當然，這種秩序不會因為人的渴望而存在；但只要是人，就有這樣的渴望，所以你當然有權利選擇你認為正確的信念。

　　譬如，人有沒有自由呢？你要問：如果沒有自由，會造成什麼情況？如果有自由，又會造成什麼情況？兩種後果有明顯差別，你願意哪種情況出現呢？因此，所有這類爭論會給人類帶來什麼後果，才是問題的重點。

　　詹姆斯承認，他本人並沒有深刻的宗教信仰，也沒有過密契經驗。他的宗教信仰來自於家庭背景，因為他父親是虔誠的信徒。不過，他研究歷史之後認為，要肯定有一個像神明這樣的力量存在，才能合理解釋人類歷史的發展。

　　最後，詹姆斯的貢獻可以概括為以下三點：

1. 他提出實用主義的方法，注意到概念與其後果之間的關聯性，強調概念的兌現價值，藉此可以解決許多抽象的爭論。
2. 他肯定徹底經驗論，使經驗世界的豐富面貌得以呈現。他不再像古典經驗論那樣，把經驗僅僅當做原子之間的碰撞。他強調，經驗本身具有關聯性，因此不需要另外設定某種唯心論來把經驗整合起來。
3. 在實踐方面，他的思想產生具體效果，可以肯定人的存在意義以及人的價值與尊嚴。

收穫與啟發

1. 詹姆斯提出「要信仰的意志」，旨在強調人有權利選擇信仰。如果沒有信仰，人簡直不知道要如何設定自己的人生目標，可以為了什麼理想而奮鬥，為了什麼原則而犧牲。所以對一般人來說，非要信仰某些東西不可，這是每個人的天賦權利。
2. 詹姆斯強調，宗教是人與某種神聖之物之間的關係，由此造成這個人特定的感情、行為與經驗。他認為上帝不是全能的，人類可與上帝合作。這種觀念大幅提高人類本身的意義與價值。
3. 實用主義的貢獻是多方面的：對於近代以來科學與宗教之間的對峙，它有一定的協調作用；做為一種方法，它可以幫助我們澄清概念，把這些概念（或信念）與它的後果聯繫起來，對於實踐也有具體的指導作用。

課後思考

　　學會實用主義的說法之後，你能否舉一個例子，說明自己過去的某個觀念或信念沒有兌現價值，以致於你要重新思考它到底是不是真的？

補充說明

　　觀念或信念大致可以分成兩類：

1. 具體的觀念

　　第一類觀念較為具體。譬如，在教育孩子方面，你可能有「身教勝於言教」的觀念，在愛情與婚姻方面，有一見鍾情、白頭偕老的想法。後來發現事情沒有那麼單純，這些觀念不一定有兌現價值。事實上，兌現價值未必能很快看到效果，有些觀念要從長遠來看，甚至在你回顧整個人生時才會有所領悟。比如，「身教勝於言教」還是有一定道理，若不如此，孩子的發展恐怕更令人擔憂。如果對愛情和婚姻沒有某些信念，你會覺得那只是一種幻覺而已。

2. 廣泛的觀念

　　第二類觀念較為廣泛。譬如，這個世界公平嗎？善惡有報應嗎？宗教所宣稱的死後世界真的存在嗎？等等。這些說法能否兌現，取決於你看問題的角度。如果你把「公平」局限在個人的判斷裡，那麼人間不可能有公平。

　　對於善惡報應的問題，第一，如何判斷善惡？標準是你自己定的。第二，報應如何體現？也是按照你主觀的想法。這樣一來，善惡報應當然不太可能兌現。對於宗教信仰，威廉‧詹姆斯本來就不看死後的世界，而是看現在。如果能讓你的人生有明顯的改變，這樣的宗教信仰就有兌現價值。

　　對於很多信念，我們確實要用心思考。如果發現它沒有兌現價值，就要及時調整觀念。如果發現有價值，就要更加珍惜。我們常說「理所當然」，其實在人的世界，每一件「理所當然」之事，都來自於自己或別人長期努力的付出。

42-5　德國哲學家謝勒

在倫理學的部分曾介紹過，德國哲學家謝勒是價值客觀論的代表，他對於愛的看法特別值得參考。本節要介紹以下三點：
第一，謝勒總在尋求真理。
第二，謝勒人格主義的主張。
第三，人格與愛的關係。

（一）謝勒總在尋求真理

謝勒（Max Scheler, 1874-1928）是德國哲學家，得年五十四歲，但他的一生有相當豐富的內容。他的家庭背景比較複雜，父親信仰基督教路德派，後來改信猶太教；母親是猶太人，家境富裕，所以一向顯得咄咄逼人。父母的關係並不和睦，但對於謝勒非常溺愛，稱他為「小王子」。

謝勒從小天資過人，他最初屬於新康德主義學派，後來轉向現象學；但胡塞爾認為，謝勒和海德格都背離了現象學的立場。謝勒的家庭背景是猶太教，後來他改信天主教。他年輕時研究尼采很有心得，被稱為「天主教的尼采」。他不認同以多瑪斯·阿奎那為代表的正統經院哲學，反而接上了中世紀的奧古斯丁和近代的帕斯卡這個傳統。後來，他又聲稱自己不是有神論者。換句話說，他總是在尋求他所相信的真理。

雖然謝勒關於人格和愛的說法非常精采，但是他的婚姻並不幸福，他三度結婚。這說明：你與別人相愛，你再怎麼努力，只能負

責「你」以及「關係」這兩部分；對於你所愛的人那一部分，你有時候無能為力。

謝勒求學很順利，後來也在大學教書。他總在尋求真理，追求圓滿的人生。在他朋友的印象裡，謝勒具有以下三點人格特質：

1. 他才華過人，甚至揮霍他的才華。他天資聰穎，但他不保留任何東西。他每天起床時都會對自己說：我要找尋、丟掉、冒險，追究到最後的結果，要面對思想的各種可能性。
2. 他有直觀的天賦。許多人一起討論問題時，他很容易直接掌握到最根本的真相。一般認為，在現象學領域，對本質的直觀把握能力方面，謝勒是最傑出的代表。
3. 在實際生活中，別人經常會覺得他很無助。有位朋友曾看到他在咖啡館的衣帽間裡發呆，因為他忘記哪一件是自己的大衣。他是一位特別的學者，有很大的影響力。

（二）謝勒人格主義的主張

謝勒的立場屬於人格主義。「人格」這個詞在中世紀就開始使用了，拉丁文是 persona，原意為「面具」。一個人在面對不同對象的時候，會顯示出不同的角色，就像換上不同的面具一樣。後來演變成英文裡的 person。

謝勒主張的人格主義，基本上是要批評當時最流行的先驗方法與心理方法。「先驗方法」是由康德傳下來的；「心理方法」當時正在流行，大家都喜歡從心理的狀態去了解一個人。謝勒認為，這兩種方法都有問題。要探討真正的哲學，就要採用精神學的方法，亦即把先驗方法與心理方法統合起來。不能忽略日常活動和它的精神意義，要將這兩方面合起來，共同指引人類文化的發展。

人格理論是謝勒思想的關鍵。他強調，人格是行動的中心。一

個人有任何行動，其中心就是他的人格。所以人格是統一的，它既不是單純屬於心靈的主體，也不是具體的身體，人格是整合的，沒有主客分裂的問題。人格只以精神的現象顯示，人格及其行動不能被客觀化。人格由內在結構而顯示為一個完整的個體。謝勒的人格理論很有特色，他把人當做完整的人格，合身心為一體。

謝勒也特別區分了人的功能與行動。他強調，功能是心理上的一種能力；而行動不屬於心理，因為它已經落實到具體行為上。功能是正在實行中的，而行動是已實現出來的。同時他也強調，功能必然在身體中，並且屬於它的客觀環境，因為身體運作總是需要一個客觀環境；但是人格所對應的不是特定的客觀環境，而是整個世界。可見，他對人格的看法十分特別。

（三）人格與愛的關係

做為價值客觀論的代表，謝勒提出五種標準來判斷價值的高低，亦即持久性、不可分割性、基礎性、深度滿足性、非相對性。同時，謝勒也區分了四種層次的價值，由低到高依次是：感官愉快的價值、生命感受的價值、精神品味的價值以及宗教的價值。這樣明確的分法很容易招來別人的質疑與批判，但也不能因此就不去談自己對價值的完整觀點。

謝勒始終活在具體的生活世界中，對倫理學的問題特別關心。他對康德的形式倫理學提出具有代表性的反省與批評，那是他在學術界主要的代表作。

談到人格與愛的關係，謝勒首先提出四種人格類型。這種觀點也很有特色。他認為，人格在自我實現的過程中，最後會成就四種價值的類型：最高的是創造神聖的價值，像宗教家、使徒、殉教者等；第二種是天才人物，像哲學家、藝術家、立法者等，在文化上

有傑出的貢獻；第三種是英雄的人格類型，像政治家、軍事家、殖民開拓者等，他們富有活力；第四種是能夠創造物質文明的人格類型，像科學家、經濟學家等，他們所針對及宰制的是物質世界，並在其中取得明確的成就。

謝勒認為，人格是一種不斷發展的力量。外在的目標有助於內在人格能力的發揮。人格一定牽涉到你天生的才華，但是與後天選擇的目標也有直接關係。主客之間不斷互動，就會表現為人類文化上的成果。事實上，我們一般人往往是追隨者，前面那四種人物確定了某些價值與方向，我們就追隨他們去發展。但我們至少要了解，謝勒這種區分的考慮是什麼。

謝勒在 1927 年出版《人在宇宙中的地位》，書中談到存在的五個層次，由低到高依次是：

1. 感觸的衝動。所有生物都有感觸的衝動，譬如植物有向光性，它是無意識的。
2. 本能的行動。所有動物都有本能的行動，會在行為中表現自己，它是隨機的。
3. 聯想與記憶。會有機械式的反應，有些動物有這種本事。
4. 實踐的智慧。有些高等動物有這種能力。但就像蝸牛不能離開牠的殼，所有動物都受制於牠的環境。然而人不一樣，人在實踐的智慧層次，已開始表現出個人的覺悟與創作能力。
5. 人的精神。人的精神顯示在兩個方面：
   (1) 世界是開放的，人可以免於環境的束縛。只有人能擁有這樣的世界，可以把世界對象化，使精神無限制的開展。
   (2) 人是能夠說「不」的生命。動物對實際的存在狀況或存在物只能說「是」，只能接受；人是能夠說「不」的生命，他可以用否定的方式來反對所有現實的狀況。

從「世界是開放的」和「人能夠說不」這兩點，可以證明人有精神。另一方面，人也有基本的生命衝動。人的精神與生命衝動這兩者要設法協調。

最後謝勒得出結論：思考得最深的人，會愛那個最具有生命的存在者。人變成了小宇宙、小的神。

收穫與啟發

1. 德國學者謝勒一般被認為是現象學界的第二號人物，第一號人物是創始人胡塞爾。謝勒的年代比海德格早十五年，所以說他是現象學第二號人物也可以說得通。但在胡塞爾眼中，謝勒與海德格最後都背離了現象學的基本立場。由於家庭環境和所受教育的影響，使得謝勒總在尋求真理。但他最後找到的是不是真理呢？恐怕他自己也不敢肯定。

2. 謝勒的基本立場是人格主義，他把焦點放在人的生命上。謝勒認為，人的生命是一個不斷發展的過程，人格是行動的中心；進一步來說，愛是人格的基本行動。

3. 謝勒是價值客觀論的代表，對於價值有明確的判斷標準和層次劃分。他提出四種人格類型，旨在說明：人的一生如果努力發展人格的潛能，可能會造成什麼結果。他認為現象學方法給他帶來很大幫助。他對於各種情緒問題所做的分析，直到今天仍然受到重視。

課後思考

談到謝勒的人格主義，有兩句話特別值得注意：人格是行動的中心，愛是人格的基本行動。這樣就把人格與愛連在一起了。請問：你從這兩句話可以得到怎樣的啟發？

補充說明

　　愛不能只看正面，還要看到反面的恨。愛與恨構成了兩個極端。就算是恨，也是因為愛而產生某種期許或要求。因此，愛是人格的基本行動，是生命力的表現。你只要願意活下去，一定會抱著某種希望，可以分成對人、對事、對自己三個方面：

　　對人的話，包括家人、朋友、同事等。無論是關心還是被關心，都包含著一種希望。

　　對事的話，你每天看到周圍發生的事，聽說某些檯面人物的消息，總是希望這些新聞有延續性、發展性，最後能有結果。

　　對自己的話，你每天醒來都希望生命得以延續。問題是：如果年紀愈來愈大，你是否有勇氣面對衰老這個事實？你能否承受死亡慢慢接近的壓力？

　　如果對愛有全面的了解，就知道從恨到愛，兩個極端之間都是愛的表現。因此，愛是生命存在和發展的原動力。

42-6　謝勒論愛

本節的主題是：謝勒論愛，要介紹以下三點：

第一，謝勒論愛的出發點。

第二，謝勒認為愛不是什麼，指出一般人對愛的誤會。

第三，謝勒認為愛是什麼。

（一）謝勒論愛的出發點

謝勒在哲學上受到中世紀奧古斯丁的啟發，他也是價值客觀論者的代表。他在談到愛的時候強調，世界是一個價值的世界，凡存在之物皆有價值。人不論是做為認知的存在者還是意志的存在者，都是一個愛的存在者。因為所有行動的本源就是愛，或者說愛是本源的行動，是一個人最根源的行動。譬如，吃飯、上班，這基本上都是一種愛，不但是愛自己，也是愛相關的人。謝勒認為，愛總是喚醒認知者與意願者，做為精神與理性本身之母。如果沒有愛，你根本不會想去認知，不會想去意願。精神與理性能夠發展，也是因為有愛做基礎。

謝勒認為，愛完全指向積極的人格價值，並且只有在幸福成為人格價值的承受者時，才指向這樣的人格價值。人類要求幸福，愛是一種精神的行動，而人格是這個行動的中心。因此，愛與人格不能分開。

愛是自發的、精神的行動，不能由感受去把握，而要由現象學的意向性去捕捉。愛不等於同情或共同感受，而是我對另外一個人

的自我揭露。愛所企及的是活潑的獨立個體，是面對面、正在與我交談的你，而不是抽象的觀念。謝勒的說法很生動，他說：「我愛你，只因為你是你，而不是因為你是一個好丈夫或好妻子。」愛不能有理由，不能設定目標，它是一種活動，是從非存在者向著存在者去活動，是從較低價值走向較高價值，並朝向最高的價值。這些話的含義要配合以下的具體說明，才會顯得比較清楚。

（二）謝勒認為愛不是什麼

謝勒先說明愛不等於什麼，可從以下四個方面來看：

1. 愛不等於施恩於人，不是給別人帶來恩惠

施恩包括替人服務效勞、給人財貨名位這兩方面。施恩常帶有目的性，有些人為了有形的酬勞，有些人出於虛榮心，也有些人純粹出於樂趣。施恩往往缺乏人與人之間的親密性與互通性。愛當然包含施恩的表現，但條件必須是有益於對方完美的人格。譬如，中國人認為，給子女萬貫家財不如讓他一技在身，最好是能讓他有正確的人生觀。所以，愛不等於施恩，不能因為給別人恩惠，就給他設定一個目標，要求他去達成。

2. 愛不等於欲望，也不是個人主觀的快樂感受

欲望會因滿足而消失，愛卻永不滿足，也永不消失。真愛能夠持續一生，它不是短暫的欲望表現。愛也不是主觀的快樂感受，不是在身心方面產生快感，因為愛的焦點應該在對方身上。有些人是害怕寂寞才去愛人。有些人是因為付出太多，就要求對方必須還報，因此才會說：愛之深，責之切，有愛必有苦。

3. 愛不等於價值判斷

每個人都有家世、學問、人品，但愛不會停留在這些價值上，因為愛的本質是動態的、超越的，總在追求更完美的境界。像家

世、學問、人品等受到肯定，是隨著愛而來的。簡言之，因為我愛他，所以他可愛；而不是因為他可愛，所以我愛他。愛不是去同情他人。譬如，我們同情病人、窮人，但只有進一步關心他們，才有愛可言。愛也不是比較、選擇，你不應該問：你愛他還是愛我？

4. 愛不是興趣相投或同化合一

愛不只是興趣相投而已，因為興趣可能改變。如果只是興趣相投，可以參加俱樂部或者社團。相愛的人永不分開，因為心靈永遠同在，它甚至可以跨越生死的隔閡。愛也不是同化合一。同化合一其實是自然的表現，但是真正的愛能讓彼此保有自由、獨立與個性。愛應該成全人的自我，而不是泯除或消蝕人的自我。

上述四個方面是一般對愛容易產生的誤會，即把愛當做施恩、當做欲望滿足、當做價值判斷或興趣相投等。

（三）謝勒認為愛是什麼

謝勒認為愛是什麼，也可以從四個方面來看：

1. 愛是價值提升

只有愛能夠邀請一個人的價值湧現出來。你愛一個人，就是要讓他的價值呈現，因為愛裡面包含了期待與指望。《聖經》裡有一段故事就是很好的例子。耶穌來到一個地方，當地有一個稅吏叫做撒該，他知道耶穌是名人，但他的個子小，就爬上桑樹，想看看耶穌。耶穌經過時，抬起頭對他說：「撒該，快下來，今天晚上我要住在你家裡。」撒該是替羅馬政府向猶太人收稅的稅吏，猶太人都看不起他，大家私下議論說：耶穌竟然會到有罪的人家裡去住宿。這時撒該立刻說出兩句話：「我要把我財產的一半都分給窮人，我曾經騙過誰的話，我要四倍來償還。」（《路加福音》，19：1-10）

撒該本來沒想做那兩件事，但是耶穌對他的鼓勵使他的價值展

現出來，他立刻提升了自己生命的層次。所以，愛是價值提升，你愛一個人，就會讓他顯示生命的奧祕，展現更高的價值，因為愛可以穿透表象。

2. 愛可以讓人創造新的價值

愛是一種關係，將兩個人聯繫起來。它可以像鑰匙一樣，打開對方的價值領域，照亮對方的理想本質，同時肯定對方會實現他的價值。所以，愛是價值創造，能讓一個人不斷的成長。前面兩點指向所愛的對象，後面兩點則要回到愛的主體。

3. 愛的主體會走出自我中心

你去愛一個人，自然就會走出自我中心的世界，重新誕生於自由之中。你會擺脫形體的欲望，超越時空的局限，化解階級與傳統的束縛，進而免除個人的種種偏見。我原來是一個特定的個體，有一些先天的條件；但是當我與別人相愛時，我這個主體就會進入到一種無限的境界，可以不斷的自我超越，從而走出自我中心，得到新的自由。

4. 這個主體可以參與分享對方的一切

一個人走出自我，反而得到全世界。所以，愛可以說是人的首要特徵，愛的力量可以使兩個人結合，共同走向更完美的境界。

上述有關愛的理論能否落實呢？這取決於兩個人有沒有類似的愛的次序表。譬如，要了解對方最關心什麼，認為人生什麼事情最重要。如果愛的次序表不能互相對應，到最後恐怕是因誤會而結合，因了解而分離。

收穫與啟發

1. 德國現象學家謝勒對於愛的看法來自於他的人格主義，而不是像心理學家那樣，透過分析許多個案，提出一些愛的心靈雞

湯。謝勒有一套完整的看法，他認為：每個人的人格都是他行動的中心，而行動表現出來的最基本的力量就是愛，所以愛是人格的基本行動。

2. 謝勒所說的愛不是什麼，正好是一般人常有的誤會：把愛當做給人恩惠、當做自己主觀欲望的滿足、當做價值判斷或興趣相投，最後希望同化合一，這些都不完全等於愛。

3. 謝勒認為，愛可以使被愛者的價值得以照亮與提升，並實現創新與成長。在愛的主體方面，我走出了自我中心，重新進入一種自由的境界，感覺到自己有無限制的可能性；我也參與分享了對方的一切，從而開拓了我的世界。最後的結論是：愛是一種活動，在活動中，每一個帶有價值的個體，都要求能夠達到對他以及按照他的理想，可能達到的最高的價值，或者達到他所本來具備的價值的本質。這些都是自然發展的結果。

對於謝勒的說法，我們可以從更廣泛的角度去理解。謝勒所謂的愛是指人與人之間的愛，並非僅限於愛情，還可以包括親情、友情在內。我們對於周圍人群和對團體的愛，也可以從這個角度去加以了解。

（課後思考）

對於愛不是什麼，謝勒提到四種觀點。請你思考一下，其中哪一點最常出現在我們的經驗或觀察中？

（補充說明）

謝勒認為，人對愛通常有四種誤解：認為愛是施恩，愛是滿足欲望，愛是價值判斷以及愛是同化合一。值得注意的是：就算知道真正的愛不是那些，但上述每一點都可能對愛產生影響。謝勒

所說的只是一種理想上的分辨，但人活在世界上，多數人都是在這四種「不是」裡面尋找他的愛。

所以，愛很難有什麼標準。當兩個人價值觀接近時，他們可能屬於這四種「不是」裡面的一種或多種。他們只要自己過得快樂，能夠了解和接受對方就好。我們沒有必要給別人太多判斷和壓力，說「你們這樣是有問題的」。很多人一輩子都無法設想其他的可能性，他就在某種問題中度過自己的一生，然後把問題留給下一代。

人的世界永遠不可能完美，所以學哲學要有心理準備：哲學家講得再好，一旦落實，可能就會打折扣。重要的是，你如何選擇過好自己的人生。所有的一切都只是參考。當你讀完西方哲學史之後，你走到街上沒帶筆記本、沒帶手機，這時還記得什麼，這才是重要的。如果你什麼都不記得或記得很少，代表你只是用腦袋去記，而沒有經過深入的思考與實踐。

第四十三章

懷德海的機體宇宙觀

—— 歷程與實在

43-1　懷德海的思想發展

本章要介紹懷德海的機體宇宙觀。本節的主題是：懷德海的思想發展，內容包括以下三點：

第一，懷德海一生有三個時期。

第二，懷德海對科學哲學的基本立場。

第三，懷德海的學術目標。

（一）懷德海一生有三個時期

很多人沒有聽說過懷德海（A. N. Whitehead, 1861-1947）的大名，但一定聽說過羅素（Bertrand Russell, 1872-1970），懷德海是羅素的老師。懷德海對於當代西方哲學有重要貢獻，他開創了歷程哲學這個新的學派，他的代表作是《歷程與實在》。

懷德海是英國人，父親是牧師，祖父與父親都當過中學校長。他從小學習拉丁文、希臘文、歷史以及數學，十九歲進入劍橋大學三一學院學習數學。他一生有五十四年的時間在大學教書，教過三所大學。他的學術生涯可以劃分為三個階段：

1. 劍橋階段

他從劍橋大學數學系畢業之後，留校任教三十年。在此期間，他與學生羅素合著《數學原理》一書，證明數學可以從形式邏輯的前提推演而成，把數學與邏輯關聯起來。邏輯是思維的規則，亦是哲學裡重要的部分。完成此書後，懷德海便與羅素分道揚鑣，各走各的哲學之路。

2. 倫敦大學階段

從 1911 年至 1924 年，懷德海把目標從數學轉向自然科學，進而涉及到自然哲學的問題。

3. 哈佛大學階段

1924 年，懷德海以六十三歲高齡應聘美國哈佛大學，開始講授形上學。當時很多人都希望聽到他對數學或自然哲學的看法；但事實上，他已建構出一套新的觀念。

（二）懷德海對科學哲學的基本立場

懷德海認為，西方的學術從十七世紀科學革命開始發展，形成自然機械論的宇宙觀。

所謂「機械論」，就是把自然界當成一部大的機器，它的基本立場是唯物論與決定論，認為自然界就是物質的運作，物質之間的各種關係是被決定的。

由此一路演變到十九世紀，情況發生了明顯的改變。懷德海認為，十九世紀最大的發明是找到發明的方法，可以把理論與實踐連結起來。這期間有四個基本的概念延續發展下來：第一是物理作用場，第二是原子機體觀，第三是能量不滅定律，第四是生物學上的演化原理。

我們注意到，其中有一個詞叫做「機體」。十九世紀從以前的自然機械論轉變為機體論，不再把自然界看成一個大的機械，而是開始注意到它可能是一個有機體。所謂「機體」是指，它具備各種相互作用，能夠選擇目的，協調發展，對周遭環境做出回應，進而創造新的生機。

懷德海從英國古典經驗論的立場，走上了機體論與歷程哲學，這是當代哲學界的一件大事。

（三）懷德海的學術目標

懷德海的學術目標簡單說來有兩個方面：

一方面要設法協調、甚至打破西方傳統以來的二元對立觀。譬如，你如何看待宇宙萬物？很多人會選擇科學的路線，根據經驗觀察與邏輯推理去認識宇宙萬物；也有人會依靠宗教的直覺。懷德海認為，這兩種看法並不衝突。

除了科學與宗教的對立之外，還有更明顯的二元對立。譬如，英國經驗論的代表洛克，把外在世界的性質分為「初性」與「次性」；到了康德，進一步區分「現象」與「物自身」。此外我們也發現，自然界有兩面：一面是我們知覺到的，另一面則是我們知覺不到的。我們透過知覺，看到太陽從東方升起；我們透過科學，知道地球繞著太陽轉。這兩種世界觀同時影響著我們。

西方習慣用一種二元對立的方式來說明「非此即彼」：要麼就是唯物論，要麼就是唯心論，因為宇宙背後的存在本身應該是同一種性質。事實上，人類所接觸到的是人類自身能力的展現，而不是外在的客觀世界。這種二元對立造成許多問題，懷德海要設法打破這種對立。他本人既有宗教背景又兼具科學基礎，總覺得這兩者在他身上沒有什麼矛盾。

他在學術上的第二個目標，是要把唯物論與唯心論統合在「價值論」上面。談到價值論，一般會想到倫理學的善、美學的審美，但懷德海的價值論同時也是一種本體論。他是如何做到這一點的？這要從懷德海所提出的歷程哲學去了解。

懷德海認為，構成宇宙萬物的最根本元素既不是心，也不是物，而是「事件」（event）。任何事件的發生，一定處在某個地方，並經過一段時間，它有開始、有過程、有結束。所以，以「事

件」做為宇宙萬物的根本元素，就包含了時間與空間的要素；如果不結合時間與空間，根本不可能看到任何事件的狀態。可以說，「事件」是人與宇宙萬物合作產生的結果。

　　換言之，如果人類不存在的話，這個世界如何構成、如何運轉，根本無所謂。但因為人有理性，所以必須去了解，以便找到生命的意義；而人的了解一定包含人類自身的某種特質在內。人本身就是一個價值評論的出發點。即便是科學家也一樣，當他選擇研究材料、做出基本假設時，也是從他個人特定的條件、背景、願望與感情出發的。因此，懷德海說：除了事件之外，沒有任何東西存在；宇宙是一個大的事件場。

　　這種觀念顯然突破了科學唯物論或機械論的觀點，進入到機體論的範疇。機體是有生命的組織，生命是一個活動的過程，不斷在變遷發展之中。懷德海的歷程哲學強調：自然界是一個歷程，它在不斷變化發展之中。事件基本上是存在的，它只是不斷轉變並流逝到更大的事件中。歷程哲學的目標是要解決傳統以來的二元對立，從人的身心對立，到科學與宗教的對立。這是一個很大的目標，懷德海是極少數有能力完成這件事的人。

收種與啟發

1. 懷德海是一位從英國到美國的當代哲學家，一般稱為英美哲學家。懷德海的學術生涯可分為三個階段，他分別在三所大學教書：第一是劍橋大學的數學階段，出版了《數學原理》，成為該領域的代表作；第二是倫敦大學階段，主要探討自然界與自然哲學；第三是美國哈佛大學階段，他從 1924 年開始在哈佛大學講授形上學。

2. 懷德海對於科學的觀點非常典型，受到十七世紀以來一路發展

的科學的影響；但他清醒的認識到，現在到了轉變的時刻，不能再把科學唯物論當做真理，而要進一步結合生物學上的演化論，以及二十世紀初期出現的普朗克（Max Planck, 1858-1947）的「量子論」、愛因斯坦（Albert Einstein, 1879-1955）的「相對論」、海森堡（Werner Heisenberg, 1901-1976）的「測不準原理」等理論，對宇宙與人生都提出新的看法。

3. 懷德海的學術目標主要有兩方面。一方面要調和西方哲學由來已久的二元對立（從身心對立到科學與宗教的對立），化解科學唯物論的挑戰。另一方面，他進一步提出他的價值論：從價值的角度來看，科學求真，宗教求善，最後可以在審美經驗中得到統合。他認為，產生價值的單位是有機體，不但人是一個有機體，整個宇宙都是一個有機體。他由此提出歷程哲學，成為當代哲學的重要學派，目前仍在多方發展之中。

存在主義與懷德海的歷程哲學是二十世紀比較新的學派。但歷程哲學很難理解，因為懷德海發明了一系列新概念。有人認為，懷德海的《歷程與實在》就像康德的《純粹理性批判》一樣，是很重要又很難讀的哲學著作。

課後思考

從懷德海的思想出發會發現：一個人最初的生活背景，會讓他思考人生最重要的問題是什麼，並進一步加以探討和解決。懷德海一生最重要的問題，就是如何化解科學與宗教之間的對峙。到目前為止，你認為自己生命中最重要的問題是什麼？你是否嘗試過用自己的方法去面對或化解這一問題？

43-2　近代科學為何在西方出現？

　　西方從近代以來開始領先世界，直到今天有將近五百年的時間。形成這種局面最重要的原因是近代科學在歐洲出現。英國生化學家李約瑟（Joseph Needham, 1900-1995）花了五十多年的時間研究中國科技的歷史，寫下十五卷巨著《中國科學技術史》。李約瑟本人是化學家，他採用化學上定量分析的方法——滴定法，肯定了中國的科技水準在西元 1500 年之前領先全世界。亦即直到十六世紀之後，西方科技才開始領先。

　　為什麼中國在十六世紀之前領先歐洲呢？因為中國是統一的帝國，而歐洲從希臘發展下來，缺乏這一條件。但是，有利就有弊。統一帝國的優點是可以連續發展，缺點是過於重視應用科學和技術，不太可能形成「科學的心態」。另一方面，中國也沒有專門從事科學研究的機構，以對自然界做實事求是的探討。

　　為什麼近代科學會在西方出現？懷德海在他 1925 年出版的《科學與現代世界》第一章裡，對此提出一種很特別的解釋。他認為，西方的科學能夠從十六世紀開始長足發展，主要是因為此前有兩千多年在人文方面的醞釀。

　　他進而提出三項要素：第一，希臘的悲劇；第二，羅馬的法律；第三，中世紀的信仰。

　　悲劇、法律、信仰都屬於人文方面的東西，為何會醞釀出西方的近代科學呢？懷德海認為，這三種人文方面的資源在兩千多年的時間裡，逐漸塑造了西方人實事求是的科學心態。即不依人的情感和意願而轉移，而是以一種理性的心態去研究客觀的規律。

下面將依次介紹這三項要素。

第一，希臘的悲劇。

第二，羅馬的法律。

第三，中世紀的信仰。

（一）希臘的悲劇

懷德海認為，培養科學心態的第一項要素是希臘的悲劇。希臘悲劇的主角是不可抗拒的命運。悲劇的情節是無情的、必然的，不依人的意願而改變。悲劇不是要博得同情與憐憫，而是要表現事物的必然規律，以及宇宙間一切現象的無情性格。在希臘悲劇中，充分描述事實之無情這一面，使人透過人生的不幸遭遇，了解到無情之必然性。

當然，最初創作悲劇的人未必有如此複雜的想法，他只是在描寫人生有許多東西是必然的、不可抗拒的。希臘人長期欣賞悲劇之後就發現，事與願違是人生中很常見的現象，所以不必有無謂的期望，而應該接受殘酷的事實。希臘悲劇塑造了「盡人事，聽天命」的心態。

後來，命運的必然性演變為物理學上的定律，它完全不受人的意志所支配。所以，希臘悲劇一方面可以洗滌人的心靈，使人調節心中的憐憫與恐懼的情愫；同時也可以減少人的主觀願望，當事情發生時，不要抱怨哀嘆，而要坦然接受。

懷德海總結道：「悲劇的本質並非不幸，而是事物無情活動的嚴肅性。但是命運的這種必然性，只有透過人生中真實而不幸的遭遇才能加以說明。這種無情的必然性充滿了科學思想。物理的定律就是命運的律令。」

（二）羅馬的法律

羅馬的法律並不是透過歸納客觀資料而制定的，而是先設定基本原則，再由這個原則制定各種細節，形成一套明確規定的系統觀念，演繹出一個社會機體的詳細結構與行動方式的法律義務，其中沒有任何含糊不清的東西。

羅馬的法律非常的嚴格，它充分反映當時斯多亞學派的影響。懷德海引述道：「羅馬的立法從兩方面來看，都是哲學的產兒。首先，它是根據哲學的模式來制定的。因為它並不是純粹為了適應社會所實際需要的經驗系統，而是先確定了許多關於權利的抽象原則，然後再力求符合。其次，這些原則都是直接從斯多亞學派借來的。」

羅馬帝國崩潰之後，歐洲的廣大區域都陷入無政府狀態。但是，法律秩序的觀念仍然存在於帝國人民的傳統之中。同時，西方宗教的繼續存在也鮮活的體現了帝國法制的傳統。這種法律的烙印強調：要有把任何事物都放置並保持在適當位置上的確定程式。

（三）中世紀的信仰

一般人都以為，信仰是一種很主觀的選擇，是一種與理性相對立的思考模式，其實不然。中世紀基督宗教的信仰使人相信：一切都有上帝的安排，無論多麼微小的事情，上帝都會照顧到。譬如，耶穌說過：「如果上帝沒有允許，你一根頭髮也不會掉。」（《馬太福音》，10：30）自然界也一樣，無論多麼細微之物，都有它的規律。懷德海指出，每一種細微事物都受到上帝的監督，並且被置於一種秩序中；因此，研究自然的結果只能證實對理性的信念。在歐洲人的心中，上千年以來從未質疑過這種信念。

　　相對於此，懷德海批評亞洲人的觀念：「亞洲方面，關於上帝或神的觀念不是太武斷，就是離人性太遠，因此無法對思想的本能習慣產生太多影響。亞洲人認為，任何事物都出自一個非理性的專制神明的命令，不然就是由一種非人性的、不可思議的事物根源中演變出來。所以，亞洲人沒有產生類似西方人的信念，即上帝具有像人一樣的可以理解的理性。」

　　懷德海的結論是：在近代科學理論尚未發展之前，西方人就相信科學有可能成立，那是不知不覺中從中世紀的信仰中導引出來的。但是，科學不僅僅是出自本能信念的產物，它還需要對生活中的事物本身具有積極的興趣。最後這句話很重要，說明科學需要回歸事物本身。

　　上述三項要素 —— 希臘的悲劇、羅馬的法律、中世紀的信仰，連續發展兩千多年，潛移默化培養出西方人實事求是的心態，不依人的意見、情緒、意志而改變。他們要追求完全客觀超然的自然界的規律。這種心態就是科學心態。

　　由此可見，西方科學的出現不是偶然的，而是有其歷史和文化的背景，這個背景當然離不開人文方面的條件。對現代人而言，科學心態的形成不一定非要具備這三項要素。現代人的科學心態往往是透過西方的科學教育而培養出來的。

收穫與啟發

　　對於近代科學為何會在西方產生，懷德海提出三項要素，即希臘的悲劇、羅馬的法律以及中世紀的信仰。

　　懷德海的說法有一定的根據，我們可以藉此反思自己的情況：為什麼我們還沒有培養出普遍的科學心態？這要留給每個人自己去思考。

課後思考

　　懷德海提到影響西方近代科學的三種因素，第一就是悲劇，即廣義的文學創作。在你所知的中國文學作品中，像詩歌、小說、戲劇等等，有哪些能產生科學的心態？換句話說，它會讓你發現，命運的發展不以人的情感和意志為轉移，最後也不會出現「詩的正義」（善惡有報應）這樣的結局。

補充說明

　　我建議大家回顧亞里斯多德的悲劇理論。簡單說來，希臘悲劇的劇情並不是善惡有報應，更不是善有惡報或惡有善報。悲劇的一般模式是：一個人沒有特別明顯的善惡，就像一般人一樣過日子，但是他卻遭遇可怕的命運。所以，命運才是悲劇的主角。

　　希臘悲劇至少有兩個特色：

1. 希臘悲劇有明顯的神話背景。希臘神話中的神明力量超凡，不可預測，神明之間也充滿了矛盾與衝突。

2. 希臘悲劇把個人的遭遇推廣到普遍的宇宙層次，這樣的宇宙有客觀的規律，不以人的意志為轉移。

　　從這些特色來衡量中國是否有希臘式悲劇，首先就要排除所有與人的情感、意願有關的文學作品。譬如，金庸小說都有美好的結局，善惡都有報應，所以很多人喜歡看。其中固然有某些個人遭遇到不幸，但那都是由過去的時代和社會所造成的，或是由他們的長輩、前輩所形成的複雜恩怨。這些情況都可以理解，因此不能算是真正的悲劇。

　　人的世界充滿恩怨情仇，經過世代累積，後面會造成一種有如天羅地網的情況，歷史上常會看到這樣的情況，這與希臘悲劇不

屬於同一個層次。再比如《紅樓夢》等名著，在我看來，其中的不幸都可以用人為的想法、欲望或意念來加以說明。凡是從人的角度可以說明的，都與希臘悲劇的關係不大。所以希臘悲劇是一種特殊的文類，後代不太可能再去複製。

近代歐洲的悲劇以莎士比亞的悲劇為代表，其中命運的色彩很淡，不過它有一個新的主要角色 —— 人的理性。人以為自己可以用合理的方式來安排一切，事實上還有其他各種力量存在，從而讓人感覺荒謬，最後可能放棄理性的願望，甚至陷入虛無主義。

古希臘的悲劇不會陷入虛無主義，因為它的主角是命運。命運對人來說是一種無限大的力量，人由於面對命運這樣偉大的對手，而使自己也變得偉大。看完希臘悲劇後，你會發覺人的生命具有特殊的、偉大的價值，居然要勞駕神明來對付。人有自由、有思想，可以決定自己面對命運的態度，這就是希臘悲劇的關鍵所在。希臘悲劇最後會讓你知道，人不可能勝天，於是就把天當做另外一個層次，實事求是的加以了解。

中國的悲劇可能更接近近代歐洲的悲劇，劇情違反了理性的規則，讓你覺得不合理、覺得荒謬，你置身其中會試圖反抗，希望提出合理的解決方案；但是那不可能解決，因為問題的根源就在於人性。

希臘悲劇透過人的遭遇反映出宇宙有必然的規律，不以人的意志為轉移。不是人在表演，而是命運在表演。就像人活在世界上，春夏秋冬不是我們自己可以決定的，而是命運決定好的，人只能夠了解和接受。所以，希臘悲劇慢慢造就了科學精神所需的心態。

43-3　機體論宇宙觀

本節要介紹懷德海的機體論宇宙觀，內容包括以下三點：

第一，懷德海批評自然機械論；

第二，懷德海提出機體論，它的內容是什麼？

第三，懷德海的《歷程與實在》在說些什麼？

（一）懷德海批評自然機械論

懷德海受過嚴格的科學訓練，擁有豐富的知識背景，他首先批評西方從十七世紀以來一路發展的自然機械論，它來自於當時的科學宇宙觀。懷德海說：「科學宇宙觀事先假定有一種不以人意為轉移的，並且不為人所知的物質存在，或是有一種在外形的流變之下充滿空間的質料存在。這種質料本身無知覺、無價值、無目的。它所表現的一切就是它所表現的一切，它根據外在關係加給它的固定規則來行動，而那些關係並不是從它的性質產生出來的。所謂的科學唯物論，就是這樣的假設。」

懷德海認為，這種假設最大的問題在於「簡單定位」的觀念。牛頓物理學肯定了「簡單定位」，亦即在時間上與空間上，可以把一樣東西孤立起來加以了解。這種觀念會對歸納法的有效性造成重大挑戰。如果物質在任何一段時間中的位置，與過去及未來的任何時間都沒有關係，則我們立即可以推論：任何時期中的自然界都與其他時期中的自然界沒有關係。這樣一來，歸納法便無法透過觀察來確定自然界的規律；我們對任何規律（如萬有引力定律）的信

念，便都無法在自然界中找到根據了。

換言之，如果用「簡單定位」的觀念，把每一樣東西在時間上、空間上都孤立起來，說它在這兒就不在那兒，將會導致宇宙萬物沒有延續性；如此一來，歸納法根本無法運作。因為歸納法是把到目前為止的相關材料進行歸納，然後推論未來將會如何。由此可見，自然機械論確實困難重重。

（二）懷德海提出機體論的內容是什麼？

懷德海提出機體論，又稱為機體機械論。換句話說，懷德海不願意一下子就把機械論徹底拋開，但他的重點在於「機體」這兩個字。到底什麼是機體論？舉例來說，一杯水被我喝掉與被馬喝掉會產生不一樣的效果：我喝了這杯水之後，會表現出人的各種功能，包括思考、審美、行善等等；馬喝了這杯水之後，會表現出馬的特色，可以飛奔或高聲嘶鳴。同樣的水進入到不同的有機體，所產生的效果是截然不同的。

懷德海指出：在機體論中，分子將按照一般規律盲目運行，但每個分子由於所屬整體的一般機體結構不同，而使它的內在性質也隨之各不相同。如此一來，萬物的性質皆有差異，而不是由同一種物質與一定的動力所控制。每一樣東西都是有機體，整個宇宙亦然。

懷德海特別提出兩個概念，一個是「事件」，一個是「永恆物體」。所有解釋自然界的系統都必須面對兩個事實：自然界一方面充滿變化，一方面持續存在。變化與持續這兩者該如何協調？懷德海提出「事件」這一概念，做為同時解釋變化與持續的基本單位。

後來，懷德海也稱「事件」為「實際體」（actual entities）或「實際緣現」（actual occasions）。譬如一棵樹，它是一個實際體，也是一個實際緣現。「緣現」就是「緣此而現」，即隨著這些機會

而出現。你只能看到樹的外形，好像昨天和今天差不多，事實上它每一剎那都在變化之中。從「實際體」或「實際緣現」的說法可以看出，懷德海在解釋整個宇宙的存在時，會特別注意發展的歷程。

「事件」是具體的、個別的、流動的、一去不復返的，它既不是永恆，也不是變化。任何事件都有構成它的部分，每一部分也是一個小的事件。譬如，一棵樹有樹幹、樹根、樹葉等等。同時，這棵樹也是整片森林的一部分，所以它是更大事件的一部分。

接著，懷德海又提出「永恆物體」的概念。舉例來說，一座山會隨著歲月流逝而發生變化，但它的顏色是永恆的。顏色像幽靈纏繞著時間一樣來來去去，但在任何地方都是同樣的綠色。這個顏色沒有變化，一旦需要，它就出現了。所以，顏色就是「永恆物體」，它屬於單純的永恆物體。此外還有複雜的永恆物體。人透過學習可以得到某些概念，概念所對應的也是永恆物體。

永恆物體構成一個可能性的領域，它脫離現實的事件流。只有進入時空之流，永恆物體才組合起來，成為具體、現實的狀態。譬如一座山，它的形狀、大小、氣味、顏色都屬於「永恆物體」，當進入時空之流，這些永恆物體才整合為一個整體，這座山才從可能性變成實際性，成為一座綠色的山，讓人體會到某種審美價值。

以「事件」做為存在的基本單位，事件之間的關係就是攝受（prehension）。「攝受」包括「主動攝取」與「被動接受」兩個方面。譬如，我喝水是一種攝取，同時也接受水給我身體的某種資源。攝受又可分為「物理攝受」與「概念攝受」。譬如，吃飯就是一種物理攝受；聽演講或上課就是概念攝受，可以把它轉化為我的思想。攝受之後，我的生命將會隨之改變。

由此再談到歷程與實在。懷德海強調：離開歷程，就沒有實在的東西。任何實在的東西並不是孤立在現象背後的本體，而是處在

不斷因為某種條件而改變的狀態中。這就是前面說的「事件」。

（三）懷德海的《歷程與實在》在說些什麼？

《歷程與實在》是懷德海的代表作。一般而言，「實在」（Reality）指實體，「歷程」（Process）指變遷發展（Becoming）。在西方哲學的傳統裡，「實體」是指在現象背後做為基礎的「存在本身」（Being），而萬物（beings）恆在變遷發展之中。如果要研究宇宙萬物的真相，當然要研究存在本身。但是真有所謂不變的存在本身嗎？在此，懷德海轉而研究歷程，亦即變化。

研究變化的傳統同樣源遠流長，最早可以追溯到古希臘時代的赫拉克利特，他說：「你不能兩次把腳踏入同一條河流。」懷德海與赫拉克利特一樣，要從變遷的歷程裡面找到實在的本性。

整個宇宙一直在變遷之中，所以要想了解一樣東西，就要把它的變化與存在本身連在一起。換句話說，一樣東西如何變化，就構成了它存在的本質。譬如你問：一個孩子的本質是什麼？事實上你根本找不到本質，因為他每天都在變化。但是，你只要掌握他每天如何變化，就可以發現他的本質大概如何。因此，不能忽略變化的過程。離開過程，就沒有真正實在的東西。

懷德海的哲學被稱為歷程哲學（Process Philosophy），他把宇宙萬物看成一個發展的歷程，就連宗教現象也可以用這種方式來解釋。懷德海對於宗教提出不同看法，由此發展出「歷程神學」。

懷德海如何看待人的自由？他把「自由」與「決定」放在同一組概念裡。他說，每個實際體在成長的第一階段，先是順應物理攝受，然後主體透過概念攝受而採取距離。譬如我先聽到很多觀念，然後開始思考，我對某些狀況要採取什麼態度（距離），這時就產生了自由。人這個主體使用概念攝受進行評價與翻轉，透過對比而

有所創新。所以，自由就在於能夠經由概念與理想而標新立異。

懷德海認為，宇宙萬物所有的經驗歷程，都是一方面受到決定，另一方面有其自由。人的自由在「概念化」層次是最高的，所以表現得最明確。人的身心處在互動狀態，人與環境也在互動之中，天下並沒有絕對的、純粹的自由。

收穫與啟發

1. 懷德海之所以提出機體宇宙論，因為在他之前，西方知識界普遍接受從十七世紀發展而來的自然機械論，即把自然當做機械。它背後的主導思想是唯物論與決定論，以致於人類的自由以及價值世界的成立統統成了問題。

2. 懷德海機體論的出發點是：以時空做為一個場，每一樣事物的存在都不能脫離時空場，它與其他事物也一直在互相影響。他認為，存在的基本單元是「事件」。事件既不是唯心的、也不是唯物的，而是兩者交互而成，在時空中形成一個發展的過程。事件之間的關係稱為「攝受」，包括主動攝取與被動接受兩方面。同時還存在著「永恆物體」，以便進行「物理攝受」與「概念攝受」。這些概念共同構成一個比較完整的系統。

3. 懷德海的歷程哲學旨在說明：並沒有孤立在現象背後的不變本體，好像它完全靜止不動一樣；本體存在於它的歷程裡面。

課後思考

懷德海的歷程哲學提出攝受的觀念，包括物理攝受與概念攝受。我們學習的過程就是概念攝受，有主動攝取，也有被動接受。請你思考，學習西方哲學在攝受方面有何明確的心得？你在攝受之後，能否對自己採取某種適當態度，從而表現個人的自由？

43-4　懷德海對教育與宗教的看法

　　本節的主題是：懷德海對教育與宗教的看法，內容主要包括以下三點：

第一，懷德海的教育觀。

第二，懷德海的宗教觀。

第三，懷德海對道德與審美的看法。

（一）懷德海的教育觀

　　懷德海的一生有五十四年之久都在從事教育工作。他的朋友普萊士出版了一本《懷德海對話錄》，描寫他在哈佛執教期間，每星期一晚上在家中與學生聚會暢談，十三年從未間斷。

　　普萊士說：「我在一日工作之餘前往懷德海府上，這時我疲倦得幾乎不能維持連續的交談。然而跟他經過四五個小時的對話，半夜出來之後，我總是興奮得像有一把熊熊的生命之火在燃燒似的。難道他能夠放射出精神的電力嗎？」可見，懷德海在教育方面有很好的效果。

　　懷德海認為教育的目標有二：一，要有文化的修養；二，要培養專門的知識。亦即一般所說的通識教育與專才培養。一個有文化修養的人可以表現出三點特色：一，他有思想活動，否則如何展示他的文化修養呢？二，他有自己的審美品味；三，他肯定人生充滿希望，如此才有改造未來的動力。

　　懷德海認為，一個年輕人應該學習專門知識，以便進入世界，

找到職業，由此立足安身。但是，文化的修養可以引領他到深刻如哲學、崇高如藝術的境界。教育的目的是要引發創造力，避免惰性觀念。另外，教育一定要應用。懷德海說：「一個畢業生一定要到課本遺失、筆記焚毀，忘記為了準備考試而記在心裡的全部條目，然後問自己學到了什麼，那才是他真正學到的。」

懷德海關於教育節奏的說法值得參考。他認為，小學、中學、大學三個階段，分別屬於浪漫期、精密期、展望期。

小學階段屬於浪漫期。這一階段的孩子充滿想像力、好奇心和敏感度，所以要多給他一些空間，讓他多看一些卡通、童話、漫畫，刺激他的想像，讓他過得自由自在。這個階段的教育，只有兩個重點：體育和音樂。體育讓他身體健康，音樂讓他心靈和諧。這種觀點與古希臘柏拉圖說的非常類似。懷德海對柏拉圖極為推崇，他說過一句名言：「兩千多年的西方哲學，不過是柏拉圖思想的一系列注解而已。」

中學階段屬於精密期。對於中學生，在知識上與行為上都要嚴格要求。如果在知識上沒有打好基礎，將來如何繼續深造呢？在行為上必須嚴守紀律，重視群育和社會規範。

大學階段屬於展望期。這一階段要開始高瞻遠矚，把個人與群體、國家、人類、歷史，甚至宇宙都結合起來。所以，大學生不應該只思考個人問題，而應該放眼天下，這樣才能承接整個時代發展的使命。

懷德海指出：教育是風格的培養，教育的本質在於宗教。宗教是一種自然的表現，一個人只要對生命產生根本關懷，就會顯示出宗教性。亦即在面對生死問題時，內心會對生命有一種虔誠的尊重。這不是靠教育就能學到的。所以，教育的目標是要培養宗教上的敬意。

（二）懷德海的宗教觀

懷德海認為，宗教可以啟發人的兩大德行：責任與敬意。責任要求我們，好好掌握生命歷程中的每一時刻；敬意則要求我們，把整個時間與所有的存在，都附託在現在的我們身上。

談到宗教，懷德海以專業科學家的立場表示，在某種意義下，宗教與科學之間的衝突無傷大雅，只是被人過分強調了。我們應該記住：宗教與科學所處理的事件性質各不相同，科學從事於觀察某些控制物理現象的條件，宗教則完全沉浸於對道德價值與美學價值的玄思中。前者擁有引力定律，後者擁有對神性美的玄思。前者指涉看得見的世界，而後者指涉看不見的世界。科學看見的東西，宗教沒有看見；反之亦然。

懷德海認為，宗教不只是去「信」，不只是上教堂、讀《聖經》而已。既然宇宙是一個變化的過程，那麼人所信仰的上帝是什麼呢？懷德海說，上帝是終極的限制（the ultimate limitation），上帝的存在也是終極的非理性現象。為什麼上帝的本性恰好有那種限制，那是沒有理由可說的。上帝不是具體的東西，但它是具體的實際性的根據。我們對上帝的本性無法提出理由，因為那種本性就是一切理由的根據。

懷德海的宗教觀後來延伸出「萬有在神論」（Panentheism），它與「泛神論」不同。泛神論（Pantheism）主張：萬物就是神，神就是萬物。如此一來，談不上什麼超越界的問題。而萬有在神論主張：萬物在神裡，神也在萬物裡，但神不是萬物，萬物也不是神。這種說法保存了神的超越性，而神的超越性又可以進一步保障人的超越性。

譬如談到人的創新，哪裡有真正的創新呢？除非有神存在，神

代表了無窮可能性的實現。這樣一來，人才有創新的可能。

懷德海的上帝不是《聖經》裡的上帝，也不能把它等同於世界。上帝與世界是若即若離的。懷德海有一段話具體的表達了他對上帝與世界的看法，他說：「說上帝是永恆的、世界是流變的，與說世界是永恆的、上帝是流變的，同樣的真實。說上帝是一、世界是多，與說世界是一、上帝是多，也同樣是真實的。說世界在上帝裡面，或說上帝在世界裡面，也同樣是真實的。說上帝創造世界，或說世界創造上帝，也同樣是真實的。」懷德海這樣說並非要否定上帝或宗教，而是要凸顯：用人的理性去了解上帝，只能抵達這樣的程度。

懷德海認為，宗教是一種力量，用來清潔我們的內部。所以，只要從事心靈的清潔、內在的探險，就是宗教的表現。他說：「宗教是一種覺悟狀態，覺悟到有一種力量處在當前的事物流變當中，又處在事物之外與之後。這種力量是真實的，但是有待於體現出來。它是渺茫的可能性，又是最偉大的當前事實。它使所有已發生的事情具有一定的意義，同時又避開了人的理解。它擁有的是終極的善，但是又可望而不可即。它是終極的思想，但又是無法達成的探求。」

懷德海說：「離開了宗教，人生便是在無盡痛苦與悲慘之中尋找曇花一現的快樂，或者人生只是瞬間消逝的經驗中一種微不足道的瑣事而已。有了宗教，人就會產生一種崇拜的要求，而崇拜就是在互愛的力量驅使下接受同化。這種愛的力量代表一個目的，這個目的就是永恆的和諧。」

懷德海說：「對上帝的崇拜不是安全或危險的問題，而是一種精神的探險，是追求無法達成的目標之行動。壓抑這種高尚的探險希望，就是宗教滅亡的開始。」

（三）懷德海對道德與藝術的看法

　　懷德海哲學的主要問題在於，他對於善的問題無法說得徹底。因為一個人行善或行惡，都是在給別人提供善惡的攝受機會。善惡始終是相對的，往往只有程度的差別，而沒有本質的差別。懷德海認為：每一個人都受環境的攝受，行善或行惡都是由各種條件促成的。這樣一來，人本身的責任就會降低。也許因為懷德海本身有深刻的宗教信仰，所以他不在乎如此說。但如果沒有信仰，又要如何肯定行善的價值？這是一個比較複雜的問題。

　　另外，懷德海也肯定藝術的價值。他說：「藝術是一種審美領悟的習慣，是享受現實價值的習慣。偉大的藝術不只是一時的刺激，它為靈魂增添了自我達成的狀態，使靈魂更加豐富。它一方面讓你感覺到直接的歡樂，另一方面也符合內在的存在法則。」所以，藝術的價值在於製造一些變化，產生一些活力，使人感到生命的趣味。

　　懷德海在《科學與現代世界》的結尾部分，再度提到他對理性的肯定以及對哲學家的重視。懷德海說：「理性的力量是偉大的，它對人類生活具有決定性的影響。歷代以來偉大的征服者，從亞歷山大到凱撒，從凱撒到拿破崙，對後世的生活都有深刻的影響。但是從古希臘的泰勒斯到現代一系列的哲學家，他們能夠移風易俗，改革思想原則。前者比起後者又顯得微不足道了。這些哲學家個別看來是無能為力的，但最後卻成為世界的主宰。」

收穫與啟發

　　1. 教育方面，懷德海重視通識教育和專才教育，把小學、中學、大學三階段稱為浪漫期、精密期、展望期，這種說法很有特色。

2. 在宗教方面，懷德海強調，宗教是要清潔我們的內部，讓一個人對人生有一種理想，可以把宗教與信仰配合起來。他的歷程哲學對上帝的看法別出心裁。上帝不能處在歷程之外，成為獨立的實體；上帝與世界都在歷程裡面。人類不能缺少上帝，上帝也不能缺少人類，否則雙方都無法被理解。

3. 在道德與審美方面，懷德海也用攝受的觀念來加以解釋。

課後思考

懷德海提到，一個大學畢業生要到課本、筆記都遺失、焚毀了，為了準備考試而背下來的各種細節都忘記了，再問自己學到了什麼，那才是真正學到的。請問，如果你今天在街上與別人談起西方哲學，你能否用自己的話來描寫學習的心得呢？

補充說明

關於學習西方哲學的收穫，在此做一個綜合的說明。

1. 哲學就是哲學史

哲學就是哲學史，這一點在西方哲學上表現得特別明顯。我們特別學到了「三觀」——宇宙觀、人生觀、價值觀，你會發現：

在宇宙觀方面，隨著科學的進步，宇宙觀也在不斷調整，但是永遠不可能完整。

在人生觀方面，每個人都會受到時代和社會的影響，所以不可能有所謂「普遍的」人生觀。你可以有某種基本的人生態度，但是人的遭遇千差萬別，所以我們不要強求，說什麼樣的人生觀才是正確的。

在價值觀方面，那是個人的抉擇，要對它完全負責。抉擇之後就要付諸行動，合理安排自己的人生。

2. 思考過程更重要

思考的過程比思想的答案更重要。譬如，大家要養成澄清概念的習慣。我大學一年級時，教「哲學概論」的老師上課時經常會問一個問題：你說的這個字，請你定義它是什麼意思。經過一年的訓練之後，我們再與別人討論問題，都會說：「且慢，請你先把問題說清楚，裡面有些基本概念是什麼意思？」如此才能進行高效的溝通。否則各說各話，難免浪費時間。可見，哲學就是人生經濟學，讓你可以花較少的時間和精力，高效的完成工作，至少是思想方面的工作。

3. 挫折感

學習西方哲學的過程中，難免會有挫折感。不過，認真學習之後應該會有收穫，覺得人生得到安頓，可以擺脫非此即彼的線性思維，並認識許多哲學家有趣的靈魂。每個人在學習中可能都有類似的體會。事實上，如果在學習過程中沒有碰到困難，也不容易有真正的心得。

第四十四章

生命哲學充滿活力

44-1　柏格森的思想主旨

本章的主題是：生命哲學充滿活力。本節的主題是：柏格森的思想主旨，要介紹以下三點：

第一，柏格森的生平大事。

第二，柏格森的學術背景。

第三，柏格森的思想出發點。

（一）柏格森的生平大事

柏格森（Henri Bergson, 1859-1941）是法國哲學家。1859 年在西方哲學史上是相當特別的一年。達爾文在這一年出版《物種起源》，提出生物演化論的學說，影響後面好幾個世代的人，直至今日。同一年，西方哲學界誕生了三位哲學家，分別是德國的胡塞爾、法國的柏格森以及美國的杜威。

法國哲學家比較重視實際的生活，對嚴謹的學術論辯的興趣較低。柏格森是一位相當特別的法國哲學家，他父親是猶太人，柏格森從小學習數學、物理學，後來興趣轉到形上學。柏格森大學本科讀的是哲學，因為法國高等師範學院不收外籍生，他就加入了法國籍。後來在法蘭西學院擔任哲學系教授，這是他的主要工作。他最重要的著作是在 1907 年出版的《創造演化論》。

他曾短暫的從政，在一戰期間擔任法國駐西班牙大使，也曾短期赴美國擔任全權大使。值得一提的是，柏格森在 1927 年（六十八歲）獲得諾貝爾文學獎，是法國哲學家獲得該獎的第一人。

（二）柏格森的學術背景

　　柏格森的思想有什麼特色？簡單來說，柏格森想要調和科學與哲學。譬如，他當時希望把數學與生物學結合起來，將生理學與心理學進行對照，甚至同時參考精神病學、社會學、歷史學，還進行比較宗教學方面的研究。

　　影響柏格森的有兩個重要的思想。一個是達爾文的演化論，另一個是法國的精神主義傳統。

　　當時幾乎沒有人不受達爾文演化論的影響。達爾文的演化論是用來說明生物的存在與演化的生物學理論，基本原則是「自然選擇」（Natural selection），也譯為「物競天擇，適者生存」。演化論主張，愈是演化的優良品種，愈能夠得以保存。

　　尼采與柏格森都批評過這一說法。柏格森認為，所謂「適者生存」，是說愈複雜的機體愈容易生存。但事實並非如此。如果以生存做為目標，應該是愈簡單的機體愈容易生存；愈複雜的機體，生存所需的條件反而愈多。

　　舉例來說，人類是到目前為止最複雜的機體，但是人的存在很脆弱，天氣稍有變化，人就會感冒生病。所以，達爾文的演化論有一定的困難。

　　柏格森的思想可以用「創造演化論」來概括，即把「演化」加上「創造」。這兩個詞在西方傳統裡本來是對立的：你或者主張宇宙由上帝創造，或者主張萬物由演化而成。但是現在柏格森把兩者結合了起來。

　　此外，法國的精神主義傳統也深深的影響了柏格森。法國從蒙田一路到帕斯卡，無不強調人性豐富的內涵，對於唯物論與無神論均持批評的態度。這就是影響柏格森的兩個思想背景。

（三）柏格森思想的出發點

柏格森希望調和科學與哲學，因此提出自己的一套觀點。他從一開始就反對決定論。決定論最明顯的表現是在心理學上的聯想主義（Associationism）。聯想主義認為，你心裡的念頭是由先前的意識狀態所引發的。你現在看到一樣東西，就會聯想到以前的經驗，前面的原因會決定後面的結果。也就是說，我目前的想法是由過去的某些經驗所決定的。

柏格森反對這種觀點，他的思想從時間的觀念出發。一般人談到時間都會問：現在幾點鐘？你今年幾歲？柏格森認為，我們對時間的觀念已經被空間的觀念所影響。空間是同質的、可以替換的，於是我們就認為時間也具有類似的性質。譬如，本來今天早上要與朋友見面，但由於太忙了，我就說「改成明天早上吧」，好像今天與明天是同質的、可以替換的。因為空間具有同質性，大家就認為，可以透過理性把萬物靜止下來，然後進行抽象、得到概念，再透過概念的分分合合，掌握萬物的情況。柏格森認為，這種觀點正是問題所在，最好把時間理解為綿延。「綿延」從你生下來就開始了，到現在一直存在，並且還在不斷變動之中。

談到時間與空間，都離不開人的意識。心理學的聯想主義認為：人的意識在運作時，意識裡的所有印象都是從過去的經驗中抽象出來的，它們決定了你現在的意識內容。換言之，心靈中的意識狀態可以被區隔為一些簡單的單元，然後以一種機械的方式決定你現在的想法，進而決定你的未來。柏格森認為那是一種錯誤的理解，因為人的意識不可能被設想為與空間同樣的模式。

柏格森的初衷是為了調和不同存在領域之間的分隔狀態。在學術界，像數學、生物學、生理學、心理學這些學科都不應該分割開

來，因為整個宇宙是一個綿延發展的過程。這就好比你不能把一首樂曲分割為某幾個小節，這些小節離開樂曲本身是沒有什麼意義的。又譬如，藝術家在繪畫中所表現的不是當下的心情好壞，而是他的整個生命。

換言之，人的所有作為都不能用概念化的方式來加以區隔和分別對待，整個生命是意識之流不斷流動的過程。所以要區分「綿延」與「時間」的不同。綿延是異質性的，沒有兩個片刻是一樣的。人的意識是一個整體，不能加以分割。

柏格森這樣說的優點是肯定人的意識與自由。但不用「時間」而用「綿延」，在實際生活中會碰到一些困難。譬如，你說你做的每件事情都是整個生命的表現，但這樣說不是也很難被理解嗎？

> ### 收穫與啟發
>
> 1. 法國有一個學派被稱為生命哲學或綿延哲學，它的創始人就是柏格森。柏格森對時代問題有精準的把握，他希望把各種分裂的學科整合起來。所有學科都是人的思想能力建構的，那麼人的思想是什麼？思想要使用概念，所以難免是抽象的，使萬物分而不合；但真正存在的是一個統合的、綿延不斷的力量。
> 2. 柏格森在學術上深受達爾文演化論的影響，但他認為演化論必須配合創造論，才能說明真實的情況，譬如人的自由。同時，他也繼承法國精神主義的傳統，反對無神論、唯物論，充分肯定人的精神力量。
> 3. 柏格森思想的出發點是「時間」的觀念。他認為，時間不像空間那樣具有同質性；時間本身是綿延，不能加以區隔，它跟人的生命不能分開。當你說昨天、今天或明天的時候，你其實並沒有真正掌握到時間是什麼。

關於時間，西方哲學史上有五種觀點：

1. 古希臘的亞里斯多德，把時間當做計算運動的過程。

2. 中世紀初期的奧古斯丁說：「沒有人問我什麼是時間，我以為我知道；有人問我，我就不清楚了。」他把時間解釋為：回到人的內心，就可以記憶過去、肯定現在、想像未來。等於把時間轉到內心的活動。

3. 康德把時間當做人在認識過程中，人的感性的先天形式，把時間從外在拉到內在。

4. 海德格把時間當做人類存在者的生命所表現出的最主要特色——人是在時間裡走向死亡的存在者。

5. 柏格森把時間當做綿延，與以上四種說法有明顯區別。他強調，時間的每一剎那都是異質的而非同質的。這與「時間一去不復返」的意思類似。

課後思考

柏格森認為，要把時間甚至生命的本質理解為綿延；個人生命從出生開始，一路發展下來是連續性的，不能分割成某幾個階段。請問：這種觀點給你哪些啟發，能否讓你對人生有新的看法？

補充說明

柏格森的觀點可以從以下三方面來看：

1. 要以整體的眼光來看待人生。

2. 要意識到生命是一種臨在的體驗。法國哲學家馬塞爾強調「臨在」觀念。柏格森生於 1859 年，馬塞爾生於 1889 年，比柏格森晚三十年。馬塞爾從柏格森的思想中得到很大啟發。

3. 生命是一個綿延的整體，因此要珍惜人生。

在此要談談，我們選擇西方哲學家進行介紹時，究竟以什麼做為標準？

西方哲學從古希臘到中世紀，使用的語言為希臘語和拉丁語。近代西方哲學以法語、德語、英語為主。使用其他語言的哲學家大都不屬於西方第一線的哲學家。

怎樣才算是第一線的哲學家？一位哲學家的著作如果具有原創性，出版之後引起廣泛的討論，甚至在五十年、一百年之後仍然受到別人探討，成為後代學者的思想來源，那麼他當然可以算是第一線的哲學家。我們所介紹的西方哲學家，基本上都能達到這個標準。

那些討論第一線哲學家的著作，頂多算第二線。很少有人透過研究某位哲學家而成為第一線的哲學家。你可以研究別人的思想，但自己本身要有創見。譬如，羅馬初期的普羅提諾，他雖然研究柏拉圖，但他的思想本身具有創造性，於是成為那個時代第一線的代表人物。

後文會介紹德日進的代表作是《人的現象》和《神的氛圍》。特別是《人的現象》一書，能夠從地質學、古生物學，一路談到人的精神世界，成為該領域的代表作。我們可能因為對他不太熟悉，或者因為他有宗教背景，就認為他的思想不太重要，那就是我們先入為主了。

我在求學階段，西方最流行兩派思想：一是邏輯實證論，二是語言分析哲學。但是我不打算對這兩派思想做專門的介紹。原因何在？

首先，邏輯實證論與數學的關係非常密切。以前我有個同事想去美國專門攻讀邏輯，結果別人對他說，你先讀完數學系再來。坦白說，邏輯實證論對社會、對哲學界都沒有太大的影響。這種

思想格局有限，到最後頂多跟語言分析類似，成為一種「意義」的檢證標準。但是那種意義早已被設定好，其標準就是科學界的標準。

語言分析學派在西方當然重要，但是對中國人來說實在強人所難。從希臘語開始，要了解和分析各種語言的結構。維根斯坦（Ludwig Wittgenstein, 1889-1951）在上述兩方面都有一定的影響力。每一個人都有自己的限制，對於語言分析學派，由於我自身能力的限制，所以我不願意勉強去介紹。

柏格森的代表作是《創造演化論》。我們介紹的每位哲學家都有一兩本這樣的代表作，我們讀過之後，會發現它們有其價值。你可能聽說，西方現在流行現象學、結構主義、解構主義、後現代主義等，但不要以為西方人都這樣想。很多學者只是在象牙塔裡關起門來做研究，對世界沒有太大影響。一般人去讀這樣的哲學著作，意義何在呢？當然，如果你去攻讀哲學系研究生、要進一步深造的話，就另當別論了。

44-2　柏格森的生命哲學

本節的主題是柏格森的生命哲學，要介紹以下三點：

第一，柏格森對演化論的看法。

第二，柏格森如何探討意識與自由？

第三，柏格森的《創造演化論》在說什麼？

（一）柏格森對演化論的看法

柏格森最主要的代表作是《創造演化論》，簡稱為《創化論》。柏格森強調，生命的本質在於創新，因為整個宇宙是一個生命衝力（élan vital, vital impetus）。「生命衝力」是柏格森特有的術語，可以理解為一種充滿整個宇宙的強勁的活力。

柏格森的基本立場是反對目的論和機械論。目的論認為，宇宙萬物的存在有一個目的，每一樣東西的存在都是為了完成那個目的。目的論的問題在於：如果目的是預定好的，則無所謂真正的創造或創新。機械論則主張，一樣東西的存在是由機械的方式組成的，變化不過是重新組合而已，就好像把各種零件調整一下，也談不上什麼創新。柏格森反對目的論與機械論，是要強調創新的可能性。因為在他看來，宇宙萬物的演化表現為不斷的創新。

柏格森批評達爾文的演化論，他認為演化的路線並非像達爾文所說的一條鞭法，即從低等到高等一路演化，最後出現了人類。柏格森認為，演化的路線分為三條：

1. 第一條路線，演化碰到物質的世界，譬如石頭、水、礦物質

等。整個宇宙是一個大的生命衝力，物質所顯示的是生命衝力遇到阻礙，只好在那裡停頓下來，所以物質中的變化是非常緩慢的。

2. 第二條路線，生命衝力進入到生命的世界，包括植物與動物。植物具有生命衝力，譬如牆頭小草可以掙扎著長出來。叔本華稱之為「求生存的意志」，尼采稱之為「求力量的意志」，其實都可以用生命衝力來解釋。動物表現得更明顯，牠們有各種求生本能。

3. 第三條路線最重要，生命衝力進入人類。柏格森認為，人類生命的演化跟物質、生物不同。以動物為例，動物都具有本能，牠們以身體器官做為求生工具。譬如獅子靠牙齒與利爪生存；斑馬靠跑得快，牠牙齒不適合咬人，但可以吃草。

人類除了本能之外，還有兩個天然的條件——理智與直觀。理智可以讓人進行抽象的思考，對萬物加以了解和分辨，這是對付外在世界的。柏格森的特別之處是提出「直觀」（Intuition），有時也可譯為「直覺」。如果要面對人類動態的生命，則要靠直觀或直覺才能把握，理智的抽象性對此無能為力。

西方傳統上把人稱為「智人」，就是有理智的人，拉丁文為 Homo sapiens；也稱為「行動人」或「工作人」，拉丁文為 Homo faber。柏格森認為，「智人」反映出人可以透過理智的抽象，掌握到萬物的本質，進而可以建構知識。但真正重要的是「行動人」或「工作人」，因為人要透過活動與世界建立關係。一個人只用理智去思考就會出現問題，因為他脫離了整體生命的大的力量。換句話說，人在使用理智的時候，首先必須把變化的世界停下來，再抽取共同的本質與概念來進行說明。我們由此得到理智所建構的世界，卻忽略真正的世界是怎麼回事。

（二）柏格森如何探討意識與自由？

柏格森思想的關鍵在於他要掌握意識，把時間當做綿延。他認為，我們的意識只能由直觀來把握，只能被理解為綿延。換句話說，意識是一個意識流，它始終是動態的，不斷流動，不能被設想為固定的、被某些因素所決定的東西。意識是對生命的注意，無法由一般的身體狀態去掌握。

柏格森進一步探討什麼是自由。人的自由表現在：人的每一次選擇都是他整個生命的表現。換言之，我的每一次選擇並非只代表我今天的選擇，或只代表我在某種狀態下的選擇。整個生命是連續發展的，不能脫離基本的生命衝力。

柏格森也探討身體與心靈的關係問題。在柏格森之前，關於身心關係主要有四種說法：

1. 認為身體與心靈是一個整體。柏格森認為這種說法過於粗糙，因為這兩者顯然具有不同的性質。如果不加分辨就合在一起，說它們代表最後的實體，顯然不太清楚。

2. 認為身體是心靈的工具。譬如，我心裡想舉起右手，我就舉起了右手。事實上，身體不完全受我們的心靈所控制。如果身體只是心靈的工具，身體本身就沒有自主性可言；但事實上身體有它本身的作用。

3. 主張心靈是身體的一個現象，尤其是腦部的一個現象。譬如，我在思考，就代表我的腦正在分泌腦汁。這種說法不容易得到證實。

4. 主張身心本來是一體之兩面，兩者是平行的。在近代的理性主義裡面，就曾經有人這樣主張。

柏格森認為以上四種說法都有問題。他認為，身體與心靈不一

樣，真正屬於人的在於心靈。人的自我就是他的意識，而意識是一個綿延的整體。人的行動由身體表現出來。如果一個行動是由我的意識決定的，等於是由我整個生命在決定，那麼這個行動就是自由的行動，是屬於我的行動。我的意識並不是在當下某個時刻，忽然決定要做什麼事。

柏格森也承認，人有許多行動未必屬於自己，而是由外在的社會規範所造成的，譬如開車靠右邊。不過，人可以表現出某些行動是他真正想要做的，這樣的行動才是自由的。

（三）柏格森的《創造演化論》在說什麼？

柏格森認為，如果想要了解宇宙萬物的本質，最好的方法就是向內去觀看自己的內在生命。他的建議與叔本華類似。人類的生命本身就是以整個宇宙做為基礎的，所以柏格森的學說被稱為「生命哲學」。

宇宙萬物的基礎是充滿活力的生命衝力，所以宇宙的生命與個人的生命都在生生不息的變遷發展之中。對人來說，生命就是意識，所以不能像物質那樣由「量」來決定，而只能由「質」來觀看。生命衝力的發展有三條可能的路線。人藉由直觀能力，可以直接領悟到生命衝力本身。

收穫與啟發

1. 柏格森從達爾文的演化論出發，認為演化的路線不應該是一條鞭法，而應該有三個方向，包括物質、生物與人類。人與萬物有明顯的差別。人做為萬物之靈，除了本能之外，還有理智與直觀的能力。要面對自己的生命，就要用到直觀。但是通常我們都是用理性進行思考，去處理世界上的各種問題。這就造成

了西方哲學的困難，形成兩極化的區分，各學科之間始終無法聯繫起來。柏格森想調和科學與哲學，他的構想與懷德海有類似之處。

2. 柏格森強調，要了解意識是什麼，首先要理解時間。看待時間不能採用看待空間的方式，把時間當做固定的、同質的，而要把時間理解為「綿延」。一切都在綿延之中，外在的世界連續不斷的發展，我們的意識本身就是一個綿延的存在。意識就是對自己內在世界的注視，由此充分肯定人的自由，擺脫決定論、唯物論等觀念的束縛。

3. 柏格森的創化論主張：生命衝力是宇宙的本體；人藉由直觀，可以直接領悟生命衝力。

課後思考

　　柏格森的「創化論」旨在說明：人的自我在於意識，意識是一個綿延的整體，由此才可能出現真正的自由。你覺得在哪些事情上，你的自由選擇可以表現你個人生命的整體？

44-3　柏格森對道德與宗教的看法

　　本節的主題是：柏格森對道德與宗教的看法，要介紹以下三點：

第一，封閉的與開放的社會。

第二，柏格森的道德觀。

第三，柏格森的宗教觀。

（一）封閉的與開放的社會

　　柏格森肯定宇宙萬物的本質是一種生命衝力，這種生命衝力有三個發展方向：無生命的物質、有生命的植物與動物，以及人的層次。人習慣使用理智去把握抽象的概念，由此了解世界；但人除了理解之外，其實是活在這個世界裡。人除了理智以外，還具有直觀的能力。直觀讓人的內在意識於整個實在界中發現了「綿延」，綿延是生命衝力的存在形式。

　　柏格森認為，在動物世界，生命衝力也會展現出一種基層團體的傾向，也就是形成某種類似社會的結構，蜜蜂與螞蟻就是最明顯的例子。但是牠們形成的是一個封閉的社會。有封閉的社會，相對的就有開放的社會。柏格森後面探討道德與宗教，都與「封閉與開放」這種區分有關。

　　柏格森認為，封閉的社會局限於某一個確定的群體，其中的成員由相互的約定所結合，隨時準備著攻擊或者防禦，保持一種戰鬥的態度。一個封閉的社會在生存競爭之下，同其他的社會之間會有

一種緊張的關係。相對於此，開放的社會在原則上包容整體人類。柏格森最後一本代表作是《道德與宗教的兩個來源》，他強調道德與宗教都有兩個來源。他的說法主要就是基於上述兩種相反的社會之觀念。

（二）柏格森的道德觀

有自由才有道德問題。但是，一般人的自由是為了社會的要求而運作的。譬如，我們從小被要求守規矩，好好學習，應該這樣、不應該那樣；久而久之，這種要求就內化為我們的良心，這個良心其實有「社會我」的影子。

所以道德可以分為兩種，封閉的道德與開放的道德。「封閉的道德」強調，良心是「社會我」所造成的結果，道德來自於社會的壓力。為什麼人需要這種封閉的道德？因為社會是群體的共同生活，如果個人的自我意識太強，就會為了自己的利益而拒絕接受社會的安排。

舉例來說，有一群螞蟻本來分工合作，但工蟻看起來很可憐，牠一年到頭在工作，從來沒有任何享受，而有的螞蟻什麼都不做就可以坐享其成。假如有一天這群螞蟻有了自我意識，工蟻就會質疑：為什麼我天天做工，而牠卻天天享受呢？一旦開始為自己的利益著想，群體內部很容易就會產生分裂。人的社會也一樣，一定會有某種習俗或道德。在古代封閉的社會中，道德就等於習俗，人的一切作為都由部落或族群所規定。所以，封閉的道德是為了維護社會的安定而存在的。

什麼是開放的道德？它不是為了保護社會的存在，而是為了個人更高的期許。一個人不再是為了一個社會而存在的，真正的個人可以撇開現在的角色或是人際關係而去思考：做為一個人，我應該

如何？這時就會出現理想主義，讓人對自己有更高的期許。他把人之所以為人的理想做為道德實踐的目標，這樣的目標可以和宇宙創化的過程連在一起。宇宙是一個生命衝力不斷創化的過程。個人在實踐道德時，也可以透過這樣的模式，讓自己展現出「日新又新」的面貌，使自我的實現與宇宙的創造力結合在一起。換句話說，開放的道德可以突破社會的格局，使人提升到和宇宙的生命衝力相通的程度。

（三）柏格森的宗教觀

柏格森認為，凡是具有道德的社會，也一定同時具有宗教以保障社會的統一。如果沒有宗教，道德難以長期維持；如果沒有道德，社會也無法長期維繫。宗教也分為兩種——靜態的宗教與動態的宗教，或稱封閉的宗教與開放的宗教。

所謂「靜態」或「封閉」的宗教，是人的本性為了防止理智活動而產生的保護力量。它可以保護我們的社會，不要因個人的理智替自己考慮而使社會分化。可見，柏格森念念不忘的，是要防備那個專門進行概念抽象的理智。

靜態宗教特別強調神話與禁忌，要利用宗教的力量來約束個人，這一點與封閉的道德類似。社會需要保存，個人也需要保障，所以靜態宗教也可以保障個人的安全。譬如，人由於不知道死後的情況而難免怕死，宗教就發明各種神話，讓人不必害怕，給人各種來世的保障。

所以，靜態宗教至少有兩個功能：

1. 保障社會的安定，讓個人因為有各種神話與禁忌而不敢去危害社會；
2. 保障個人的安全，因為人都害怕死亡，所以宗教對於死亡會

有一個明確的解釋，譬如死後有輪迴或者上帝有公正的審判，讓大家比較安心的去面對人生的最後一關。

與靜態的宗教不同，動態的宗教會讓一個人的生命顯示出活力，生生不已，最後進入一種愛的境界。動態宗教本質上是一種密契主義（Mysticism），它肯定人的心靈可以超升到與宇宙萬物合一的境界。「密契」的意思就是統合、合一。合一有很多種，對於柏格森所謂的「動態宗教」來說，「合一」是指一個人可以達到一種密契境界，體驗到宇宙的生命衝力。

所以，動態的宗教不是為了要維護社會的安全或者是保障個人的安心，它超越了自我與社會的要求，進入到博愛的境界。愛人與愛神這兩者的關係密切，人類都趨向於愛神的境界。在基督宗教的密契主義裡，這種愛可以達到極致──透過神，藉著神，在神之內，以神性的愛去愛全體人類。這種動態的宗教不會區分教內、教外，也不會像某些原教旨主義者那樣，堅持只有自己的教義是唯一的真理。

最後再來總結一下柏格森的思想。柏格森做為哲學家，在1927年獲得諾貝爾文學獎，可見他的哲學觀點受到普遍重視。二十世紀的許多哲學運動都受到柏格森的啟發，他在一定程度上左右了當代有關時間、生命、人、社會、道德與宗教方面的想法。他認為，直觀是生命衝力的純粹表現。我們不能把這個觀點說成是非理性主義，因為生命就是意識。柏格森思想的特色是把理智與直觀對照，進而強調直觀的重要性。

另外，柏格森還繼承法國精神主義的傳統，對後期的精神主義與存在主義都產生相當深遠的影響。他的作品富有原創性，每一次閱讀都會讓人有新的收穫。他本人雖然沒有形成明確的學派，卻影響許多後起的哲學家，如下文要介紹的德日進。

收穫與啟發

1. 一個社會總有某些開放的或封閉的成分。到目前為止，沒有哪個社會是完全對其他人開放的；同時，社會本身也有其時空的特色、文化與歷史的背景，所以不可能是完全開放的。柏格森只是提出一種哲學架構讓我們去思考。如果你知道宇宙萬物其實是同一個生命衝力在運作、人的意識其實是一種綿延的話，就不會用純粹抽象的方式去界定你是哪一國、哪個種族、哪個地方的人，人與人的差異很容易化解，因為所有人都屬於同一類，甚至人類和宇宙萬物的生命衝力都可以相呼應。

2. 柏格森認為有封閉的與開放的道德，宗教也有靜態與動態之分。他這樣區分的用意是希望我們走向開放的道德與動態的宗教。因為這兩者都可以讓人性往上提升，最後不但可以讓人類本身互相關懷、互相肯定，甚至可以讓人類同宇宙的力量結合在一起。他的哲學充滿活力，可以給人帶來希望。至於他的學說是否過於忽略人生的負面情況，像人間有各種罪惡、墮落，甚至有毀滅的威脅，這一點可以再做進一步的討論或修正。

課後思考

　　柏格森說，道德有封閉的與開放的兩種。簡言之，「封閉的」道德側重於被動的約束，「開放的」道德則可以讓人主動感受到人與人之間有深刻的同質性與密切的關係。請問，你最近有哪些表現比較接近開放的道德？

44-4　德日進的基本觀點

本節的主題是：德日進的基本觀點。德日進（P. T. de Chardin, 1881-1955）是一個比較特別的人物，他在哲學上的貢獻有些曲折。本節要介紹以下三點：

第一，德日進的生平。

第二，德日進思想的背景。

第三，德日進的核心觀念。

（一）德日進的生平

在當代哲學家之中，致力於調和科學與人文的學者，包括威廉・詹姆斯、懷德海與柏格森。德日進把這項工作繼續下去，並取得了成就，因此值得我們重視。

德日進是法國人，出生於一個大家庭，有十一個兄弟姊妹，他從小就養成了合作與友愛的習慣。他的父親是一位半貴族式的地主，酷愛博物學，母親是虔誠的天主教徒；所以德日進後來同時愛好科學與神學，進而希望把兩者加以融合。他十八歲時加入天主教耶穌會，接受耶穌會的訓練，在學術上有一定的水準。

在十六世紀馬丁・路德進行宗教改革期間，天主教內部也有反省與改革的聲音。西班牙神父羅耀拉創立了耶穌會，它是天主教內部的一個修行團體，特別重視忠誠、學術以及獻身於社會改革。

德日進的年代是 1881 年至 1955 年，在他成長過程中，正好看到柏格森出版的《創化論》，深受生命衝力觀念的啟發。他學習的

範圍很廣，包括古生物學、地質學、哲學、神學等，並在古生物學方面獲得博士學位。他從四十二歲至六十六歲，有二十四年之久都在中國從事研究。他參加過「北京智人」的考古活動，還確定北京智人是一位女性。

他的主要著作也在這一階段寫成。他是天主教神父，出版任何書籍都要經過教會的批准。德日進的思想比較超前，他對於演化論有自己的見解，對於「原罪」的看法也與教會的正統思想不合，所以他的兩本代表作——《人的現象》與《神的氛圍》，在他死後才得以出版。

（二）德日進的思想背景

德日進的思想背景有以下三個方面。

1. 演化論

二十世紀初期，自然科學的發展以演化論與人的生命最有關係。從宇宙的來源一直到人類生命的出現，演化論提供了一套合理的解釋。德日進接受演化論的說法，這在當時對於一個基督徒來說是很大的挑戰。因為接受演化論就會懷疑：世界與人類是不是上帝創造的？何況德日進是耶穌會的神父，一生專務於宗教上的奉獻。

1926 年在中國期間，他寫信給朋友說：「在學術上，我一直對地質學的技術研究深感興趣，因為在地質學上還有許多等待解決的問題。但是這兩年來，我逐漸把史前史的研究轉到現代人性的問題上，發展出一個清楚的念頭——人是大地現象的極致，是地質過程和偉大的生命之流的巔峰。」

德日進強調，他發現了地質學的人性發展。他認為，目前最重要的工作是要提醒那些研究人的學者，包括地理學家、經濟學家、政治學家等等，要知道他們所研究的生命現象，其實是一種有最高

秩序的地質現象，人是有最高組織的生物，或者說人是一種超生物現象。德日進強調，演化不只是生物的，也是社會的與心理的，並且演化有其終極的目標。這就是他的代表作《人的現象》裡所談論的重點。

2. 柏格森的生命哲學

柏格森的哲學是從達爾文的演化論延伸發展而來，認為真正的演化是一種創造的演化。宇宙本身是一個生命衝力，演化是整體力量的表現，在任何地方都能發現這種力量的存在。所以，主張演化論並不妨礙創造的演化之可能性。德日進認為，上帝創造世界以及世界由演化而來，這兩種觀點並不矛盾。上帝創造出世界的原始形態，使其充滿生命力，這個生命力慢慢的演化，最後出現了人類。

3. 基督宗教的信仰

德日進本人是神父，對於基督宗教的傳統神學觀念有深刻的了解；他同時又研究自然科學，總希望把這兩者加以協調。

（三）德日進的核心觀念

德日進的核心觀念就是要說明人是一種什麼樣的現象。他是古生物學家及地質學家，所以喜歡用立體的方式來表達：把地球做立體的切割，從橫截面來看，地球最中心是鋇層，即金屬層；第二層是鋰層，即岩石層；第三層是流體層，就是水。這與我們一般人所了解的地球結構差不多，從內向外是金屬層、岩石層、流體層，所以地表之外是海洋。

但人類出現以後，整個地質的面貌發生了改變。如果透澈的研究地質學，就會發現在原有的金屬層、岩石層、流體層之上，又出現了一個心靈層。地球表面之上都是人類心靈所造成的效果。譬如，你看到海上有一艘船，那不就是人類製造的嗎？人在地表上建

造各種房屋和設施，那不是人類文化發展的結果嗎？所以研究地理要分自然地理與人文地理，人文之外還有天文，這是整個的立體架構。德日進把人類的出現做為他的研究核心。

他進一步指出，萬物最初都是由簡單的粒子（如質子、中子、電子）所組成，簡單粒子結合成原子，再進一步形成分子，組合成細胞，形成有機體，然後出現生物。在發展的過程中，相同層次的因素組合起來，變成愈來愈複雜的有機體，再隨著時間的發展而不斷演變。這就是演化論的基本假定，與我們在經驗世界中所見的現象是吻合的。

演化過程牽涉到科學上的基本定律，如熱力學定律。德日進認為，在能量轉化成熱量的過程中，物質的內部與外部會不斷發生融合與變化。這時會出現熱力學第二定律的問題，就是所謂「熵增」現象，最後會導致「熱寂」的結果。

簡單來說，任何物理或化學系統都有造成最大混亂度的趨勢，它的組成成分都會趨向更混亂或無規則的結果。在一個封閉系統中，各分子熵的總和只會增加不會減少。因此，地球在把能量變成熱量、造成各種變化之後，熱量無法完全回收，不能再做功，於是有一部分熱量就會散失。長此以往，地球的能量終將耗盡。

在德日進當時，科學家估算能量耗盡的時間約為一百五十億年，現在則縮短到約八十億年。如果地球終究結束，那麼人的現象又有什麼意義呢？這就是德日進一生關懷及探討的問題。我們下一節再介紹他給出的答案。

收穫與啟發

1. 德日進是一位特別的哲學家，他有明確的宗教身分，又有古生物學、地質學的研究背景，他希望把科學與神學加以協調。他

從四十二歲至六十六歲，有二十四年之久都在中國從事研究。
他的名字如果按照法語發音直譯的話，就變成「德俠旦」了。
「德日進」這個名字出自《莊子》，是他在中國期間由朋友幫
他取的，意思是德行每天都在進步。

2. 德日進的思想背景主要有三方面，除了基督宗教的信仰之外，
他還受到達爾文的演化論和柏格森的創造演化論的影響。

3. 德日進一生的目標是希望說明人的現象是怎麼回事，再進而解
釋人生意義的問題。

課後思考

根據德日進所說，整個宇宙演化的目的是要讓人類出現。人類
有意識能力，就像宇宙的生命達到意識的層次，可以覺察宇宙要
何去何從。人類責任重大，不但要為自己的一生負責，還要為整
個宇宙尋找正確的方向。你對此有何想法？你覺得怎樣才能承擔
起對宇宙未來的責任？

補充說明

米蘭‧昆德拉在《生命中不能承受之輕》中說：「人類一思
考，上帝就發笑。」上帝在笑什麼？他在笑人不自量力。人的頭
腦再怎麼思考，都無法想通根本的道理，譬如，人為何會出現？
人出現之後該如何面對他短暫的人生？

然而，人畢竟還是跨過了反省的門檻，可以進行思考。那麼是
誰讓人可以思考的？人的出現看似偶然，但是人發現自身的處境
之後，就要擴大負責的範圍，最後要為整個宇宙的未來負責。

所謂「偶然」並非沒有原因，而是到目前為止尚未找到原因。
近代西方哲學家萊布尼茲曾提出「充足理由原理」，即任何東西

的存在一定有其充足的理由，否則它不會存在。這也是針對人有理性、可以思考來說的。人既然能夠思考，就可以給自己一個理由，賦予自己一種使命感。

　　人要為整個宇宙的未來負責，這是不是把人看得太重要了？問題的關鍵在於：人可以思考這個問題，因此這個問題就與人類密切相關。事實上，宇宙的未來也牽涉到人類的未來，並進一步牽涉到個人生命的意義。所謂「意義」就是理解的可能性。我能理解自己為何會出現在這個世界上嗎？為了理解，我必須對宇宙做一個全盤的解釋。

44-5　德日進所見的人類的未來

本節的主題是：德日進所見的人類的未來，要介紹以下三點：
第一，人是如何出現的？
第二，人的信念。
第三，科學與宗教。

（一）人是如何出現的？

　　德日進的創見在於，他對於人的出現有明確的看法。他從地質學與生物學的角度發現：雖然宇宙萬物的變化都符合熱力學第二定律，最後不可避免會出現熱寂的結局；但是當一樣東西的外表發生改變時，它的內部也會產生變化，這是問題的關鍵。隨著一樣東西的結構趨於複雜，它內在的意識也會由簡單趨於複雜。

　　德日進據此提出「複構意識定律」，亦即複雜的結構會帶來意識的出現。譬如，石頭或水的結構很簡單，談不上有什麼意識。但從植物到動物，一直到靈長類，隨著結構愈來愈複雜，意識的表現也愈來愈明顯。

　　有一次我在動物園看到一隻猩猩，旁邊有一個簡單的介紹：當一隻猩猩的體格與人相似時，力氣比人大四倍，但其腦容量只有人類的四分之一。人類的腦容量大，代表神經的結構更為複雜，根據複構意識定律，人類的意識就會跨過「反省的門檻」。

　　一般生物的意識都是向外的直接意識，而人類跨過反省的門檻，出現了「反省意識」，可以意識到自己。反省意識的重要性在

於，它可以讓我們把過去的記憶重新加以組合，從而對未來有一種創造的能力。所以，人不僅能像其他生物那樣知道許多事情，還能知道「自己知道什麼」，因而在對世界的認知和對自我的理解上，都遠遠超過其他動物。換言之，人跨過反省的門檻，出現反省意識，然後發現自己內部生命的特色。

人如何跨過反省的門檻呢？達爾文在《演化論》中承認，從「準人」到真正的人，中間有一個失落的環節。德日進要設法解釋這個問題。他認為，當我們的祖先同其他的人猿一起生存競爭時，可能出現了難以置信的意外事件，譬如不斷的閃電或山崩這種大自然災難，使我們祖先這一組人猿從沉睡中忽然醒來。在此之前，他們的意識與其他動物一樣，只能向外投射去掌握外在的一切；現在，意識可以回到自己，好像突然醒了過來，發現原來我就是我，我是不一樣的。人於是跨過了反省的門檻。

在《舊約・創世紀》裡，有一段描述很有意思。上帝創造了亞當、夏娃，讓他們住在伊甸園內。後來他們沒有遵守上帝的命令，吃了不該吃的知善惡樹的果子，於是他們眼睛張開之後，發現自己赤身裸體。

亞當、夏娃的眼睛以前不可能沒有張開，但只能向外看，卻無法看到自己，這與其他動物沒什麼差別。但吃了知善惡樹的果子之後，立刻發現自己赤身裸體。「發現自己」代表出現自我意識。其他生物不穿衣服不會覺得羞愧，但人類的小孩子成長到某個階段，不穿衣服就會覺得難為情了。

《舊約・創世紀》寫於西元前十一世紀，當時對人的了解還相當有限，但這句話是一個關鍵。換言之，歷史上可能出現難以置信的意外事件，使人類的祖先忽然之間跨過反省的門檻。除此之外，目前沒有更好的解釋，而且這一過程也無法進行複製。

　　也有人提出一些問題，譬如宇宙那麼大，誰能保證在大爆炸之後，在無數的星球裡面，只有地球上出現人類？難道只有地球具有讓人類產生的條件嗎？但是，人類這種高級的、有理性的生物的出現，實在是一個相當特別的事件，這就是德日進的重要見解。他並沒有從神學的角度來解釋人的出現，而是採用演化論的立場，在最後的關鍵時刻，再配合《聖經》來加以解釋。他一方面承認演化的客觀現象，另一方面也維護上帝創造世界與人類的宗教觀點，使兩者得以配合，而不至於產生直接的矛盾。

（二）人的信念

　　人跨過反省的門檻，出現自我意識，有自己的位格，可以做為一個主體，進行知、情、意各方面的活動。問題是：人的位格要如何發展？人類是在宇宙演化過程的最後階段出現的，等於是宇宙醒了過來，具有精神力量或意識。

　　我們已經知道，熱力學第二定律最後可能導致宇宙歸於沉寂，所以人類要回答一個問題：人類的未來在哪裡？宇宙的未來要往哪裡走？現代科學的發展應該有一個明確的目標，要尋找新的能源，使宇宙的能量不要耗盡。太陽的能源將來注定要消失，而人類的智慧是否能讓能源再生、讓地球永續存在？因此，人與人要團結起來，一起思考，分工合作，因為僅憑一己之力是無法了解整個宇宙各個層次的。

　　另一方面也要面對更加殘酷的問題。人類研發出的各種武器，可以提前讓人類甚至整個地球毀滅。所以德日進提出「超級位格」的觀念，即人群共同組成的社會的和諧表現。人不只是為了自己，也是為了群體。群體合作，並且是所有國家與民族的合作，才可能成功找到人類以及宇宙發展的方向。

（三）科學與宗教

　　為什麼德日進的思想在哲學界沒有引起特別注意？因為他是天主教的神父，出版著作要經過教會的審查，而教會一向比較保守，所以直到德日進過世以後，他的著作才得以出版。

　　德日進形容，人活在世界上，就像在坑道裡的礦工。當礦坑發生災變，聽到轟隆巨響時，礦坑被封起來了，這時的礦工一定是悲觀的。如果沒有任何信仰，等於沒有人知道有沒有出路。你問一個人說：「你要帶我們去哪裡？」說穿了只是去墳墓而已，因為人最後都要埋葬在墳墓裡面。

　　能否找到出口呢？這就和宗教信仰有關了。信仰並不是一種單純的安慰而已，它來自於人的內心深處有一種要求超越與突破的力量，還要得到某種啟示才能成立。德日進是基督徒，對於宗教有很深刻的體會，他相信上帝是一切的開始，也是一切的結束。他用希臘字母的第一個 α 與最後一個 Ω，分別代表開始與結束。演化過程的關鍵在於耶穌基督的出現。耶穌本人是人也是神，他把人的典型充分體現出來，讓人可以往上提升到神的層次。

　　德日進另一本重要著作是《神的氛圍》，書中強調：人的一生不能離開活動，做為信徒必須熱愛他的工作，投入這個世界，在人間好好努力。德日進說：「你們是人，但我們基督徒更是人。」「更是」兩個字說明，他做為基督徒可以更積極的入世，同時不會受到世間得失成敗太大的影響。

　　德日進還發明了一個詞叫做「人化」（Hominization），意思是讓它變得像人。這個世界是物質的，只有人才有精神。所以人不但要發揮自己的精神，還要把世界的精神也發揮出來。他強調，要把我們身邊的存在物都「人化」，把它們當做人來看待；把所有具

體的物質經過人的安排，都變成蘊涵人的精神意義。這樣一來，就
能把世界變成像人一樣，具有生命的精神特質。

　　做為個人要在哪些方面努力呢？德日進提到三點：純潔、信賴
與忠實。「純潔」是指目標純正，有真誠的情感。「信賴」是相信
人類不是莫名其妙出現的，要相信人類對世界負有責任，要配合上
帝的力量，幫忙照顧這個世界，一起尋找出路。「忠實」就是要實
踐自己的責任。

　　最後，德日進用一句詩來形容人類的前途：「在我看來，地球
的整個前途，正如宗教一樣，在於喚醒我們對未來的信念。」代表
人的未來不應該只是在這個世界上發展，還應該有宗教信仰做為出
路。德日進也清楚指出，我們對宇宙的前途不應該悲觀，因為人已
經跨過反省的門檻，具有思想的能力，可以決定自己發展的方向。
德日進以他的方式把科學與宗教融為一體，使兩者不再對立，還可
以互相配合。

收穫與啟發

1. 德日進說明了人的出現。從整個地質學看來，人屬於最外表的
   心靈層。經過漫長的演化過程，人類擁有最複雜的機體結構，
   由此帶來內部意識的提升，使人跨過反省的門檻，出現自我意
   識，可以進行思考，這就是人的生命特色。人類是宇宙精神的
   覺醒，所以要承擔起責任，找到新的能源，避免「熵增」威
   脅，使宇宙繼續存在下去。
2. 人與人應該合作，共同找到人類未來的方向。
3. 德日進認為，科學與宗教可以協調，他的目標不僅是協調創造
   論與演化論，還要更進一步向未來前進。他一方面接受科學研
   究的重要啟示，另一方面也肯定人的生命有超越科學的部分。

對於宇宙的未來該往哪裡發展，他做出清楚論述，並提出他的方法：人類要團結起來，為了地球的永續存在而通力合作。

課後思考

德日進的思想讓我們眼界大開，從個人到世界到地球，甚至擴及整個宇宙。把宇宙未來的命運交在人的手上可能責任太重，請問：你對身邊的親友、同事、國家或整個人類要怎樣做，才能不斷跨越每個範圍的限制，讓自己往更寬廣的領域去發展？

第四十五章

美國哲學的發展

45-1　新英格蘭的先驗主義

　　本章的主題是：美國哲學的發展。本節的主題是：新英格蘭的先驗主義。

　　美國在 1776 年建國，人口主要是由歐洲移民組成，所以在哲學方面，美國接受並發展了歐洲的思想。事實上，哈佛大學早在 1636 年，也就是美國建國之前就成立了。哈佛大學先是設立神學院，培養基督教傳教士，教學內容自然也以歐洲傳統為主。直到大約兩百年之後，哲學思想才開花結果。新英格蘭先驗主義是由美國本土發展出來的思想，它的代表人物包括愛默生與梭羅。

　　本節要介紹以下三點：

　　第一，新英格蘭先驗主義是什麼？

　　第二，新英格蘭先驗主義對宇宙與人生的看法。

　　第三，新英格蘭先驗主義塑造了美國心靈。

（一）新英格蘭先驗主義是什麼

　　「新英格蘭先驗主義」這個詞在說什麼？「新英格蘭」是指美國的一個地區。英格蘭本來屬於歐洲英倫三島的一部分，移民人口到美國之後懷念祖國；並且美國最初的十三州主要位於美國東北區，以麻塞諸塞州波士頓的哈佛大學為中心，這裡的緯度及各方面條件與英格蘭相似。因此，哈佛大學所在地就被取名為劍橋，當地就被稱為「新英格蘭地區」。

　　從「先驗主義」（Transcendentalism）這個詞可以看出，這個

學派顯然受到德國哲學家康德的影響，他們肯定：生而為人，自然會具備一組先天的思維模式；它們並非得自經驗，而是反過來，藉由這些思維模式，才產生人類的各種經驗。康德把這種思維模式稱為「先驗形式」，它來自心靈本身的能力，屬於直觀或直覺的作用。因此，凡是直觀或直覺所得都可以稱為先驗的。一般認為，新英格蘭先驗主義受到康德及德國唯心論的影響，立場偏向唯心論，尤其是具有歐洲十九世紀浪漫主義的色彩。

　　初期的美國知識份子試圖閱讀德國哲學家的書，但是很少有人能真正掌握他們的意思，吸引美國學者的反而是歐洲浪漫主義的文學家和詩人，像歌德、諾瓦利斯（Novalis, 1772-1801）、華茲華斯（William Wordsworth, 1770-1850）、卡萊爾（Thomas Carlyle, 1795-1881）等人，他們是浪漫主義運動的代表，年代與德國唯心論的幾位學者相近。透過他們的文學作品，美國學者得以了解歐洲的哲學。

　　所以，「新英格蘭先驗主義」並不是嚴格意義的哲學運動，而主要是一種文學現象。他們在知識上有折衷主義的傾向，同時強調個人主義，尊重每一個人主觀的看法，顯示出一種熱情，形成感性的風潮，影響了十九世紀美國文化生活的各個方面。他們因為喜愛歐洲的浪漫主義，而無法忍受上一代所奉行的狹隘的理性主義、宗教虔信主義以及保守主義，顯示出多元化、異質化的特色。

（二）新英格蘭先驗主義對宇宙與人生的看法

　　他們不再認為自然界是一部大的機器，由一種非人的力量在控制和運作。相反的，他們認為自然界是一個有機體，是人的心靈的象徵與模擬。他們特別受到詩人的啟發，由此領悟道德修養的含義，要向宇宙的規律看齊，過一種有秩序的生活。

在人生方面，他們肯定：人的精神肖似神的性質（這一點遠承自古希臘時代的柏拉圖主義），個人的良心具有高度的權威；人生是一個有機的整體，每一個方面都有它的意義，也有它的自主性與能動性。

他們受到歐洲浪漫主義運動的啟發，重視人的生命的個體性與感受性，重視想像力勝過理性，肯定創造力優於理論，強調行動優於沉思，認為文化上的最高成就來自於富有創意的藝術家的自主活動。這些就是他們對宇宙與人生的看法。

（三）新英格蘭先驗主義塑造了美國心靈

美國哲學的初期發展與歐洲有兩點不同：

1. 它沒有像德國唯心論那樣，捲入枯燥的認識理論的探討；
2. 它也沒有像宗教改革之後各派基督教那樣，捲入神學理論上的爭議。

美國哲學走出這兩方面的困擾，回到生活的世界；在宗教信仰上，他們也試圖擺脫狹隘的喀爾文主義。

喀爾文教派是基督教裡面一個重要的派別。在新英格蘭地區，當時較具有優勢的基督教教派是「唯一神教派」，他們不承認傳統所謂「三位一體」的神，而是肯定神只有一位。但他們後來也開始強調人文主義，在宗教上不再堅持某些嚴格的立場。

另一方面，歐洲原來有德國與英國的浪漫主義運動，他們最初都羨慕法國大革命的成就，後來看到法國大革命演變為恐怖主義，於是他們不再抱有幻想，不再誓言革命，而是開始倡言改革，立場趨於保守。這一點影響到美國的先驗主義學者，他們對社會也採取改革的態度。他們反對帝國主義、官僚系統以及文化上的粗俗主義，也反對蓄奴制度，並由此引發美國的南北戰爭（始於1861年）。

收穫與啟發

1. 美國是一個移民社會，許多人從歐洲來到美洲新大陸。初期的移民中很少有哲學家，他們就是一群熱愛自由、嚮往和平的人，其中有許多傳教士與知識份子，很自然的把歐洲的思想帶到美國。哈佛大學早在 1636 年就成立了，開始時側重於神學方面，採取宗教上的立場。

經過約兩百年的耕耘，才出現屬於美國本土的思想 —— 新英格蘭先驗主義。從「先驗主義」一詞可知，他們深受德國唯心論的影響。但哲學家的作品非常難念，像康德、費希特、謝林、黑格爾的著作全都晦澀難解。同時，十九世紀的歐洲盛行浪漫主義思潮，出現了一批文學作家，像德國的諾瓦利斯、英國的華茲華斯等，他們以小說、散文與詩歌等體裁，表達出浪漫主義的思潮，對於美國的影響反而更為深遠。

所以，新英格蘭先驗主義並不是一種嚴謹的哲學運動，而是一種文化上的風潮，由此塑造了美國的心靈。他們重視直觀、感受性、想像力以及個人的信仰，肯定有不可測度的力量或無限者的存在。

2. 新英格蘭先驗主義在宇宙觀方面，認為自然界是有機體，與人的心靈相呼應，可以引導人從事道德方面的修養，確立合乎自然秩序的生活態度。在人生方面，肯定人的精神肖似神的性質，個人良心具有高度的權威，人生是一個有機的整體，各方面的發展都有一定的價值。

3. 新英格蘭先驗主義塑造了美國心靈，使美國與歐洲有所不同。對於哲學或神學上複雜而深刻的各種爭論，他們沒有太大興趣。在宗教上，他們擺脫狹隘的教義，逐漸趨向於一般人所能

接受的人文主義。對於社會，他們對革命不再抱有幻想，而是宣導改革運動。他們反對當時美國盛行的蓄奴制度，後續引發南北戰爭。這個思潮有兩位具有哲學特色的代表人物，就是後文要介紹的愛默生與梭羅。

課後思考

文學對人生的影響更為廣泛而深遠，但一部文學作品是否含有哲學思想的成分，也決定了它能否長期流傳、並產生更大的影響。在中國的文學作品中，有哪一部使你對於宇宙與人生產生了某種明確的看法？

補充說明

一般而言，文學作品談到宇宙，通常都會把它與人生進行對照，大體上可以分為四個層次：大與小，長久與短暫，多與少，有與無。

大與小：宇宙浩瀚無垠，而人的生命從表面看來非常渺小。

長久與短暫：宇宙亙古綿延，而人的生命如此短暫。

多與少：萬物品類繁多，而人只是萬物之一。

所以在大與小、長久與短暫、多與少之間，宇宙與人生的對比如此強烈，很自然會讓世人對宇宙產生敬畏之心。

最後是有與無。人的生命結束之後，宇宙繼續存在。到底「有」是怎麼回事，「無」又是什麼？文學家對這樣的宇宙充滿感慨。許多中國古代的文人從道家的著作裡得到不少啟發。

對於人生，文學作品最常感慨「世事無常」。人的生命有生老病死，無論是善惡報應還是其他的一切，往往事與願違，到最後都歸於無奈。每逢過年，大家彼此祝福「心想事成」，其實我們

可能沒有太複雜的想法，只是想過一個安生的日子罷了，到最後也只能順命。一般人從文學作品裡面學到的，往往只有無常、無奈與順命，但這種順命是被動的。

如果真的了解儒家、道家的思想，就會發現其中有積極的主動性。就像莊子說「安時而處順」，對於在時間過程裡所遭遇的一切，我都能安心的逆來順受，心中毫無違逆之感。這樣的心態就比較健康。

我們很容易回溯到儒家、道家的思想，因為它們確實有比較完整的人生觀。至於這種人生觀背後的宇宙觀如何，則要靠每個時代的科學家來做出詮釋。但不管如何詮釋，宇宙與人生之間的「大小、長短、多少、有無」這四種對照是無法避開的。在這種情況下，學習道家思想比較容易得到啟發。

45-2　愛默生的人生探索

　　新英格蘭先驗主義是美國早期的哲學思潮，它並非純粹哲學性的，而是一種文化風潮。本節的主題是：愛默生的人生探索，要介紹以下三點：

第一，愛默生的成長經歷。

第二，愛默生是非典型的哲學家。

第三，愛默生在哲學上為什麼受人注意？

（一）愛默生的成長經歷

　　愛默生（R. W. Emerson, 1803-1882）生於美國波士頓，父親是當地基督教唯一神教派的牧師。愛默生八歲時父親過世，由虔誠的母親與姑姑撫養長大。他後來考上哈佛大學，進入神學院，決定做一名牧師。

　　愛默生是美國先驗主義的代表人物，擁有豐富的想像力。德國哲學家尼采早期也受過愛默生的影響，曾經羨慕他有多層次的思想，以及對生命充滿喜悅的態度。尼采認為愛默生是十九世紀少數重要的作家之一。愛默生閱讀的範圍很廣，包括古代波斯宗教家查拉圖斯特拉、中國的孔子、伊斯蘭教的穆罕默德、新柏拉圖主義、萊布尼茲，以及近代哲學家孟德斯鳩、盧梭等等。同時，他對於德國的浪漫主義運動很感興趣。

　　愛默生在二十八歲時（1831 年）妻子過世，他十分痛苦，於是問了四個問題：第一，人的靈魂真的不死嗎？第二，人可以靠自

己而活在世上嗎？人能否有自我的尊嚴呢？第三，人的行為在世間
有因果報應嗎？第四，人與萬物可以互相呼應嗎？這四個問題令他
深感困惑，於是他放棄牧師的職務，專門從事思考與寫作。

　　1833年，愛默生造訪歐洲，特地拜訪英國幾位浪漫主義作家，
如柯勒律治（S. T. Coleridge, 1772-1834）、華茲華斯及卡萊爾。他
與卡萊爾暢談了二十四小時，兩人後來成為交往一生的朋友。

（二）愛默生是非典型的哲學家

　　愛默生要在沒有任何外在線索的情況下，探討上述四個問題。
亦即在沒有任何宗教的奧援之下，一個人能否解決「生命的意義」
這個問題？他只能從自己的內部去尋找線索。

　　愛默生是「非典型」哲學家，因為他不是具有批判心態的哲學
家，也不是唯心論的形上學家——這兩點是當時歐洲對哲學家的基
本規定。愛默生是一個直觀的、德行修養很好的人，也是詩人。尼
采年輕時看了愛默生的書，曾寫過一句話：「我們失去了一位哲學
家。」換句話說，愛默生如果從事哲學思考，也應該很有成就。

　　愛默生的典範人物並不是康德這些人，而是蒙田、帕斯卡與歌
德。他的沉思相當深刻，但沒有明確定義式的邏輯發展，不是以系
統化的論述來表達。他的文筆優美，暢談過有關自然界、友誼、財
富、人的不死等主題，在美國產生廣泛的影響。一般都公認他是新
英格蘭先驗主義的領袖人物，也是世界知名的美國文壇領袖。

　　愛默生的思考有一些基本的心得。他說：「生命的目的似乎是
要使一個人熟悉他自己。人生最高的啟示就是：上帝在每個人心
中。所以一個人要尊敬自己。在人的靈魂與世間萬物之間，有一種
互相呼應的關係。另外，一個人在他內部擁有管理自己所需要的一
切，所以你不能給人什麼，或是由人身上奪去什麼，而是總有一種

使自身保持平衡的補償作用，這就是我們一般所說的因果關係。」

可見，他對於早期提出的幾個問題，大致上都找到了思考的線索，雖然這些思考未能構成一個完整的哲學系統。他的著作顯示了高雅的風格，讓人讀後肅然起敬。

（三）愛默生在哲學上為什麼受人注意？

愛默生在哲學上為什麼受人注意？可以從兩方面來看。

首先，十九世紀是眾人逐漸失去信仰、同時又擔心懷疑主義的時代。知識份子希望透過哲學的探討，讓個人生命得到整合。愛默生努力探求宇宙與人生的原始關係，設法提出一種世界觀點，以便讓自己的宗教敏感度提升，並保護自己在情感方面的需要。

傳統的基督宗教此時已經無能為力，所以愛默生要在哲學方面尋找資源。當時在美國流行兩大思潮：一是德國的唯心論，一是英國的經驗論。但愛默生顯然更欣賞在歐洲出現的浪漫主義思潮，他們強調個人主義，相信人格具有首要地位。由於受到浪漫主義的啟發，愛默生特別推崇英雄、偉人、天才等傑出人物。

愛默生說：「使我們真正感興趣的只有人。在人身上，只有人的卓越性讓人注意。雖然我們覺知自然界有一個完美的法則，但它只是經由與人的關係才讓我們注意到；或者，當這個法則也在人心裡面有基礎時，人才會注意到它。所以心靈與自然界有合一的可能。」這種觀點顯示了樂觀主義的傾向。

那遇到惡的問題怎麼辦？他的答覆依然偏向樂觀。他說：「惡都是為了更大、更普遍的善，所以惡會有一種補償。」愛默生的思想從早期開始就有補償與平衡的觀念，也就是適當報應的觀念。他認為，分辨善惡與行善避惡的目的，都是為了心靈終極的自我和諧。

愛默生認為，人很難把自己與當時的社會加以協調。當時的美

國社會走向商業化，大家都重視財富；不同階層之間出現隔絕的籬笆，彼此之間有明顯的排他性，因此在文化上顯得有些膚淺。他認為，民主政治可能因為迎合世俗而犧牲個人的自主性。

愛默生的思想在哲學上受人注意，另外一個原因是他對後起的哲學家有普遍的影響。這種影響雖然不夠深入，但具有啟發性。尼采承認自己受到愛默生的影響；生命哲學家柏格森曾說，他的「生命衝力」觀念受到愛默生的啟發；至於美國本土的威廉‧詹姆斯以及杜威，也都承認他們欣賞愛默生的思想。

愛默生對美國一般民眾的影響更為普遍。在他過世之後三年，馬修‧阿諾德在 1885 年紀念愛默生時特別提到：「愛默生與我們的關係，就好像他是羅馬皇帝奧雷流士的影響。」奧雷流士（Marcus Aurelius, 121-180）是中世紀初期的羅馬皇帝，也是斯多亞學派的代表人物。阿諾德進一步說：「愛默生是那些想居住於精神世界的人的朋友與協助者。」換句話說，如果你想住在精神世界裡，那麼愛默生就是你的朋友與協助者。

收穫與啟發

1. 愛默生代表美國最早的思潮 —— 新英格蘭先驗主義。他是知識份子，對於純粹而抽象的哲學思考興趣不大，但對於生命的根本問題非常關心，包括：靈魂是否不死？人有自我尊嚴嗎？人生的行為有適當的報應嗎？人與自然界萬物可以互相呼應嗎？這些問題與他早期的生活經驗有關。

2. 愛默生並不是典型的哲學家，而是偏向直觀型的賢者與詩人，他沒有提出系統的見解。當時美國文化界還無法進行嚴謹的哲學思維，只能盡量從歐洲攝取所需養分，再應用在美國新大陸。

3. 愛默生在哲學上受人注意，最主要有兩方面原因。一方面他要

問：人能否依靠自己的力量，找到他與萬物之間的原始關係？
人的生命價值能否不靠宗教的啟示而得到肯定？另一方面，他
對於西方後起的哲學家有廣泛的影響，包括尼采、柏格森、威
廉‧詹姆斯、杜威等人。

課後思考

　　每個人對於自己的行為都希望有適當的善惡報應。你能否從自
身經驗中，找到人的行為結果的適當報應？這種報應不在外在，
就在內在；不在此刻，就在將來。

補充說明

　　同時考慮時間與空間這兩個維度，思考就會比較完整。一般而
言，宗教都側重於時間的維度 —— 不在現在，而在將來。所謂
「善惡到頭終有報」、「死後自有報應」等，都是宗教的詮釋。

　　如果用理性來分析，你去行善，「現在」和「內在」都立刻能
感覺到生命的價值。因為行善最樂，當下就會覺得坦坦蕩蕩，心
安理得，這本身就是一種報應。這顯然接近儒家的思想。至於將
來或外在有什麼報應，就沒什麼把握了。

　　為惡的話，「現在」和「內在」可能覺得不安；對於將來或外
在也看不出有什麼報應；或許將來會有報應，但也無法證明。中
國古代的《詩經》裡多次提到壞人如何得意、好人如何倒楣、上
天昏昏沉沉的好像在睡覺（視天夢夢），都反映出類似的情況。

　　但更重要的是：如何判斷善惡？通常只是從行為是否符合大家
的共識或社會規範來判斷，這只是一般的觀念。我們學過西方哲
學，就知道判斷善惡其實非常困難。因此，對於善惡判斷的標
準，還要做進一步的思考。

45-3　梭羅的自然主義

本節的主題是梭羅的自然主義。梭羅（Henry David Thoreau, 1817-1862）名著——《湖濱散記》，又譯為《瓦爾登湖》。他曾經描寫自己是密契主義者、先驗主義者以及自然哲學家。事實上，他是把許多思想折衷起來，並在自己的生活中深刻的加以體驗。他說：「現在有許多哲學教授，但是沒有哲學家。」他認為哲學家不應該只是高談闊論的老師，而應該在生活中顯示及驗證他的智慧。他所謂的智慧是指什麼呢？

本節要介紹以下三點：

第一，梭羅的簡介。

第二，自然界的召喚。

第三，梭羅與中國思想的關聯。

（一）梭羅的簡介

梭羅生於美國麻塞諸塞州的康考特，正好位於新英格蘭先驗主義的核心地帶。他的父親是鉛筆商，家境還不錯。他從哈佛大學畢業時，愛默生也是他的評審委員之一，肯定他「在道德上與知識上都有完整的人格表現」。

梭羅後來獻身於寫作，並積極探索自然界。他曾在 1841 至 1843 年，有兩年之久追隨在愛默生身邊，但他不能只被視為愛默生的學生而已。他自學希臘文、拉丁文以及東方經典。他對自然史的了解不是為了科學研究，而是為了與自然界和諧相處。

　　梭羅生平最重要的一件事就是寫了《湖濱散記》這本書。他在二十八歲時問自己：我能否什麼都沒有而活下去？為了確定這個問題的答案，他一個人到康考特地區的瓦爾登湖畔，找到一間破舊的農舍，稍加整修之後住了下來，過著非常原始而樸實的生活。他說：「我到樹林中去，因為我希望謹慎的生活，只面對生活的基本事實，看看我是否學到生活所要傳授的東西；免得臨死的時候，發現我根本就沒有活過。」可見，他是要對自己負責，才進行這樣一種實驗。

（二）自然界的召喚

　　梭羅一個人在森林中住了兩年兩個月，寫下《湖濱散記》，從中可以看到自然界對他的召喚。他經常拿來對比的是，個人與自然界的關係以及個人與社會的關係，他顯然更重視前者。他說：「人應該被視為自然界的居住者或其中的一部分，而不應被視為社會的一份子。」他認為，自然界與社會並不是辯證的對立方面，這兩者有真實的對照關係。

　　對梭羅來說，自然界代表絕對的自由與野生的狀態，而社會提供一個僅僅屬於市民的自由與文化。一個是絕對的自由，一個是屬於市民的自由。梭羅指出，人只有持續的與自然界這個廣大的力量交往，才可以簡化他的存在，澄清他的感官；把生命駛入一個角落，減少到最低的條件，才可以實際上達到自我依靠的一種更純潔、更扎實的形式。

　　他在瓦爾登湖畔的生活經驗，顯示了個人主義與無政府主義，但他對於集體抗議現存的社會制度沒有什麼信心。他認為，個人與自然界的融合比個人與其他人的關係更為根本。他強調，人與自然界相處的經驗對於人的道德意志是一種訓練，同時也可以刺激創造

的想像力。因為在自然界中，可以觀察到植物與動物的生存條件，會讓人產生一種應該如何自我約束的要求。

梭羅強調，一切好的東西都是野生的與自然的。自然界有一種充滿創造力的自發性，這一點對人的精神幸福極為重要。這種有創造力的自發性也體現於人類文化的產品上。他經常引用荷馬史詩《伊利亞特》、莎士比亞的代表作《哈姆雷特》，以及宗教經典、音樂作品與各種類型的神話著作，這些都是自然界有創造力的自發性所展現出來的成果。

梭羅對於人類社會有各種批評。他強調，人應該少花時間在商業及生意上，因為這些屬於人的社會的各種功能是低於人性的活動，是人的身體一種無意識的、自動的活動。就像每天上班、下班、努力工作賺錢，幾乎是出於本能的無意識活動。梭羅不認為經濟上的成功是一個人的成就或德行的記號，為了賺錢而做的事只會讓人覺得無聊，因此焦點應該轉向自然界。

梭羅在《湖濱散記》中對自然界的許多描寫都讓人驚豔。比如他說：「每一個早晨都是愉快的邀請，使我的生活與大自然同樣簡單、同樣純潔。我向曙光頂禮，忠誠如同希臘人，然後到湖中洗澡。這是宗教意味的活動，我所做的最好的一件事。」接著他引用中國古代經典《大學》裡的一句話：「據說商湯王的浴盆上就刻著『苟日新，日日新，又日新』。」這代表他讀過中國古代經典《四書》的英文翻譯。

他又說：「在冬天的黎明，聽野公雞在樹上啼叫，嘹亮而尖銳的聲音數里之外都能聽到，大地為之震盪，這可以使全國警戒起來，誰不會起得更早呢？一天天的起得更早，直到他變得健康、富足、聰明到無法形容的程度。」

他偶爾會到附近的農莊去買一些生活必需品，別人常對他說：

「你一個人住在那兒，特別是在下雨的日子，會覺得很寂寞吧？」梭羅寫道：「地球在整個宇宙之中只是一個黑點，無論兩條腿怎樣努力，也不能使兩個心靈更加接近。」所以根本就不可能有寂寞的問題。梭羅把地球當做黑點，就像莊子在〈秋水篇〉中所說的，中國在四海之內只是倉庫裡的一粒米而已（計中國之在海內，不似稊米之在太倉乎）。梭羅大概沒有讀過《莊子》，所以他在這裡並沒有特別引述《莊子》的原文。

梭羅的思想在社會上產生了什麼影響呢？他在 1849 年提出「公民不服從運動」，這是他對社會最有影響力的觀念。他曾因不願意納稅而被捕，第二天就被釋放。梭羅認為沒有必要交稅，但是他不會跟政府對抗，仍然接受法律的規定，該懲罰就懲罰，這就是「公民不服從」。這種思想影響了印度的甘地，使他發展出不抵抗主義。

梭羅認為，一個人有權利去肯定的唯一義務，就是去做自己認為對的事。當時約 1850 年前後，歐洲的馬克思提出《共產黨宣言》，齊克果提出存在主義的觀點，都是要以個人做為價值的終極來源。梭羅既不靠與群眾的結合，也不靠與上帝的對話，而是靠與自然界的交往，來標舉自己的獨特立場。

（三）梭羅與中國思想的關聯

梭羅在《湖濱散記》中充分使用中國思想的資源。他描寫自己因為拒絕繳稅而被捕，之後引用《論語》中的一句話：「子為政，焉用殺？子欲善而民善矣。君子之德風，小人之德草。草上之風，必偃。」這句話的背景是，季康子問孔子是否可以把壞人殺掉而去親近好人，孔子說：「您負責政治，何必要殺人？您有心為善，百姓就會跟著為善了。只要在上位的人做得好，就沒有問題了。」事

實上，梭羅引述這段資料跟交不交稅沒什麼關係。

　　梭羅認為人要過簡樸的日子，他引用了曾子在《大學》裡所說的「心不在焉，視而不見，聽而不聞，食而不知其味」。進一步，梭羅提到人與禽獸的分別，他引用孟子所說的「人之所以異於禽獸者幾希」，即人與禽獸的差別只有一點點。

　　梭羅認為，人不必太在意每天發生的新聞，好像每隔半小時就要問發生了什麼事。他在這裡引用一段《論語》的資料很貼切。蘧伯玉派人向孔子問候，孔子就問這個使者說：「蘧先生最近在做什麼？」使者回答說：「蘧先生想要減少自己的過錯，卻還沒有辦法做到。」換句話說，蘧伯玉每天都在想著怎樣減少自己的過錯。

　　可見，梭羅除了熟讀西方傳統經典之外，對於東方的思想也有一定的認識。他也多次引述印度的《吠陀》經典中的觀念，來表達他對自然界的禮讚，說明人與自然界在根本上是合而為一的狀態。東西方文化的對照，使梭羅更有信心表現出自己思想的特色。直到今天，他一直被認為是自然主義的正面代表，而不是一種科學家的封閉心態。

收穫與啟發

1. 梭羅與先驗主義的代表愛默生有師承關係，但他並不局限於愛默生的思想範圍。

2. 對於自然界的召喚，梭羅積極的回應。他從哈佛大學哲學系畢業幾年之後，特地到美國東北角康考特的瓦爾登湖畔住了兩年兩個月，體驗一個人獨自生活的趣味以及與自然界互動的奧妙。他對於自然界與社會有一種明顯對照的看法。他對於自然界的肯定讓人動容。

3. 梭羅廣泛的學習，他不僅對西方傳統的思想有基本的認識，還

能大量閱讀東方經典（如中國的《四書》）並加以引述。雖然某些引用不完全配合上下文的脈絡，但至少讓人感覺到，他的思想是有開放性的。

課後思考

梭羅有兩句話值得參考。

1. 讀了古典作品，只能保持緘默，因為沒有可以談話的人。
2. 一個村子應該是一所大學，老年的居民都是研究生。

你覺得這兩句話是否有道理？

補充說明

讀了經典之後，要不要保持緘默呢？事實上，閱讀經典可以讓人改善自身的言行，讓自己變得更完美，這才是讀經典的真正用意。讀經典不是為了附庸風雅、增加話題而已，經典會改變你生活的態度。閱讀經典就像回到了根源。思想有了根，整個生命才更加穩重，對於人生的各種際遇，會表現出瀟灑、文雅的態度，也更容易感到快樂。

溝通是不容易的。的確，每個人都希望有朋友可以互相溝通。《禮記‧學記》說：「獨學而無友，則孤陋而寡聞。」我們都希望「友直，友諒，友多聞」。與朋友一起閱讀經典，彼此間產生了某種默契或共識，那種快樂十分美妙。

對於第二句話，你可能認為老人不見得都是研究生，有些老人不能與時俱進或深入思考，只能從個人有限的經驗裡總結一些心得，思考似乎不太充分。我想強調的是，對老人或者對任何人都一樣，我們要記得孔子的一句話：「三人行必有我師焉。擇其善者而從之，其不善者而改之。」看到別人好的言行表現，要虛心

效法；對於不好的方面，則要提醒自己不要犯同樣的錯誤：這樣才會不斷進步。

　　老人家之所以值得尊重，是因為他能面對人生的各種挑戰，努力的堅持活下去。光是珍惜人生這一點就值得我們效法。我們要培養善觀之眼、善聽之耳。無論是宇宙還是人生，任何人的任何一句話、任何一個行為，都可以給我們啟發，就怕我們自己把它忽略了。

45-4 杜威的思想演變

　　1859 年達爾文出版《物種起源》，提出演化論的觀念。在同一年，西方誕生了三位哲學家——法國的柏格森、德國的胡塞爾以及美國的杜威。本節要特別介紹杜威的思想演變。

　　杜威（John Dewey, 1859-1952）是美國著名的哲學家、教育家與社會評論家，他生於美國佛蒙特州，在那裡念完大學。當時新成立了約翰‧霍普金斯大學，杜威兩次申請獎學金都以失敗告終，後來向一個姑姑借了五百元，才去念了研究所。

　　他年輕時表現平凡，看不出來他後來會成為美國最有影響力的哲學家、教育家和社會改革家。他個性溫和，謙虛而直爽，做事專注且認真，尊重同伴與朋友，相信民主程序的運作可以成功。他早期的思想受黑格爾的影響比較深。

　　本節要介紹以下三點：

　　第一，杜威早期的思想發展。

　　第二，杜威如何擺脫了德國唯心論。

　　第三，杜威對經驗的看法。

（一）杜威早期的思想發展

　　杜威最初因為念了赫胥黎的書而對生理學產生興趣，學到「有機體」這一概念，相信萬物形成一個相互依賴及關聯的有機整體。這種思想在形式上跟黑格爾的絕對唯心論可以互相配合。這種觀察角度使他重視過程與變化。他認為，萬物形成一個有機的整體，其

中顯示的差別只是功能上的區分，而不是本質上的差異。在一個不斷發展的整體中，一切事物都是互相關聯的。

這種觀點打破西方長期以來的固定觀念——堅持某種二元論或兩極性。事實上，西方哲學受到二元論的影響，已經癱瘓很久了。現在可以用機體的觀點解決老的問題並提出新的見解，所以杜威就像傳播福音一樣充滿信心。他的哲學傾向於強調變化與過程，重視有機體之間的互動關係。他博士論文的主題是《康德的心理學》，但他對於純粹的思辨不太感興趣，於是逐漸轉向人的實際事物，對於政治、經濟、社會提出自己的觀點，進而形成一個新的系統。

杜威後來在芝加哥大學擔任哲學、心理學、教育學三個系的系主任，投注心力於公共教育。他注意到社會、經濟、科技快速發展以及移民人口等問題。他交往的對象包括工人、工會代表、政治極端份子等。他組織學校的教授進行研究，並在1903年出版《邏輯理論的研究》一書，並將此書獻給比他更早的美國哲學家威廉‧詹姆斯。威廉‧詹姆斯讀完此書之後，預言其中的觀念將在未來二十五年主導美國哲學界。1904年，杜威四十五歲時到了哥倫比亞大學，此時他已經是全美國知名了。他主辦的教育學院邀請各國教師到哥倫比亞大學開展研究，他也因此獲得國際聲譽。

（二）杜威如何擺脫德國唯心論？

杜威如何擺脫了唯心論呢？他的考慮主要有三點：

1. 杜威的核心觀念：經驗

首先，杜威認為唯心論先入為主，對於知識與認知的過程有預先的立場，由此扭曲了經驗的性質。「經驗」一詞是杜威的核心觀念。唯心論忽略了非認識與非反省的經驗，譬如人的行動、苦難與享受等經驗。這些經驗是認知與探究的脈絡所在，不能脫離這樣的

經驗去探討認知問題。近代哲學聚焦於認識論的問題，以致於產生誤會，以為經驗是認知的一種形式。這種偏見不可避免的會扭曲人的經驗，以及人的認知的性格。

杜威認為，人首先是一個行動的、受苦的、享受的存在者。人的生命大多包含著經驗，這種經驗主要不是反省的。杜威強調，如果想知道思想、反省、探究的性質，以及這些事在人的生命中的角色，就要明白它們起源於並受制於非反省的經驗之脈絡。

2. 杜威反對唯心論單一而統合的整體觀

他認為，萬物並不是純粹的精神所表現出來的，而是在整體中相互關聯的。杜威逐漸轉向欣賞英國經驗論的多元論，認為生命包含一系列相互重疊、相互滲透的經驗，擁有複雜的情況與脈絡，其中每個經驗都有自己內在的質的統合，而個人的經驗是生命中的首要單位。

3. 杜威擺脫唯心論，趨向自然主義

唯心論雖然看到經驗之有機的性質，但它過於概括，把經驗全納入到一個虛構的宇宙投射系統裡面。杜威注意到，從人類學及生物學的角度，應該可以說明經驗之有機的性格。杜威於是擺脫了唯心論的限制。

（三）杜威對經驗的看法

杜威認為，從生物學背景來看，應該從一個活的有機體著手。這種有機體總是試圖在一個半敵半友的環境中求生存，而經驗就是主體與環境之間有意義的交互作用。所以經驗是相當複雜的，且在開始的時候總是顯得模糊而生疏。

對杜威來說，經驗是一個人所承受與經歷的一切，而不是做為單純的認知活動。他批判英國古典經驗主義，因為他們把經驗當做

知識的來源，傾向於把經驗當做簡單印象的重複而已。杜威認為，經驗是一種工具，甚至是一種方法，可以指向未來，它意圖對結果和成效做選擇性的控制。這是杜威對經驗的基本看法。這種看法影響他在教育上的觀點，形成杜威的工具主義。

收穫與啟發

1. 杜威是美國最有影響力的哲學家之一。他早期的表現並不出色，但他好學深思，不斷努力，從生理學當中學到有機體的觀念，認為萬物形成一個統一的整體。這種觀念與黑格爾的絕對唯心論可以互相配合。所以杜威早期跟許多美國哲學家一樣，都服膺於德國唯心論的思想。後來他由於關懷實際的社會問題、從事教育活動，而逐漸調整自己的想法。

2. 杜威認為，唯心論扭曲了經驗的性質，經驗有非認識及非反省的部分，人首先是一種行動的、受苦的及享受的存在者。所以杜威逐漸擺脫唯心論，轉而欣賞英國經驗主義的多元論。這也是美國實用主義三位代表──皮爾斯、詹姆斯與杜威的共同立場。同時，杜威趨向於自然主義，他注意到人類學及生物學的角度，由此說明經驗的有機性格。

3. 杜威提出關於經驗的新觀點，目的是擺脫英國古典經驗主義的僵化看法。英國古典經驗主義認為，經驗只來自於感官經驗，由印象的疊加造成人的觀念。事實上，經驗應該是一種與人的生命一同發展的重要工具，是指向未來的一種方法。杜威把經驗當做方法，再將其進一步運用到教育與生活當中。

　　杜威把經驗當做單一的、有動力的、統一的整體。在經驗中，萬物在根本上相互關聯，其中沒有嚴格的兩極對立，經驗與自然界之間也沒有斷裂的問題。萬物之間的區別都是功能上的差別，

而不是本質上的差異，因為萬物在本質上都屬於一個複雜的有機體。杜威曾到世界各地講學，他在 1919 年至 1921 年到中國的北京與南京進行學術訪問。

課後思考

杜威是相當典型的美國本土哲學家，他從歐洲哲學吸取了養分之後，應用在美國當時的社會上。請你思考一下，你學習西方哲學之後，能否選擇一兩點重要的觀念應用在實際的生活上，顯示出學習的效果，並對以前的觀念有所調整？

補充說明

在學習過程中，如果能把好學、深思、力行這三方面配合起來，往往會使個人的生命發生明顯的改變。

1. 好學

在好學方面，透過學習西方哲學，可以擴展知識的範圍，加深理解的程度。

首先，學習可以拓展知識的範圍。本書涉及古希臘的蘇格拉底、柏拉圖、亞里斯多德的觀念，以及後面的斯多亞學派、康德、存在主義、實用主義等等。當你要應用西方學者的心得時，這些知識會讓你更有信心。

另外，學習可以加深理解的程度。你不會像以前那樣，只知道「我思故我在」表面上的意思；你現在會知道他為什麼這樣講，為什麼會引發後續唯心論的思想。透過與別人的溝通交流，你會發現自己的理解更深刻了。

2. 深思

在深思方面，從澄清概念開始，你會更進一步認識自己。

譬如學了柏拉圖之後，由他的「洞穴理論」，知道了人的固執；由他的「蓋吉斯的戒指」，知道了人的軟弱。這是對人的普遍性的認識。我們還要進一步認識到自己的個別性，以及自己與別人的關係。對於人生目標的選擇，我們可以透過自由想像法來釐清自己的價值觀，這是深思方面的成果。

3. 力行

在力行方面，要親自實踐。

實踐之後，你會有明顯的改變，變得更有包容性，更尊重別人。同時，做各種判斷也會更加謹慎。最重要的是，你將學會以負責的態度面對自己的人生。

45-5　杜威的改良主義

　　本節的主題是杜威的改良主義。一般會把杜威的思想稱為實用主義或工具主義。事實上，把他的思想應用在教育、文化及個人修養上，稱做「改良主義」更為適合。

　　本節要介紹以下三點：

　　第一，杜威認為哲學都是教育哲學。

　　第二，杜威道德哲學的觀點。

　　第三，哲學的功能如何？

（一）杜威認為哲學都是教育哲學

　　教育與教育哲學有什麼不同？「教育」一般是指具體的教育工作，由不同學科的老師來教導學生；而「教育哲學」是要探討「教育」這件事本身是怎麼回事，以及如何在教育過程中成就一個人真正的生命價值。「邊做邊學」是杜威的一句名言，亦即「在做中學」。不能光是眼到、口到、耳到、心到而沒有手到，必須透過實際操作才能學會。

　　杜威把人的生命看做一個有機體，人與整個大自然之間一直存在著互動關係，所有的一切又是一個大的有機體。他在談到藝術時，對這一點有清楚的闡釋。他認為，任何一種探究都是藝術，甚至整個生命也是如此。生命與所謂的美術作品只有程度的差別，而沒有種類的差別。人的存在就像一幅畫，每一筆都是人的生命具體處境的表現。審美性質是一切經驗的根本特色。這裡面涉及他對於

審美經驗的觀點，但基本上他的思想就是一個統一的整體觀。

　　什麼是教育？教育就是連續不斷的對經驗的重新建構。在這個過程中，不成熟的經驗會朝向基於理性的技巧與習慣所形成的經驗。談到對孩子的教育，杜威是當時的美國中學老師要追隨的一位哲學家，他的觀點影響美國直到今日。杜威認為，孩子生來就是主動的、好奇的、愛探索的生物，所以我們要設法使孩子的創造性與自主性得到培育，而不是受到壓制。

　　他對孩子的教育有兩點考慮。第一，不能把孩子當做被動的生物，只是給他灌輸某些資訊和知識。第二，不能太過於放任孩子。當時有些人受到盧梭的影響而提出新教育，把孩子的感性能力過度理想化，要讓孩子自己選擇學什麼。杜威認為，既不能主動灌輸孩子，也不能被動放任孩子，而要走在中庸之道上。他的觀點接近古希臘亞里斯多德所說的：透過培養良好的習慣，建立孩子的氣質，由此形成理性思維的能力。杜威設計許多環境條件，使孩子容易養成良好的習慣與氣質。

　　教育會對經驗不斷的重新建構，在這個過程中也發展了孩子的道德性格。德行不能靠灌輸，而要靠培養。要培養孩子具有公平的心態、客觀性以及想像力。這樣的孩子願意向新的經驗開放，由此產生遠見；並隨時準備改變心態，讓自己能變得更加正確、更有適應力。同時，學校是一個小型社會。這些觀念都是杜威從事教育工作時一再強調的。

（二）杜威道德哲學的觀點

　　談到人的道德問題，杜威特別注意到「處境」，即人處在什麼樣的環境中。他認為，人這種生物在本性上就具有價值判斷的能力，我們自然而然就會對某些事物、狀態或活動，有肯定或否定的

態度。道德選擇只有在不同欲望互相競爭、不同價值互相衝突的處境中才會出現。因此要考慮當前的處境，以及選擇時有哪些選項，這時要保持理性的思考作用。

杜威認為，人的生活不能脫離處境，因此隨時都會出現內心的衝突，要求做出判斷、抉擇，並付諸行動。所以，人的道德生活永遠不會結束。不管你的道德修養如何，所達成的目的轉而又變成一個手段，朝向新的目的前進。這就是杜威所謂的改良主義。

杜威認為，人有天生的智力，即思考能力或聰明才智；對此加以培育的話，可以使他能夠想像未來，並且設法製作一些工具，以達成他的目的。

（三）哲學的功能如何？

杜威認為，哲學可以使人得到一個全方位的觀點。一方面，人可與自然界結合並連續發展；另一方面，人也有其特殊的行為模式，同自然界明確區分開來。杜威表現出直率的自然主義立場，後來演變為人文主義的自然主義。

他的哲學顯示出實在論的特色，即具體的接受客觀的實在；同時也表現了樂觀主義。他認為，人的經驗中總會有各種衝突所造成的難題，它們讓價值陷入混戰；但只要人繼續發展他的創造的智力，就可以繼續追求新的目的。

哲學在文化中的角色是什麼？杜威認為，哲學對於它原生的特定文化既要加以依賴，又要努力去超越。哲學對於文化有批判和超越的作用。換言之，舊的與新的要不斷綜合，進而提煉出一個文化的基本原則與價值，並對它進行重新建構，使它進入一個更加圓融、更具想像力的景觀中。所以，哲學在根本上必須是批判性的，它永遠有工作要做。

　　杜威有一本著作名為《哲學的重建》，他提出一個明確的觀
念，認為哲學最主要的工作就是「重新建構」。每個時代的哲學都
要根據過去的啟發，面對當前的挑戰，重新建構新的觀念。要有想
像力，勇於思考，信任新的觀念，以免困於具體的事實狀態中。

　　與過去的哲學家相比，杜威賦予哲學更謙虛的功能，但是他鼓
勵人要更勇敢的去實踐。謙虛加上勇敢，使哲學家能夠以坦白的態
度，配合真誠的自我，直面他的同代人。這就是杜威對於哲學功能
的看法。

收穫與啟發

1. 杜威認為所有的哲學都是教育哲學，哲學本身也應該在邊做邊
   學中成長。這種教育哲學對於哲學家本人是有效的，哲學家在
   從事哲學思維的過程中，要不斷突破過去的自我。將其用在教
   育孩子方面，則顯示出一種既積極開放又謹慎保守的態度，要
   培養孩子良好的習慣與氣質，使其孕育出公平的心態、客觀性
   與想像力。

2. 在道德方面，杜威特別強調「處境」。人生的處境不可能完
   美，也不可能模擬想像，所以人要學會面對各種處境，協調各
   種可能的選擇，不斷提煉出自己的價值觀。杜威強調以思想做
   為適當的工具，幫助自己改善生命的處境，所以稱他的哲學為
   「改良主義」比較適合。

3. 關於哲學的功能，杜威強調自己是自然主義者，但這種自然主
   義尊重人性不斷發展的可能性，而不是把人局限在某種自然狀
   態中。杜威強調，哲學一方面必須依賴於它的原生背景與特定
   的文化，同時還要努力超越，所以應該具有批判性思維，重新
   建構一個觀念系統。杜威希望哲學家保持謙虛的態度，因為前

面還有更高的層次與境界；同時，對於自己目前獲得的觀念要勇於實踐，這樣才能對同代人有所貢獻。

總之，杜威的改良主義強調，完美並非最終目標，人生是不斷趨於成熟完善、精益求精的持續過程。他認為，一個人不管以前多麼善良，但是開始往不好的方向墮落，就是壞人；一個人不管以前在道德上多麼卑劣，但是開始往好的方向發展，就是好人。這種重視趨勢的觀念可以使人嚴格評斷自己，而對別人比較寬容。我們常說的「試驗與錯誤」，也是杜威的重要想法。

課後思考

杜威的思想非常貼近美國社會的現實需求，也能很好的配合人的實際生活狀況。其中沒有過多的理想色彩，卻非常具體和實用，難怪他的思想被認為是實用主義、工具主義或是改良主義。請問，你如何看待「哲學就是教育哲學」這樣的觀點？

第四十六章

從桑塔亞納到羅素

46-1　桑塔亞納回歸現實

本章的主題是：從桑塔亞納到羅素，要繼續介紹美國哲學的發展。本節的主題是：桑塔亞納回歸現實。

桑塔亞納（George Santayana, 1863-1952）是美國哲學界非常特殊的人物。他生於西班牙馬德里，九歲時母親帶他回到美國波士頓，後來進入哈佛大學，二十七歲時開始在哈佛大學教書。有人把他稱為「被放逐到美國中產階級的西班牙貴族」，他身上融合了歐洲與美國的特色。他在自傳中說自己「持有西班牙護照，但自稱美國作家」。他喜歡別人稱他為天主教徒，但他拒絕接受洗禮。他對美國的波士頓與哈佛大學的態度如何呢？這正如他對宗教的態度，他能夠欣賞和表示同情的理解，但並非像信徒一樣崇拜它們。總之，桑塔亞納是一位能夠綜合歐洲與美國兩方面思想的哲學家。

本節要介紹以下三點：

第一，桑塔亞納早期的哲學觀念。

第二，桑塔亞納所謂的懷疑主義是什麼？

第三，桑塔亞納所謂的動物信仰又是在說什麼？

（一）桑塔亞納早期的哲學觀念

桑塔亞納與在前的杜威和在後的羅素共同構成了美國哲學界重要的發展階段。桑塔亞納早期的觀念是什麼呢？簡單說來，他原本認為，哲學是一種對較高層次的心理功能進行描述的心理學。

首先，他肯定生物演化論具有廣泛的真理，也接受演化論對理

解心智現象的說明。可見，達爾文的《物種起源》這本書對於整個
世代的哲學家都有深刻的影響。另一方面，桑塔亞納也同意德國唯
心論的觀點，亦即所有的知識在性質上是表象性的，知識不能脫離
人對萬物經過先驗形式運作之後表象的結果。但他從不質疑我們對
外在世界的認知，也不想撤回我們對這個世界的信念。他認為，人
的心智不能脫離它在生物學上的脈絡，它的獨立性並非來自於任何
形上學的觀點。換句話說，心智能夠先接受人在自然狀態下的位置
與功能，然後再賦予它一種審美的意義。

（二）桑塔亞納所謂的懷疑主義是指什麼？

　　桑塔亞納在 1923 年（六十歲）出版一本代表作《懷疑主義與
動物信仰》，提出應首先清除認識論的蜘蛛網，它們牽絆、阻礙了
近代哲學的發展。近代西方從笛卡兒以來要懷疑一切，這種心態最
後演變成「我就是我的思想」，那麼我要如何認識外在世界呢？這
在認識論上構成了複雜的問題。

　　桑塔亞納認為這一切都是不必要的，唯心論是對的，但是不具
有任何重大影響。人確實只能透過自己的想法去認識世界，正如康
德所說「我所認識的世界是能夠被我認識的世界，並不等於世界本
身」。但是，既然這個世界已經運轉了幾千幾萬年，一般人的感覺
大體上也是真實的，所以最好務實一些，接受這一人類的實際局
限，無須為未來擔憂。

　　在這一點上，桑塔亞納主張一種自然主義。他說：「除了史賓
諾莎以外，沒有一位近代哲學家是完全意義的哲學家。我坦率的握
住自然的手，在我最深遠的思辨中，接受它做為一項法則，那就是
我日日賴以為生的動物信仰。」

　　桑塔亞納認為，唯心論的懷疑主義對於外在世界的存在提出質

疑並加以駁斥。如果我們把自己局限在直接所得的經驗上，那麼不僅我們對外在世界的信念會受到質疑；更進一步，我們對自我的存在、對別的自我的存在、對過去與未來的存在，這些信念統統都要受到質疑，剩下的就只有某些抽象的本質，而這些本質與事物或者事件沒有什麼關係。這樣一來，我們也不可能適當的了解什麼是存在了。

　　所以，懷疑主義推到邏輯的結論，對於唯心論者所說的「心」以及對於唯心論者所放棄的「物」，都有致命的傷害。換言之，對於物質可以懷疑，對於心照樣也可以懷疑。從積極方面來說，這種懷疑顯示了「本質」是首要的與不可爭辯的存在模式。但事實上，所謂的「本質」是經過心理抽象的結果，人不可能辨識只有本質之物的存在。我們看外在的世界都是事物與事件，不可能只看到純粹抽象的本質。

（三）桑塔亞納所謂的動物信仰是指什麼？

　　桑塔亞納認為，要超越對於本質的直觀，才可以真正掌握到存在，那是一個充滿事物與事件的世界。在某種意義上，這種動物信仰（對萬物存在的信念）沒有什麼根據；嚴格說來，不可能證明有任何東西存在。但在另外一層意義上，這種信念是智慧的開始，它讓你不要執著於抽象的本質，而能肯定實際的存在與實體。換句話說，桑塔亞納對宇宙萬物在邏輯上的角色以及實用上的必要性之看法，從始至終沒有多少改變。他的思想所描述的正是一般人很容易接受的道理。

　　美國哲學早期以來一直受制於歐洲的兩大思潮，一是德國唯心論，一是英國經驗論，這兩種思潮都糾纏於認識問題上。認識問題沒弄清楚，人可以生活下去嗎？發展到後來，認識是一回事，它與

生活完全脫節了。正是出於這樣的考慮，桑塔亞納才發揮他的創意，提出上述觀點。

桑塔亞納認為，動物信仰可能是一種神話信仰，但這是一種好的神話，因為生命比任何三段論的論證都更好。每個人在根本上都是實在論者——承認生命與萬物的存在。以此做為基礎，才能進而探討人生觀與價值觀的問題。

桑塔亞納在這裡表現出自然主義者的基本立場。事實上，他認為自己是堅定的唯物論者，但他聲稱自己不了解物質是什麼，要等科學家來告訴他。然而不論物質可能是什麼，他都直接稱它為物質；就像一個人不知道朋友的祕密，但仍然會稱呼他們的名字。

收穫與啟發

1. 桑塔亞納是誕生於西班牙的美國哲學家，他的心靈始終處在歐洲與美國之間。他二十七歲就在哈佛大學執教，四十九歲遠赴他喜愛的歐洲，六十二歲定居於羅馬，因為他對天主教情有獨鍾。

2. 桑塔亞納在他的代表作中提到懷疑主義，他認為懷疑主義始於笛卡兒，專門就人的認識能力與認識效果來思考，結果引發德國唯心論。這種唯心論只有一點是沒有問題的：我們本來就是透過自己的想法去認識世界的，我們所認識的世界並不等於世界本身。

3. 既然如此，為何不接受動物信仰？動物信仰就是本能的信仰，不需要學習任何哲學，就直接認定這個世界是實際存在的世界。我在其中生活，可以不斷學習與成長，使自己的生命展現出豐富的內涵。

   可以看出，桑塔亞納比較接近古希臘與古印度的思想。在西方

近代哲學家之中，他只推崇史賓諾莎。他不喜歡當時正在發展中的現象學與語言分析哲學。

威爾·杜蘭（Will Durant, 1885-1981）認為，桑塔亞納猶如一位西班牙大公的靈魂，嫁接到溫和文雅的愛默生家族的血統之上，形成地中海貴族與新英格蘭個人主義的一種優美混合。他是一個幾乎不受他的時代精神影響而徹底解放的靈魂，以毫不疑惑的優越眼光，觀察我們微不足道的制度，以最平靜的推論與最完美的散文，粉碎我們的新舊夢想。從柏拉圖以來，幾乎沒有任何哲學家可以用言語表達得如此美妙！

課後思考

我們很高興看到美國哲學家桑塔亞納又回歸了現實世界。這有點像修行的過程，從「山就是山，水就是水」，經過一個辯證的過程，說「山不是山，水不是水」，最後又回到了「山還是山，水還是水」。西方哲學家有這樣的表現，使我們的壓力減輕了不少。這些爭論讓我們的思想得到很好的訓練，透過邏輯的思辨、辯證的運用，使思想得到提升。但落實到現實生活裡，桑塔亞納所謂的「動物信仰」可能是我們無法逃避的。那麼我們對於「動物信仰」該如何理解呢？

補充說明

桑塔亞納宣稱自己是唯物論與自然主義，認為「動物信仰」是一種本能的信仰。人既然活在世界上，自然就會繼續努力生活，並且設法活得快樂，這就是「動物信仰」。對於認識論上複雜、糾結的問題可以先放在一邊。

桑塔亞納的思想可以用「必要」一詞來形容，就是「非有它不

可，有它還不夠」。我自己長期以來有一句座右銘，就是「不錯，但是不夠」。對於目前的工作，我會全力以赴、認真去做，我認為自己做得還不錯，但是永遠不夠。

人生是不斷成長的過程，隨著年齡和閱歷的增加，我們的智慧會不斷擴充邊界，人生的底線也會愈來愈清楚。我們學桑塔亞納一方面可以放輕鬆一點，回歸實際的生活，但同時也要知道他的思想有明顯的限制。譬如，他認為有一些種族比較優秀，這要如何判斷？他認為子女是人的不朽的一個具體例證，但是子女還有他的子女，這樣一直傳下去，哪裡有真正的不朽可言？同時他認為，無論怎樣改革，這個世界依然腐敗如初，因為人性的弱點都是一樣的。這些說法都有它的限制。

在學習的時候，不要輕易加以批判，而要學習每個哲學家思維的方法，看他如何看待和說明問題，以此增廣我們的見聞。到最後還是要自己來做判斷。

46-2　桑塔亞納的宗教觀

本節的主題是桑塔亞納的宗教觀，要介紹以下三點：

第一，桑塔亞納對宗教的一般看法。

第二，他對基督宗教的觀點。

第三，他如何看待信仰？

（一）桑塔亞納對宗教的一般觀點

桑塔亞納在他的自傳裡提到，他的父母親都是自然神論者。所謂「自然神論」是十六世紀之後在西方知識界流行的思潮，它認定這個宇宙有一個造物者，但是他在創造世界之後就不再干預。所以，自然神論者仍然相信上帝的存在，因為除了上帝，還有誰能創造這個世界？但是上帝的偉大令人難以想像，於是狡猾的傳教士就發明了奉獻、祈禱、教會以及永生的故事，讓一般人去信仰。

桑塔亞納小時候按照習俗，也背誦過天主教的祈禱文與教理問答。他的父母都肯定宗教是人類想像的結晶。桑塔亞納進一步認為，這些想像的結晶是好的，而世間其他的一切都是糟粕。他對宗教的立場可以概括為以下三點：

1. 桑塔亞納信奉自然哲學，是一個唯物論者，所以他認為，應該客觀看待宗教對世界的影響，以此來衡量宗教的價值。

2. 宗教一方面是人類耽溺於幼稚時期的幻想，另一方面也擴展了人類的想像力。宗教以其豐富的想像力來充實這個世界。所有的宗教都是神話故事，它們是人類意識流露出來的偉大

境界之反映。

3. 從道德上看，宗教一方面用它的規矩和戒律來威嚇一個人，使其善度中規中矩的生活；另一方面，它也讓一個人更有愛心、更慈悲。

由此可見，桑塔亞納深受美國實用主義的影響，會從宗教對人生的效果來判斷其價值，而不是一味接受或否定。

（二）桑塔亞納對基督宗教的觀點

桑塔亞納在他的代表作《理性的生活》一書中，有一部分專門探討宗教，其中有一段談到「基督宗教的史詩」，對基督宗教做了全面的敘述。

桑塔亞納認為，基督宗教是由猶太教加上希臘式的崇拜而產生的。所謂「希臘式的崇拜」也稱作「異教崇拜」。他認為，猶太教這種注重精神的宗教，除了救助受苦受難之人、了解並寬恕有罪之人，以及聽天由命、接受悲涼的人生之外，也就沒有什麼其他作用了。猶太教相信人處在悲苦的世界中，人生所有的一切都不可靠。由此看來，這個宗教太消極了。

基督宗教是猶太教加上異教的成分，其中有很多元素來自於希臘的冥思，重視概念與理想，重視創意與虔誠，等於把希臘文化的重要成分接收過來。譬如，談到神化身為人或是人化身為神，在異教中也有類似的觀念，希臘神話裡就有變形的說法，一切都可以變成一切。另外，基督宗教有所謂「最後的晚餐」，把餅與酒變化為耶穌的身體與鮮血。在希臘神話裡也可以找到類似的背景，如阿波羅像牧羊人一樣照顧羊群。而大地女神狄米特曾經痛失愛女，就像上帝失去他的兒子耶穌一樣。

桑塔亞納以他豐富的知識重新詮釋基督宗教，認為是猶太教與

異教崇拜這兩個元素結合在一起，才構成了基督宗教整個的史詩。後期猶太人的道德要求與密契主義非常奇妙的表現在基督的神話與格言中，並由他的神蹟所證實，所以呼求耶穌基督的名號可以得到治療與赦免。耶穌的謙卑、單純與慈愛，以及他的降生與復活，都給人帶來很大的希望，也給世間帶來平等博愛的精神，使一個絕望的時代產生希望。基督的福音就好像一粒芥菜種子，一旦成長之後便相當可觀。桑塔亞納這些說法令人耳目一新，感覺到沒有必要與他爭論。

桑塔亞納隨後又談到宗教改革。他認為天主教接受了希臘與異教的元素，由此造成了文藝復興運動；而基督教則堅持希伯來嚴謹的道德規範，由此產生後來的宗教改革。

桑塔亞納認為，基本上宗教起源於人的幼稚與恐懼。人為什麼信仰宗教？因為人尚處於幼稚時期，害怕一個讓自己獨處的宇宙，過度的自由會讓人不安。人在這個世界所能得到的只有沉悶與毀滅，人由於自身的不成熟而認定自己是愚昧的，因而總想知道天神有何啟示，以之做為自己行善的動機。這就是桑塔亞納對人類宗教起源的說明。

宗教的選擇沒有客觀的標準。他說，不能跟一個戀愛中的人討論他的審美眼光。他愛一個人，不能問他為什麼，因為沒有為什麼可說，你必須尊重他虔誠的心意。就像每個人都有自己的所愛，所愛的對象各不相同。人沒有責任去接受不屬於自己的宗教。桑塔亞納特別強調的是宗教的象徵意義。

（三）桑塔亞納如何看待信仰？

桑塔亞納對一切宗教都能欣賞。他認為，宗教是人的自然生命的一種詩意轉化，轉化成像藝術一樣充滿審美情調。宗教的目的是

要幫助人的自然生命步入一種有道德的秩序。

　　問題在於：宗教是神話，所以不應堅持各宗教的教義就是唯一的真理，不能以此做為判斷真偽的標準，否則難免會造成各宗教之間的矛盾與衝突。

　　桑塔亞納強調，宗教的作用，在於為我們的道德經驗帶來想像上的豐富性與涵蓋性。人一生下來就接受了一套道德生活與思維，難免不夠完美，但你不能把它全部丟掉，因為那樣做既不容易又不聰明。所以他特別強調密契宗教。他認為宗教總有其神祕性，可以對人的道德生活產生廣泛影響。如果宗教走上狂熱的途徑，就像基本教義派（或原教旨派）所認定的，以自己的宗教做為唯一的真理、唯一的權威，因而壓抑其他一切形式的道德觀點，這樣不利於宗教真正價值的實現。

　　宗教真正的價值在於鼓勵人活在美好的想像中。這樣的宗教會產生兩方面的結果：

1. 引導人走向虔誠，對生命充滿敬意，並依附於他存在的根源，從而使生活穩定；
2. 鼓勵人的精神性，透過安排一個想像的意義，使人可以擺脫動物的需求和欲望的困擾，同時明白世間一切的獲得都有它適當而應有的位置。

　　桑塔亞納的困難在什麼地方？一方面他認為，所有宗教都不能就其字面上的教義，宣稱自己具有絕對真理；另一方面，他又希望這些宗教都能產生作用，讓信徒有堅定的立場。如何讓信徒同時接受這兩方面呢？這兩方面有時會產生矛盾。一個人如果不能真心相信自己的宗教是唯一真理的顯示，他又如何能全神貫注的虔誠呢？並且，他的精神性要提升的話，方向何在？這些都是有待進一步思考的問題。

收穫與啟發

1. 桑塔亞納受父母影響，接受當時在知識份子中流行的自然神論，認為上帝創造世界之後就放手不管，讓人類自己去面對。他們並不懷疑上帝的存在，否則世界是怎麼來的？桑塔亞納進一步認為，宗教是人類想像的美好結晶，對於人生有正面的效果，對人的道德有提升作用。

2. 桑塔亞納從史詩的角度看待基督宗教。早期一千多年是天主教，宗教改革之後出現基督教，兩者對於猶太教與異教崇拜這兩種元素各有取捨，形成西方文化發展的主軸。

3. 桑塔亞納認為，人的心態還處於幼稚期，所以基本上是不能缺少信仰的。世界各地的人都有宗教信仰，這是非常明顯的現象。如果我們不了解宗教，如何能了解人類？桑塔亞納從審美的角度去了解宗教。他本人對於天主教最為欣賞。他喜歡天主教的美更勝於它所宣示的真理。

課後思考

桑塔亞納認為：如果不了解宗教，就無法理解人類。你是否有這樣的經驗，即透過宗教去了解某一類人或某些人的經歷？

46-3　桑塔亞納的哲學觀

本節的主題是桑塔亞納的哲學觀，要介紹以下三點：

第一，桑塔亞納對社會的看法。

第二，他對人生的看法。

第三，他對哲學的看法。

（一）桑塔亞納對社會的看法

桑塔亞納對於當前實用主義的商業社會顯然有很多批評。他理想中的社會像中世紀一樣，全世界統一為一個整體，有穩定的秩序、文化的內涵與宗教的信仰。這顯然是不可能的，因為這樣的社會需要一種貴族政體；但現在是民主時代，時間不可能倒轉。

民主時代強調平等，但桑塔亞納對所謂的「平等」有自己的看法。他認為，平等在現實世界是不可能的。一定要把一切看成平等，其實也是一種不平等，因為每個人各有其優點、缺點、專長或能力。一個社會只能提供機會上的平等，讓大家共同享有平等的機會。其他的一切都談不上平等。

因此，好的政治應該是名譽政體（Timocracy），由具備德行與榮譽感的人組成政府。這並非世襲的貴族政體（Aristocracy），而是所有人都可以根據能力，找到適當的途徑，成為國家的公職人員，進而造福整個社會。這種想法顯然受到了柏拉圖《理想國》裡的「哲學家君王」的啟發。事實上，對於這一類問題思考得愈久，就愈容易欣賞柏拉圖的主張。

　　桑塔亞納對於社會革命有何看法？他認為，革命是一種含混不清的東西。這個世界即使經歷一千次改革，仍然難免腐敗如初。因為每一次成功的改革雖然都建立了新的體制，但後續又孵育出新的弊端與陋習。

　　桑塔亞納對於現代生活也有不少批評。他認為，現代生活顯得嘈雜與慌亂。民主政體給人自由，是讓所有人都可以自由參加的大競賽。但是自由放任的個人主義就像是參加自由式摔跤大賽，每個靈魂都因為必須踩著別人往上爬而備受折磨，沒有人了解知足是什麼。彼此對抗的階級鬥爭毫無節制，無論誰獲勝，都會為自由主義畫下句點。這是他沉痛的反思，值得我們警惕。

（二）桑塔亞納對人生的看法

　　桑塔亞納認為，人不能脫離他的種族，種族的發展不能沒有愛，而愛的結晶就是家庭。浪漫的愛雖然有詩意的幻想，但通常會以一段關係做為總結，即父母與子女的關係。這種關係比任何獨身的安全感更讓人的本能感到滿足。他甚至強調，子女就是我們的永恆不朽。他說：「當我們發現有一半的不朽，原文已經被謄寫在另一份更好的副本上時，我們會更心甘情願的把這份沾滿汙點的生命原稿付諸熊熊火焰。」桑塔亞納是自然主義哲學家，也是自然神論者，對於神沒有明確的信仰態度。他所欣賞的是給他帶來審美情操的宗教，因此談不上個人靈魂的不朽，所以他才會把子女當做一個人的不朽。

　　桑塔亞納進一步強調，家庭是通往人類永存的途徑。亦即人的種族一直在延續著。這種觀念有些浮泛，它沒有清楚的告訴我們：一個人修練的意義何在？一代又一代人繼續生存、發展下去，最後有什麼特別的意義呢？

　　他對人生的看法不能脫離他對社會的觀點。他認為，每一個人都愛護自己的國家，種族上的愛國主義必不可少。有的種族優於其他種族，在精神層次上有其高度與廣度，以及相對的穩定性。國家最大的危機在於變成戰爭的機器，在戰爭中，每個人都是輸家。

　　桑塔亞納對於人生有什麼看法？他說：「人不會滿足於現狀，總是嚮往更好的生命，想到死亡就讓人唏噓不已，所以想緊緊握住某種權力的希望而不放，這樣或許可以使自己在周遭的不斷變遷之中永恆存在。這當然是一種主觀的幻想。」他直言不諱的說：「我相信，沒有什麼是永恆不朽的。這個世界的精神與能量的確在我們身上起了作用，就像大海在每一道小小的浪潮中升起。但是它流經我們之後，不論我們如何哭喊，它仍然繼續前行，不會回頭。我們擁有的特權是：當它來到時，我們能夠感知得到。」換句話說，既然我們現在活著，就要好好珍惜人生。

（三）桑塔亞納的哲學觀

　　桑塔亞納認為，思想的價值是想像中的，而不是因果上的。你不可能在思想上得出任何具體的結論，只能在想像中讓自己不斷前進。他說：「有些科學家以他的望遠鏡搜尋天際，結果找不到任何上帝；他如果用顯微鏡搜尋人的大腦，也絕對找不到人類的心智。因此，相信人有這樣的精神，就跟相信魔法沒有兩樣。心理學家能觀察到的唯一事實是物理上的事實。所謂『靈魂』，只是人的身體內一種精良而迅速反應的組織。」

　　由此可見，他的唯物論輕快活潑，顯得有些不食人間煙火。其實我們也不能否認，經過人類數十世紀的努力，我們還是像以前一樣，無法解釋花朵為何成長、孩子的笑聲代表什麼。

　　就哲學來說，它的挑戰是要設計出一種方式，可以說服眾人去

實踐美德，而不需要經由超自然的希望與恐懼的刺激。桑塔亞納說：「哲學家的內在擁有一座天堂，但我懷疑那傳說中的極樂可以延續到其他的來世，只是一種詩意的象徵表達。哲學家可以享受真理的愉悅，也同樣樂意去享受這個活動領域，或者退出它。」

　　桑塔亞納的結論頗為落實，他認為：一般人若想走向道德，需要社會和家庭都有愛的氣氛；否則，讓一個人提升道德水準是不容易的。

（收穫與啟發）

1. 桑塔亞納對社會的看法非常落實，他認為：人的社會最好整個統合起來，而不要受到今天商業社會的影響，人人都去追逐有限的利益，大家互相競爭，永遠不知滿足；同時，強調自由主義未必是正確的，因為不論如何改革，人的社會總有類似的弊端。所以，一個社會如何找到合適的政治結構，這永遠都是一個問題。

2. 在人生觀方面，桑塔亞納做為自然主義者和無神論者，只能從審美的角度來欣賞人生。他在其重要的代表作《理性的生活》這本書裡談到，哲學的主題應該是人類生命與歷史的規畫以及意義。但寫到最後一冊的時候，他對於是否有規畫和意義感到疑惑。人生究竟是怎麼回事呢？他有時也透露出祕密的悲傷。他說：「生命值得活下去，這是最必要的假設；如果你不如此假設的話，活下去便是最不可能的結論。」這句話相當令人傷感。

3. 在哲學方面，桑塔亞納問：智慧的作用是什麼？他自己回答說：「為了做夢時可以睜著一隻眼；為了超然世外，卻對這個世界不懷敵意；為了欣賞容易消逝的美，憐憫短暫的痛苦，但

是片刻不曾忘記，它們是多麼短暫易逝。」最後的結論是：智慧來自於幻滅，但這只是智慧的開端；終點是幸福，哲學只是工具。思考的目標不是別的，而是盡可能的像在永恆之中一樣活著，吸納真理，並為真理所吸納。這是桑塔亞納對哲學的看法。

課後思考

我們從桑塔亞納身上看到一個誠實無偽的人的自我表達，他顯示為成熟而微妙的靈魂，以莊嚴而優雅的散文寫下自己的心聲，我們聽到之後會覺得有些沉重。但是，如果你的基本立場是自然主義與唯物論，你有超過桑塔亞納的其他可能性嗎？

46-4　羅素的精采人生

本節的主題是：羅素的精采人生。羅素的哲學沒有完整的系統，但是他有很強的批判力，對於幾乎所有重要的哲學問題都進行過討論和批判。本節要介紹以下三點：

第一，羅素一生的三個狂熱。

第二，數學就是羅素的神。

第三，哲學家等於失敗者。

（一）羅素一生的三個狂熱

羅素（Bertrand Russell, 1872-1970）在他的《自傳》中說，三個簡單卻有力的狂熱決定了他的一生：第一是對愛情的需求，第二是對知識的渴望，第三是對人類苦難的同情。羅素經歷了兩次世界大戰，確實對人類的苦難深有同情心。

在學術上，他原本在劍橋大學研究數學，他的老師就是歷程哲學的創始人 —— 懷德海。懷德海與羅素合著的《數學原理》成為當時的經典之作，書中探討了邏輯與數學的關係。此書出版後，懷德海進一步研究自然哲學，再轉到形上學，建構了歷程哲學；而羅素好像一輩子都沒有超出他所熱愛的數學的範疇。

羅素的活動力極強。他出身於英國貴族家庭，後來被冊封為伯爵。他對於人間各種苦難有深刻的關懷。他在劍橋大學教書期間，因為支持「拒絕服兵役」而被撤銷教授資格。第一次世界大戰期間，他由於批判政府而坐牢半年。不過，他在牢裡仍然可以自由的

閱讀與寫作。他後來移民到美國，依然特立獨行，發表了許多見解。他的立場在第一次世界大戰之前與之後有明顯的不同。在第一次世界大戰之前，他簡直就是一位數學專家。

（二）數學就是羅素的神

羅素一生都在追求與個人無關的客觀真理，數學是最標準的答案。他說：「數學是和平的場所，如果沒有數學，我將不知如何生活下去。數學中有永恆的真理、絕對的知識與至高無上的美。」這顯然是數學家的觀點，也有一定的道理。

問題是，要到哪裡去尋找與個人無關的客觀真理？羅素認為，除了數學之外，還要到科學和宗教中去尋找，而不是在哲學中去尋找。哲學不能與數學、科學、宗教並列。他在著作中一再重複什麼論調呢？他嘲笑哲學家太懶，不去研究數學；或者是太笨，不懂得科學。他甚至不止一次後悔，說自己不是一個科學家，而是一個哲學家。

羅素曾與他的老師合著《數學原理》，因此他對數學的推崇情有可原。但他為何要在宗教中尋找與個人無關的客觀真理？因為他認為，宗教已經存在幾千年，宗教的教義不是一般人可以自由想像或選擇的，其中應該有一些永恆而普遍的真理。但是，羅素在大學期間就放棄了三個信念，也就是康德在《實踐理性批判》中的三個設定：人的自由、靈魂不死與上帝存在。後文還會詳細介紹他對宗教的看法。

羅素雖然強調他要在宗教、數學與科學中找到確定不移的、不受個人影響的、普遍而客觀的真理；但他後來承認，經過一生的奮鬥，他在以下三方面都是失敗的：

1. 他不得不放棄宗教與客觀的倫理知識。他所謂的「宗教」主

要是指基督宗教。羅素發現，基督宗教中有許多觀念無法用數學來表達，在充滿矛盾的世界上找不到上帝，而且基督宗教迫害非基督徒，禁錮那些忠貞不二的信徒的思想，所以他認為必須放棄宗教。

2. 在數學方面，他對《數學原理》的系統並不完全滿意，並且維根斯坦使他確信：數學知識不過是一種重複的說法而已。換言之，在定理中規定好的內容，在後面推論時並沒有任何具體的進展。

3. 在他的著作《人類的知識》中，他為科學知識所做的辯護並沒有達到他早先預期的標準。

（三）羅素認為哲學家是失敗者

羅素認為哲學家都是失敗者。他好像是替自己找了個藉口，但他也以此來批評所有的哲學家。了解羅素哲學的關鍵在於：他認為哲學主要是一個副產品。幾乎所有西方哲學上的問題羅素都談過，但是沒有任何一種固定的見解能夠得到他的肯定。羅素強調，任何有價值的哲學，都是一種副產品。一種哲學要有價值，應該要建築在一個寬大而堅實的知識之基礎上，而這個知識的基礎，不單是關乎哲學的。

羅素在哲學方面的觀點有三個重點：

1. 哲學都是副產品。

2. 哲學家都是失敗者。羅素至少是極少數坦白承認自己是失敗者的人。他說：「誠實的哲學家應該承認，他不太可能得到最後的真理。但是人性裡有一種難以改變的脾氣，就是喜歡做別人的門徒；所以如果一位哲學家的失敗不是十分顯著，他就會被人認為已經得到最後的真理，進而加以崇拜了。」

3. 羅素進一步提出兩方面的想法。

　(1) 他說：「證明一個哲學問題無法解決，就是解決了這個
　　　哲學問題。」

　　　這句話聽起來有些弔詭。事實上羅素認為，所有哲學問
　　　題都不可能真正得到解決；所以只要證明它無法解決，
　　　這個問題就可以暫時放在一邊了。

　(2) 羅素在探討中採用一種特殊的方法，這種方法雖然不能
　　　帶來確定性，但是會使人擁有豐富的知識。

　　　他說：「每一個真正的哲學問題，都是一個分析的問題；
　　　在分析問題的時候，最好的方法是從結果開始，然後推
　　　到前提。」亦即把自己當做像偵探一樣，從結局開始，
　　　逆向分析正誤，從結論推導出前提。他認為這是歸納法
　　　的本質。

　　羅素在第一次世界大戰之後到第二次世界大戰之間，廣泛投入
各種社會活動。他是著名的和平主義者，反對戰爭，要為社會不義
尋找改善的方法。他拒絕繼承在英國的家業，選擇自謀生計，所以
到美國後經常入不敷出，有時窮到連一張公車票都買不起。但他只
要有辦法，對別人都相當大方，顯示出一種貴族的風範。

　　他的作品極多，影響很大，七十八歲時（1950 年）獲得諾貝
爾文學獎，代表他在寫作方面有出色的表現。他的作品有許多是哲
普性的作品，譬如我們熟知的《西方哲學史》、《西方的智慧》等
書。但他對西方哲學家的評論一向過於犀利，甚至過於嚴苛，以致
於很少有哲學家能通過他的檢驗。

　　他能夠勉強認同的是古希臘柏拉圖的「理型論」，以及近代史
賓諾莎「永恆秩序」的觀念。他認為，這兩種觀念都談到先驗真
理，而哲學命題必須是先驗的；因為哲學所論及的並不是事物，而

是事物之間的關係，這種關係是先驗的。譬如，如果 A 等於 B，X 等於 A 的話，那麼 X 就等於 B。不論 A、B 或 X 是什麼，這樣的數學公式永遠正確。

　　對於社會生活方面，他提出尊敬原則與寬容原則，以之做為新道德的基礎。所謂「尊敬原則」，就是要盡可能提升個體與社會共同體的生命力，而不要去壓制或抹殺它。所謂「寬容原則」是指，任何單一個體或是單一社會共同體的成長，都盡量不要以其他個體或社會共同體的損失為代價。換言之，你要生存，也要容許別人生存，大家按照各自的特色去謀求生存與發展。

收穫與啟發

1. 羅素精采的一生長達九十八年，從 1872 年至 1970 年。他承認自己的一生有三個狂熱。他對知識的渴望表現得最為明顯，對人類苦難的同情也受到世人普遍的推崇；至於對愛情的需求，則是他個人要去面對的挑戰。

2. 羅素把數學當做像神一樣崇拜，因為數學清晰明確，讓人直接進行有效的思考，而沒有任何含糊不清的地方。他一生都在追求與個人無關的客觀真理。他在宗教、數學與科學三個領域裡尋找，最後承認自己並沒有成功。

3. 羅素認為哲學家是失敗者，他也不諱言自己的失敗。首先，他認為哲學是一個副產品。原本想要追求客觀真理，但是根本沒有任何可能性；所以只能就某些客觀事實進行分析和探討，而無法找到與變動的人生經驗無關的真理。其次，他認為哲學家都是失敗者。然後他說：「證明一個哲學問題無法解決，就是解決了這個哲學問題。」如此一來，哲學怎麼會有任何明確的進展呢？

課後思考

　　羅素說，三個簡單而有力的狂熱決定了他的一生，就是對愛情的需求、對知識的渴望，以及對人類苦難的同情。愛情是個人要去面對的，知識是追求人類共同的福祉，至於對人類苦難的同情，更使我們擴展到人類的層次。請問，到目前為止，有哪些有力的狂熱在安排及推動著你的生活？

46-5　羅素的哲學觀

　　本節的主題是：羅素的哲學觀。羅素對哲學有明確立場，他寫過《西方哲學史》、《西方的智慧》這一類介紹西方哲學的書，充分表達了個人的見解；但對於被他介紹的西方哲學家來說，就未必完全可靠了。羅素認為，哲學應該為人提供一種洞察力，使他不為爭議所困，可以破除偏見，更接近真理。這是他的基本觀點。

　　本節要介紹以下三點：

　　第一，羅素如何批評西方的理性主義與唯心論？

　　第二，羅素在其代表作《密契主義與邏輯》中，指出密契主義的四點特色。

　　第三，羅素對密契主義四點特色的評論。

（一）羅素如何批評西方的理性主義與唯心論？

　　西方的理性主義始於近代哲學家笛卡兒，羅素與笛卡兒的基本觀點不同，但有三點態度是相同的：

1. 他們都批判蒙昧主義，就是忽視理性，靠本能的願望去決定什麼是真、什麼是假。

2. 他們都結合了天真的直率與世俗的智慧，說出一些十分貼近人心的話。譬如笛卡兒說過，讓我的欲望不要超過能力的範圍。羅素也說過許多精采的格言。

3. 他們都重視清晰而直觀的觀念，只受內在的定見所支配，都極力表達自己的真知灼見。

羅素對於笛卡兒發展出來的西方哲學很有意見，他認為這種哲學雖然使用理性，但其實走向了唯心論的系統。它要求以合理而完整的方式解釋萬物，這樣一來就傾向於把萬物看成是有目的系統，以便讓人真正理解它。這種解釋方式與長期在西方占主導地位的基督宗教是合拍的，可以在很大範圍內呼應西方的基督宗教信仰。

羅素進一步指出，有兩條途徑都肯定宇宙萬物是統一的。一條是從笛卡兒到黑格爾以來的理性的途徑，另一條是密契主義的途徑。兩者看似不同，但是殊途同歸，最後的結論都是一個統一的宇宙觀。羅素對此不能接受。

（二）密契主義的四點特色

《密契主義與邏輯》是羅素的代表作，很多人都對這個書名感到詫異。事實上，羅素寫作的目的是要對密契主義加以批判，他也知道這樣的書名足以吸引人。至於邏輯，當然是羅素的立場。他主張使用理性，但是沒有必要進入到一元論的結果。

羅素先對密契主義者做了簡單說明：

1. 密契主義者認為一般事物並不真實，充滿變化的萬物都是虛幻的，他們把世界看成一種表象，好像背後存在著一個真實的本體。

2. 密契主義者並不關心日常生活的細節。在這個世界上過得是好是壞、有什麼樣的遭遇，這些都不太重要，重要的是永恆的那一面。

3. 密契主義者與外在世界幾乎是隔絕的，他們排斥感官經驗，對於推論和分析的知識都保持距離。密契主義者專注於內在的情感，讓孤獨的靈魂有美好的幻想，這種幻想既生動又真實，以此排除疑惑，產生定見。

羅素認為自己做為哲學家，應該調和哲學與密契主義；或者至少要分辨，到底哪個對、哪個不對，為什麼對或不對。正是因為能夠分辨這兩點，所以哲學比科學和宗教更重要。

羅素進而指出密契主義的四點特色：

1. 密契主義可以透過直觀頓悟，得到完全不同於由感覺或理性分析所得的知識。換句話說，他可以領悟潛藏在現象背後的實在界的光彩，好像得到完全通透的光明，顯示出渾然為一的境界。

2. 密契主義相信一切都是一個整體，裡面沒有任何對立與分歧。就像古希臘時代赫拉克利特所說的「善與惡是一而非二」、「向上與向下的路是同一條路」，以及巴門尼德所說的「真實是一個整體」。

3. 密契主義否定時間的實在性，把過去與未來都當做虛幻的，所有東西在時間上都不會有任何變化。

4. 密契主義認為，惡是一種假象，沒有惡的問題；即便有惡，也是為了更大的善。

（三）羅素對密契主義四點特色的評論

羅素的目標很簡單，他要分開事實與希望。一個人可以抱有希望，但事實究竟如何才是最重要的。羅素對密契主義的四點特色依序做出了評論：

1. 本能的直觀與理性的推理

一方面是本能的直觀，另一方面是理性的推理，兩種認知方法是否同樣有效呢？本能的直觀當然是密契主義最主要的方法。羅素認為，直觀與理性的對立基本上是虛幻的。理性，與其說是一種創造性的力量，還不如說是一種調和以及管制的力量。

　　人的本能的直觀很容易犯錯。當然，本能的直觀在某些方面，比如在自我防衛、求生存、愛的行動方面，有時可以非常快速的做出精確的反應，但是那與哲學有什麼關係？哲學是一種高度精確、高度文明的活動，這種活動若是要取得成功，就必須在某種程度上從本能生活中解放出來，甚至要遠離一切世俗的希望與恐懼。羅素的結論是：在哲學中，理性的推理比直觀更優秀，直觀的判斷不應該在未經批判的情況下就被接受。

2. 密契主義相信實體存在

　　密契主義認為宇宙萬物是合一的整體，但是我們所見到的殊多與差異是不是假象呢？羅素指出，密契主義相信有一個實體存在，它完全不同於出現在感官面前的東西。這種信念帶著不可抗拒的力量出現在某種情緒中。如果你認為大自然的一切都是虛幻，殊多和差異都是假象，未免太武斷了。以這樣的心態去了解大自然，最後當然一無所獲。

3. 時間是真實的嗎？

　　時間是真實的嗎？如果肯定宇宙萬物是一個整體，自然會對時間感到疑惑。羅素認為，你說現在是唯一的存在，但是過去與未來不是一樣真實嗎？每個未來都會成為過去。我們覺得未來與過去不同，不是因為兩者間存在真正的差異，而是因為未來和過去跟我們的關係不同。

　　羅素也承認，在進行哲學思考時，人必須從時間中解脫。就算時間是真實的，也必須先在思想上掌握到「時間不重要」，這是得到智慧的不二法門。他的意思是說，我們在思考時需要使用抽象，要把一樣東西的本質抽取出來才能形成概念，這時必須先把時間暫停，認為時間完全不重要。但是，不能因此就認為時間是虛幻的。

　　羅素指出，密契主義者認為時間有問題，是出於對道德與幸福

的關懷。他們總認為有一個永恆的境界，而並非想去認識什麼是真正的東西。哲學家若要獲得真理，首先必須具備那種無關利害的理智的好奇心。

4. 善、惡都不是真實的

密契主義者認為，惡不是真實的，甚至連善也不真實，因為萬物是一個整體。羅素承認，道德的確很重要，但是哲學不用考慮道德問題。譬如愛與恨，那是心理學的研究範圍。哲學家或者心理學家都一樣，應該保持道德中立。要知道人類能力的極限，每個人都不應該把自己的道德觀念強加於別人身上，這樣才更有希望接近真理。換言之，不應該以不確實的希望來迷惑人心。

收穫與啟發

1. 羅素是西方當代重要的哲學家，他對於西方哲學史有一定的心得與見解。他主要的評論立場在《密契主義與邏輯》這本代表作中展現出來。他認為哲學家一定要使用理性，但是這並不代表要走入理性主義，甚至進一步走到唯心論，把宇宙看成一個整體，好像它有某種目的。這種思想系統與宗教的密契主義殊途同歸。理性應該有其獨立的運作，不應該被吸引到密契主義那一邊。

   羅素在青少年階段就關心形上學，連帶也探討宗教問題，他覺得自己很容易產生罪惡感，但他在十八歲以前就擺脫了這樣的罪惡感。在此之後，羅素也失去了形上學的三個主要信念──上帝存在、人的自由以及靈魂不死。

2. 羅素在《密契主義與邏輯》一書中，認為密契主義有四點特色：密契主義依靠直觀頓悟；把一切看做一個整體；否定時間與變化；認為惡，甚至連善也一樣，都是一種表象。

3. 對於上述四個問題，羅素認為理性的推論是可靠、普遍而客觀的；密契主義者的說法涉及個人的信念與希望，有許多是無法證實的。

課後思考

羅素承認，人的直觀或直覺在自我防衛、求生存以及愛這三方面，會有快速而精確的反應。可見，他並沒有完全否認直觀的作用。請大家思考一下，除了上述三點之外，還有哪些方面，直觀比理性的推理更有效率？

46-6　羅素對道德與宗教的看法

　　本節的主題是：羅素對道德與宗教的看法。

　　羅素是一個道德學家，一向熱中於參與道德方面的討論，尤其是有關倫理學與政治學方面的。比較特別的是，他也談到「後設道德」的問題，就是探討：道德原則是如何產生的？不同道德立場的人之間有什麼歧義，他們的觀點有何差別？從非道德的前提可以推出一個道德的結論嗎？

　　本節要介紹以下三點：

　　第一，羅素對道德爭議的看法。

　　第二，羅素對宗教的觀點。

　　第三，羅素對人生的一般說法。

（一）羅素對道德爭議的看法

　　羅素早期的觀點接近他的好友謨爾（G. E. Moore, 1873-1958）《倫理學原理》的看法，採取主觀主義的觀點。如此一來，在道德爭論中就不可能有真正的意見差別。譬如，甲說這個行為是善的，乙說它是惡的，那只代表甲、乙各自的感受或欲望，他們可能同時都對。如果兩個人對價值的看法不一樣（價值包含道德在內），只說明兩個人的口味不同而已，與真理無關。有些人的口味比較高一點，欲望顯得比較高尚，但那只是個人的口味與欲望。

　　那麼人在世界上應該如何生活呢？羅素認為，我們應該欲求的，只是別人願意我們去欲求的東西，這樣就可以在生活上過得不

錯了。認為「快樂、愛或愛上帝有內在本具的價值」，那只是表達了自己的欲望而已。譬如，你說「恨是不好的」，這跟你說「但願沒有人感到恨」沒有什麼差別，只是表達了你的欲望而已。

當然，羅素也分辨了兩種欲望。第一種是個人的欲望，譬如，我肚子餓了，想吃東西；我有野心，需要名聲。第二種是非個人的欲望，譬如，反對種族歧視，反對製造汙染。在道德判斷中，我們可能會表達某種非個人的欲望；有時候欲望是個人的，而訴求是普遍的。兩種欲望交織在一起，在倫理學上構成很大的問題，造成不少困惑。

在倫理學爭論中，常常要針對方法，而不是針對目的。因為如果有終極的目的或終極的善，那所有的爭議都可以解決；但事實上並沒有終極的目的。羅素認為，你無法證明任何東西有內在本具的價值，就好像無法對色盲的人說「草是綠的而不是紅的」。你只能找出各種方法為他證明，他缺少了大多數人所擁有的區別能力。但是在價值方面，沒有這樣的證明方法。結論還是一樣：人在價值上的不同觀點是由於口味不同所造成，並沒有所謂的客觀真理。羅素認為自己的觀點是對的，但是他承認沒有辦法說服所有人，他也不知道該如何解決這個問題。

最後，羅素還是提出一些倫理學的具體訴求。他說：「愛而不是恨，合作而不是競爭，和平而不是戰爭，這些都是值得追求的願望。」結論是：讓世界充滿幸福、美滿，我們真正需要的還是理性。

（二）羅素對宗教的批判

羅素對宗教的批判是公開而明確的。他說，他年輕的時候就放棄了柏拉圖的理型論，此後就公開反對宗教。他認為，凡是相信有超自然的神祕境界的宗教都是錯的。一般人總認為宗教勸人為善；

羅素則認為，沒有宗教，人才會行善。

羅素認為，宗教最後會消滅。他 1922 年接受訪問時說：「我個人不認同所有已知的宗教，我希望所有宗教信仰都會消失。宗教屬於人類理性的幼稚階段，現在我們已經走出這個階段。」到 1959 年，也就是上述這段話三十七年之後，他稍微修正了自己的觀點。他說：「如果出現大的戰爭、大的壓迫而讓許多人受苦，宗教就有可能繼續存在；如果人解決了社會問題，宗教就會消失。」

羅素對宗教方面的一些重要觀念提出批判。

1. 上帝存在嗎？

羅素公開說他是不可知論者。不可知論與無神論的目的是相同的，就是把神擺在一邊。有人問他：「你認為上帝是不存在的，還是難以證明的？」羅素說：「所謂的上帝，無異於古希臘奧林匹斯山上的那些神，或者北歐維京人神話中的神。這些神都可能存在，因為你無法證明他們不存在。基督宗教的上帝也一樣，他只是純粹的可能性。」所謂「不可知論」是說，上帝的存在雖然不是不可能的，但在正常情況下不太可能。

2. 人死之後靈魂會不會復活？

羅素說，一切證據都顯示，所謂的心智生命，乃是頭腦結構加上健康的身體才有能力運作出來的。身體死後，心智生命亦隨之消失。羅素認為，另外一個心智生命（譬如靈魂）的存在，頂多只有或然性而已。

對於身心問題，羅素是中立的一元論，比較接近唯物論。他在 1959 年強調，人在宇宙中沒有任何重要性。如果有一個上帝或存在本身，他沒有偏見的看待地球上此時此地的人，他很難會提到人類，除了可能在某一本書、某一個注解裡面提到而已。所以，羅素是否定靈魂不死的。

3. 信就好了，其他的不要管

羅素也反對唯信主義，也就是「信就好了，其他的不要管」。羅素不相信關於神存在的各種論證，但他對多瑪斯·阿奎那以及笛卡兒的理性主義比較欣賞；他完全不能接受帕斯卡、盧梭與齊克果。他說，把一些問題的答案訴諸於人的心，而不訴諸於理性，不是一種進步。

訴諸於內心的情感會出現兩個問題：

1. 內心的情感會對不同的人說不同的話，對同一個人在不同情況下也會說不同的話；
2. 就算內心的情感對所有人都說同樣的話，也無法證明情感之外有任何東西存在。

那為什麼還有人接受一套神學呢？因為它允許人沉浸於快樂的夢幻中。羅素認為，雖然基督宗教的某些行為格準是可敬的；但是不論從德行或是智慧來看，耶穌基督並沒有超過佛陀與蘇格拉底。他尤其對於耶穌說的「有些人死後永遠受罰」這句話，表示完全無法理解。

最後，羅素還強調宗教信仰帶來的壞處。他說，啟發宗教信仰的感情是基於恐懼，所以宗教組織會帶來有害的影響。換句話說，人一旦信仰就會閉上眼睛，就算證據不足他也不管，放下理性，訴諸執著，那不是害人嗎？不過，羅素在談到宗教信仰時，有一句話值得肯定，他說：「重要的不是你信什麼，而是你如何信。」

羅素從不否認他的無神論哲學會顯得陰暗沉鬱。他說：「智慧的開始就是要接受一個事實，那就是宇宙並不在乎我們渴望什麼，人的快樂或痛苦跟人的行為沒有什麼直接關聯。」他在九十二歲生日時接受電視訪問，他說：「快樂的祕訣在於面對世界是恐怖的這個事實。你面對這個事實，就可能再度成為快樂的。」

（三）羅素對人生的一般說法

　　羅素對人類生命的價值依然是肯定的。他說：「在一切道德品質中，善良的本性在世界上是最需要的。若有人給我再活一次的機會，我將欣然接受這難得的賜予。」他又說：「談到幸福，總是還有一些心想未成的東西。如果你想要的東西都有了，也就沒有什麼幸福可言了。美好的人生是被愛所喚起，並被知識所引導。最好的生活是建立在創造活動的基礎上。」

　　威爾‧杜蘭在《哲學的故事》中曾引述一段羅素的話，與中國人有關。羅素說：「我逐漸認識到，白種人並不如我過去所認為的重要。如果歐洲與美國在戰爭中完全滅絕了，也不意味著人類這個物種會就此毀滅，更不會是文明的末日。因為還會剩下為數可觀的中國人。從各方面看來，中國是我所見過最偉大的國家。不僅在人數上與文化上最偉大，在我看來更是在知識上最偉大。我不知道有其他的文明像中國一樣，如此心胸開闊、注重實際、樂於面對事實的原貌，而不是試圖將這些扭曲成某種特定的樣子。」這是他在1924 年 5 月 4 日接受《紐約世界報》的訪談時所說的，此前他曾受邀在中國進行訪問與講學。

　　羅素隨著年齡增加而更機智，因為豐富的生活而更圓融，對人類沉積的弊病仍保持完全的清醒，但已清楚的了解社會改變的困難。

課後思考

　　羅素對倫理、宗教的態度非常謹慎而保守，甚至提出批判的看法；但他到過中國講學，特別推崇中國人，說中國人心胸開闊、注重實際、樂於面對事實的原貌。請大家思考一下，這三方面我們還保留著哪些呢？我們還有哪些優點是羅素所忽略的？

Part 10

延續愛智傳統

第四十七章

維根斯坦與卡西勒

47-1　特立獨行的維根斯坦

　　本章的主題是：維根斯坦與卡西勒。維根斯坦是當代哲學界非常特別的人物，本節將從生活上、學術上與影響上三個方面，來介紹他的「特立獨行」。

　　第一，維根斯坦在生活上特立獨行。

　　第二，維根斯坦在學術上的表現。

　　第三，維根斯坦的影響。

（一）維根斯坦在生活上特立獨行

　　維根斯坦（Ludwig Wittgenstein, 1889-1951）是奧地利人，他的父親是猶太實業家，可謂大富之人。他父母的文化素養很高，有許多音樂家朋友，像舒曼、馬勒、布拉姆斯都是他們家的座上客。他們家有七架三角鋼琴，他從小在家中自學。但是有錢人家未必快樂，他有四個哥哥，三個自殺，他在二十三歲時也說自己「過去九年一直活在恐怖的孤單之中，徘徊在自殺邊緣」。他一生最害怕的是，在完成著作之前就失去理智或生命。

　　他後來到柏林技術學院學習工程，對數學發生興趣，就轉到劍橋大學向羅素學習數學。他把分到的所有遺產全部送給哥哥姊姊。他在寫完自己的代表作《邏輯哲學論叢》之後，認為自己解決了所有的哲學問題，便不想繼續待在學術界，於是轉到奧地利鄉下的一所小學教書。後來又覺得與孩子的父母不好溝通，他就去當園丁，住在簡陋的地方，過著簡單的生活。

維根斯坦談過幾次戀愛，都無疾而終。他一生沒有穿過西裝、打過領帶或戴過帽子，一向只穿簡單的衣服。因為身體不好，他本來不用當兵，但是他堅持要參加第一次與第二次世界大戰，在二戰中擔任救護兵。可見，他在生活上十分特立獨行。

（二）維根斯坦在學術上的表現

維根斯坦一進劍橋大學就受到注意。《倫理學原理》的作者謨爾，很早就發現維根斯坦在課堂上經常皺著眉頭，陷入苦思。羅素當時也在劍橋教書，他比維根斯坦大十七歲。羅素第一次見到維根斯坦便說：「認識維根斯坦是我生命中最令人興奮的思想上的經歷之一。」羅素稱他是完美的天才。

有一次維根斯坦問羅素：「你認為我是個白痴嗎？」羅素說：「你為什麼這麼問呢？」維根斯坦說：「如果我是個白痴，我就去做飛行員；如果不是，我應該成為一個哲學家。」後來他把第一份學習報告送給羅素，羅素念到第一句就說：「這是個天才！」羅素曾寫過一本探討認識論的專著，維根斯坦對書中觀點提出嚴厲批評，使羅素放棄了出版的念頭，甚至一度想要自殺。這就是羅素與維根斯坦交往的過程。

維根斯坦聽從朋友的勸說，用他的書做為博士論文，答辯時出現了什麼場面呢？謨爾與羅素都擔任評審委員，但他們不知如何提問。維根斯坦輕拍兩位主考官的肩膀，安慰他們說：「別難過，我知道你們永遠不可能了解的。」

維根斯坦取得學位後，在劍橋大學三一學院擔任研究員，有五年教學經歷。他在學術圈內特立獨行是眾所皆知的。他離開劍橋後，有個朋友一直鼓勵他回來；當他返回劍橋時，又親自去車站接他。這位朋友就是後來獲得諾貝爾經濟學獎的凱恩斯（J. M. Keynes,

1883-1946）。凱恩斯為此事寫信給他太太說：「嗯，上帝到了，我會在五點十五分那班火車見到他。」把維根斯坦稱做「上帝」當然是朋友間的玩笑話，但他在朋友心目中的特殊分量由此可見一斑。

（三）維根斯坦的影響

　　一般會把維根斯坦與兩個學派放在一起。一是邏輯實證論，這是當時奧地利維也納學派的立場，但他認為這是誤會。維也納學派著名哲學家卡納普（Rudolf Carnap, 1891-1970）這樣描述維根斯坦：

　　「維根斯坦對人與對問題所提出的觀點與態度，更近似於藝術家而非科學家，或可說與宗教的先知或預言家沒什麼差別。當他陳述自己對特定哲學問題的看法時，我們常可感覺到他在那段時間裡的內心掙扎，也就是他在極度痛苦的緊張中，試圖從黑暗穿透到光明的掙扎。這種緊繃狀態甚至能在他表情豐富的臉上看見。當經歷長期艱辛的努力後，答案終於出現了。他的陳述就像新創的藝術作品或神聖的啟示一般，卓然屹立在我們面前。他並非武斷的堅稱自己的觀點，只是他給我們的印象是，洞見仿佛是透過神靈的召喚降臨到他的身上。以致於我們不免覺得對這個洞見提出任何嚴肅、理性的評論或分析，都是一種冒瀆。」卡納普顯然對他是非常肯定的。

　　但是維根斯坦最後對維也納學派的朋友們說：「你們誤會了，我寫的《邏輯哲學論叢》不是探討邏輯的，與你們的基本立場不同。我是要探討倫理，以及語言與思想的局限。」一般人都把維根斯坦連上邏輯實證論或維也納學派，這事實上有些誤會。

　　另一方面，世人也常把維根斯坦與語言分析學派連在一起。事實上，語言分析學派與維也納學派也常被連在一起。談到語言分析，在古希臘時代就有這樣的傳統。蘇格拉底讓人不斷澄清概念的做法，就是一種語言分析的方式。這個學派對我們來說顯得比較遙

遠。它裡面有一個重要原則叫做「意義檢證」——你說的一句話是否有意義，需要經過檢證。所有檢證要不就以科學為標準，不然就是符合我們直接的感覺經驗。除此之外，其他標準都有問題。這個學派與維根斯坦有些類似，但不完全相同。

維根斯坦在哲學上沒有成立特定的學派，他所做的是清理戰場的工作。他認為兩千多年的西方哲學基本上是一團混戰，有很多觀念都沒有弄清楚。

維根斯坦在生活上特立獨行，從富家子弟到拋棄一切財產，甘願過簡樸的生活。他有如此明顯的轉變，是因為他內心始終有一種危機感。他在鄉下小學教書期間，在一間書店買到俄國文豪托爾斯泰的《福音書簡》，受到啟發與震撼，決定從此過簡單的生活。

後來他在劍橋大學以研究員身分授課，也給學生留下了深刻的印象。他有一些口頭禪，譬如，我是古怪的，我今天太笨了，我是很糟糕的老師。他上課時經常會在一段時間內保持安靜，一個人喃喃自語；一下課就奔向電影院，隨便看一部電影以便忘記哲學。

二戰之後，他回到劍橋大學，但不久便放棄教職，因為他覺得哲學教授是一個荒謬的職位，簡直像是被活埋一樣。1952 年他因癌症過世，死於愛爾蘭的都柏林。臨終前，他告訴身邊的人說：「請轉告我的朋友們，我曾擁有一個美好的生命。」

收穫與啟發

1. 維根斯坦可謂二十世紀最特立獨行的哲學家。他出生於富裕的猶太人家庭，後來因為受到某種感召而過著極其簡樸的生活。一般人很難做到這一點，連哲學家也不例外。

2. 在學術上，他讓羅素和謨爾這兩位當時的哲學名家大為驚豔，羅素稱他是天才的典型。他對人生問題的許多思考超出羅素

的想像之外。他在學術上只有兩本代表作。一本是《邏輯哲學論叢》，本來找不到出版社，經羅素介紹才得以出版。出版之後，很快就成為當代哲學的經典之一。第二本是他過世之後才出版的《哲學探討》。

3. 維根斯坦影響了當時正在發展的邏輯實證論和語言分析學派。但他認為，儘管表面有些類似，但基本的精神是不同的。維根斯坦並不是純粹研究邏輯或語言，他關懷的還是人的問題。他探討倫理學，尤其要把焦點放在語言與思想的局限問題上。

課後思考

維根斯坦被許多人認為是當代的蘇格拉底。請你從生活上、學術上、影響上，比較一下兩人的異同？

補充說明

維根斯坦特立獨行，他在生活上、學術上、影響上確實與蘇格拉底相似。他們之間的不同在於：蘇格拉底從來沒有想過要完全質疑或否定過去的哲學，維根斯坦則認為在他之前的哲學家不是講錯了，而是講的無意義。有時說別人講的話「無意義」比說「講錯了」，是更嚴重的批評。

歷史上很多哲學家都是認真的在生活，他們經過深刻思考，提出對宇宙、人生和價值的睿見，都值得尊重。語言當然有其限制。我們一輩子說話，有時也搞不清楚到底哪些話是自己真正的想法，哪些只是客套話，哪些話能扣緊真實情況，揭示某些真理。但不能因此就說所有的話都沒意義。維根斯坦在哲學上被列入語言哲學這個體系，他的想法確實給人類的思想造成一定局限。

47-2　維根斯坦解決了哲學問題嗎？

　　維根斯坦出版了《邏輯哲學論叢》之後，自認為解決了所有的哲學問題。他認為，大部分談論哲學的語句與理論都不是錯誤的，而是沒有意義。換句話說，過去西方哲學家的大部分說法都是沒意義的。他為何會這樣說？

　　本節要介紹以下三點：

　　第一，維根斯坦的《邏輯哲學論叢》的主要內容是什麼？

　　第二，語言所反映的是什麼？

　　第三，維根斯坦所謂的「不可言說的神祕事物」是哪些？

（一）維根斯坦的《邏輯哲學論叢》的主要內容

　　《邏輯哲學論叢》一書只有七十頁左右，但討論的問題很廣，包括語言、世界、邏輯、數學、科學、哲學的本質，並對倫理、宗教與密契主義都做了一些評價。可見，這本書顯然是由非常簡短的語句所構成的。

　　維根斯坦透過探討，要分辨能夠言說的與只能顯示的。哪些是可以用言語來說明的？哪些是只能顯示而不可言說的？他的結論是：「可以言說的，就盡量說清楚；不可言說的，就要保持緘默。但是真正重要的，是我們只能保持緘默的那一部分。」

　　這本書開頭就說：「世界是實際情況的全體。」所謂「實際情況」，一般稱為「實況」。實況與「事物」不同。譬如，一張桌子或一棵樹，就不是一個實況，而只是一樣事物。然而，沒有任何事

物可以獨立於周圍的環境之外。譬如,「這張桌子是咖啡色的」、「這棵樹位於路邊」,這些就是實況。

人類所能掌握的是實況,而不是事物。因為人類一定要透過某個語句來掌握一樣東西,語句是我們思想的具體內容。如果離開了語句去思考,那只是經過簡單抽象之後剩下本質的事物,而不是一種實況。

維根斯坦認為,只要把這一點說清楚,人類在使用語言時就會更加謹慎。要排除所有經過抽象之後的本質,讓思考與表達的內容完全與經驗相對照,這樣才能使經驗與行動有一個合適的秩序。所以他在這本書一開頭就說「世界是實際情況的全體」。

(二)語言與實際情況的關係

維根斯坦一再強調:「再也沒有比不欺騙自己更難的事了。」有許多人一輩子都在說話,但他知道自己說的是什麼意思嗎?他的話能表達實際情況嗎?維根斯坦認為,絕大多數人都不知道自己所說的是什麼,卻以為自己知道,那不是自欺嗎?這句話說得有些嚴重。他的著作就是要說明語言與實況的關係,他一輩子都在這裡面打轉。他認為,把這一點說清楚,人生所有的問題都會一目了然。

人在思考及表達時,世界只有一個,但它有兩面:一面是可以說的或語言可以表達的部分,另一面是不可說的或語言無法表達的部分。如果認為自己的語言可以表達不可說的部分,那就是欺騙自己。若以這個標準來衡量,恐怕很少有人可以逃避他的指責。不過,以他的標準來看,世界也會變得非常狹隘。

他說:「真正語句的集合體就是自然科學。」但是他也承認,即使科學中可能提出的所有問題都被回答了,也仍然沒有觸及我們的生活問題,因為生活問題是無法思考、無法表達的。只有哲學會

觸及生活問題。他強調：「哲學應該藉由可思考的事物，從內部去畫出不可思考的事物的界限。」的確存在著許多無法言說的事物，它們顯示自身，它們就是「神祕事物」。

（三）不可言說的神祕事物

維根斯坦所謂的「不可言說的神祕事物」至少有五種：

1. 倫理方面的說法

維根斯坦認為，倫理方面經常講報應，但因果報應是迷信，善惡有報這種「必然性」只存在於邏輯中。這句話是對的。我們常常覺得善惡應該有報應，但那只是個人的願望而已。他認為，幸福不是內心的狀態，也不是感覺、判斷或思考，而是「個人領悟到世界意義的局限性之後產生的」。換言之，你知道世界有什麼意義，而這個意義是有局限的，你才會覺得幸福。

2. 生命

維根斯坦說：「空間與時間中的生命之謎的解答，存在於空間與時間之外。」這就好像「不識廬山真面目，只緣身在此山中」。你如果想了解人的生命，答案不可能在這個生命中找到。

3. 自我

維根斯坦說：「自我是一個主體，他不屬於世界，而是世界的界限。」換句話說，獨立自我並不存在。每個人都可以問：我的自我是誰？譬如，我看到一棵櫻桃樹，但是我能看到那位看到櫻桃樹的「我」嗎？我從鏡子裡看到我的眼睛，但是我能看到那看到眼睛的「我」嗎？我試著思考一個思想，我能在思想之外發現一個思想者嗎？也許我可以想像有一個思想者獨立於思想之外，但進一步反省就會發現，這也不過是我的另一個思想罷了。

所以維根斯坦認為，我們無法在世界上發現主體，然而「我」

在世界上卻有許多經驗。我會說「這是我的經驗」，但這不等於說「這是我的財產」，因為並沒有擁有這個經驗的主體。我與世界相合，但我的世界是獨一無二的。我是世界的界限，但是我無法在它周圍畫出一道邊界。因為我必須跨到邊界之外才能畫下界限，但是我無法跨出邊界。這就是維根斯坦對於自我問題的反省。

4. 世界的存在

他說，讓人覺得神祕的並不是「這個世界是怎麼回事」；「這個世界的存在」本身就讓人覺得神祕，因為它無法解釋自己。

5. 世界的意義

維根斯坦認為，這個世界的意義必須位於世界之外。他說：「信仰上帝，意味著了解生命意義的問題，但是上帝不會出現在這個世界之中。上帝也是世界的總和。人類的依賴顯示了神祕的上帝存在。在此意義之下，上帝就是命運，或是獨立於我們意志之外的世界。」

收穫與啟發

1. 維根斯坦第一本代表作是《邏輯哲學論叢》，內容涵蓋語言、世界、邏輯、數學、科學、哲學的本質等；它的焦點在語言上面，因為人的思考不能離開語言。而語言所表達的是什麼呢？這是一個關鍵的問題。

2. 維根斯坦說，世界是實際情況的全體。「實際情況」一般稱為「實況」，它與所謂的「事物」不同。你說「一張桌子」或「一棵樹」，那只是經過抽象之後的概念而已，其實並不存在。語言所表達的應該是實際情況，譬如說「這張桌子是咖啡色的」、「這棵樹位於路邊」。

　　我們說的語句是實況的圖像，而實況是語句的對象。語句可以

重複實況的邏輯結構，因為世界與語句之間有共同的邏輯形式。所以維根斯坦進一步說：「只要能被思考的，就可以被清楚的思考；只要能被說出的，就可以被清楚的說出。」另外還有不能說出的，對其要保持緘默。那反而是真正重要的，屬於難以理解的「神祕事物」。

3. 他列舉五種神祕事物，包括倫理、生命、自我、世界的存在以及世界的意義。維根斯坦後期對於神祕事物不願再多做說明，他甚至認為那沒有什麼好談的。

課後思考

維根斯坦從語言入手，認為自己解決了所有的哲學問題。我們使用語言時有兩種情況：第一種是「我不說，因為說不清楚」；第二種是「我說，因為那對我太重要了」。第二種顯然出自於個人的經驗，每個人都有權利來適當表達這些經驗。人與人之間難免有各種誤會，但誤會可以慢慢得到澄清，彼此也能逐漸互相了解。你可以接受上述觀點嗎？

補充說明

人類必須使用語言去思考和溝通，維根斯坦從這一點著手，認為語言不能脫離特定的社會與使用的人，因此有明顯的限制。有很多問題根本不可說，那就不要說；但不可說的部分有時更加重要。下面將對此做進一步的思考。

1. 無法說清楚的，就不要去說

維根斯坦認為，凡是無法說清楚的，就不要去說。但是，所謂的「無法說清楚」是相對的。十年前說不清楚的，隨著生命經驗的日益豐富，今天也許就能說清楚了。另外還要考慮聽者的接受

能力。其實不管你說什麼，這個世界上都有很多人聽不懂。

我們承認，有許多東西確實說不清楚，譬如維根斯坦所謂的「神祕事物」。但是，它們之所以不是三言兩語就能說清楚，是因為它們需要實踐。譬如，有一篇最短的演講，不到一分鐘就講完了。演講人說：「我們今天的主題是戀愛。有戀愛經驗的人，不用說你也知道是怎麼回事；沒經驗的人，怎麼說你也聽不懂。謝謝各位。」

由此可見，人與人之間能否溝通，取決於彼此有沒有類似的實踐或體驗。你不一定每件事都有自己的體驗，但可以透過書本、電影，甚至是神話故事來學習別人的經驗。別人言行所體現出來的典型叫做「原型」。對於重要而難以表達的意義，人往往會借助於原型，把想說的話歸結為某種類型，從而使交談的雙方能夠互相溝通。

每個人都有自己的「認知地平線」或「視野」。在詮釋學中就強調「視野的融合」。人與人之間是否能互相了解，要看彼此的視野能否融合。兩個人的視野有相通的部分，就能進行溝通。不過，兩個人的視野不可能完全一樣。在這個世界上，有誰說話能讓對方完全了解呢？那樣也不需要說話了，就成了莊子所謂的「相視而笑，莫逆於心」。為什麼會有如此默契？因為他們都體驗了做為萬物的來源與歸宿的「道」，它是一個整體，包含一切在內。所以不需要言語，一個微笑、一個動作或一個手勢，彼此就能心領神會。這樣的朋友可以稱為「心靈伴侶」或「靈魂伴侶」。但這樣的朋友非常少見。

2. 不太重要，何必去說

我說，因為那對我太重要了。這句話才是重點。它提醒我們：今後對於不太重要的事，絕對不要跟別人爭論。既然不太重要，

何必去說呢？說了以後，別人懂或不懂有什麼關係呢？不用急著去證明誰對誰錯。

　　既然有些話對我來說很重要，我當然要用各種方式把它說清楚。譬如使用比喻，或借重別人的話，或使用寓言。別人能聽懂多少呢？永遠不要期望百分之百，因為許多話都需要行為的配合或實踐的證明。「知行合一」是大原則，說出的話與行為之間要能互相檢證，也就是《中庸》裡所謂的「言顧行，行顧言」。到最後不用說話，別人看到你的行為，就知道你的觀點和立場，一切盡在不言中。這當然是比較理想的情況。

　　所以對於維根斯坦的一些觀念，我們沒有必要完全接受。事實上，西方哲學界對維特根斯後來也有很多反省甚至批評。他的影響力逐漸下降，後面也沒有人特別在乎他說過什麼了。後起的哲學家繼續發表各種著作，探討各種問題，在愛智慧的路上不斷努力前行。

47-3　哲學是語言治療

　　本節的主題是：哲學是語言治療，要繼續介紹維根斯坦的基本觀點。維根斯坦很早就發現了哲學與語言的關係，以及語言與人生的關係，他的第二本書是《哲學探討》，主要探討有關意義、了解、命題與邏輯概念、數學的基礎、意識的狀態等問題。

　　本節要介紹以下三點：

　　第一，哲學是什麼？

　　第二，思考與描述。

　　第三，家族相似性。

（一）哲學是什麼？

　　維根斯坦的年代是 1889 年至 1951 年。他從 1930 年開始，也就是四十一歲以後，就明確的認為「哲學是一種治療」。從古希臘時代開始，就有許多哲學家把哲學當做治療。蘇格拉底就是不斷治療別人的語言，希望由此找到真實的意義。

　　維根斯坦認為，哲學的目標是要獲得安頓自己的思想。他說：「我們與自己或者與別人並非和平相處，因為我們被困在思想的慣性中。這個慣性與人的生活方式息息相關，而人的生活方式在語言中表現出來。人深陷在語言或文法的困惑中，如果不先排除這些，就無法得到自由。」

　　但是，現有的語言是人類原本有如此思考的傾向所造成的，所有人傾向於從語言圖像中產生虛幻的本質。你聽到一個概念，就會

想到它的虛幻本質，而忽略真實的東西與抽象的東西之間的差異，於是人類被這些抽象的觀念所困，這一切使得我們去談論那些經過偽裝的、無聊的議題。維根斯坦認為，哲學是對抗語言蠱惑知識的一場戰鬥。

他把哲學當做治療方法，要教給大家一種批判與破壞的技巧，試圖由此破解由人心所建構的、人為的統一，進而了解差異。維根斯坦說，我要借用莎士比亞《李爾王》的一句箴言 —— 我將教你差異。人都在使用某些概念進行抽象的思考，把握的都是一些共同的本質。他認為這是不可能的，也與現實脫節，因為真實的存在與抽象的概念之間有明顯差別。

維根斯坦說：「哲學方法只有一種，就是要合乎當事人與問題的需要。」所以他從來不用認知過程、本能作用或心理機制等學說來解釋所有的一切，他認為這些都是把問題附屬於理論之下，等於戴上有色眼鏡去看一切。他說：「我們必須去掉所有的解釋，只允許描述。」

（二）思考與描述的關係

維根斯坦所謂的「描述」是指什麼呢？

譬如，關於「思考」，思考隨處可見，但思考是什麼呢？他列出十一個有關思考的現象：第一，深思熟慮的說話；第二，思想空洞的說話；第三，先想再說；第四，說了再想；第五，邊說邊想；第六，想像和自己說話；第七，想到某人；第八，想到謎題的解答；第九，任由思想穿越心頭；第十，用口哨吹個曲調，再不假思索的吹一次；最後，現在讓我們專注思考。

這裡列舉了十一個有關思考的現象，都用「思考」這個詞來描述，它們代表同一種活動嗎？顯然不是。這意味著我們忘記了一個

詞的意義，只是按照它演出的舞臺、使用的場景與情境來決定。如果忽略這一點，當你說「思考」，反而不知道你在說什麼。

思考是一種活動嗎？你可以說這是在跑步，但你可以說這是在思考嗎？一個人來回踱步，眉頭緊皺，結果思考半天，提出錯誤的答案；另一個人很快就說出正確的答案。所以什麼叫思考？找出答案才是思考的標記。這就是維根斯坦對於「思考」現象的描述。

維根斯坦要用「描述」來治療幻象。他說：「要從語言本身的描述中，找出什麼是有意義，什麼是無意義。」他要描述催眠我們的圖像，使我們看出它們無法應用。他要讓我們回憶自己是如何教導孩子認字用詞的，或者讓我們看出語詞表達之間彼此聯繫的差異，或者發明字詞的新用法，有時甚至荒謬的要用它來鬆動你慣用語言形式的緊縮的力量。換句話說，你要善用描述，才能擺脫對語言固有的約定俗成的幻象。

譬如，我們現在想像畫一個正三角形，你可以把它看成：第一，它是一個幾何圖形，是三角形；第二，它是一個平行四邊形的一半；第三，它是一個三角形的孔；第四，它是一座山峰；第五，它是一支箭的箭頭。這裡列舉五個有關正三角形的描述。但是你在使用時，可能只會固定的想到某一種情況，把它當做唯一的詮釋。但是我們可以根據詮釋而看見嗎？根據詮釋，你能夠看見什麼？因此，維根斯坦要把思考與語言描述之間的關係加以鬆動，使它不要那樣緊繃，好像一對一完全對應似的。

（三）家族相似性

在西方哲學界，只要提到「家族相似性」這個術語，就知道是維根斯坦的說法。

在探討有關生命、時間、空間、身心、意義、自由、善良等概

念時，以及探討許多重大哲學問題時，很容易被語言所蠱惑。譬如，我們會把這些字詞由它們在談話中的自然地位抽離出來，並且假定它們指涉的是我們試圖定義的某種本質或理想的實體，這就是被語言所蠱惑。只因為字詞在外表上是一樣的，我們就假定它指涉可以被一般化的某個固定實體。維根斯坦要打破這種思維慣性。

那麼應該怎樣使用字詞呢？他提出「家族相似性」這個術語。譬如，對於「好」這個字的應用，我們可以舉幾個例子：好的笑話、好的網球選手、好的男人或女人、好的感覺、好的心、好的血統、好看的，甚至是無用的好。這些「好」字的共同點是什麼？「好」這個字並不指涉一個共同的性質，我無法透過分析這個字而得到這個概念的本質或要素。但是字詞的多重意義之間具有一定的相似性，就像一個家族成員之間具有相似性一樣，譬如面部特徵、眼睛顏色、身材、氣質、走路的樣子、說話的方式等。

我們可以舉出這些相似性，但不會想去定義它們，因為它們之間沒有明顯的界限來區分是這個而不是那個。這就像一條繩索，它的力量並非來自單一的纖維，而是來自許多纖維的交錯結合。這就是維根斯坦所謂的「家族相似性」。你不可能為每個字下定義，但每個字的不同用法有其相似之處，它們屬於同一個家族。你可以用這種方式來取代一般人對概念的本質的理解。

最後，維根斯坦談到倫理學，這就與我們的人生密切相關了。維根斯坦認為，倫理學的命題不可能存在，因為它不是經驗的內涵。倫理學中會用到「善」這個字，一般生活中也會使用「善」這個字，但後者是相對的。譬如，我如果因為網球打得不好而受到批評，我可以承認自己打得不好，滿足於現狀。但是，我如果因為說謊而受到批評，就不應該對此感到滿足。這個「不應該」並不是對事實的陳述，而是指向一個絕對的標準。所以不可能有倫理的學說

或理論，因為它不能被教導並得到解釋。

維根斯坦說：「世界是我的世界，我的生活方式決定它的結構，並且可以使我正確看待它。」他把世界看成一個有限的整體，並強調：自我這個主體不屬於世界，而是世界的界限。

維根斯坦並不否定人有靈魂。他說：「如果一個人被惡言傷害，對精妙的言論感到興趣，有幽默感，被感傷的故事觸動，以及恐懼死亡，那麼我們就可以說他有一個『靈魂』。」人共有的反應與姿態，是形成「靈魂對話」的語言遊戲的基礎。

我們介紹維根斯坦時引述不少他的原文，是因為擔心語言在詮釋時的誤導。他的話語簡明而富有哲思，這是哲學界所公認的。

（課後思考）

維根斯坦說「哲學就是語言治療」，請你想一下，自己常用的某些語句是否有需要調整或修正之處？今後說話會不會更加謹慎而準確？

（補充說明）

「謹慎」這兩個字是我們一生都要認真面對的。

在柏拉圖的部分，我們介紹過古希臘時代四種重要的德行——明智、勇敢、節制、正義。政治領袖需要明智，保家衛國需要勇敢，一般百姓需要節制，所有人都做好分內之事並且得到適當的對待，就是正義。在古希臘人看來，明智一定會表現出兩個特色：一是聰明，二是謹慎。一個人如果言行不謹慎，怎麼能叫做明智呢？

《易經》裡有一卦叫做頤卦（☶☳，山雷頤），它的卦象很像一個張開的口。《頤卦·大象傳》提醒我們六個字：「慎言語，

節飲食」，也就是我們常說的「病從口入，禍從口出」，說話謹慎，就不會禍從口出；吃東西有節制，就減少了生病的可能。古代早有這樣的教訓了。但是這與維根斯坦所說的「哲學是語言治療」是不同的角度。所以要做進一步說明。

有人認為在書寫時會比較謹慎而準確。關於說話與書寫的差別，接下來在介紹解構主義時會進一步說明。說話富有臨場感，因為聲音是富有表情的；而書寫屬於文字表達，給人距離感，顯得比較抽象，跟說話的生動性完全不能相比。

有句話叫做「言為心聲」，我的話代表內心的聲音，言語只是傳達心聲的工具。甚至可以說「言語是存在本身的居所」，這牽涉到存在主義的觀念。另一方面，「書不盡言，言不盡意」，書寫無法將你想說的都表達出來，而說話也無法完全表達真正的心意。可見，心意最重要。在說話、書寫與真正的心意之間，難免會有模糊的成分。與別人溝通的時候，模糊性是不可避免的，因此要盡量把話說清楚。

古代會把傳達命令說成「申命」。「申」就是反反覆覆。你要傳達一個命令，要反反覆覆、不斷的說，盡量避免模糊，讓別人能夠理解。語言的模糊性無法避免，知道這一點，我們就要盡量設法了解別人說的是什麼意思。

47-4　卡西勒的符號哲學

　　維根斯坦與卡西勒兩人只有一點相同：都出生於猶太人家庭。維根斯坦是奧地利人，卡西勒是德國人。維根斯坦比卡西勒（Ernst Cassirer, 1874-1945）小十五歲，為什麼要先介紹他呢？因為維根斯坦的著作雖然不多，但由於羅素等人的大力推薦，使他對英美世界產生快速而明顯的影響。而卡西勒後期的教學過程可謂顛沛流離，他在英國教過牛津等幾所大學，後來到美國耶魯大學任教。卡西勒對於語言的觀點與整個哲學的建構比維根斯坦更成體系，他的影響是漸進而較為深遠的。維根斯坦對語言的說法會讓我們覺得受到很大的拘束，卡西勒則可以幫助我們擺脫這樣的困境。

　　本節的主題是：卡西勒的符號哲學。卡西勒透過文學和語言學的訓練，進而研究哲學。他的作品也涉及數學、物理學、心理學等題材。他在哲學上被列為新康德學派。

　　本節要介紹以下三點：

　　第一，卡西勒與康德的差異。

　　第二，記號與符號的區別。

　　第三，卡西勒的文化哲學。

（一）卡西勒與康德的差異

　　康德之後，一直有許多學者繼續研究和推展他的思想，被稱做「新康德學派」或「後康德學派」。卡西勒是其中的重要代表，他最主要的工作是發展及修正康德的批判哲學。卡西勒的思想屬於唯

心論，他採用先驗的方法，這些都受到康德的啟發。康德哲學強調，人在認知外在世界時，使用自身理性的先天原則。「先驗方法」的特色在於：在探討認知與認知的對象時，先要去關注這個對象是如何被人認識的。

卡西勒與康德的不同之處主要有以下兩點：

1. 根據康德的說法，人的認知結構的各種原則偏向於靜態的；卡西勒認為，認知結構也在發展之中，並且它的應用範圍比康德所說的更廣。卡西勒認為，康德的時代還沒有提出相對論與量子論，所以康德偏向於認為，人的理性的各種先天形式或範疇都是靜態的。

2. 卡西勒要把康德對理性的靜態批判，延伸到對文化的動態批判上。卡西勒認為，人的心靈在發展過程中所表現出來的各方面的成果，都有其組織上的原理。該原理就是卡西勒最主要的哲學觀點 —— 符號形式。

（二）記號與符號的分辨

首先要區分「符號」（symbol）與「記號」（sign）的不同。

「記號」比較簡單，有「天然的記號」與「約定的記號」。譬如，嬰兒的哭聲代表他有痛苦，這是天然的記號；而紅綠燈是約定的記號，綠燈可以通行，紅燈則要停下來。天然的記號與約定的記號之間也有某些關聯。譬如，為什麼紅燈代表禁止通行？因為紅色與血是一樣的顏色。有些約定的記號比較淺顯，譬如，錶針指著哪個數字就代表幾點鐘；或者在古代給你一把城市的鑰匙，代表你是勝利者。也有一些約定的記號比較複雜，譬如大家使用的語言文字，這就進入到符號的世界了。

符號與記號有相似之處。所看到、聽到或接觸到的，只代表那

個真正的東西。此外，符號還有四點特色：

1. 有實在的形象才能做為符號，它要能被感覺到。這一點與記號類似。

2. 符號又是超感覺的。符號不像記號那樣，只有單一的「一對一」的意義，如紅燈只表示停，綠燈只表示行而已。符號所表現的是一種類比的意義。譬如，揮揮手可以代表很多含義，它超越了單一的感覺效果。

3. 符號與群體有關。只有在這個團體中的人，才會了解這樣的符號有何意義。譬如，國旗代表國家，經過特殊設計的旗子可以代表某個團體。

4. 符號不但與理智有關，還與人的整體生命有關。所以符號可以向上延伸，推展到禮儀。比如，宗教中的各種祭祀活動都是符號。

換言之，人的意識在運作時，有一個底層結構是長存不改的，就像康德所說的形式、概念、範疇，它們並非反映客觀世界，而是建構那個客觀世界的基礎。譬如，科學符號所建構的是客觀世界，神話圖案所建構的是神話及宗教的世界，日常語言所建構的是常識的世界。科學符號、神話圖案、日常語言，這三種符號在不同的符號形式下表現了同樣的功能。

卡西勒在《論人》裡有一段話可以簡要說明他的觀點。他說：「《符號形式的哲學》建立在一項假定之上：凡是對人的本性或本質所做的定義，只能理解為一種功能的（functional）定義，而不是實體的（substantial）定義。」換句話說，我們只能從人的功能或作用去了解人，而不能簡單的說人的本質是什麼。

他繼續說：「關於人，我們不能根據任何構成人的形上本質的內在原理來界定他，也不能藉著任何可以經驗到的天賦或本能來界

定他。人的特殊性格與顯著標記，並非他形上的或物理上的本性，而是他的工作。定義並且確定『人性』圈子的，就是人的工作，就是人類各種活動的系統。語言、神話、宗教、藝術、科學、歷史，就是這一圈子的不同扇形部分。」可見，卡西勒要探討的是人類整個文化的哲學。

（三）卡西勒的文化哲學

卡西勒對古希臘德爾菲神殿的銘文「認識你自己」進行深入探討。他指出，後面的發展可以分為三個階段：

第一階段，在蘇格拉底時代，人無法在孤獨中認識自己，而必須「與人合作」，在城邦生活中認識自己，於是哲學成為對話。只有經過對話或辯證的思考，才可認識人。

第二階段，文藝復興時期認為人的特性是「擁有幾乎無限的變化自我的能力」，這種內在的不確定性使人由一種形式過渡到另一種形式。這不再是弱點，反而成為人的偉大標記。

第三階段，法國實證論者孔德（Auguste Comte, 1798-1857）指出：「要認識自己，就去認識歷史吧！」後續的發展還包括英國的演化論者達爾文，他想解消人與動物的二元論，以程度的區別來取代性質的差異。

經過分析，卡西勒認為，人不僅是一種受外界豐富印象所吸引的生物，他還能以確定的形式加在這些印象上，再加以掌握。人所使用的形式，分析到最後，乃是由思想的、感覺的、意願的主體自身所引申出來的。這是標準的康德系統的思維。換言之，卡西勒認為，人是符號的動物（animal symbolicum）或使用符號的動物。卡西勒要透過各種符號形式的特殊性格與結構去研究文化，並試圖依此了解人性。

1. 維根斯坦認為，他對語言的辨析消解了大多數哲學家所提出的觀點；卡西勒則設法從另一個角度反駁這樣的說法，他的重要性由此得以體現。卡西勒屬於新康德學派，他的學問非常廣博，具備一個學者所需要的各種知識。他還是《萊布尼茲全集》與《康德全集》的主編者，這在西方學術界是非常不容易的事。他在康德之後，又要與康德有所區分。他與康德最大的差異是：把康德提出的人的認識能力的靜態結構，轉換成動態的發展過程，從中找出符號的關鍵作用。他的哲學代表作稱為《符號形式的哲學》，總共有三大本。

2. 區分記號與符號。記號有天然的與約定的，但基本上是「一對一」的，記號不能脫離一個具體的事物，引申的空間有限。動物也能使用某些記號，譬如，動物可以根據紅綠燈來決定要不要過馬路。但符號與記號不同。符號雖然離不開可感覺的形象，但它又是超感覺的；符號的意義不是單一的，可以表達豐富的意義；符號與一個團體有關，牽涉到人整體生命的價值。

3. 卡西勒的文化哲學始終把語言、神話、宗教、藝術、科學與歷史這六大範疇當做重點。在西方哲學界，能夠全部掌握這六大範疇的文化內容，是非常少見的。卡西勒的學問極為淵博，他有一本小書《盧梭、康德與歌德》也是令人讚賞的傑作。至於他的代表作《論人》這本書，早已成為哲學名著。

我們已經很熟悉古希臘亞里斯多德所說的「人是有理性的動物」，但是我們會發現，人類有可能完全訴諸於感情與衝動，做

出許多非理性的事。現在，卡西勒說「人是使用符號的動物」，
他特別用語言做為例子。我們能夠想像一個沒有語言溝通的世界
嗎？你能夠質疑或反駁他的觀點嗎？

補充說明

　　人如果不用符號，就不可能了解視線之外的東西。符號就是用
甲代替乙，甲在你眼前、是你發明的，譬如語言文字；乙不在眼
前，你可以用甲來指稱它，由此建立文化的基礎。符號很普遍，
人不可能脫離人所建構的符號世界；否則人只能活在當下，受限
於眼前直接的經驗範圍，無法與別人溝通，甚至無法思考。

47-5　卡西勒的哲學觀點

本節繼續介紹卡西勒的哲學觀點，包括以下三點：

第一，卡西勒對文化的觀點。

第二，卡西勒對語言的看法。

第三，卡西勒對神話的創見。

（一）卡西勒對文化的觀點

卡西勒對文化的看法深受康德的影響。他在《盧梭、康德與歌德》一書中引述一段康德的話，這段話一般不太容易找到。康德說：「如果有一種人類真正需要的科學，那就是我所傳授的：如何適當地占有創造行動中原來應該屬於人類的地位，以及如何由此學得人之所以為人的條件……我的這種學說將引導人回到人的層面，並且無論人自視如何渺小或如何卑劣，他也將扮演分配給他的角色，因為他應該是什麼，他就將是什麼。」

引文的最後一句「人應該是什麼，他就將是什麼」充分顯示出康德的人文主義。這句話換一種方式來說，就是「我應該，所以我能夠」。前文介紹過，古希臘時代是比較原始的階段，那時認為「能夠」代表力量，強調「我能夠，所以我應該」。後來康德將其翻轉為「我應該，所以我能夠」，這是對人性的充分肯定。

卡西勒進一步認為，人不僅受外界豐富的印象所吸引，還能以確定的形式加在這些印象上，再加以掌握。人所使用的形式，分析到最後，乃是由思想的、感覺的、意願的主體本身所衍生出來的。

這就是他的符號形式理論的基礎。

我們只能由人的功能統一性去了解他的內在統一性。人不能再被視為一種單純的實體，他是統一的，但他所具備的是功能的統一性。不管人如何發展，最後都可以回到人的本身。

譬如，卡西勒在談到歷史時強調，歷史不是外在事實或事件的知識，它是自我知識的一種形式。為了認識自己，我不能拚命的離開自己，跳出自己的影子；我必須選擇相反的方向，在歷史中不斷回到自己身上，設法回想並了解人類過去的整體經驗。所以卡西勒重新肯定了兩句話：第一句是「未經反省檢查的生活不是人類的生活」，第二句是「人類最適當的研究對象就是人」。卡西勒進而主張，在人類創造的生命中，才最能了解與研究人性。

我們可以用卡西勒為劍橋柏拉圖學派所做的頌詞來描述他的成就，即：「他未曾讓手中的火炬熄滅，他排除萬難，並堅持拒絕一切獨斷主義，以維護真正永恆的哲學傳統的火焰，並且使它原原本本的傳承到未來的世代。這些便是他不容置疑的貢獻。」

（二）卡西勒對語言的看法

卡西勒認為，動物只能使用記號，但是這種記號與人的語言相比，是非常初步、簡單而局限的。只有人能跨過門檻，進入到符號的世界。有些動物（尤其是家養的動物）也能使用記號，譬如，狗對主人行為的最輕微變化都會做出反應，甚至可以辨別主人的面部表情和聲音的情緒；但是從這個階段要進入到人的語言世界仍有很大差距。

動物可以學會使用工具，甚至可以學會為某一個目的而發明某種工具；但只有人可以使用符號，進入到語言的層次，也就是進入到人類意義世界的部分。所以，符號的作用不限於特定情況，它可

以普遍使用，涵蓋人類思想的整個領域。

　　卡西勒在《論人》裡有一章的標題是〈從動物的反應到人類的反應〉，說明了人類如何進入到符號象徵的世界。他舉了著名的例子，即海倫‧凱勒（Helen Keller, 1880-1968）的故事。卡西勒引述的資料是海倫‧凱勒的老師蘇利文夫人所記載的。海倫‧凱勒從小因為生病而變得又聾又盲，甚至無法說話，她七歲時開始學習怎樣表達她的意思。

　　下面這段資料特別令人感動，蘇利文這樣寫道：海倫已經學到每一樣東西有一個名稱，並且手寫文字是她所希望知道的一切事物的鑰匙。她指著一樣東西並拍著我的手，我就在她手掌上拼出「水」（w-a-t-e-r）這個字。後來我帶她到抽水機旁邊抽水出來，叫她用杯子裝水，當水滿了溢出來時，我在她手上再一次拼出「水」這個字。這個字與清涼的水沖過她的手的感覺來得這樣緊湊，似乎嚇到了她。她丟下杯子站著不動，一種新的光輝出現在她的臉上。海倫拼出「水」這個字，拼了幾遍。於是她伏在地上問它的名稱，我教她這是「地」。她又指著抽水機、木板牆一一詢問，並突然轉過身詢問我的名字，我拼出「老師」這個字。在返回到屋子的路上，她極為激動，學到她所觸及的每一樣東西的名稱，一天之內就學會三十幾個單詞。第二天早上，她起身像一個光彩的仙女。她問每一樣東西的名字。當她有文字來代替她以前用記號與手勢來指稱的東西之後，她就拋開了記號與手勢。她獲得的每一個新字都帶給她極大的快樂，我注意到她臉部的表情變得一天比一天更為豐富了。

　　這裡所描寫的是，每樣東西都有一個名稱，它具有普遍的可應用性，每個人都可以用這個名稱來指這樣東西；另一方面，它也可以充分變化，可以用不同的語言、不同的名稱來表達同樣的意思。

結論就是：如果沒有符號的作用，人類將如柏拉圖「洞穴比喻」中的那些囚徒，人的生活將被限制在他的生物需要與實際利益的範圍之中，永遠也找不到通向理想世界的入口，無法進入宗教、藝術、科學、哲學等領域的天地。

（三）卡西勒對神話的創見

　　卡西勒認為，人有創造神話的功能。神話所展示的是一個戲劇化的世界，其中有行動、力量與各種權力的爭鬥。人在每一種自然現象中，都可以看到這些力量的衝突，因而反映了人的情緒性特質。萬物都帶著人所投射的情緒。譬如，萬物可能是仁慈的或是惡意的，友善的或是敵意的，熟悉的或是神祕的，誘惑人的或是困惑人的，等等。這等於是人類情感的充分表現，因為一切的生命形式都血脈相連。譬如，古人的圖騰信仰是原始文化最具特色的性質，它把人與動物聯繫了起來。

　　此外，神話表現了當下的性質，使它回復到原有的地位。它的特色不在於某種教義，而在於某些活動。神話先於儀式，而儀式又先於宗教的教義。神話不是先於邏輯的或非理性的，它展現一種統一的、綜合的心態。簡單說來，神話求統合，科學求分類。神話有一種感受的統一性，這種統一性也是初民思想上最為強烈而深刻的衝動。

　　神話的另一個特色是，它形成一個生命的統一體。換句話說，神話的基礎不是思想，而是感受的整體。生命不可予以分類，它被感受為一個未斷裂的連續整體。萬物皆可互相轉化，互相變形。對原始的初民來說，死亡不是自然現象，它是偶發的、有特殊原因的，沒有什麼必然會死的道理。要證明的不是不死的事實，而是死亡的事實才需要證明。所以神話與宗教也有潛在的關係。

收穫與啟發

1. 卡西勒受到康德的啟發，並進一步把他的心得運用到文化的各
   個方面，顯得更豐富。他的基本立場是把人當做使用符號的動
   物，用符號形式來說明文化的每一個扇面。

2. 在語言方面，卡西勒特別參考海倫‧凱勒的成長經歷。蘇利文
   老師講述了海倫‧凱勒在又聾又盲又啞的情況下，如何學會使
   用語言，進而表達自己的思想。這令人讚嘆的過程絕非動物所
   能想像，足以使我們恢復對語言的基本信念。

3. 卡西勒認為神話反映初民的心態，神話並不是先於邏輯或非理
   性的。對於如何從神話開展出宗教與各種儀式，卡西勒也做了
   適當的說明。

   總之，卡西勒的基本觀點是：人的精神所能接觸的客觀真理，
   終究是精神自身的活動形式加於其上的，在其中，人的精神知覺
   了自己與實在界。人是符號的動物，所以要主動探索及創造人的
   存在中有何理想的意義。歷史是人類自我發現的模式，而文化可
   以被描述為人類逐漸解放自己的過程。卡西勒的文化哲學使哲學
   家可以敞開心胸，認真對待文化各方面的成果。不理解文化，又
   如何理解創造文化的人呢？

課後思考

   卡西勒認為，神話的基調是強調萬物可以互相轉化。請你思考
一下，我們與萬物都可以互相轉化，但我們在與別人溝通時，雖
然使用了語言，為什麼反而會有很多誤會產生？以致於我們時常
陷在兩個極端中，一邊是維根斯坦勸我們沉默，另一邊是卡西勒
勸我們使用語言。在這兩者之中，你認為要如何協調或取捨？

第四十八章

羅爾斯的正義理論

48-1　羅爾斯《正義論》的兩個原則

　　本章的主題是：羅爾斯的正義理論。本節要介紹羅爾斯《正義論》的兩個原則。如果把焦點拉回到美國哲學，可以說，二十世紀後半期美國最重要的哲學家應該是羅爾斯（John Rawls, 1921-2002）。他是美國普林斯頓大學的博士，1962 年開始在哈佛大學教書，1971 年出版《正義論》。這本書涉及政治學、經濟學、社會學、法學及倫理學，一出版立刻廣受矚目，在哲學界受到推崇。

　　羅爾斯的立場是從盛行一時的分析倫理學回歸到規範倫理學。分析倫理學注重倫理學命題的各種形式；規範倫理學重視實質，可以落實，涉及到實際人生應該怎麼做的問題。由美國實用主義的氛圍，可以了解羅爾斯思想的趨向。《正義論》繼承並提升了歐洲社會契約論的思想，即從英國的洛克、法國的盧梭到德國的康德所推展的社會契約論。

　　本節要介紹以下三點：

　　第一，羅爾斯承先啟後。

　　第二，「做為公平的正義」是指什麼？

　　第三，正義論的兩個原則。

（一）羅爾斯承先啟後

　　社會契約論的基本觀點是：人類在自然狀態下，依靠合作才可以生存發展。合作建立在契約的基礎上，個人根據契約交出部分權利以組成政府。社會契約是政治權威的合法性以及政治義務的基

礎。由此可以引申說，它也是一種道德義務，人承諾要遵守自己先前的約定。

羅爾斯在此基礎上進一步探討正義問題。正義是社會制度的首要價值，它要負責保障平等的公民自由與權利義務，解決個人利益之間的衝突，推進所有參加者的利益的合作體系，並構成組織良好的社會。在此基礎上，人可以追求各自的生活遠景。羅爾斯的《正義論》分為三篇，分別探討理論、制度與目的。

（二）所謂「做為公平的正義」是指什麼？

大家通常會覺得「正義」這個概念有點抽象，所以羅爾斯特別強調，所謂正義就是指公平而言。一個社會必須有一套制度讓每個人都覺得公平。一個社會的基本結構對人的生活遠景有很大影響。決定人生活遠景的因素包括：政治體制、經濟及社會條件、個人的社會地位，以及天生的稟賦等。這些因素對於每個人來說都不相同，因此所謂的「正義」就是要設法對不平等加以制約和調節，以減少這些不平等對人生活遠景的過分影響。

羅爾斯的觀點與傳統契約論的差別在於：傳統契約論只要求你接受某些道德原則，沒有要求設計一個特定的社會或政治制度；羅爾斯則進一步從制度與目的上進行探討，如何才能使「做為公平的正義」（justice as fairness）得以實現。

（三）《正義論》中的兩個原則

《正義論》提出「正義」的兩個原則。

第一個原則：對所有社會價值都要平等的分配，讓每個人都擁有最大程度的基本自由。

該原則又可以稱做「最大的均等的自由原則」，就是每個人都

享有平等的自由。所謂「社會價值」是指社會上大家共同認可的善，包括以下三種：自由與機會、收入與財富、自尊的基礎。這三種社會價值人人平等。我們常說「法律面前人人平等」，就是類似的意思。

第二個原則：在社會及經濟上的不平等應這樣安排：

1. 使社會上的弱勢成員獲得最大的利益。這稱為「差異原則」或「差別原則」。

   人與人的不平等主要顯示在三個方面：一個人出生的家庭與階級不同，每一個人都有不同的才幹，每一個人都有不同的運氣。對於這些差異，必須要有適當的對待。如果一視同仁，對處於不利地位的人就更不利，那反而是一種不公平。針對不平等，只有採取某種不平等的方式才能使其趨向平等。對某些價值的不平等分配合乎大家的利益。對於社會上的弱勢成員（如小孩與老人），要特別加以照顧；對於社會上處境最不利的人，要做出對他們有利的安排。比如在納稅時採用差別稅率，一個人賺的錢愈多，所繳的稅率就愈高，這就是用不平等的方式來減少收入的差距。

2. 某些職位與工作對所有人都是開放的。這稱為「公平的機會均等原則」。

   綜上所述，羅爾斯提出兩個大原則。第一個大原則是每個人都享有平等的自由，都有平等的權利去追求人生的幸福。第二個大原則一般稱為「差異原則」或「差別原則」，對社會上某些處於不利地位的人，可以給他們差別待遇以減少他們的不利，亦即用制度去幫助某些境遇較差的人，使其能有較好的生活遠景；另一方面，所有職位與工作對所有人都是開放的，這稱為「公平的機會均等原則」。兩大原則要按照上述優先順序去安排。在一般情況下，機會

均等原則優先於差別原則。

　　這裡牽涉到自由主義的原則問題，因為自由與平等兩者之間有內在的緊張關係。如果完全採取自由主義，讓每個人自由追求合理的人生幸福，那麼有錢人在教育與醫療資源方面會占盡優勢，在生活享受方面更不在話下，他們與其他人的差距會愈拉愈大。如果堅持平等主義，就會對自由有所壓制，不讓別人在有能力時過自己選擇的生活。羅爾斯的兩個原則就是要面對這樣的情況。

　　關於自由與平等的關係，在此可以稍做引申。人有自由行動的機會嗎？這要考慮兩個方面：一方面，自由代表「排除束縛」；另一方面，自由代表「可以行動」。在排除束縛方面，問題不大；但在自由行動方面，許多人會受制於經濟條件而無法行動。羅爾斯認為，窮人並非缺少自由，而是缺少自由的條件。一個人有自由但是沒有錢的話，他實踐自由的機會就會減少。譬如，有錢人可以左右社會輿論，可以登廣告來造成對自己有利的效果；萬一犯罪受審，他可以請最好的律師。對於沒有錢的人，這一類的自由就可望而不可及了。

收穫與啟發

1. 羅爾斯是美國哲學界二十世紀後半期的重要人物，他是美國本土培養的哲學家，1971 年出版《正義論》，討論社會學、倫理學在制度上的公平問題。

2. 羅爾斯順著西方社會契約論的啟發，再進行有創見的推展。他特別提出「做為公平的正義」。他的著作主要說明社會正義在理論、制度及目的方面應該如何安排。做為公平的正義，強調正義是社會制度的首要價值，能保障平等的公民自由與權利，解決個人利益之間的衝突，推進所有參加者的利益的合作體

系，並且構成組織良好的社會。所以，正義是不可或缺的。

3. 羅爾斯的《正義論》提出兩個原則。

(1) 第一個原則是我們常說的人人平等，每個人都可以追求社會價值。所有社會價值（如自由與機會、收入與財富、自尊的基礎），都要平等分配給每一個人。

(2) 第二個原則是「差異原則」，要對某些社會價值做不平等的分配，這樣反而對大家都有利。要給弱勢群體某些額外的幫助或優待，這樣更容易促進整個社會的和諧。一個人如果經濟拮据的話，就算給他自由，他也無法行動，許多事是非錢莫辦的。另外，還要考慮機會均等原則。

可見，羅爾斯確實關心人類社會的發展。

課後思考

我們通常會強調人人平等或一視同仁，因而可能忽略「差異原則」。給團體中某些弱勢群體（如資淺的、年老的或能力有限的）某些特殊的幫助，可以讓他們跟上整個團體的步伐。對於某些處境不利的親戚朋友，將某些利益做不平均的分配，結果反而對大家都有利。你有沒有這樣的觀察或經驗？

補充說明

關於羅爾斯《正義論》的兩個原則，一般對於人人平等這一原則沒有太大爭議，大家更關注的往往是差異原則。事實上，自古以來每個社會都會採用一些差異原則，用不太公平的方式幫助弱勢群體，從而讓整個社會更加和諧。這樣做的效果毋庸置疑，但可能會帶來後遺症：有些人因為經常受到幫助而變得懶惰，無法主動發揮自己的力量；有些人因為常常受到特別照顧，造成精神

上的不平等，以致於在精神上出現特殊的狀況。

　　談到人的問題，一定要同時注意兩方面：

1. 普遍的人性是什麼？
2. 每個人的個別特性是什麼？

　　人性有普遍的一面，譬如宋朝學者就說「此心同，此理同」，既然是人，都有類似的理性和願望；但是，每個人的個性不一樣，個性來自於每個人的特殊遭遇，所以世人又說「人心不同，各如其面」。所以，兼顧這三點的話，社會基本上可以保持穩定。對於個人的發展，一定要記住一點：人是會改變的，改變自己的最好方法是透過教育。所以，教育機會的均等是最重要的。

48-2　羅爾斯所謂的無知之幕是什麼？

　　本節的主題是：羅爾斯所謂的無知之幕是什麼？羅爾斯認為，只有在一個社會裡實現「做為公平的正義」，才能促成社會的真正福祉，讓所有的人，不論是條件優越的或條件較差的，都有機會尋求美好的生活遠景。但是，如何設計一個社會的制度呢？他明確提出「無知之幕」（veil of ignorance）的觀念。在進行制度設計時，就好像在一個帷幕後面，完全不知道誰有什麼情況，這樣設計出來的制度才有真正的公平可言。

　　本節要介紹以下三點：

　　第一，對利害的無知。

　　第二，人的理性的運作。

　　第三，人真的可能做到無知嗎？

（一）對利害的無知

　　在設計制度時，希望達到的正義是公平的，因此必須讓大家在「無知之幕」的後面進行設計，以保證任何人在這樣的社會中，都不會因為自然的或社會的偶然因素而得利或受害。只要是有理性的人，在公平的原始狀態中，會一致同意這樣的設計。「無知之幕」讓你不會損害任何人，也不會特別優惠任何人，而是按照兩個正義原則的順序去運作。

「無知之幕」的首要特徵是對利害的無知，包括以下三點：

1. 每個人都不知道他在社會上的地位、出身或階級。否則在制度設計時，就可能針對自己的背景而特別加以照顧。

2. 每個人都不知道他在哪方面有特別的天賦或才華，甚至連身體健康狀況都不清楚，這樣設計出來的制度才是公平的。

3. 每個人都不知道他有某種特定的善觀念或特殊的心理傾向。

這樣一來，每個人在設計制度時都不能不為所有人而考慮。換言之，想要設計出公平的制度，必須為所有人做選擇，而不能考慮某些特定的情況。

（二）人的理性的運作

羅爾斯的「無知之幕」第二個特徵是，它設想每個人都是有理性的，因而可以做合乎邏輯的討論與辯論；同時，每個人對他人的利益並不關心，人與人之間是冷漠的。

換句話說，你不會關心某些人的特殊利益，只能表現有限的利他主義；不會利人或損人，不會嫉妒或愛慕虛榮，也不被愛或恨所驅使，純粹只考慮社會的整體善；不會強調仁愛等道德因素。不必談個人的愛心如何，因為那屬於個人的特殊狀況，不能做為設計公平的社會制度時的參考依據。人的理性運作應該如此超然，不受任何干擾。

（三）人真的可能做到無知嗎？

羅爾斯《正義論》的依據是「原始狀態」或「原初狀態」。在這種狀態中，所達成的任何契約都是公平的，每個人在其中都做為道德人的平等代表，選擇的結果不受偶然因素或是社會力量的相對平衡所決定。在客觀上，沒有一個人能控制所有的人，並且社會的

某些領域有所匱乏，不足以滿足所有人，因此必須做出公平的分配。在主觀上，大家的利益相近，合作就會產生明顯的利益。簡單說來，只要彼此漠不關心的眾人，對於中等匱乏條件下社會利益的畫分提出互相衝突的要求，這時就會出現對正義的要求。在無知之幕的遮蔽之下，每一個人都不能不為所有的人做選擇，由此可以推出程序正義。

　　但是，人可能做到真正的無知嗎？這當然是一種理想的狀況，我們只能要求盡量接近這個標準──不特別考慮某個階級、某種背景或某種環境中的人。為什麼很難做到無知？譬如，你是男人或女人，兩者必居其一，因此你在考慮時總有一個明確的立場。你考慮的是年輕人還是老年人？當然小孩子無法進行這樣完整的思考。你一定處於特定的時代和社會，有某些預定的條件，因此在考慮問題時，絕不可能像在真空裡那麼純粹。

　　因此，羅爾斯所謂的客觀與主觀上的條件，基本上屬於一種抽象的理論探討，很難具體落實。制度設計出來以後，仍要不斷的協調。同時，社會上也會不斷出現各種爭議，因為社會並非一個僵化、固定的東西。就像人的生命會不斷成長與發展一樣，社會也一定會在某個階段出現新的狀況。我們只能配合趨勢，不斷修正或改變制度。「無知之幕」不可能一勞永逸，由「無知之幕」所設計的制度不可能對所有社會都普遍適用。

　　譬如，墨西哥的憲法是根據全世界最好的制度與觀念所設計出來的，墨西哥人因此宣稱，他們擁有全世界最完美的憲法。但是他們的社會秩序始終無法步入正軌，因為再好的憲法也需要由人來落實。由於人的素質不同、條件不同，因此具體的落實過程中就會因人而異。

　　因此，我們可以有「無知之幕」這樣的理想，也可以在「無知

之幕」的後面設計出一套近乎完美的、公平正義的制度；但在實踐過程中必須考慮各種複雜的情況。人的世界不可能靠一套制度就達到完美，能盡量接近完美就不錯了。

羅爾斯的理論構想，特別是兩個正義原則的順序，非常值得參考。一方面要讓每個人都有最大程度的平等的自由；另一方面，為了減少社會上已經存在的各種不平等現象，還要設法用「差別原則」來使這種不平等慢慢趨於平等。自由與平等之間的緊張關係始終存在，如何權衡二者或排出優先次序，仍須進一步探討。

羅爾斯的思想在哲學界受到廣泛討論，上述問題會經常出現，這些問題都是合理的質疑。

收穫與啟發

1. 羅爾斯提出的「無知之幕」是一種想像中的情況。如果希望在最原始的處境中，設計出一套合乎公平原則的正義的制度，就應該設定無知之幕，讓人在幕後做出全盤的、客觀的思考。

2. 關於人的理性運作，一方面肯定人有理性，可以表達自己的思想，並與別人做有效的溝通，最後形成某些共識；另一方面，他對於別人的利益並不特別關心，不特別講究仁愛等道德因素，而只是考慮社會的整體善。

3. 很多學者對「無知之幕」提出質疑：人真的可能做到無知嗎？或者這只是想像中的情況？譬如，你做為老師，想對學生一視同仁；但學生各自的條件、心態和能力差異很大，有時你完全公平，反而變得不公平。所以，「無知之幕」是一個理想的目標，不可能完全達成。自古以來，人類社會一直在修修補補之中，只能使它慢慢趨於合理、走向完善，但是永遠無法達到圓滿的境界。

課後思考

　　了解什麼是「無知之幕」之後，你能否練習不要從外表、年齡、身體或心智狀況去判斷別人，也不要由初步印象就論斷一個人如何，而要設法以比較客觀超然的心態，尊重每一個人都有平等的追求幸福生活的權利？

補充說明

　　有人指出，要考慮到時間成本。你要了解一個人，一定會有自己特定的認知框架。若不先入為主而慢慢去了解，一輩子能認識幾個人呢？所以只能先把對方列入某一個範疇。

　　可以進一步思考以下三點：

1. 人不可能沒有成見

　　比如看到一個外國人，會根據他的外表、談吐等進行判斷，外國人也這樣判斷我們。又譬如，中國人可能認為在公共場所大聲說話代表熱情，外國人會認為你不尊重別人。日本人吃麵時發出很大的聲響代表這麵很好吃，中國有些地方就認為吃東西最好不要發出聲音。《孟子》中提到「無齒決」，就是如果有肉乾的話，不要用牙齒咬，而要用手把它掰開。可見，每個地方都有固定的生活模式，因此必然會有成見。

2. 成見不見得是壞事

　　成見或偏見是你看世界的一個特定角度。先由特定角度切入，才能看懂是怎麼回事，然後再慢慢調整。

3. 要保持開放的心態

　　雖然難免先入為主，但是要準備隨時修訂自己的經驗。千萬不要只憑第一印象就永遠決定了自己的看法，那是我們自己的損

失。孔子在《論語》裡面多次強調，別人不了解我，我不用太在意；我不了解別人，則是我自己的損失。（不患人之不己知，患不知人也。《論語・學而篇》）所以，我們要有開放的心態，尊重所有的差異。每個人之所以有這樣的言行表現，一定有他的理由。無論那個理由是否值得同情，都是一個客觀的事實。

　　進一步要問：我跟他有什麼關係？關係可以從無到有，也可以從有到無。在建立關係的過程中，兩個人要慢慢協調。你有十個朋友，就有十種跟他們相處的方式。有時只有你自己知道應該怎麼辦。所以，人要保持高度的警覺，經常提醒自己要對自己負責。對於其他一切關係，我要以真誠的態度去妥善建立，既要有自己的原則，也要懂得如何變通。

48-3　正義與善的優先性

本節的主題是：正義與善的優先性，要探討以下三點：

第一，為什麼要探討正義與善的優先性？

第二，善是什麼？

第三，正義與善的一致性。

（一）為什麼要探討正義與善的優先性？

如果以正義做為優先的話，就會針對某個特定的團體、社會或國家，考慮他們所謂「做為公平的正義」是什麼，再以此來決定什麼是善。反之，如果以善為優先，就偏向於個人主觀的判斷。

以西方的羅賓漢劫富濟貧的故事為例，請問：劫富濟貧是在做善事嗎？是的。但劫富濟貧可能不合乎正義，因為被他劫掠的有錢人，他們的財富未必是用非法手段獲得的。因此，劫富濟貧等於是自己扮演法官甚至上帝的角色，由你來決定有錢人該被劫走多少財富，以及該幫助哪些窮人。

可見，善難免偏向於主觀的判斷，如果以善為優先的話，正義很可能受到忽略。

對西方來說，始終不能免於「快樂主義」的考慮。快樂主義以善為優先，認為快樂就是善。這樣會明顯傾向於考慮個人利益，而忽略社會的公平與正義。

羅爾斯的《正義論》在最後談到正義的目的時，對正義與善的關係進行了說明。

（二）善是什麼？

羅爾斯認為，善是在正義原則的約束之下，對人生價值做合理安排的生活計畫。換言之，你要首先肯定正義原則，在其約束之下，再對人生的各種價值做出合理的安排。人都有理性，會採取適當的手段以達成適當的效益；對於這樣做出的計畫，別人可以理解並接受，這就是善。可見，善是一種合理的生活計畫，但它被正義原則所約束。這是一個相當清楚的立場。

進一步要問：最基本的善是什麼？羅爾斯認為，最基本、最重要的善是自尊的善。「自尊的基礎」是每個人都會追求的社會價值。所謂「自尊的善」，就是要滿足一個人最低的生活需求，使他對自己的價值與能力有自信，肯定自己活著有價值，並具備基本的生存能力與條件。

根據羅爾斯對善的界定，可以知道正義原則的重要性。如果忽略正義原則，善很可能變得過於主觀，或者變成效益主義所謂的「謀求大多數人的最大幸福」，從而忽略少數人追求幸福的機會。如果像快樂主義那樣，把善等同於個人的快樂，就可能對社會正義造成威脅。

羅爾斯進一步強調：善不能脫離道德規範。一個社會有三種道德規範：

1. 權威的道德。譬如，我們從小就要接受某些由命令與準則構成的規範，要求人必須遵守，如開車時如何規範駕駛。
2. 社團的道德。社團需要成員之間的配合與合作，因此每個人都要根據自己的角色去遵守某些規範。你在某個行業工作，要遵守該行業的職業倫理；你在一個團體中，必須遵守團體的某些規定。

3. 原則的道德。這是指人對最高原則的理解與肯定，譬如，不
   能侵犯別人的自由與財產等。

　　每個人都要遵守上述三種道德規範，所以應該受到合乎正義原
則的對待，這是平等的基礎。人各有不同的道德，所以要有一個正
義原則來分清本末先後，以決定在各種情況下該如何運作或取捨。

（三）正義與善的一致性

　　正義是做為公平來理解的，而善是做為合理來理解的，兩者能
否一致？羅爾斯認為可以。一個人的行為有自律性，這種「自律」
源自於對自己同意的原則的理解與接受。這是從康德的觀點引申出
來的。康德認為，理性給自己立法就稱為自律。羅爾斯也認為，對
於自己同意的原則，我們自然就會理解與接受。事實上，理性給自
己立法，並不是說你變成了一個立法者，去想像一些法規；而是說
對於大家都能接受的、合乎理性的原則，你做為一個有理性的人也
照樣能夠接受。所以，自律與正義的判斷是一致的。

　　進一步來看，正義與善的一致性也取決於一個社會能否獲得共
同體的善。不能損人利己，更不能損社會來利個人。以權謀私、以
私害公都是不容許的。

　　由此可見，正義與善是一致的。一個人只要遵從正義的原則，
那麼他的「善」就有了基本的保障。正義是客觀的、群體的、人人
都同意及接受的；而善比較偏向主觀性，可能因人而異。同一個人
在不同階段、不同處境，會以不同的東西做為他的善的對象。因
此，如果正義與善相一致的話，社會就比較容易維持穩定。這顯然
是倫理學方面的理論探討。

　　事實上，正義最後往往會落實為明確的社會規範，成為每個人
都要遵守的通則；但是將其應用於每個人的具體處境時，難免會出

現例外的情況。所以，即使你同意正義的原則，肯定這樣做是公平的，對每一個人都適用，但是你未必會把它當做個人在特定情況下的善，或者永遠以它為善而不做其他考慮。

收穫與啟發

1. 羅爾斯在《正義論》中提出「做為公平的正義」的觀念，目的是進入倫理學領域，探討善的問題，並在正義與善之間做出合理的協調。正義與善的優先性始終存在著爭議：到底正義優先還是善優先？正義牽涉到更大的群體，而善偏向於個人的較小範圍。西方一直流行的效益主義與快樂主義都以善為優先，可能會導致無法凝聚共識，無法維持社會的和諧穩定，所以基本上還是要以正義做為優先。

2. 善是在正義原則的約束下，對人生價值做一種合理的安排。人生的價值與合理的選擇是一致的。每個人都有同樣的理性，可以做審慎的思考，考慮各種手段與效益，進而做出合理的生活規畫。羅爾斯特別強調，基本的善是自尊的善，亦即每個人對自己的價值與能力的自信。如果沒有「做為公平的正義」，則不可能實現這樣的目標。

3. 每個人都會有自律的表現，自律來自於對自己同意的原則的理解與接受。「同意的原則」就是一個社會在正義基礎上的客觀規範。所以，自律與社會規範並沒有矛盾，正義與善是一致的，也與社會的共同善（或共同體的善）是連在一起的，一個人不能損人利己、損社會利個人。世人按照正義的原則進行選擇和行動，自然就會與善相配合；否則，一個人可能會以善為藉口，純粹由自己的良心來決定，這樣難免會過於主觀和狹隘。這是羅爾斯《正義論》的基本觀點。

課後思考

　　羅爾斯認為，善是根據正義原則去安排人生價值，由此活出合理的生活。這句話中提到正義原則、人生價值以及合理的生活這三個重要的關鍵字。你認為他所說的「善」落實在生活中，會有什麼樣的特色？當你面對善惡判斷的時候，是否會進入更深層次的反思？

補充說明

　　羅爾斯的哲學關注於倫理學方面的具體實踐，強調該如何操作。關於正義與善的問題，羅爾斯認為應該正義優先，因為正義考慮的是整個社會共同接受的規範，而善可能會有一定的主觀性，偏重於個人的特殊體會。

　　我們可以將自己的傳統與西方哲學進行對照，很值得參考。譬如，孔子的學生多次請教孔子「仁」是什麼，但從來沒有人請教「道」是什麼。「仁」與「道」跟我們每個人的言行表現有直接的關係。道是人類共同的正路，而仁是個人的正路。可見，「道」比較接近羅爾斯所謂的「正義」，而「仁」比較接近羅爾斯所謂的「善」。

　　《論語》裡所說的「道」具體是指什麼呢？就是「禮」與「法」，即大家都了解並接受的社會生活的規範，所以不需要問「道」是什麼。把「道」等同於「禮」，這在《中庸》裡面表現得更明顯。為什麼孔子特別推崇周公？因為周公制禮作樂，把「正義」體現在禮樂和法律裡面。孔子甚至說：「朝聞道，夕死可矣。」早上聽懂了道是怎麼回事，晚上必要的話就可以為道而犧牲，因為知道自己死得其所。

　　而「仁」是個人的正路，比較側重於主觀的情況。這並非說「仁」是純粹主觀的，而是說「仁」一定要結合每個人特定的處境。所以學生們會請教老師「仁」是什麼，也就是我個人的正路在哪裡。老師閱歷豐富，見多識廣，可以根據每個學生的性向、志趣以及個人處境，因材施教，給出有針對性的答案。

　　不過，道與仁兩者是不能分開的。所以孔子教學生立志，既要立志於道，也要立志於仁。如果真要犧牲生命，可以為道犧牲，也可以殺身成仁。這說明：人類的正路與我個人的正路在關鍵時刻是可以合而為一的。

　　所以後面孟子才會說：如果天下上軌道的話，就「以道殉身」，讓道藉著我的言行表現而得到實現的機會；萬一遇到亂世，就「以身殉道」，用我的生命來見證道的價值。如果認真了解儒家思想，就會發現其中確實蘊藏著處世的智慧。

48-4　新經院哲學的代表郎尼根

本節要介紹加拿大哲學家，新經院哲學的代表郎尼根（Bernard J.F. Lonergan, 1904-1984）。他是天主教耶穌會的神父，一生都在研究與教學。本節要介紹以下三點：

第一，郎尼根的思想特色。

第二，郎尼根在《洞察》一書中如何探討認知活動？

第三，知性、道德與宗教的關聯。

（一）郎尼根是新經院哲學的代表

「新經院哲學」是從中世紀後期的經院哲學發展而來，以天主教的哲學系統為主。我們對西方哲學有所了解，有時會以為在檯面上很熱鬧的就是一切，比如近代西方哲學從笛卡兒以來一路發展，好像天主教的哲學銷聲匿跡了。其實不然，世界上有許多國家都有天主教辦的大學，裡面的哲學系仍在繼續研究及發展天主教的哲學思想，所發展的學派就稱為新經院哲學。

傳統經院哲學以中世紀的多瑪斯・阿奎那的思想為主，新經院哲學與傳統相比，至少有兩點特色：

1. 它採用不同的方法，即康德的先驗方法以及現象學的描述方法，可謂與時俱進。不過我們很快就會發現，郎尼根的思想仍然具有傳統經院哲學的特點，譬如，繁瑣的，也可以說是比較細緻的分辨。

2. 主題始終環繞完整的人性需求，要建立人與超越界之間的適

當關係。但他們也經常受到質疑：你一方面講哲學是愛智慧，一方面又預先採取基督宗教的立場，這兩者如何協調？

郎尼根一生的治學可以分為三個階段：

1. 吸收傳統哲學，對於古希臘、中世紀以及新經院學派的各種思想，都充分加以研習。

2. 融合當代思潮並自成體系。他的代表作是《洞察》，試圖透過哲學反省找到適當的神學研究法。

3. 神學方法論。《神學方法》是他的另一本代表作。郎尼根有明確的方法意識。他所宣導的新方法重視經驗，採取批判的實在論（Critical Realism）的立場。所謂「實在論」，就是要對事實與價值做出真實的判斷，判斷什麼是事實，以及事實有哪些價值。「批判的」是指：要把認知與評價活動建立在對意識的批判上。這符合現象學的要求，即要在意識中找到根源，由此發展出所有的意義與價值，再由此構成人的位格、社會秩序與歷史發展。

（二）郎尼根在《洞察》一書中如何探討人的認知活動？

郎尼根認為，人的認知活動分以下五個步驟進行：

1. 要問「什麼是知識」，而不必問「知識是否存在」。因為知識的存在不是問題，你要先確定什麼叫做知識。

2. 要研究主體的認知活動，而不必急於研究客體的被認知的內容。與其問：我認識的東西真的存在嗎？我能認識到什麼程度？還不如先徹底了解自己的認知活動。

3. 對於人的認知結構，要有一種自我體認的過程。你要在自己心裡走一遍，到底認知要經過哪些步驟。

4. 這種自我體認是循序漸進的，有一定的次序與層次。

5. 要用教學法來做示範。

這正是經院哲學的特色，就像在大學裡教書，要按部就班的依照五個步驟，設法了解認知是怎麼回事。

郎尼根的結論是，人的認知活動有如下四個層次：

1. 經驗。以感官經驗為主，你看到什麼、聽到什麼、讀到什麼，由此產生想像，然後問：這是什麼？

2. 理解。你對一樣東西形成某種概念，再表達出來，這時要問：這是真的嗎？譬如我看到一輛車就要問：這真的是一輛車嗎？這時要理解「車」之所以為車的條件，看它是否具備。

3. 判斷。判斷是一種反省的洞察，要回到內心一步一步去問，判斷它是肯定、否定或不定。譬如，它是一輛車，它不是一輛車，它可能是一輛車。

4. 抉擇。抉擇一定與實踐有關。

可見，人的「知」不只是單純的認知，而是要從經驗開始，以理解為過程，然後進行判斷，最後透過抉擇，產生某種實踐的行動。

（三）知性、道德與宗教的關聯

人在認知過程中為求其完備，必須繼續思考，會有四種要求：

1. 在經驗與理解之間會出現「系統要求」。要了解一樣東西的本質與意義，以及它屬於哪一類東西。

2. 在理解與判斷之間會出現「批判要求」。要去印證對一樣東西的理解是否準確，是否合乎事實。

3. 在判斷與抉擇之間會出現「道德要求」。做出判斷後，接著就要問：我的抉擇是否值得實踐？這個抉擇對我的道德人格有何影響？一個人要行善，必須以求真為基礎。如果無法判斷一個抉擇是否應當，又該如何抉擇？

4.「超越要求」。上述三種要求可統合於最根本的「求知欲」，
　它使人想知道一切的一切，此時要問：什麼是存在本身？

可見，郎尼根把人的知性活動和認知過程講得完整而透澈。

再進一步，如何從知性、道德推到宗教呢？郎尼根認為，在對
認知進行探究之後，最後可以歸結為三種轉向。從宗教的角度來
說，也可以把「轉向」譯為「皈依」。

首先是「知性的轉向」，它主要來自系統要求與批判要求。在
探討宇宙與人生的過程中，要形成完整的體系，涵蓋全面，以造就
完整而根本的智慧。

其次是「道德的轉向」，主要來自道德要求。知與行要配合，
知道善就實踐善，知道惡就避開它，要日進於德，不斷向上提升。

最後是「宗教的轉向」。人在「超越要求」中，有一股永不止
息的求知欲，總希望知道更多、更完整、更根本。人無法滿足於任
何現狀，始終在追求那絕對無限的「存在本身」，亦即「絕對的
一、完全的真、完美的善、真實的美」。郎尼根用「宗教轉向」或
「皈依」一詞來描寫人類直面其終極關懷而改邪歸正、投奔正道，
與至高境界冥合，以達到生命的徹底轉化與聖化。

這種轉向顯示以下四點：一、對終極關懷的覺悟；二、對彼岸
召喚的嚮往；三、對自身罪咎的懺悔；四、對成聖目標的接納。總
之，人要開放自己，追求神人合一之境。郎尼根做為新經院哲學家
代表，主要特色是：從認知著手，推出道德與宗教的所有內容。

收穫與啟發

1. 做為天主教代表的新經院哲學，在西方哲學界一直存在及發展
　著，有它本身固定的學術活動，也始終扮演著引領眾多信徒的
　角色，畢竟這個世界上信仰基督宗教的人多達二十五億。天主

教對哲學的重視遠遠超過宗教改革之後的基督教，這是由他們分裂之後的基本性格造成的。新經院哲學的思想特色是：要了解完整的人性需求，建立人與超越界之間的關係。

2. 郎尼根在其代表作《洞察》一書裡，特別探討人的認知活動，找到認知的四個層次：從經驗開始，經過理解，進行判斷，最後是抉擇。換言之，認知不是純粹的邏輯分辨。

3. 認知有四種要求，即系統要求、批判要求、道德要求以及超越要求。人總希望系統的了解事物的本質、意義與分類；接著進行批判，印證它是否真實可靠；進而到實踐的層次，要求道德行為；最後要求超越，總希望知道一切的一切，追求存在本身。四種認知的要求最後歸結為三種轉向。知性的轉向就是從有限的世界進入到無限的領域，探討整個宇宙與人生的意義。道德的轉向就是從知到行，知行配合，讓自己隨著認知與實踐，不斷提升道德水準。宗教的轉向是要追求絕對無限的存在本身，並設法同它建立關係，使自己的生命得到完美的安頓。

課後思考

我們對王陽明的「知行合一」有些基本的認識。郎尼根從認知的研究，推到道德要求及超越要求，把人的知性、道德與宗教構成一個系統。這對我們深入了解王陽明的思想是否有幫助？人如果認真的求知、努力實踐之後，他的生命能否進入特別的層次？可以稱之為宗教的層次，或超越自我的層次、至善的層次。

第四十九章

詮釋學做為
哲學方法

49-1　詮釋學的發展階段

　　學習西方哲學經常會碰到有關方法的問題，究竟要以什麼方法來從事哲學探討？

　　前文已經介紹了不少方法，包括歸納法、演繹法、反詰法、辯證法、先驗法、批判法、現象學的描述法等。本章要介紹二十世紀最新的「詮釋學」方法。事實上，詮釋學源遠流長，本節要介紹詮釋學的發展階段，主要參考美國學者帕瑪（Richard Palmer, 1933-2015）的《詮釋學》一書。

　　「詮釋學」有時會被譯為「解釋學」，但「解釋」這個詞多用於平常談話的場合，以之做為學術術語不太恰當，譯為「詮釋學」比較適合。

　　詮釋學（Hermeneutics）一詞的字根來自於古希臘神話中的傳訊神赫爾墨斯（Hermes），他負責把神明的訊息傳到人間，讓人類理解。可見，詮釋學是探討有關「理解」與「解釋」的一門學問，特別是指對文獻或文本進行解釋的適當原則。在各種文化傳統中，閱讀古代經典都需要進行注釋或解釋。

　　西方詮釋學的發展主要經過了以下六個階段。

　　第一，詮釋學做為《聖經》注釋的理論。

　　第二，詮釋學做為文字學的方法學。

　　第三，詮釋學做為一門語言學理論的學問。

　　第四，詮釋學做為人文科學的方法學。

　　第五，存在主義對詮釋學的觀點。

　　第六，詮釋學做為掌握神話與符號背後意義的解釋系統。

（一）詮釋學做為《聖經》注釋的理論

　　第一階段，詮釋學是一套注釋《聖經》的理論。西方中世紀的前一千多年，天主教一直有一套統一的《聖經》注釋。但是十六世紀宗教改革之後出現了基督教，強調個人直接閱讀《聖經》並加以理解。事實上，《聖經》一向有注解與解釋的傳統。譬如，《聖經》從舊約到新約之間就需要有一種解釋，來說明基督宗教如何從猶太教脫胎而來。宗教裡的神學在解釋《聖經》中的資訊時，本身就是一種詮釋學。解釋者為了發現文獻的「隱藏」意義，於是特別提出一套解釋的系統。因此，在最早階段，詮釋學是指對《聖經》注釋的理論，包括注釋的指導原則、方法和理論等。這方面最早的書籍是 1654 年出版的《宗教詮釋學》一書。

（二）詮釋學做為文字學的方法學

　　第二階段，詮釋學成為文字學的方法學。如果詮釋學僅用於解釋《聖經》，就很容易提到各種超自然的啟示，這樣就把《聖經》與別的經典區隔開了。當時的學者認為這樣並不適合，要把詮釋學當做一般的方法學，對於所有文字的解釋都應該使用共同的規則。換句話說，解釋《聖經》必須與解釋其他著作採用相同的方式，一視同仁，這樣大家才願意接受。

（三）詮釋學做為一門語言學理論的學問

　　第三階段，詮釋學做為一種語言學理論的學問。在這方面特別值得一提的是德國學者席萊爾馬赫（F. D. E. Schleiermacher, 1768-1834），他與黑格爾曾是同事，兩人的意見不同。席萊爾馬赫在宗教哲學領域有突出的成就。他開始把詮釋學當做有關理解的一門「學

問」或「藝術」，要研究理解本身。等於是對詮釋學加以定性，使之成為描述一切對話中理解之條件的學問，要用詮釋學來幫助眾人理解。「學問」一詞的原意就是指一套有系統的理論。

（四）詮釋學做為人文科學的方法學

第四階段，進一步把詮釋學當做人文科學的方法學，代表人物是德國的狄爾泰（Wilhelm Dilthey, 1833-1911）。狄爾泰認為，詮釋學是一切人文科學的基礎。人文科學與自然科學不同：在自然科學領域，要對各種自然現象加以研究，然後進行「說明」；而在人文科學領域，則要對古代文學、藝術、歷史、宗教、哲學等經典進行「解釋」。

狄爾泰區分了「說明」與「解釋」這兩個詞。他主張，要解釋人類生命的偉大表現，如文學、《聖經》或者法律，都要求某種歷史理解的運作。這種歷史理解與探討自然界完全不同，它牽涉到個人對人的意義所擁有的知識，而這種意義不能脫離歷史發展的背景。狄爾泰強調歷史理解，所以又被稱為歷史哲學家。這一階段除了強調「理解」，又進一步加上「解釋」。

（五）存在主義對詮釋學的觀點

第五階段的代表是存在主義的海德格。他在《存在與時間》一書中特別強調：人的存在之基本模式不能離開語言，亦即不能離開「理解」與「解釋」。我們每天睜開眼睛看到這個世界，或與別人來往時表達任何意思，不都是在進行「理解」與「解釋」的工作嗎？所以，詮釋學就是對「此在」的詮釋，是對人的存在狀態所做的現象學闡明。換言之，當你出現某種現象，我盡量讓現象本身得到光照，使現象得到理解與解釋。

　　接著海德格發展的是他的學生，二十世紀最重要的詮釋學代表，德國學者加達默爾（Hans-Georg Gadamer, 1900-2002）。加達默爾在 1960 年出版代表作《真理與方法》，提出一套系統的「哲學詮釋學」。他接續海德格的思想，認為「能被理解的存在就是語言」，將詮釋學帶入語言學領域，與存在本身、理解、歷史、實在界等建立關係。

（六）詮釋學做為掌握神話與符號背後意義的解釋系統

　　第六階段，把詮釋學當做人用來掌握神話與符號背後意義的解釋系統，代表人物是法國的利科（Paul Ricoeur, 1913-2005）。他在 1965 年出版《論解釋》一書，使詮釋學又變成主導注釋的規則理論。神話與符號有豐富的內涵。把詮釋學當做一套解釋系統，是要恢復文獻中的隱藏意義，還是要破除文獻裡的偶像成分呢？換言之，神話裡可能有隱藏的意義，也可能有迷信的成分，究竟要選擇哪條路線呢？利科深入探討這方面的問題。

收穫與啟發

　　西方詮釋學在近代以來經過了六個階段的發展：

1. 《聖經》需要某些注釋，詮釋學最初是指注釋《聖經》的方法和規則。
2. 把詮釋學當做文字學的方法學。包含《聖經》在內的所有古代經典都應該一視同仁，要用同樣的方法和原則來加以注釋。
3. 席萊爾馬赫使詮釋學得到系統上的一貫性，成為研究理解本身的學問。
4. 狄爾泰把詮釋學做為一切人文科學的基礎。他認為，自然科學所做的是「說明」，人文科學所做的是「解釋」。「解釋」牽

涉到個人對人生意義的認知與體驗，明顯具有主觀性，這與自然科學的客觀「說明」有本質上的不同。因此，不能要求人文科學以自然科學為標準。

5. 進入存在主義的領域。海德格認為，人存在的基本模式是理解與解釋。加達默爾沿著這個方向，繼續發展出「哲學詮釋學」。

6. 把詮釋學擴展到文化的層次，用來解釋神話與符號等人類文化。卡西勒列出人類文化的六大領域，包括語言、藝術、神話、宗教、科學與歷史；利科則要探討用什麼原則來解釋文化層次的材料。

上述六個階段可概括為：《聖經》的、文字學的、專門學問的、人文科學的、存在主義的與文化的。下文將對加達默爾與利科做進一步的介紹。

課後思考

了解西方詮釋學幾個階段的進展之後，請你思考一下，你曾經讀過哪本經典或小說，隔了幾年之後重讀，由於人生體驗的深化而有不同的理解？

49-2　加達默爾的真理觀

本節的主題是：加達默爾的真理觀，主要介紹以下三點：

第一，加達默爾的學術背景。

第二，加達默爾《真理與方法》這本書在探討什麼？

第三，加達默爾所謂的「真理」是什麼？

（一）加達默爾的學術背景

二十世紀的德國哲學界出現三本巨著：第一本是胡塞爾的《邏輯研究》，第二本是海德格的《存在與時間》，第三本是加達默爾的《真理與方法》。《真理與方法》探討的正是哲學詮釋學的問題。

加達默爾（Hans-Georg Gadamer, 1900-2002）可謂最長壽的哲學家，一生都在研究與教學，是典型的學者。他大學時代受胡塞爾與尼采啟發，後從學於海德格，豁然開朗，決定回溯古希臘哲學，尋找哲學源頭。他以研究柏拉圖獲得博士學位。二戰期間，他刻意與政治保持距離。1949 年前往海德堡大學接替雅士培的講座。1960年出版《真理與方法》，成為一代名家。他的思想可分為三期：

1. 早期，鑽研古希臘哲學，尤其是柏拉圖的政治學與倫理學，是「政治詮釋學」時期。

2. 中期，發展「哲學詮釋學」系統，從存在主義的角度探討藝術、歷史與語言。

3. 晚期，注意到「實踐哲學」，認真剖析人生、社會、科學、理性、善等題材。

　　在詮釋學方面，加達默爾接續海德格的觀點，並且進一步加以發展。海德格認為，人的存在的基本模式不能離開語言，亦即不能離開理解與解釋。加達默爾則引申說：人內心中的一切活動（包括認知、情緒、審美、道德、信仰等等）都是「理解」的一種模式。人的存在基本上就是理解，探討理解的性質，就是探討人的存在。因此，哲學詮釋學就是探討人的存在性的存在學，由此可以形成普遍的哲學。

（二）加達默爾《真理與方法》這本書在探討什麼？

　　加達默爾在《真理與方法》中指出，近代哲學隨著科學的進步而偏離正途，以致於方法意識演變為一種控制意識。只要提到方法，就會以自然科學做為標準。在哲學界，英國的培根提出經驗上的歸納法，法國的笛卡兒提出演繹法。這些方法都主宰了人的生活，產生一種控制意識，使人異化為物，以為只有透過方法才能獲得真理。

　　加達默爾指出：方法並不能保證可以獲得真理，它並未提供通往真理的康莊大道，具有方法的人照樣可能對真理感到困惑；同時，方法會使真理異化，把真理放逐在外。加達默爾要探討通往真理的「非方法之路」，使真理重返家園。他的著作取名為《真理與方法》，他要問：要方法還是要真理？他採用現象學以及辯證法。現象學是「不具成見、純粹描述現象的態度」；辯證法是思維的基本規則，由正反合的方式質疑自身，再超越自身。因此，他並不是反對方法，而是反對科學的方法學主義。

（三）加達默爾所謂的真理是什麼？

　　加達默爾剖析西方的各種真理觀，並做了扼要的說明。

1. 符合論

這是西方最早的真理觀。一個命題或判斷（你說的一句話）與客觀實際狀況相符合的就是真，不符合就是假。譬如，說「外面正在下雨」，如果外面確實在下雨，這句話就是真，否則就是假。換句話說，真假在於人所說的一個命題或判斷。從古希臘時代的亞里斯多德開始，就採取這樣的觀點。

2. 融貫論

一個命題的真理性取決於它是否與該命題系統中的其他命題相一致。這是近代理性論者的立場，最明顯的例子就是數學。在數學中，先要對重要概念或符號進行定義，設定基本公理，然後所有推論結果都要互相融貫。這類似中國人常說的「以經解經」：對一本經典，要用它本身的概念來加以解釋，由此構成一個內在融貫的系統。真假只在這個系統裡出現，離開這個系統則無所謂真假的問題。

3. 實用論

以美國的威廉·詹姆斯為代表。他認為：「只要我們相信一個觀念對我們的生活是有益的，它就是真的。」亦即要看一個觀念的實用效果如何，有明確效果就是真的。

4. 語義論

要從現代邏輯的角度為真理做語義上的規定。但此派並未涉及真理的實質，只談到真理的形式。因為邏輯探討的是思維的規則，你說的一句話在形式上正確就是真，而不涉及它的內容。

5. 多餘論

認為真理的問題來自語言的混淆。「真、假」是多餘的，根本不用談真假問題，這樣並不會造成溝通上的困難或語義上的損失。

加達默爾的真理觀在這五者之外。他回溯古希臘，指出「真理」一詞在古希臘稱做 alētheia，意為「揭開來」或是「除去遮

蔽」。在尋找真理的過程中，難免會有許多遮蔽，如個人的成見、
聽到的傳聞，或只看到問題的一面。加達默爾認為，存在是真理的
基礎，真理是去蔽與揭示，亦即去除遮蔽，並揭示開來。「真理」
一詞的字面意思是「發現」，讓你發現它的真相。他進而從藝術、
歷史、語言這三個重要領域來分析什麼是真理。

收穫與啟發

1. 加達默爾是典型的學院派學者，他在德國的哲學傳統裡認真學
   習研究，主要受海德格啟發。他在《真理與方法》中指出，人
   在探討方法時，可能會局限於科學時代的觀念。他對科學時代
   的處境進行反思，並設法擺脫這樣的局限，重新找到真理。

2. 所謂「真理」，在古希臘時代是指符合式的真理，屬於認識論
   的範疇。但是從尼采開始，真理在認識論上就不再具有最高地
   位。尼采認為，任何存在物的真理性都要看它的背景；或者，
   從不同的角度就會看到不同的真理。

3. 海德格把「真理」與「存在」再度連上線，這是他回溯希臘文
   「真理」（alētheia）一詞所得到的啟發。加達默爾接續海德
   格的思想，從本體論（存在本身）的角度探討真理，把真理同
   藝術、歷史與語言相連，使真理從封閉的科學領域走向「理
   解」與生活世界，也走向了理性與實踐。加達默爾後期的思想
   就從理論的詮釋學走向實踐的詮釋學，亦即價值的倫理學。

   我們對「真理」這一概念簡單總結如下：

1. 中文的「真理」一詞讓人覺得特別神聖，但對於西方來說，
   「真理」（truth）一詞所指的只是「真實」而已。真實當然不
   能脫離它的基礎——存在本身。

2. 一般談真理容易流於主觀，個人體驗到什麼是真理就認定那是真理。但不能忽略其他人的存在，所以真理要從主觀走向客觀，讓不同的人都能理解和接受，最後要回到存在本身這個基礎。

3. 人類世界離不開主觀與客觀之間的互動，從這個角度看，很容易就會發現上述五種真理觀的不足。譬如，符合論只是人類約定俗成；融貫論限於數學或邏輯等特定學科；實用論有明顯時空限制，對別人是否有同樣效益沒把握；另兩種真理觀只是附帶的討論。這五種真理觀都沒有回溯到「真實」的基礎，因此，從海德格到加達默爾要致力於思考這個問題。加達默爾特別從方法的角度著眼，要找到通往真理的「非方法的途徑」。

（課後思考）

在古希臘時代，所謂「真理」是指「發現」或「去除遮蔽」。小孩能直接說出「國王的新衣」其實是沒穿衣服，因為小孩是完全開放、沒有遮蔽的管道，他的語言可以顯示出真理。請問：我們要如何修練，才能讓自己去除遮蔽，成為真理彰顯的管道？

（補充說明）

「真理」在古希臘文是指「發現」、「揭開來」或「去除遮蔽」。加達默爾認真看待這一點，認為真理即開顯，要讓「存在本身」透過我的抉擇而得到開顯的機會。在抉擇中要體現「屬己性」，我要屬於自己，這等於說「我要屬於我的根源（存在本身）」。小孩沒有太多複雜的想法或顧慮，說出的話往往能讓大人深受啟發，所以說孩子是人類的老師。大人從前也是孩子，為什麼後來反而要向小孩學習？因為大人進入到人類世界，習慣於人際交往，反而忘記了共同的根源，就是海德格所謂的「遺忘了

存在本身」。加達默爾提醒我們不要遺忘存在本身，還要進一步讓自己成為真理的管道，使存在本身得以開顯。

那麼要如何修練自己呢？我還是要回到儒家的立場。我長期介紹儒家思想，有時別人問我儒家在說什麼，我就概括為兩個字──真誠。我在三十多歲念完博士學位之後，給自己定的座右銘是「任真」，就是讓自己活得真誠。我長期努力修練自己，為此也得罪了很多人。但經過這樣的過程，使我對儒家思想有了更清楚的理解。我把「善」界定為我與別人之間適當關係的實現，怎樣判斷是否適當呢？需要考慮三個重點。

1. 內心感受要真誠。與別人來往時，要盡量減少利害方面的考慮，不要計較是否付出多而回報少。同時，還要保持高度的自覺，隨時注意到我與別人的關係處在變化和發展之中。昨天還是普通朋友，今天共同經歷某個事件就可能變成知己。內心感受要真誠，就是對自己的感受要完全開放。

2. 對方期許要溝通。我們經常會自以為是，造成各種困難或誤會，甚至更複雜的問題。因此，絕不能自以為是。

3. 社會規範要遵守。社會規範就是羅爾斯所謂的「正義」，具體而言是指禮儀、法律、道德規範等等。

經常想到這三點，生命就會一直保持專注的狀態。不與別人來往便罷，只要與任何人碰個面、打個招呼或合作，都要像王陽明說的，「在事上磨練」。

通常最難做到的是第二點──對方期許要溝通。我們經常自以為是，總覺得別人應該如何如何。其實不然。沒有任何一個人是你可以完全了解的，就算對自己也未必能充分認識。後文要介紹法語系哲學家列維納斯（Emmanuel Lévinas, 1906-1995），他對「他者」的深入分析值得我們參考。

49-3　加達默爾的藝術觀

　　本節的主題是：加達默爾的藝術觀。加達默爾回溯古希臘時代，強調真理是除去遮蔽，以存在為真理的基礎，進而用藝術來說明真理及存在。

　　本節要介紹以下三點：

　　第一，加達默爾所謂的藝術是什麼？

　　第二，加達默爾所謂的「遊戲」是什麼？

　　第三，從藝術推到歷史與語言。

（一）加達默爾所謂的藝術是什麼？

　　加達默爾認為，藝術也是一種認識，但它並非以感性為基礎，那是科學的做法；也不是以理性為基礎，那是倫理的需求；它也不同於一切概念的認識，但它「確實是一種傳達真理的認識」。藝術立足於自身，並敞開自身；它屬於世界，並展示世界。這種展示永遠不會完結。

　　說「藝術也是一種認識」，是因為藝術中也包含著真理。換句話說，藝術是一種自我理解的方式。當你觀賞一幅畫作、聆聽一首樂曲時，都是自己的理性在尋求某種覺悟。另外，對藝術的理解總是以歷史做為中介，所以在歷史理解中也有真理的問題。同時，一切人類文化都要表現在語言中，所以加達默爾後續談到歷史與語言這兩個題材。

　　加達默爾藝術觀的重點是遊戲觀念。

（二）加達默爾所謂的「遊戲」是什麼？

　　遊戲是藝術真理的入門概念，用「遊戲」一詞顯然是較為廣泛的比喻。加達默爾認為，遊戲是人類生活的基本能力。如果沒有遊戲因素的話，人類的文化完全無法想像。換句話說，人類文化各方面的表現都是由某種遊戲造成的。他的遊戲觀與康德和席勒不完全相同，他並非用遊戲來表達一種主觀的意義，如用來鑑賞生活的情緒狀態或是某種主體性的自由。加達默爾認為，遊戲是一種指涉藝術作品的存在方式。

　　康德認為，審美感受是自由活動的結果，遊戲是這種自由活動與生命力的暢通。席勒認為，人有感性衝動與理性衝動，兩者統一在遊戲衝動裡。所以，遊戲衝動與自由活動始終放在一起，它是感性與理性的結合，是形式與內容的統一。由這種統一，才能形成完整的人格與優美的心靈。所以席勒才會說：「人在遊戲時，才完全是人；人完全是人，他才會遊戲。」這些都充分展示人的主體自由。加達默爾認為，康德與席勒的看法都過於偏向主觀。

　　加達默爾如何看待遊戲呢？他認為：

1. 遊戲的主體是遊戲本身，而不是遊戲的人；是遊戲透過遊戲的人而表現自己，重要的是遊戲本身的來回運動。
2. 不必區分主觀、客觀，因為兩者在遊戲中是統一的。
3. 遊戲的存在方式是它的自我表現。宇宙萬物的存在，尤其是人的存在狀態，不都是在自我表現嗎？自我表現需要觀賞者。遊戲本身是遊戲者與觀賞者所組成的整體。加達默爾特別以戲劇為例。戲劇是為了觀眾而創作及演出的，如果沒有觀眾做為「第四面牆」（三面牆構成一個舞臺，第四面牆就是觀眾），戲劇將失去意義。

　　加達默爾透過「遊戲」的觀念，肯定真理具有一種「參與」的特性。觀賞者只有參與到做為遊戲的藝術作品中，作品的意義才能顯示出來。換句話說，真理不能沒有人的參與，只有人參與其中，真理才能被人揭示。這是很好的觀點。在閱讀各種文本或古代經典時，我們就是參與者。我們自身的經驗與體悟都要參與其中，才能使真理揭示出來。

　　由「參與」再進一步，會帶來「對話」。在對話中，意義得到展現，真理得到揭示。我們欣賞藝術品，就是與藝術品進行對話，來回互動。每一次觀賞同一件藝術品，我們都會有新的啟發，代表對話永不止息，永遠在路途中顯示新的理解。所以真理的參與性是無休無止的，而藝術是過去與現在之間的溝通管道。加達默爾對於藝術的看法相當深刻，且富有啟發性。

　　加達默爾以藝術做為遊戲的觀念，啟發了以下三項有關藝術的真理：

1. 他清除主觀性，排除主觀客觀的二分法。
2. 藝術的自我表現是藝術作品的存在方式。
3. 藝術作品的真理具有「參與」的特性。有觀賞者參與，才能使真理彰顯出來。

（三）從藝術推到歷史與語言

　　理解是人活在世間的基本模式。人類創作的各種文化成果，包括經典的文本、古代的傳統、歷史的資料，都可還原到這個基本模式。所以，真正的歷史對象並非主客對立的對象，而是一種主客合一的關係。這就是加達默爾所謂的「先於科學的理解」。

　　加達默爾特別提到「偏見」一詞。他認為，在歷史的理解中，「偏見」是做為真理的條件出現的。帶有偏見的人透過視野的相互

尋找與融合，才會有具體的歷史觀。換言之，要了解某段歷史時，不可能沒有特定的立場或角度（即「偏見」），所以偏見並非缺點。這種具體歷史觀的真理，透過辯證法與問答邏輯而呈現，其中不斷有正反合的辯證、問與答之間的邏輯，最後呈現視野的融合。加達默爾認為，藝術與歷史是理解的兩種模式，兩者最終會統合在語言裡。

語言就是理解，也是存在的模式。語言不只是符號工具或摹本而已，它具有使世界得以表現並繼續存在的作用。因此，語言就是世界觀，能被理解的存在就是語言，語言是存在的開顯。「語言」是個動詞，代表交談，有如某一事件的發展過程。真理就像存在一樣，恆在開顯之中。

加達默爾在探討人文科學中的「理解」時，指出理解有「先在結構」。任何一種理解與解釋，都有賴於理解者的「事先理解」。「事先理解」有三種結構，即先行所有、先行所見、先行把握。

「先行所有」（for-having），指的是一個人特定的文化背景、傳統觀念與風俗習慣等。「先行所見」（for-sight），是指每個人都有其特定的觀點與視野，否則無法著手進行理解。「先行把握」（for-conception），是指人已有的觀念、假設與前提。

因此，所謂「事先理解」，就是成見或偏見，是我們向世界敞開的一種特定態度。人知道自己不可能中立，因此會敞開心胸，使成見與文本相互溝通、逐漸同化，從而出現視野的融合，產生新的理解。

加達默爾晚年轉而重視實踐。他認為，在實踐中人類要結為共同體，團結起來進行對話。這個對話是永久的、未完成的理解。真理是在理解之中持續發生的東西，它不需要演繹，而必須從它的本源中，亦即從主體與客體原始的同一狀態中，顯示其自身。

（收穫與啟發）

1. 加達默爾通向真理的「非方法的途徑」首先就是藝術觀。人類歷史上累積的或個人欣賞的各種藝術，都是開顯真理的方法。

2. 加達默爾藝術觀裡最核心的觀念就是「遊戲」，遊戲是藝術真理的入門概念。遊戲會帶來主客之間的融合，因為遊戲本身是超越主客的。遊戲的主體不是遊戲者，而是遊戲本身的來回運動。遊戲的存在方式是它的自我表現，但它需要觀賞者，所以遊戲與觀賞者組成一個整體。由此說明真理的「參與」特性。如果沒有人參與，真理不可能開顯。這種參與以對話的方式揭示真理與意義。對話永不終結，正如某些藝術品是過去與現在的連結，與它們的互動是永不停止的。同樣的，一個人生命的成長與發展也是永不停止的。因此，真理是一個不斷開顯的過程，永遠沒有圓滿結束的時刻。

3. 加達默爾並不諱言，對歷史的理解需要某些特定的偏見。有了特定的角度，才能切入到歷史的資訊裡，得到某種啟發。同時，語言是人類存在的唯一模式；脫離語言，人的存在將無法被理解。所以，語言就是世界觀。最後，可以把上述觀點應用於實踐哲學的領域，把人類當做共同體，透過人類之間的互動與對話，使真理不斷得以展現。

（課後思考）

許多歷史故事都有不同的版本，我們對於歷史故事的理解，也會參照個人的生活體驗。請問，你看過哪部歷史故事，在你生命的不同階段有不同的理解？

49-4　利科對自我的詮釋

本節的主題是：利科對自我的詮釋，要介紹以下三點：

第一，利科是法國詮釋學的代表人物。

第二，利科早期的代表作《意志哲學》在說什麼？

第三，利科如何看待自我與他人？

（一）利科的背景

法國哲學家利科（Paul Ricoeur, 1913-2005），從小父母雙亡，以烈士遺孤身分念完大學。他從中學時代就愛好閱讀，廣泛讀過蒙田、帕斯卡、司湯達、福樓拜、托爾斯泰、杜斯妥也夫斯基等人的作品，他後來特別重視文本並提出敘事文理論，都與此有關。他考大學時哲學只得到七分，沒有及格，滿分是二十分。他後來深入研究哲學，從開始教書之後，每年鑽研一位西方哲學大家，最後自己也成為哲學名家。

他參加第二次世界大戰被俘，在集中營被關了五年。他對雅士培與馬塞爾都曾深入研究。戰後在大學教書，1957 年執教於巴黎索邦（Sorbonne）大學。他在任教期間，曾有一年之久，每週五下午去參加在馬塞爾家舉行的哲學討論會。馬塞爾在討論時只要求一條規則：不能引述任何著作，只能引述實際的例子，再加上自己的反省與思考。這是存在主義哲學家馬塞爾的討論方式。

因為受到宗教哲學家伊里亞德（Mircea Eliade, 1907-1986）的邀請，利科從 1970 年開始，每年在美國芝加哥大學講學數週。利

科的主要工作就是在大學教書。他說過：「說話就是我的工作，語言就是我的王國。」

利科是法國詮釋學的代表人物。他廣泛閱讀文學、哲學與神學的作品，再綜合提出一套自己的觀點，使詮釋學有了進一步的發展。在詮釋學的發展上，他屬於第六個階段，把詮釋學用在文化領域上，要以詮釋學掌握神話與符號中隱含的意義。他要恢復意義，還是要破除偶像呢？利科的目標當然是要恢復文本的意義。

（二）利科早期的代表作《意志哲學》在說什麼？

利科的早期代表作《意志哲學》探討了意志與非意志、有限性與有罪性等。

他指出，人的自由與有限性之間，存在著一種吊詭。首先，每個人有自己的個性，那是不可分割的內在本性。一個人要了解自己，與其採用問卷調查的方法，還不如採用自我反省的方法，想像自己處於不同情況中，由此嘗試不同的感受與動機，反省自己語言中的文字轉折與隱喻等，就會發現自己是一個獨特而不可模仿的自我。因此，一方面我受制於自己的個別性，另一方面我仍有選擇的自由。我的生命是被體驗到的，而不是被認識的。生命有其必然性，有非我所能選擇的部分，如無意識的層次。利科對心理學也做過深入研究，寫過有關佛洛伊德的專著。

在討論意志問題時，自然會牽涉到人的自由與犯錯，利科對自由的看法有三點：

1. 自由是一種無限的可能性連結著一種結構性的偏執。換言之，自由是一種有限制的無限性，「它是不可分割的存在能力，也是被規定的存在方式」。他的說法顯然受到存在主義的影響。

2. 人是自由的，但又不得不接受無意識中的要求。

3. 有生命才有自由，這是人的奧祕之一。

（三）利科如何看待自我與他人？

利科由多重角度，設法重建一套「自我的詮釋學」，可以從兩方面來看：

1. 我們對於身體的經驗主要屬於自我的被動性經驗。譬如，看到顏色、聽到聲音、感覺到冷熱等，都不是我主動去想像的。這種被動性是自我與世界的中介，我藉由身體才與這個世界產生聯繫。

2. 自我的內涵表現於敘事文中。人一生的故事有如寫一篇敘事文，是自我的個性與各種劇情結合成的整體。人必須經由行動來敘事，再由敘事達到倫理的層次。這是因為人的行動總是需要考慮對其他人的影響，你若行善則必有人受益。同時，超越個別行動之上，還有整個生命敘事的統一性。這樣就綜合了人一生的行動與企劃，其中顯示了善與惡、理想與現實，由此體現一個人的個性。

利科接著經由「他性」（他人的本性）的辯證來說明「自性」（自我的本性）。他認為，人與人相處需要有倫理的意向。所謂「倫理的意向」，就是「在正義的制度中，與他人並且為他人而共度善的生活的意向」。有這樣的意向，你才會與別人建立適當的關係。如何肯定他性以及別人存在的意義呢？利科提出以下三點：

1. 身體就是原始的他性。這種觀點顯然受到馬塞爾的啟發，因為馬塞爾強調，可以說「我有我的身體」，也可以說「我是我的身體」。利科認為，我有身體，才可以說「我能如何」，也才有「我要如何」的可能性。對我來說，身體不完

　　全等於自我，它也是自我所面對的一個存在的力量。所以，
　　我的身體就是我的他性。由此可推知，他人有他人的身體。

2. 有他人才有人際互動關係，所以他人「宛如」我一樣，也可
　　以自稱為「我」。

3. 我與內在自我之間還有良心。良心是自我的幻象與自我見證
　　的真實之間最佳的交會之處。這樣的良心既來自於自我，又
　　超越了自我。

　　總之，在利科看來，我是一個主體，我與身體的關係最密切，
身體是我的原始的他性，是我與世界的媒介。由身體可以推到他人
的存在，使我與世界可以進行更深入的互動。我與他人的關係顯然
是密切的，因為他人也可以自稱為「我」。

収穫與啟發

1. 利科在學術上的發展過程是緩慢、深入而普遍的。他在大學教
　　書後，每年認真解讀一位西方哲學史上的大家，由此體驗到人
　　的行動是在時間中展開成為歷史，他的任務就是藉由語言來講
　　述，所以他對西方許多深刻的問題都做了探討。

2. 利科的《意志哲學》談到人的自由問題，可以拿來與其他西方
　　哲學家關於「自由」的觀念進行對照。

3. 利科談到自我與他人的關係，這是當代哲學的重要題材。利科
　　的朋友列維納斯在這方面也有獨到看法，後文會專門加以介
　　紹。利科認為：

　　(1) 我的身體對我來說具有原始的他性，我由身體可以與世界
　　　　建立關係；

　　(2) 我可以把他人看作我的身體所面對的另外一個自我，由此
　　　　可與他人進行人際互動；

(3) 自我的內在還有良心，良心等於是自我與真實自我之間的交會之處。這是從自性延伸出他性，再從他性回過頭來了解自性的過程。

課後思考

我與別人之間的關係，在哲學上稱做自我與他者的關係。這方面愈來愈受到西方哲學家的注意。根據利科的說法，所謂的「他性」在我與我的身體之間已經出現；在我與我的良心之間，又有另一種層次的表現。把這兩個方面引申到我與他人之間的互動關係，就會出現很明顯的「他者」。如果深入反省我與我的身體的關係，以及我與我的良心之間的關係，能否由此推出我與他人的關係應該如何互動往來？

補充說明

首先，從我與我的身體來看。我的身體對我來說，可能表現出審美的一面或工具的一面。別人的身體對我來說也一樣，我可以欣賞別人身體的美或者健壯。把身體做為工具，可以引申出我要與別人合作來完成某些事；進一步可推出「己所不欲，勿施於人」以及「己之所欲，施之於人」。人要與自己的身體做朋友，了解它、關心它，由此再延伸到對他者的態度。

其次，從良心來看。我的良心有時候會對自己說不，更何況是「他者」？所以在人際交往中，別人說「不」是很平常的事，我們不可能事事順心如意。我們對待別人不也是如此嗎？因此，人際交往很容易產生各種誤會。這啟發我們：

1. 人與人之間要進行平等的交流與溝通；
2. 要有良性的互動。

　　有人指出，人與人交往就是互相在敘事。所謂「敘事」就是敘述事實，像寫小說一樣。談論任何人或任何一本書，都是在重新敘述它。我們對別人如此，別人對我們亦然。敘述別人最怕太主觀，以致於產生誤會。

　　可見，利科的思想不但深刻，還富有啟發性。可以從我與我的身體以及我與我的良心這兩個角度，來推演出我與別人的關係。這樣就能更好的做到換位思考，讓自己具有同理心。然而，這個世界上的人太多了，我們交往的朋友也各式各樣，怎樣讓自己每次都做到恰到好處呢？這就需要我們有高度的自覺。

49-5　利科對惡的詮釋

　　本節的主題是：利科對惡的詮釋。有關善惡的問題經常困擾著我們，對於什麼是善、什麼是惡，哲學家眾說紛紜。做為法國詮釋學的代表人物，利科曾深入探討惡的問題。

　　本節要介紹以下三點：

　　第一，人有犯錯的可能性。

　　第二，亞當神話在說什麼？

　　第三，對神話的基本態度。

（一）人有犯錯的可能性

　　人是一個中間的存在。過去把人當做處於神與動物之間，現在利科說，人做為中間的存在或中介，其實在他自己的內在已經出現了：人存在於過去的自我到現在的自我之間，存在於現實的自我到理想的自我之間。

　　人做為這樣的中介，一方面說明人的「有限性」，無法擺脫過去的與現實的他；另一方面也說明了人具有「超越性」。人的超越性表現在人的開放性上面，能走出自我，再回歸自我，進而提升自我。從人的知覺、欲望、受苦、行動等方面都可以看出：人是向世界開放的。

　　人可以自由選擇要做自己還是不做自己，因此人有犯錯的可能性（可錯性），由此可以過渡到真正去犯錯。可以從下面三個角度來看：

1. 可錯性是一個機緣，是使罪惡成為可能的條件

人的可錯性與人的形上學的結構有關。人是受造物，必然會有「差距」，即現實與完美之間的差距。凡受造之物皆不完美，因為它有開始、有結束，在本質上是虛無的。人的可錯性來自於人是受造物這個事實。

2. 可錯性也是一個源頭

先有惡行，才會發現人是惡的源頭。正如人間有仇恨與鬥爭，才會發現在互為主體的各群體之間，意識會有明顯的差異。這一群人與那一群人，在各自群之中互為主體，兩群之間卻不相為謀，甚至有明顯的對立。又如，有了謊言與誤會，才會發現語言的原始結構上存在著明顯差異。由於對語言有不同的使用方式，才會有誤會產生。再比如說，出現吝嗇與暴政，我們才會了解什麼是擁有與權力。換句話說，人先認識墮落，才知道墮落的源頭。雖然在存在的秩序上是源頭在先，但是在發現的次序上是墮落在先。先看到墮落，才發現它的源頭是人的可錯性。

3. 可錯性也是一種犯錯的能力

可錯性來自於人類內在的不一致或失衡，使人出現了墮落的可能。從可錯性到實際犯錯，存在這樣的可能性，這也是一種能力的表現。

（二）亞當神話在說什麼？

利科特別研究亞當神話，對原罪有不同的理解。他認為，原罪其實是在探討罪的來源。嚴格說來，原罪只代表一種缺陷、一種過失，而不是真正法律意義上的罪。

《舊約·創世紀》記載，上帝創造萬物與人類，開始一切都很好，上帝所造的一切沒有理由不是善的。上帝把亞當、夏娃安置在

伊甸園中，允許他們吃所有的果子，只有生命樹和知善惡樹的果子不能吃。他們後來沒有遵守約定，吃了知善惡樹的果子。利科認為，這就是惡的起源。但是惡與罪不同，惡是缺陷，是過失。

真正的「罪」發生在什麼時候呢？亞當、夏娃離開伊甸園後，生了兩個兒子。後來，弟弟受到了上帝的肯定，哥哥出於嫉妒就把弟弟殺了，這時才使用「罪」這個字。所以，原罪其實不是罪，而是一種過失。

亞當神話的背景是上帝創造萬物。創造固然使萬物得以開始及延續，但不能否認的是，創造也是一種分離，它區分了上帝與受造物。人與上帝分開了，由人引入了惡。人濫用自由意志，妄圖超越自己的界限，甚至不惜脫離與上帝的關係，由此產生痛苦、罪惡與死亡，這都是人趨向於自我封閉所造成的結果。利科對原罪的分析在西方的文化傳統中非常重要。

（三）利科對神話的基本態度

在利科看來，所有的心理分析都是一種詮釋學。比如對夢進行解釋，夢就是文獻，其中充滿符號的意向，心理學家採用一種解釋系統來加以詮釋，使隱含的意義得以浮現。所以，詮釋學是一種解碼過程，可以從表面的意義看到潛在的意義。但是，佛洛伊德式心理學要透過詮釋來破除偶像，粉碎我們的神話與幻覺。利科有鑑於此，認為近代有兩種不同的詮釋學併發症：

1. 以神學家布特曼的「解消神話」為代表

神話是過去形成的，其中有豐富的符號與象徵。布特曼（R. Bultmann, 1884-1976）的「解消神話」是要把神話的故事性解消，因為那不是歷史事實，更談不上科學知識；但他依然要耐心的討論符號，希望恢復其中隱藏的意義。這是比較正面的態度。

2.「破除神祕」（demystification）

所謂破除神祕，就是要摧毀神話的面具與幻象。在破除神祕方面，馬克思、尼采與佛洛伊德是三位代表人物。他們都把表面所見的符號、神話或象徵當做虛偽的東西，並設法以一套新的思想來拆毀這些虛偽之物，最後都進入到反宗教的立場。

利科認為，解消神話的學者把符號或文獻當做通往神聖實在界的窗戶；破除神祕的學者則把同樣的符號（如《聖經》文獻）當做必須粉碎的虛偽之物。這兩種對神話的態度針鋒相對。利科顯然贊成第一種態度，他要對神話中的符號做出新的詮釋，由它帶領我們進入到更深廣的實在界，而不是把所有神話統統當成虛幻的東西。

收穫與啟發

1. 人是受造的，所以人有可錯性。可錯性使人有可能產生惡，在機緣方面、源頭方面與能力方面皆是如此。由這三方面可知，為什麼從人的可錯性最後會發展到真的犯錯。所以，人的出現為世界帶來了惡。

2. 利科對亞當神話進行詮釋：人濫用自由意志，使自己的主體趨向於自我封閉，斷絕與上帝的和諧關係，由此造成痛苦、罪惡以及死亡。所以，「原罪」其實是指罪的來源，以及最原始的缺陷或過失。後來，亞當、夏娃生了兩個兒子，哥哥因為嫉妒而殺了弟弟，這在《聖經》裡才真正被稱為「罪」。了解這一點對於思考人性問題會有一定的幫助。

3. 利科對神話的基本態度是：可以從「解消神話」的角度來看待神話，不要把神話當做歷史的敘述或對世界的客觀認識，而要使符號或文獻中的隱藏意義恢復開顯，幫助我們更了解人性以及人類世界。

課後思考

　　利科對惡的詮釋表明：人的惡原本是一種過失或缺陷，到最後真的犯了罪。了解這些之後，你對人性的軟弱是否會有更深刻的體會？對於世間的各種罪惡是否會有不同的看法？

補充說明

　　透過利科的詮釋，我們應該認識到：

1. 人是軟弱的，人有可錯性，所以不要輕易考驗人性。
2. 人有可錯性，也有可正確性。可以透過不斷反思來修養自己，以追求理想的人生境界。這是比較積極的態度。

　　上述兩個方面可歸結為奧古斯丁的觀念：我們要痛恨罪惡，但不要痛恨犯罪的人。他們只是在某些方面比我們更不幸，或是遇到更大的考驗。

　　有些人不能接受亞當神話這種非常明顯的有神論。這沒有問題，我本來就希望大家能進一步去思考。不過，利科主要是想表達：人盡量不要背離自己的根源。我們可以把神當做一個解釋的原則，以之做為萬物的來源與歸宿。人有思考和自由選擇的能力，所以可能會背離自己的根源。人的選擇如果脫離了根源（存在本身），就構成一個過失，罪惡便由此產生。

　　我們可以把存在本身當做「道」，但道家的「道」也不容易說清楚。我們在學習時，對於可以接受的，就虛心接受；對於不能接受的，就要調整觀念，看看能否把它轉換成某個類似的概念。當然，最主要的還是學習別人理解的架構。

第五十章

溝通、結構與解構

50-1　哈伯瑪斯的基本觀點

　　本章的主題是：溝通、結構與解構，要介紹二十世紀後半期的西方哲學，在時間上距離我們很近。本節的主題是：哈伯瑪斯的基本觀點。哈伯瑪斯（Jürgen Habermas, 1929-）是德國法蘭克福學派的第二代主將，他是從批判理論過渡到溝通理論的代表人物。這是怎麼回事呢？

　　本節要介紹以下三點：

　　第一，哈伯瑪斯的學術背景。

　　第二，哈伯瑪斯關心的問題。

　　第三，他提出三種知識理論。

（一）哈伯瑪斯的學術背景

　　哈伯瑪斯是德國學者，生於 1929 年，年輕時經歷了法西斯主義的興衰（即希特勒的階段），二戰後又經歷對德國戰犯的紐倫堡審判，看到猶太人在集中營受迫害的影片。由於這些因素的影響，他傾向於關心政治問題。

　　哈伯瑪斯在學習過程中，對青年黑格爾與青年馬克思的思想深入研究，並深受當時興盛的法蘭克福學派啟發。所謂的「法蘭克福學派」是指 1923 年 2 月 3 日在德國法蘭克福大學成立的社會研究中心，研究內容從歷史學、經濟學開始，後來轉而向社會哲學與心理分析。該學派的代表人物提出了批判理論。所謂「批判理論」，就是對社會現狀及社會思潮採取批判的反省，並指出將來的發展方

向。批判理論是第一代法蘭克福學派的主要立場。

　　哈伯瑪斯上場之後，積極的把批判理論向西方哲學界及社會理論界開放，並與各方面的學者進行對話，最有名的是他與詮釋學派加達默爾的對談。加達默爾的詮釋學要為權威、傳統、偏見做辯護，認為一個人不可能完全沒有偏見，不可能徹底擺脫傳統的角度去看待任何問題。但是哈伯瑪斯主張，要把權威、傳統、偏見全部加以消解。

　　此外，哈伯瑪斯也積極的與其他學科的代表人物進行溝通，涉及社會科學、語言哲學、認知理論、道德理論等領域，他認為這就是他後來所主張的「溝通行動」。他後來提出「溝通理論」，使法蘭克福學派繼續向前發展。

（二）哈伯瑪斯所關心的問題

　　哈伯瑪斯對於人的社會現狀有較為完整的理解，他關心的問題至少包括以下四個方面。

　　　1. 反省傳統的認識論觀點，包括實證主義、詮釋學以及馬克思主義的認識論等。哈伯瑪斯主張，人類知識之所以可能，是立足於人的自然性、社會性與歷史性的存在結構上，並經由人的興趣而形成。即先有興趣，才會形成特定的知識。

　　　2. 反省科技以及科技所主宰的意識。他指出，在高度發達的工業社會中，由科技所主宰的意識已經成為普遍的意識型態；在這樣的社會中，由於國家積極介入社會各層次的運作而出現「合法性危機」的問題。

　　　3. 經由批判理論，反省西方的傳統意識型態。為了化解意識型態的框架，他進一步提出溝通理論，描述怎樣才是「理想的言說情境」（ideal speech situation）。

4. 指出馬克思歷史唯物論的傾向及其限制。

哈伯瑪斯對哲學的觀點很清楚，他說：「哲學最重要的任務，就是展示激進的自我反思的力量。」他進一步說：「理性只尊敬那些能透過自由而公開的檢視所考驗的事物。」這就是他對哲學與理性的看法。

哈伯瑪斯認為：人之所以為人，是透過勞動與溝通互動來實現的（勞動觀念是馬克思思想的重點）。勞動加上溝通互動，使人與自然界建立統一的關係。人在自然界中勞動，與自然界合作，從而得到生存的資源；但是人不能脫離社會，所以必須進一步統合在社會中。人做為人，不能單獨存在。他為別人而存在，同時別人也為他而存在。這兩點必須同時掌握住。

（三）哈伯瑪斯提出三種知識理論

哈伯瑪斯認為，人有三種做為生活動機的興趣，即技術的興趣、實踐的興趣與解放的興趣，由此建構了三種知識。

1. 技術的興趣，使人從事工具性勞動（把勞動當成工具，以獲得某些實際效益），由此形成以自然為認知對象的經驗及分析的知識，也就是在科技方面的知識。這是當代最流行、最普遍的興趣。

2. 實踐的興趣，使人從事互動或溝通，形成以理論為認知對象的歷史及詮釋的知識。這是對於人的世界的興趣。

3. 解放的興趣，使人從事解除社會箝制的活動，形成人如何去掌握社會批判的知識。哈伯瑪斯把重點放在第三種 —— 批判的知識。

但是在今天的社會上，「技術的興趣」影響最大。哈伯瑪斯對這一點所做的批評，與很多哲學家對科學主義的批評大致相同。他

認為，科學主義堅持以觀察和實驗做為採集資料的方法，堅持定量分析和數學分析模型等方式，來使社會研究科學化，以為這樣得到的知識才是唯一的知識。事實上，這種做法只能讓人得到抽象的結果，而忽略社會中的人文價值。

　　哈伯瑪斯指出，科學主義的基本預設，首先是把社會變成像自然界一樣，然後形成自然主義的社會觀。亦即把社會或者社會中的人視為物質，把社會事件和現象視為既成事實，把具體的社會世界當做知識的來源與真理的最終保障，從而形成客觀主義的心態。這種心態不但會導致「客體宰制」（完全被外在之物宰制），也會形成「主體超然」的現象，即一切都與主體無關，主體應該保持中立。如此一來，會抹殺及忽略人的反省能力的作用和意義。科學主義混淆了人的實踐性與客觀技術這兩種不能彼此化約的範疇，忽略了人的反省能力的重要性。

收穫與啟發

1. 歐洲經過兩次大戰的動盪，社會問題一再浮現。哈伯瑪斯經歷二戰前後的重大改變，所以對於社會問題特別關心，總在思考問題出在何處。當時在德國成立了法蘭克福學派，對於社會問題進行全面探討，形成哲學上的「批判理論」。
哈伯瑪斯進一步深入探討，並與各方展開對話，使批判理論廣為人知，形成廣泛的社會影響。他對於意識型態的批判就是最著名的例子。

2. 哈伯瑪斯所關心的問題涵蓋從認知到實踐、從個人到社會的所有相關領域。從認知到實踐必須同時注意人的興趣的三個方面，不能只專注於科學主義所形成的科技知識。此外，他也注意到，社會受到意識型態的主導；要對意識型態加以批判，才

能清楚了解它對人的影響是正面還是負面的。他提出「溝通理論」，目的是要建立「理想的言說情境」，由此化解意識型態的問題。

3. 他提出三種知識來自於人的三種興趣 —— 技術的、實踐的與解放的興趣。技術的興趣使我們建構出關於自然界的經驗及分析的知識；實踐的興趣注重人際之間的互動溝通和互相理解；解放的興趣使人排除社會集體的壓力，獲得解放的自由。

課後思考

對於哈伯瑪斯提出的人的三種興趣，可以換個角度來思考。譬如，重視技術的人會強調自己的專業能力，為社會做出特定的貢獻；重視實踐的人會注意到人際溝通，尋求社會的和諧；解放的興趣可以讓人減少社會規範的壓力，在團體中依然能夠活出自我。請你思考一下，能否將這三種興趣排出某種優先順序？

補充說明

排序並沒有標準答案。有些人認為，要按照人生的不同階段去定，甚至要按照整個社會的不同階段去定。或者認為，這三種興趣不能偏廢，要保持平衡，進而加以融合。這種構想當然不錯，但不容易做到，因為人總是活在每一個當下。譬如，上班的時候，當然希望在技術的興趣上有傑出的表現；與別人互動的時候，會特別考慮實踐的興趣；如果想讓個人的生命得到安頓，就會注意到解放的興趣。

可以從人的生命結構的身、心、靈三個層次來看。哲學家對於人生問題的各種答案，基本上都可以用這個模式來進行對照，會比較容易掌握他們的思想。

　　技術的興趣針對的是自然界以及人的具體處境與生活的能力，這與「身」有關，就是「非有它不可，有它還不夠」。

　　實踐的興趣與「心」有關。在社會上與別人互動，總希望彼此之間減少誤會，增進感情。如果有豐富的審美趣味，就會對別人保持欣賞的態度。這些屬於「心」在知情意方面的良性循環，可以不斷往上提升。

　　解放的興趣則讓你回到自我，這與「靈」有關。不管在技術或實踐方面取得了多麼精采的成就，最後終究要面對自己。每個人都無法忽略這一點。

50-2　哈伯瑪斯的溝通理論

　　本節的主題是：哈伯瑪斯的溝通理論。哈伯瑪斯是德國法蘭克福學派的第二代主將，他從先前的批判理論入手，先對社會進行完整而深入的批判，找出社會問題的癥結所在，最後的目的是要建構一個合理的、幸福的人生。哈伯瑪斯曾在哲學界引領風騷，他的主要貢獻是繼承批判理論，接著發展出溝通理論。

　　本節要介紹以下三點：

　　第一，為何需要溝通？

　　第二，如何才是有效的語言？

　　第三，理想的言說情境。

（一）為何需要溝通？

　　每個人都生活在社會上，每個社會都有意識型態的問題。「意識型態」的英文是 Ideology，有時也譯為「意底牢結」。人在社會上，不知不覺就會被某些觀念牢牢困住，因此需要透過溝通來化解意識型態的束縛。

　　所謂「意識型態」，是指在一種細心安排的歷史觀的主導下，形成一套在邏輯上具有一致性的符號系統。這套系統把個人對周遭環境的認知、評估、對未來的憧憬，與團體的行動綱領和策略連結起來，以便維繫或改變社會。換言之，意識型態就是社會精心設計好的一套說法，讓個人由此了解、評價、憧憬他生命裡相關的事情。

　　在具體操作上，意識型態就是要告訴群眾三點：

1. 什麼是最好的社會秩序和未來目標；

2. 為什麼這樣的目標是最好的；

3. 如何透過具體的策略或行動綱領來實現這樣的目標。

事實上，每個時代和社會自然而然就會出現某種意識型態，否則無法產生凝聚力。但是久而久之，意識型態就僵化為一個框架，人不再去反思，個人的自由選擇也會被逐漸忽略。

哈伯瑪斯用心理治療的過程來加以說明。他認為，心理治療就是使病人由除去符號化變成恢復符號化的過程。在此過程中，病人私有化的語言被重新概念化、符號化，成為能被自己所意識、並能被別人理解的普通語言。

一個人有精神上的困擾，往往會覺得無法與別人進行溝通，別人無法理解我說的話。治療的關鍵在於：治療者可以把病人潛意識的動機，翻譯或詮釋為病人可以理解的普通語言；並且告知病人，為何被壓抑的潛意識會被排除於語言表達和公共溝通之外；從而促成病人的自我反省和自我了解，並重建自己的人格體系，調整自己與社會的互動方式。可見，心理治療的過程是治療者配合因果解釋，對病人的症狀進行詮釋分析，由此促成病人做批判的自我反省、自我了解及自我重建的過程。

哈伯瑪斯由此認為，自主而合理的溝通情境是極為重要的，它會影響個人的自我了解與自我成長。經過這一階段，病人才有可能進行獨立負責的行為，回歸正常的社會生活。在心理治療過程中，治療者與病人形成自主和諧又毫無宰制的人際關係。這種關係不僅有實際的治療作用，同時也啟發我們：對於意識型態的批判和解消，並不是要用另一套被視為不容置疑的新意識型態來取代原有的被認為虛偽的型態；而是要先肯定人可以進行自我反省，並能夠與別人進行自主和諧又毫無宰制的溝通。

（二）有效溝通的語言是什麼？

哈伯瑪斯進一步提出溝通理論。他認為，能與別人有效溝通的語言，必須具備以下四項條件：

1. 可理解性。你使用的語言必須符合文法規則。如果前言不對後語、前後互相矛盾的話，沒有人能理解你的意思。
2. 真實性。語言所表達的內容與陳述的事實，都確實為真。當然，每個人對於真實性的領悟方式不完全一樣。你能說出你所知道的真實，這至少是一個好的出發點。
3. 真誠性。不考慮任何利害關係，真誠表達我所知道的真實的東西，這樣才能取得聽者的信任。雙方都有真誠的態度，溝通才可能進行。
4. 適當性。表達的內容要符合聽者所遵守的規範系統，這樣才能獲得聽者的認同與接受。

哈伯瑪斯認為，其中較難把握的是真實性與適當性，因此需要反覆討論。對於可理解性與真誠性，問題不大。比較困難的是，你所謂的真實與別人所理解的真實，是否處於同一個層次？你的敘述與對方的理解是否指的是同一件事或同一種狀況？對於適當性，針對不同的人，要採用不同的語句來表達。只有配合別人的理解程度，才能進行有效的溝通。

（三）理想的言說情境

如何建立理想的言說情境？現代哲學重視語言始於維根斯坦，他特別強調語言的重要性及其限制，認為哲學家所使用的語言大部分並非錯誤，而是無意義的，由此出現語言的「檢證原則」如何界定的問題，後來發展出語言分析學派、邏輯實證論等。其實從更早

的狄爾泰與卡西勒就已經注意到，語言對於人的有效溝通是不可或缺的。與其強調語言的局限，不如強調語言的必要，進而設法改善溝通的效果。

　　但有時又走得太過頭了。譬如，詮釋學的加達默爾十分強調語言的重要，把語言與存在及真理拉上關係。哈伯瑪斯認為，這樣做忽略了語言可能產生的誤導。自古以來，人類溝通中產生的誤會可能遠遠多於它的正面效果。

　　哈伯瑪斯強調，建立理想的言說情境必須考慮以下五點：

1. 溝通雙方在機會平等的基礎上都可以發言。如果機會不平等，又如何溝通呢？

2. 雙方在解說與陳述時，要接受對方的檢討與批評。雙方都要遵守這一規則。

3. 雙方可使用敘述的方式來說明自己的意圖，以求得相互了解。換言之，要清楚表達自己的意圖；如果心口不一，很容易造成誤會。

4. 雙方可使用規範性言詞，藉以排除只對單方面具有約束力的規範及特權。換言之，不能因為某一方的特定身分或專業背景而對另一方加以限制。溝通雙方有同樣的機會使用規範性言詞，包括提醒、警告、勸告、要求、命令等。譬如，「不能做人身攻擊」就屬於規範性言詞。規範性言詞的特點在於：它不僅是說說而已，還是一種行動的力量，可以讓雙方在溝通行動中產生具體的效果。

5. 言說的目的是讓人可以用理性、自主的態度，進行負責的思考與溝通，從而擺脫不必要的意識型態。

　　簡而言之，理想的溝通情境就是：雙方有平等的機會可以發言；你的說法要接受對方的檢討與批評；要盡量說清楚自己的意圖

以便互相了解；雙方都可以使用規範性的言詞，不能只是單方面使用；言說的目的是達到有效的溝通。

　　總之，哈伯瑪斯認為：理性的人不能缺少歷史意識或脫離社會互動的情境，批判理論使人得以反省及超越各種意識型態，溝通理論則可以進一步化解不同利益階級之間的障礙，由此促成更和諧的社會關係。

收穫與啟發

1. 意識型態是每個社會都難免出現的觀念系統，社會成員會受到意識型態的約束而未必察覺。哈伯瑪斯對「意識型態」一詞進行界定。同時，他藉心理治療的過程來說明，在平等互動的情況下進行溝通是極為重要的。
2. 當代哲學界很重視語言問題，哈伯瑪斯強調有效溝通的語言應具備四個條件：可理解性、真實性、真誠性與適當性。其中，真實性與適當性比較難做到。
3. 如何建立理想的言說情境？兩個人在說話、討論甚至辯論時應考慮五點。最後一點最為重要，即言說的目的是要讓人以理性、自主的態度，進行負責的思考與溝通，從而擺脫不必要的意識型態。

課後思考

　　哈伯瑪斯提出，有效的溝通必須具備四項條件：可理解性、真實性、真誠性與適當性。你覺得哪一項最難？哪一項最需要大家的注意及改善？請根據個人經驗來舉例說明。

50-3　結構主義的代表 —— 李維史陀

本節主題是：結構主義的代表 —— 李維史陀，要介紹以下三點：
第一，什麼是結構主義？
第二，李維史陀的學經歷以及他的研究方式。
第三，人類學與人生哲學的關係。

（一）什麼是結構主義？

　　二十世紀六〇至七〇年代，法國文化界在沙特式的存在主義之後，興起結構主義（Structuralism）的思潮，代表人物是法國學者李維史陀（Claude Levi-Strauss, 1908-2009）。他一般被視為人類學家，但他的思想對各方面的影響都很大。

　　他在法國有效的遏止沙特式存在主義的蔓延。他指出，沙特強調完全的自由，但卻忽略自己的思想受到個人生活環境的結構所制約。他批評沙特說：「在哲學問題的層面上，發展個人的成見是危險的，最後很可能會造成一種『女店員的哲學』。」亦即每個人都可以喊出自己的存在焦慮，表現憂鬱、苦悶、負面的心情。沙特的確可能造成這樣的效果。另外，沙特以為原始部落的少數民族缺乏理性分析和理性證明的能力，李維史陀做為人類學家，指出那完全是沙特的偏見。

　　到底結構主義是什麼？任何東西的存在一定有兩面：一面是它在時間過程中不斷發展；另一面是它本身擁有基本的結構，無論怎樣發展都不會變成另一種東西。如果追尋結構理論在哲學上的根

源，勉強可以推到柏拉圖的理型論：理型是永恆的存在之物，宇宙萬物的變化都要參照它原本的理型，但永遠不可能達到完美的程度。另外，近代的康德談到人的理性有先天的形式及範疇，這也與先天的結構有關，不能脫離對結構的理解。

結構主義是一種方法，開始主要用於人類學和語言學上面，後來延伸到各種知識領域，在文學、政治學、哲學、神學、藝術等方面引發各種熱潮。譬如，大家會說某個社會有其深層或底部結構，其中的人會有一套不自覺的意識型態，這樣的結構長期不變。但是結構一定不會改變嗎？也不一定。

所謂「結構」，不只是某些元素及其特質的聚合體，而是一套有組織的、可以應對變化的系統。這個系統是內在自足而對外封閉的。簡言之，結構包含「整體性、移形轉化與自動調節」三個特性。所謂的「移形轉化」，就是它的形狀、外表會改變，本身也會逐漸轉化，但是怎麼變都不會變成其他東西。

任何東西都有結構，人的世界自然也不例外。因此，當沙特宣稱「存在先於本質」，好像人有絕對的自由可以自我抉擇時，李維史陀提醒沙特，別忘了他自己也是受到特定的社會與家庭結構所制約的。

（二）李維史陀的學經歷以及他的研究方式

李維史陀畢業於法律系，曾到巴西教書及從事人類學方面的田野考察。後來回法國擔任人類學及社會學教授，並於 1968 年獲得法國最高學術榮譽。他說自己有三個最愛的學科，即地質學、心理分析學與馬克思主義。他認為，這三者都主張：所謂「理解」，就是把所見的實在界由一種樣式還原為另一種樣式。譬如，我學習西方哲學，在理解的時候，要把它轉換成中文以及我原有的思想模

式。所以，真正的實在界絕不是最明顯的。那麼要如何找到真正的實在界呢？

　　他花了大量時間研究初民。所謂「初民」，就是保持原始生活形態的族群，譬如在某些海島或偏遠地區生活的少數民族。研究初民的目的是要建立「關於人的普遍科學」。他的信念是：「人創造了自己，就像人創造了家畜的種類一樣，唯一的區別在於前者的過程沒有那麼自覺或主動。」這種觀點顯然受到馬克思的啟發，馬克思曾經說過：「人創造了自己的歷史，但他們並不知道他們正在創造歷史。」

　　語言是人類獨一無二的特質，因此它構成了文化現象的原型，也構成了全部社會生活形式藉以確定其現象的原型。他說：「誰要談論人，就要談到語言；而談到語言，就要談到社會。」整個文化其實是一種「巨型」的語言。

　　他認為，研究地質學與心理分析學，目的是要尋找在自然界以及在人類心靈中的基本特質。凡是基本的與普遍的，必定是我們真實天性的本質。如果對天性有深刻的了解，就可以用來改善自己。可見，他要從整體著眼，找出社會生活的原則。所有的變化必須來自於內在，找到這些變化的基礎最為關鍵，亦即要找到其結構的原始模型。

　　這些觀念使李維史陀在人生哲學方面有特定的觀點。他強調，當我們製作人工產品時，比如設計禮儀或記載歷史時，其實是在模仿我們對自然界的攝受。就像自然界的產品被如何割裂與安排，人類文化的產品也受到同樣的割裂與安排。這樣一來，就把人、文化與自然界聯繫起來。

　　以交通信號燈為例，人把自然界的顏色光譜用於人文方面，做為交通的規則。在街上看到紅燈、黃燈與綠燈。紅燈代表停止，因

為紅色讓我們聯想到血，表示危險；綠燈代表前進，因為綠色讓我們聯想到花草樹木，表示安全。為何黃燈介於紅綠之間？因為黃色的光譜介於紅色、綠色中間，所以用黃色表示小心注意。這是從自然界中得到的啟發。

（三）人類學與人生哲學的關係

李維史陀對於文化有以下三方面的創見：

1. 關於親屬關係

在一個社會中，父子關係與甥舅關係是此消彼長的。父子關係偏向於尊敬，顯得比較嚴肅；而甥舅關係偏向於和善，顯得比較慈愛。這提醒我們，為什麼中國歷代王朝經常會出現外戚的問題？因為外戚屬於甥舅關係，容易顯示出和善、慈愛這一面，但發展到最後也會進行各種權力鬥爭。

這些關係有如語言以文字來溝通，目的是為了交換。他進而說明：禮物、女性以及團體間交換往返的媒介，全都發揮像記號一樣的功能。這種親屬關係的系統，其社會功能本身是「結構的」，用以保障社會的恆久存在。該系統的結構無異於語言的結構。

2. 關於神話

在原始社會的治療過程中，巫醫給病人一種「語言」，藉以表達其他方式無從表達的心理狀態。這種語言的轉化，導致生理過程的運作，使病人朝著有利的方向重新組織自己。

在神話中，任何行為都可能發生。神話思維總是從對立的意識出發，並朝著對立的解決而前進。其中，「無意識的思維範疇」是我們全部世界觀的基礎與框架。「這種神話思維的邏輯，與現代科學的邏輯一樣嚴謹。它們之間的差別不在於智力發揮的品質不同，而在於對象的性質不同。」

3. 關於「野蠻人的思維」

這是李維史陀最有名的觀點。以熊族為例，熊族的人認定自己是熊，其實是在說明：關於個人在世界上的地位，關於他與其他萬物、他與別人的關係，都是從熊的角度、熊的角色來看的。因此，「我是一隻熊」這句話不是非邏輯的，而是讓人融入周遭世界所需要的一個代碼。這種思維有創造結構的力量，由此產生圖騰制度。

根據美國蘇族印第安人所說：「世上萬事萬物不過是連續不斷的創造力之具體化、物質化的形式。」這一切的目的都是「要以完整形式把握現實的兩個側面：一方面是連續，另一方面是中斷。」面對不斷流逝的時間，我們需要一種停滯而中斷的瞬間感。這一瞬間既在時間之中，又在時間之外。在這個瞬間，我們才會領悟實在界的真相。

收穫與啟發

1. 二十世紀六〇至七〇年代，歐洲出現新的風潮，在法國地區出現結構主義。存在主義盛行時，強調自由抉擇與變化發展。現在，結構主義則像鐘擺一樣走到另外一邊，強調任何東西的存在和發展都不能脫離其原有的基本結構。這種觀點首先應用於心理分析學、語言學、社會學、以及人類學，再延伸到其他知識領域。所謂「結構」就是具有整體性的一種組織，它自身可以移形轉化及自動調節。了解這樣的結構對於了解人類的存在與發展是必要的。

2. 法國結構主義的代表是人類學家李維史陀。一門學科談到最完整、最深刻的層次，都會涉及人的問題，因此他在哲學界也受到廣泛關注。尤其是他有效遏止沙特式存在主義在法國的蔓延，更讓人印象深刻。

3. 對於人類學與人生哲學的關係，李維史陀做到三個打通。
  (1) 打通文化與自然，人從自然界得到的經驗與人所創造的文化，在基本結構上是相關的。
  (2) 打通語言與人的生存，人類語言的溝通有一定模式，這與人的生存處境是配合的。
  (3) 打通現代人與原始人，從此以後不再把原始人視為落後的、不理性的、非邏輯的一群人，他們與我們現代人一樣，只是他們有不同的，甚至是更為原始的生活模式，與人的原始生命結構更為接近。

課後思考

　　認識了結構主義的觀點之後，請你想一想，你自己本身有哪些思想上的深層結構？它們是來自於傳統文化，還是來自於生活經驗，或者來自於你閱讀過的資料？

補充說明

　　關於傳統文化方面，有人提到愛面子、講人情，這確實是中國人很特別的地方。我們與別人互動時，總是處於某種人際關係網之中。在這個網路裡，你有特定的位置。如果忽略了面子與人情，你的位置就會受到挑戰，無法像以前一樣生存下去。

　　有人提到從小立志做君子，君子就是他的深層結構裡的一個理想目標。這非常合理。先樹立一個做人的標準，這個標準就會促使你一路努力向上，不斷學習和實踐。

　　有人進一步提到，在思想方面受到「陰陽」和「中庸」這兩個觀念的影響。陰陽觀念來自於《易經》。任何東西都有陰陽兩面，兩者相輔相成。因此，對任何事情的判斷都會比較中庸，不

會走極端。這使我們可以用動態的眼光來看問題。鐘擺擺到這一邊，你就知道將來還會擺到另外一邊，最終會達到穩定的狀態。這些都是中國文化的特色。

也有人提到「熊族認為自己是一隻熊」，等於是用熊的角度來看世界。換句話說，我雖然是一個人，但「人」這個概念太過寬泛，不可能有所謂的「人的角度」。我們要問：我是誰？我是中國人。中國人還分古人與現代人，兩者的差別也相當明顯。所以，關鍵是要了解自己的具體狀況。只有透過深入反省，才能了解自己的深層結構。

同時，我們要注意到兩面：一面是「結構」，另一面是「存在」。要雙軌並進。

首先，要注意到「結構」的一面，這是穩定的方面。人如果不了解自己的深層結構，就不知道自己站在什麼樣的立足點上。可見，偏見是必要的，沒有人避得開。如果知道自己的偏見是什麼，就能在很大程度上避免執著於自己的偏見。同時，還要設法了解和欣賞別人的偏見。

另外，還要注意到「存在」的一面，這是變化的方面，就是存在主義所說的「選擇成為自己」。在不斷變化中，才能不斷的創造與創新。所以，既要了解自己的結構，也要推展自己的存在，即馬塞爾所說的「存在就是存在得更多」。兩者要互相配合，不可偏廢。

「結構」是一種穩定的狀態，「存在」是一種變化的可能。有常亦有變，人的生命才能顯示其特別之處，既可以展現人的自由，又不會背離人的基本狀態。宇宙萬物都兼具兩面，既有穩定的一面，也有變化的一面。人類也不例外。對於存在主義與結構主義這兩派對峙的思想，若能兩面兼顧，就可以並蒙其利。

50-4　傅柯顛覆傳統

本節的主題是：傅柯顛覆傳統。二十世紀六〇年代以後，法國哲學界出現百家爭鳴的情況。結構主義上場之後，很快就出現反對的觀點，傅柯（Michel Foucault, 1926-1984）就是其中的一位代表。本節要介紹以下三點：

第一，另類的探討方法。

第二，考古學與系譜學做為哲學方法。

第三，人的死亡。

（一）另類的探討方法

傅柯是西方哲學界的一個怪才，他研習哲學原本是為了了解自己的狀況。他探討心理學、精神分析學、精神病學，從這幾個學科就知道他的狀況很特別。他長期受到瘋狂與同性戀的困擾，在二十幾歲時兩度想要自殺，他早期的代表作包括《瘋狂與非理性》與《性欲史》。他後期也到監獄去研究犯人的心理疾病，比較犯人與瘋子，進而探討監獄的起源。

他在哲學界的學術背景相當扎實，曾受到海德格的啟發，又深入研究尼采，早期也信奉馬克思主義，三十四歲完成博士論文，題目是《瘋狂與非理性》。他認為，瘋狂或精神失常不是自然現象，而是文化現象，並且總是存在於某些社會中。在教書方面，同事不太接受他，但學生很歡迎他。

他在 1966 年四十歲時出版了《詞與物》，副標題是「人文科

學之考古學」，英文翻譯成《事物的秩序》（*The Order of Things: An Archaeology of the Human Sciences*），引起巨大迴響，使他的思想成為存在主義以來最令人矚目的。書中某些基本觀念（如人的死亡）開始大為流行。

　　他的探討是另類的，因而受到沙特的批評。沙特認為，傅柯的考古學是一種地質學，用地質學的層層結構代替了考古學的轉化過程。沙特還給傅柯扣上「資產階級的最後堡壘」的帽子。結果傅柯反過來把帽子丟回到沙特頭上，說沙特在加入法國共產黨之前，早就被認為是資產階級的最後堡壘了。

　　傅柯認為，他的工作是要重新展現科學史、認識史與人文知識中的無意識歷史。這種歷史並不服從理性進步的一般準則。換句話說，他要站在人的意識和理性的對立面，來重新思考歷史。

（二）考古學與系譜學做為研究方法

　　傅柯關心的問題包括瘋狂、疾病、死亡、知識、間斷性、罪行、監獄、權力、性欲、同性戀等等。在哲學領域，這些顯然屬於另類的題材。他要研究的正是另一類人，像瘋子、病人、犯人、死人、考古人、同性戀者等等，他的思想也促成後現代思潮。

　　法國在第二次世界大戰之後，按照時間順序，先是盛行馬克思主義，後來流行存在主義和人道主義，接著上場的是結構主義，到傅柯則大力批判結構主義。傅柯別出心裁，他以考古學與系譜學做為哲學研究的方法。

　　「考古學」（archeology）一詞的字根原本是指「尋找起源與基礎」，但學術界向來都把考古學當成歷史學的一個分支，因為十九世紀的歐洲盛行歷史主義。傳統考古學是對實物的發現、考據與分析，根據實物的史料去研究古代的文物與社會歷史。傅柯在

1969 年出版《知識考古學》，對傳統的歷史學提出批判。

　　傳統歷史學認為，歷史現象之間有各種對立、因果與循環決定的關係。傅柯認為這些看法都過於武斷，這種線性思維是有問題的。以線性思維來看，歷史的發展表現出一種連續性，那其實都是後人的解釋。傅柯指出，歷史上有許多間斷性與突變性的事件，間斷性要勝過歷史性。他的知識考古學並不是結構主義，而是要反對結構主義，化解結構主義的觀點。

　　他的知識考古學是如何進行的呢？他的研究場所是在瘋人院、醫院以及人文科學的領域。他深入分析什麼是瘋狂與疾病，以此擺脫傳統歷史學的觀點。傳統歷史學認為，人類知識有一種整體性與連續性，並可以推到最初的起源性。傅柯則認為：全體性、連續性、起源性這些都是誤會。同時，傅柯也放棄人類學的探討，亦即結構主義者李維史陀的做法。傅柯指出，歷史主義顛倒了歷史學與考古學的關係，應該把歷史學還原為考古學，回到文物本身，這樣才能消除理念方面的成見，從而展露真正的基礎。他的口號是「回到文物本身」。

　　傅柯採用的第二種方法是系譜學。「系譜學」（genealogy）一詞是尼采在《道德系譜學》這本書中提出的，目的是重新評估人類及其價值觀。傅柯從 1970 年代開始進入系譜學時期。系譜學是要探討事物的起源與演變的過程。簡單來說，知識考古學的對象是知識，系譜學的對象則是權力與道德。即經過一系列的演變，今天社會上的權力是怎麼回事？道德是如何安排的？研究的主題涉及罪行、權力、性欲等等。

　　傅柯系譜學時期的主要特色在於：批判歐洲傳統的追求起源的思想。傅柯認為，所謂的起源只是一種幻想。有許多我們研究的對象並沒有起源，但是它有出處。有出處並不代表有一個起源或根

源，因為它本來就在那兒。傅柯是反起源、反連續性、反漸變、反線性發展、反總體的。他認為，深刻之物就是表面所見之物，本質就等於顯示的現象。

他在系譜學時期有三項任務：

1. 要質疑求真理的意志。
2. 要恢復論說事件的特徵。即對於談論的問題，如何恢復問題本來的特徵，而不要先用觀念的框架去界定它。
3. 要消除語言意義的至上性。一般而言，語言都是早就被決定的，裡面有許多遮蔽連使用者自己也不知道。譬如，傅柯研究什麼是瘋子，也就是所謂的「非理性的人」。

傅柯採用考古學和系譜學兩種方法，讓學界許多人眼界大開。

（三）人的死亡

人的死亡是怎麼回事？傅柯認為，一個人發瘋等於是有自己的思想方式，可以有顯示狂言與狂想的機會。他甚至說「我瘋故我在」。「瘋」代表我現在無意識、無思想、無理性，但是我又確實存在。一個人發瘋的話，即使處於貧窮、困難的狀況，他也可以想像自己是在天下稱王；即使衣衫襤褸、一文不名，也可以想像自己穿金戴銀。一個人處於瘋狂狀態，可以保證自己的真實存在，取得任意咒罵別人的自由，可以任意想像任何東西，由此很可能會迸發出巨大的創造力。換句話說，瘋狂是一種非理性，也就是分化、分離、去除、解除了理性。但瘋狂指向另一條通往真理的道路，擺脫理性，獲得了非理性。

傅柯由此進一步強調「人死了」。這句話推源於尼采所說的「上帝死了」。傅柯這句話展現了人與上帝互相隸屬的關係，「上帝死了」與「人死了」其實是同樣的意思。在尼采那裡，超人揭穿

「上帝死了」，意味著「人死了」也將立即到來。尼采的「上帝死亡」給超人留下了地盤；傅柯的「人的死亡」則剷除了這個地盤，把連同超人在內的所有人皆置於死地。超人不是別人，而是弒神者，他完成弒神的使命，隨後也自取滅亡。換句話說，上帝死了也意味著人死了，像人文主義、人道主義、人文科學等等，一切都被顛覆了。

收穫與啟發

1. 傅柯由於個人生命的特殊遭遇而顛覆傳統，提出另類的探討，他特別探討一般人很少接觸的領域，像瘋狂、同性戀等議題。這些議題使他擺脫原本屬於理性的康莊大道，由此發現另外一個世界。

2. 他採用的方法是「知識考古學」，目的是要顛覆西方傳統的歷史觀。他關注人類歷史上出現的特殊事件或非理性事件，認為間斷性勝過連續性。另一方面，他以系譜學做為方法，反對追求起源、反對線性思維、反對整體觀。他不認為在表面所見之物底下還有什麼深刻的東西。換句話說，他批評歐洲近代以來的唯心論立場。

3. 傅柯談到「人的死亡」，接續尼采所説的「上帝死亡」。他的基本觀點是：這個世界上從來就沒有完全理性的人，每個人都是在某些邊緣尋求生存，有些人達不到目的就會發瘋，或成為監獄裡的犯人；但這些人更能提醒我們「人本來是什麼樣子」。傅柯的「人的死亡」有兩層意思：

   (1) 傳統的「有理性的人」不可能存在；

   (2) 只要是人，在根本上都是不可能存在的。

   傅柯在 1970 年四十四歲時當選為法蘭西學院的教授，由教育

部長任命，由此可見法國學術界開放、開明的特色。傅柯的所有努力都是在宣布「一切都結束了」，他的時代是一個說結束的時代。傅柯於 1984 年去世，他的生命結束了，但是人類繼續存在，依然在愛好智慧的路上努力前行。

課後思考

　　聽了傅柯的說法，我們要調整自己的思想，避免自以為是或自以為義，這樣才能更客觀的了解到底人是什麼。我們有理性，但也有非理性的一面，我們往往對自己也不見得了解。傅柯的學說提醒我們，多去關心我們通常認為不正常的做為或現象，這或許能讓我們更具有同理心。請你思考一下，你是否曾經忽略過某些自認為不合理的現象，其實它也能給我們正面的啟發？

50-5　德希達的解構主義

　　本節的主題是：德希達的解構主義。如果聽到有人要結束西方的形上學，甚至要終結西方由理性所建構的文化，你會深感驚訝。但冷靜下來之後要問：如何終結文化？文化又是什麼？文化可能被終結嗎？想知道這些重大問題的答案，要先了解德希達的解構主義。

　　本節要介紹以下三點：

　　第一，德希達的學術背景。

　　第二，挑戰傳統思想。

　　第三，解構主義在說什麼？

（一）德希達的學術背景

　　德希達（Jacques Derrida, 1930-2004）是法國籍猶太人，博士論文研究胡塞爾，後來在法國教書。當時的法國知識界有現象學與結構主義兩大派別的對峙。現象學試圖理解「經驗」，方法是把握與描述經驗的產生，以及它由起源或事件所發生的過程，後期演變為存在主義的思潮。結構主義則主張，經驗的深刻意義在事實上只能是結構所產生的效應，而結構本身並非經驗的對象，人無法知覺到自己的結構。

　　德希達對雙方均提出質疑。他說，結構不是非有誕生過程不可嗎？誕生的起點叫做起源。起源為了促成某物的誕生，不是非有結構不可嗎？他本想化解雙方的爭議，結果走上「解構」之途，成就一家之言。

（二）挑戰傳統思想

　　許多學者批評德希達的哲學是偽哲學或文字遊戲，傅柯甚至指責他是反啟蒙主義者，根本無法接受別人的批判。德希達的寫作有兩個策略：脫軌的溝通與不可確定性。他認為這是難免的，就像病毒一樣。病毒使生物界的溝通陷入混亂的失序狀態，使基因訊號的組成與解碼的傳遞過程發生變異。不但如此，病毒並非一種微生物，它不是生物，也不是非生物。

　　按照上述說法，可以找到德希達所有作品的共同模型。他要挑戰傳統中的各種二元對立性，譬如，生與死、心與身、男與女、正與反、今與昔等，推而至於白與黑、主與奴、善與惡、文明與原始、白人科學與黑人魔法等。他要問：原本生活在秩序體系下的舒適感，一旦無法恢復而陷於不確定時，該怎麼辦？所有的二元對立都可能進入一種灰色地帶。譬如，生與死之間有殭屍問題；男與女之間，有些人非男非女；主與奴之間，有些人亦主亦奴；至於善惡的區分，則更為複雜。

　　德希達剖析言說與書寫的優劣，他要問：到底哪種方式比較好？他借用希臘文的「藥」（pharmakon）字來說明。「藥」有良藥與毒藥兩種意思。太陽神阿波羅說：「養成書寫習慣的人，將不再訓練他們的記憶力，因而變得容易遺忘；他們將依賴書寫的外在符號，而非自己內在記憶事物的能力。他們提供的只是智慧的表象而非真相。他們看似博學，其實無知。他們甚至會變得難以相處，所擁有的只是自以為明智的驕氣，而不是真知。」於是，書寫成為不確定性的代表。

　　言說比書寫更接近思想，但思想本身不是充滿了二元對立的不確定性嗎？德希達要破壞傳統形上學思考的基礎，瓦解它對合理性

（logos）的追求。他認為，呈現（presence）無所不在，而言說比較合乎呈現的要求。因為你說話時一定在現場，透過表情變化以及語氣的抑揚頓挫，可以表達你真正的心情。相對於此，書寫則是不呈現的。你看的可能是很久以前的書，它早就與讀者決裂，讀者已死。作者寫書時根本不知道讀者會是誰、讀者在哪裡。

但即使在言說中也不能忽略，所說的話與它的內涵之間必然存在著某些「差異」。無差異則無法辨認事物。在書寫與言說中，任何元素的運作都建立在其他元素的「痕跡」上，而其他元素以不呈現的方式呈現出來。於是，所有的語言都受到不確定性的影響，而西方的形上學也由此被顛覆了。

從維根斯坦開始，認定人受制於語言，語言只能表達人能掌握的有限事物，只能在語言使用者本身有限範圍內發展。這使溝通陷入根本的困難。形上學想要找到萬物的共同來源與基礎，但透過言說無法達成目的，透過書寫則更為遙遠。這就是解構主義的立場。

解構主義還要終結文化。文化是什麼？文化都是由書寫所形成的經典文本。德希達的解構主義則要重新改寫文本，他強調三點：

1. 文本之外無物存在。我們現在看到一本經典，除了經典的文字以外，古代的人、事、物，以及他們的經驗和智慧，早就不見了。

2. 並無文本所表現的意義世界。有意義的世界早就不在了，甚至可能是虛擬的。

3. 如果文字有意義，它只是「延異的」遊戲。「延異」是德希達自創的詞，它有兩個意思：一是區分，二是推遲。換句話說，文字只是不斷活動及變化著的遊戲。讀任何一部經典，它與你之間始終有一種區分，並把它的用意在時間過程中不斷向後推遲（推演、延遲），因為它不在場。

　　德希達由此認為，能揭示存在意義與真理的哲學是不可能存在的。換句話說，哲學整個都被否定了，無論怎樣的努力閱讀，也無法與傳統相接續。這使德希達的哲學成為「無根的哲學、無家的浪子、無底的棋盤」，這其中無意義、無真理，也無對話，從而陷入了虛無主義。

（三）解構主義在說什麼？

　　解構主義就是要破解結構，原來以為一切都來自於一個共同的架構、組織或系統，現在要把這些全部解消。一切都不確定，那麼溝通如何可能？德希達認為要靠脈絡，但脈絡即使存在，它的中心點也是游移不定的，無法完全支配意義的決定權。這種觀點頗能描述今天各種對立團體間的無奈狀態。

　　德希達是解構主義的代表。「解構」（deconstruction）又是什麼？他說：「解構不是你所想的那回事，不過『你在想』這個動作也可能就是『解構』這回事。」解構原本是雙向的，一方面使事物混亂失序，另一方面又要為它重新調整安排。

　　「解構」堅持在形上學二元對立的模式之間遊走。這個身分不明的無形怪物，已在哲學領域之外，像病毒一般擴散發展到文學、藝術、建築、政治、法律等領域。譬如，德希達說，藝術家是盲目的，畫家即使面對模特兒，在繪製畫作時也無法看見對象，而是憑藉記憶中的印象落筆。

　　德希達最後宣稱：「『解構』一詞不會被無限制的使用，它終究會把自己消耗殆盡。」不過，解構的趨勢是把我們曾經接受的一切都加以質疑，這種立場與當前所流行的「後現代主義」不謀而合。現代主義是從歐洲近代啟蒙運動以來所發展出來的觀念，認為可以由人的理性來安排一個合理的人生和世界。現在，所有依理性

而建構的價值與觀念都成了問題。由此可見，德希達的說法並非個人的幻想。

> **收穫與啟發**

1. 在法國思想界，繼現象學、存在主義與結構主義之後，又形成一套解構主義，其代表人物就是德希達。德希達曾經到美國教書，1992 年在嚴重爭議之中，得到英國劍橋大學頒予的名譽博士。可見，他在學術界頗有爭議，但他還是有很大的影響力。他挑戰傳統思想，寫作的策略是脫軌的溝通與不可確定性。當你讀到德希達的文字時會覺得：怎麼會有這麼特別的寫法？簡直與日常所見的都不一樣了，所有的一切都陷入一種不確定的狀態。

2. 德希達比較言說與書寫的優劣。對於書寫，一本書的作者不在你的眼前，甚至早就去世了，因此書寫的內容可能會與你的實際生活脫節，由此造成不確定。至於言說，則必須兩人同時在場，用說話直接溝通。但所說的話與其內涵之間難免會有差異。若完全沒有差異，你什麼都無法辨認。德希達要使傳統二元對立的觀念全部解消，或變得模糊。

3. 德希達是解構主義的代表人物，認為一切都不確定。他也承認，「解構」這個詞最後會把自己消耗殆盡，因為解構主義本身也需要被解構。這是一種無限的挑戰，讓人的心靈處於一切都不確定的狀態之中。

   這樣的哲學反映當代人的某種心理處境，但是對於愛智慧來說，德希達只是提供一個新的場所，他把過去的所有觀念與價值統統掃蕩乾淨，讓你可以重新開始。但要如何開始？恐怕沒有人知道。

　　學習解構主義之後，對於我們原來一向認為正確的觀念或信念要有心理準備，當你看到某一面時，就要想到有相對的另一面，同時還有中間的灰色地帶。若對任何一種現象、事實或價值，都考慮這三個方面，你在做出判斷或與別人互動時，可能會有較好的溝通效果。你有這方面的經驗嗎？

　　傅柯和德希達在西方哲學界屬於另類的學者，他們的思維模式和基本主張與西方傳統都不一樣；但他們同樣屬於愛智慧這個大的陣營，都是在設法發現真理，揭示真相。

　　每個人的知識都有一個邊界，一般稱之為「地平線」或「視野」。一個人在求知過程中，視野會不斷開拓，與其他人的視野會不斷融合。詮釋學就強調，所謂「學習」就是了解其他人的不同視野，從而形成視野的融合。

　　解構主義與當前仍處於發展中的「後現代主義」的基本觀點相類似，就是對於從前接受的一切觀念都要加以質疑，試圖找到新的價值觀。對於某一種觀點（可以稱之做 A），必有對立的觀點（非 A），兩者中間還有一個既不是 A、也不是非 A 的灰色地帶。傅柯和德希達在這方面有他們獨特的貢獻。我們從中可以學習到什麼呢？

1. 每個人都有自己主觀的看法，一般稱做定見或偏見。重要的是，我們要了解自己的偏見是什麼，有這樣的偏見並不妨礙我們欣賞和學習其他人的看法。

2. 每個人的知識都有邊界，要不斷學習，做視野的融合，以擴展

自己的視野。視野永遠有其邊界，代表視野永遠都可以擴展。

3. 學會解構。所謂「解構」，就是要知道自己的看法並非唯一的真理，更談不上絕對真理。解構的目的是為了重新建構。重新建構的目的何在？所有的知識都是為了人生，這是我們的一貫立場，也是哲學家愛好智慧的初心。

當你離開校園進入社會之後，你面對的是整個社會、整個人類，甚至整個歷史的發展，這時你要選擇什麼來學習？我們介紹過如何運用自由想像法來了解自己的價值觀，提出首先要找到自己聰明的方向，接著要明確自己的志趣，培養自己的專長。人類社會一直在進步，所以專長的培養永無止境。專長可以讓你在社會上立足，獲得他人的認同，取得有形可見的各種資源。但更重要的是對於人文方面知識的了解。當然，人文方面也有所謂的「專業學者」，他們以學術做為專長；對於其他人來說，比較重要的則是待人接物以及人生的實際體驗等方面。

談哲學經常會提到「三觀」的問題，即宇宙觀、人生觀、價值觀，「三觀」是你愛智慧的具體成果。

宇宙觀比較單純，我們很難有個人的獨特宇宙觀，除非有某種明確的信仰。所有信仰都會談到超越經驗和理性範疇的「絕對真理」，裡面就涉及某種宇宙觀，譬如，有沒有天堂、地獄等等。

人生觀的範圍比較廣泛。到底什麼是人性，人生應該如何發展，才能走上一條安穩、成功、愉悅的人生之路，這些都屬於人生觀的問題。

價值觀則如影隨形。與別人來往溝通，一句話、一個動作、一個念頭，都與價值觀有直接關係。所以價值觀是「三觀」的核心。如果價值觀不明確，就看不出你對人生有哪些特定的認識。

因此，看到解構主義不用擔心，我們依然能從中得到某種啟發。

第五十一章

伊里亞德與
列維納斯

51-1　伊里亞德神話研究的新維度

　　本章的主題是：伊里亞德與列維納斯。哲學就是愛智慧，智慧是對人生做完整而根本的理解，最後展現為一個人的宇宙觀、人生觀與價值觀。但是，「完整而根本」談何容易？人活在特定的時空裡，生命的焦點往往分散在不同的資訊中，要獲得完整的理解似乎可望而不可及；而「根本」則涉及痛苦、罪惡、死亡這些題材，很少有人能夠清楚的掌握。那麼，我們是否可以回到人類初期，回到未受現代科技及商業社會影響的階段，看看初民的生命是否比較完整，他們對人生根本問題的把握是否比較明確？因此，回溯人類最早的文化題材（如神話）顯然是有必要的。

　　本節的主題是伊里亞德神話研究的新維度，要介紹以下三點：

第一，二十世紀中葉，西方出現研究神話與儀式的風潮。

第二，伊里亞德的學思歷程。

第三，伊里亞德的反歷史觀點。

（一）二十世紀中葉，西方出現研究神話與儀式的風潮

　　二十世紀中葉，有三個人被稱為神話研究的鐵三角，分別是心理學家榮格（Carl Gustav Jung, 1875-1961）、神話學家坎貝爾（Joseph Campbell, 1904-1987），以及宗教學家伊里亞德（Mircea Eliade, 1907-1986）。

　　榮格是心理學家，他對心理學的研究達到某種普遍性，可由此了解人性。他要幫助眾人恢復已失去的完整人格，強化人的精神能

力，以防禦未來可能的分裂。榮格認為人的精神有三個層次：意識、個人無意識與集體無意識。「無意識」有時也譯為「潛意識」。

對於「意識」與「個人無意識」，佛洛伊德已經做了充分的闡述；「集體無意識」則是榮格特別提出的。他強調，「集體無意識」的內容從未在意識中出現，它不是來自個人的經驗，而是透過遺傳而存在的。個人與種族的過去有所連接，人由遺傳繼承了種族意象，決定了某種先天傾向或潛在可能性，會採取與祖先相同的方式來把握及回應世界。每個人心中的集體無意識的內容就稱為「原型」（原始意象的形式）。

「原型」有什麼作用？榮格認為，每當意識生活明顯具有片面性，並且顯示虛偽的傾向時，原始意象就被啟動，展現於人的夢境以及藝術家與先知所憧憬的遠見中，以此恢復這個時代的心理平衡。所以，妥善把握夢境象徵，會觸及人類的部分原型。榮格指出，人類的歷史就是不斷尋找更好的象徵，以盡可能實現其原型的過程。這種說法對歷史的作用有所解釋，也構成了某種限制。

神話學家坎貝爾概括出幾個重要的神話原型。譬如，與整個民族有關的原型包括創世、造人、災難、救贖；與個人成長有關的原型包括英雄、愛情、婚姻、頓悟等等。神話無異於民族的夢與個人潛意識的願望，我們很難想像一個沒有神話的世界。坎貝爾的影響表現在哪裡？「星際大戰」（*Star Wars*）系列電影的導演盧卡斯公開承認，他的取材與靈感主要得益於坎貝爾的著作，尤其是《千面英雄》這本書。

（二）伊里亞德的學思經歷

伊里亞德是羅馬尼亞人，出生於東正教家庭，從小喜歡昆蟲與植物學，以歌德做為學習的榜樣。他在中學時代就寫了一些科普作

品，並且為人所知。後來接受文學、文字學、哲學與比較宗教學的訓練。二十歲去印度研究瑜伽，學習梵文與印度哲學，並在印度獲得博士學位。返國之後，成為羅馬尼亞文化復興運動的領軍人物。三十八歲任教於巴黎大學，四十九歲到美國芝加哥大學任教，出版了許多宗教方面的著作，並擔任《宗教百科全書》的總編，成為當代宗教史的權威。

他的研究範圍幾乎涵蓋人類全部的精神領域，包括石器時代的神話、巫術，近代的自然宇宙觀，以及印度的瑜伽、煉金術。他對名山、柱石、新年，甚至西方電影中許多神聖的含義，皆有所頓悟。

他特別提出「宗教人」（homo religiosus）的概念，指擁有宗教的情感、虔誠及慧根之人。宗教人認為世界是非同質的，某些特定的時間、空間、人物或精神狀態能夠代表神明的啟示。譬如，某些慶典、祭祀、聖人、聖山可以昭示神聖的意義，使宗教人發現隱含的真相。

（三）伊里亞德對歷史的看法

伊里亞德提出一套「反歷史」的觀點。他有一本代表作名為《宇宙與歷史》，原來的書名是《永恆回歸的神話》。他在序言中說，這本書原定的副標題為「歷史哲學導論」，因為古人或原始人總是反抗具體的歷史時間，並週期性的回歸到事物起源的神話時代。他強調，忽略歷史對人的存在有某種形而上的安定作用。因為歷史充滿恐怖的事實，只要看看各種戰爭的過程就會知道。在戰爭中，由於血緣、信仰、民族的不同，而一再發生屠殺甚至種族屠殺。如果歷史是人類生命真相的話，人如何能夠忍受這樣的災難與恐怖？伊里亞德說，正是由於神話裡的反歷史原則，才使得千千萬萬的人在一世紀又一世紀的歲月當中，能夠忍受歷史的重大壓力而

沒有絕望或是自殺，沒有陷入相對主義或是虛無主義的歷史觀而讓
精神枯萎。

　　他也批評黑格爾的歷史主義。黑格爾的哲學稱做絕對唯心論，
認為歷史事件是絕對精神展現自己的過程，最後會有一個理想的結
局。但是從目前所了解的歷史來看，黑格爾所說的顯然是一種主觀
想法，甚至是他個人的幻想而已。這樣的一種歷史觀不可能給人帶
來希望。黑格爾也強調，西方信徒最多的基督宗教，其觀念與這樣
的歷史觀也是配合的，認為最後會有末日審判與救贖。事實上，這
也是一種幻想，代表了人在墮落之後的一種對歷史的看法和對宗教
的理解。

收穫與啟發

1. 哲學是愛智慧，智慧要求完整而根本的理解，因此不能忽略人
   類最早的情況，要了解當時的宇宙觀與人生觀。二十世紀中
   葉，西方出現研究神話與儀式的風潮，心理學家榮格、神話學
   家坎貝爾以及宗教學家伊里亞德是三位代表人物，被稱為神話
   研究的鐵三角。這種研究後續沒有取得更多的成果，因為它需
   要研究者具備豐富的學養。後來的學者往往受限於現代社會碎
   片化的時間與同質化的空間，而無法跟上這樣的腳步。

2. 宗教學家伊里亞德對於各大宗教（尤其是原始宗教）的歷史與
   內容進行深入研究。他特別提出「宗教人」的概念，即所謂的
   「初民」，有時也稱原住民或少數民族。換言之，初民就是處
   在最初狀態的人，我們的祖先也曾處於這樣的狀態中。

3. 伊里亞德研究神話，目的是要反對一般人的歷史觀，這是他的
   重要立場。他對黑格爾的歷史觀提出質疑，希望藉此擺脫歷史
   造成的恐怖與災難，重新尋回生命的意義。

對於英雄神話，坎貝爾提出「英雄三部曲」，即退出、考驗與復返。首先是「退出」，要脫離自己的原生社會，脫離舒適區，進入到一個陌生領域；然後接受各種挑戰和「考驗」；最後能成功「復返」，安全歸來，這樣才能成為英雄。你能否舉出一些具體的例子？

再深入思考一下「英雄三部曲」。所謂「退出」，就是退出日常生活的軌道。一般人在身體方面都會經歷生老病死的過程，內心會有各種體驗，但這些屬於平面的層次。所謂「考驗」，目的只有一個：發現自我生命的意義。你要問：我活在這個世界上有什麼特殊使命？簡單來說，就是要在精神上再生。最後是「復返」，亦即回到你的原生社會，用自己的生命做為價值的驗證，指出人應該往哪裡走，以便對人群有所貢獻。下面以雅士培的「四大聖哲」為例，來進一步說明。

1. 孔子

首先看孔子。孔子生命的關鍵在於「五十而知天命」這句話，代表孔子在五十歲時發現了生命的意義，找到發展的方向和生命的價值。所以孔子五十一歲從政，五年之後，發現魯國的格局有限，於是周遊列國，等於離開舒適區，到外面歷經患難與考驗，甚至被人嘲笑為「喪家狗」。但他且戰且走，在六十八歲返回家鄉時，他的整個生命已經接近「從心所欲不逾矩」的境界。孔子精神上的再生出現在五十歲，接著一路發展，使整個生命得到了轉化和提升，所以學生才會感慨老師「仰之彌高，鑽之彌堅」。

2. 佛陀

佛陀二十九歲離開他的王宮，三十五歲在菩提樹下悟道，期間有六年之久在山中修行。他一個人在孤獨中沉思：人的生命到底有什麼奧祕？這一生有什麼目的？應該如何善度此生？他最後覺悟了。「佛」是梵語的音譯，原意是「覺悟的人」。佛教最可貴之處就是認為「眾生皆有佛性」，每個人都可以透過某種覺悟，使生命得到完全的提升轉化。佛陀這六年的山中修行不就是考驗嗎？後來他在講道過程中，又經歷了各種考驗，所以能用各種生動的比喻來說明佛法的內容。

3. 耶穌

耶穌從十二歲至三十歲，這十八年間沒有留下任何資料。他在三十歲開始傳教之前，又有四十天時間到曠野接受檢驗。這也是一種退出。再回來的時候，別人覺得他就像一位先知，因為在猶太教裡有先知的傳統。後來他提出新的看法，將猶太人的《舊約》推展、轉化為《新約》。

4. 蘇格拉底

柏拉圖《對話錄》裡有一篇叫做〈會飲篇〉（又譯為〈饗宴篇〉），描寫蘇格拉底的一個朋友在悲劇競賽中獲獎，於是邀請大家去他家裡邊喝酒邊聊天，聊天的主題是愛與美。蘇格拉底在談話中承認，有一位名叫狄奧提瑪的女祭司曾經給他啟示。可見，蘇格拉底經常離開人群，到神殿之類的地方去沉思。這也是一種退出。最後，他的觀點得到大家的認同，並願意加以實踐。

所以，「退出、考驗與復返」所強調的是精神上的再生。我們在電影裡看到的大多是一般意義上的英雄，但我們要把焦點拉回到精神的再生。人活在世上，父母給我們身體的生命，但我們要透過老師、聖賢和經典的引導，努力實現自己精神上的再生。

51-2　伊里亞德的時間觀

　　本節的主題是：伊里亞德的時間觀。一般人眼中的「歷史」有兩個特色：一方面具有新奇性，會不斷發生新的事情；另一方面又一去不復返，過去之後就不再回來。這種歷史觀其實只看到人的生命真相的某一面。伊里亞德則提出了特殊的時間觀。

　　本節要介紹以下三點：

　　第一，兩種時間的區分。

　　第二，新年是宇宙的生日。

　　第三，永遠生活在現在。

（一）兩種時間的區分

　　伊里亞德把時間分為神聖的與世俗的，簡稱「聖時」與「俗時」。世俗的時間是人對時間的一般看法，即時間在歷史上是不斷進展的。一方面，不斷出現新奇的事物；另一方面，這樣的時間一去就不再回頭。體現在人的生命裡，就是在逐漸生老病死的過程中，沒有重新開始的機會。這就是俗時。

　　另外還有神聖的時間（聖時），它可以不斷循環。人的生命需要定期更新，進行週期性的創造，使時間可以循環再生。這種「永恆回歸」的時間觀，需要靠神話與儀式的配合來加以驗證。這就擱置了「一去不復返」的歷史觀念。

　　聖時可以是對個人有特殊意義的日子，如自己或子女的生日、結婚紀念日等。每年到了這一天就要慶祝一番，好像世界因為這個

事件而變得更加充實。對於宇宙或整個人類來說，最神聖的時間莫過於新年。

（二）新年是宇宙的生日

在新年這一天，要透過各種宗教儀式（例如齋戒、沐浴、祭祀），由專門的神職人員來與神明溝通，以此消災解厄。大家用喧譁、敲打、呼叫等方式，來驅除惡魔、疾病與罪惡。譬如，中國人會用放鞭炮的方式把「年」這種怪獸驅走；希伯來人為了趕走厄運，會把「代罪的羔羊」驅逐到沙漠裡。

儀式有一種淨化作用，會讓世界重新變得潔淨。先把火熄滅，再重新點燃。熄滅火，代表消除過去的一切厄運；重新點燃火，代表新的希望與開始。這種潔淨化的儀式，使個人與社群的罪過被消除，從而恢復神話裡面原始而純粹的時間，回到宇宙開闢的那一剎那。所以，每一次新年都是時間根源的重現。這個世界每年都要從混沌裡，重演一次新天地的創造。所謂「混沌」就是混亂無序，所謂「創造」就是給混沌加上秩序。「宇宙」的原文是 cosmos，原意就是「秩序」。

同時，週期性的救贖與豐年祭也相互呼應。豐年祭透過儀式來保證明年的豐收；週期性的救贖則透過儀式，讓創世工程一再重現，讓人有勇氣重新開始。這樣就把日常時間擱在一邊。在新年祭典中，已經死亡的祖先會回家團聚，這背後也包含「死者可能復活」的信念。

初民的心態就是不讓時間成為歷史。初民的時間觀不是直線式的進程，也不是歷史性的接續，而是週期性的重複某種祭典，由此再生人類與聖界的原始親情。這種聖時不但可以重複，而且必須重複；它永不變遷，也永不褪色，因為它的內容就是神明在最初的創

世過程。「最初」這個詞往往出現在神話的開頭。譬如，《舊約‧創世紀》第一句話就是「在起初」。新年祭典重現了創世過程，要除舊布新，使宇宙從混沌中再生一次，重新成為新天新地。萬象更新之後，人類復歸於出生時的純潔，變得堅強而有活力。

這也是一種創世史詩。它不僅在新年才被詠唱，舉凡生命中的重大事件，像結婚、生子，或饑荒、戰亂，都是初民返回存在根源、重述神明創世的時刻。所以，初民的時間是永恆的現在。他們的觀念是：假如我們不注意時間，時間就不存在；萬一感知到時間，也還是有辦法泯除它。

人如何感知到時間？關鍵在於人犯了罪，當人背離了原型，就會墮入時間的過程中。人犯了某種罪過，就在時間的過程裡無法回頭，覆水難收。但在初民社會中，不會讓時間成為歷史，任何事情都有希望透過某種儀式而恢復。所以，古人的生活只是不斷重複原型事蹟、重複太初的神話，因而只有範疇而沒有事件。這是創世的範疇，具體發生什麼事件（去年如何、今年如何）並不重要。如此一來，許多事情雖然發生於時間中，卻不會沾染到時間的負擔。

初民的責任感是參與了造化的偉業，認清了宇宙萬物的起源與終向，從而可以適當安排自己的人生。換句話說，初民的責任感落在宇宙的層次，而不落在道德、社會或歷史的層次。他們嚮往的不是退化到無辜又無知的動物世界，而是要恢復自己的理想人性。

（三）永遠生活在現在

神明在最初親自設定了一個原始的典型，我們重複這個原始的典型，就等於讓神明重新創造這個世界。這是初民看待歷史的方法。歷史之中充滿各種恐怖的、令人難以忍受的事件，看起來毫無希望。這些事件一去不復返，而且每一次都不一樣；但它們的範疇

是類似的。透過儀式不斷重演這樣的範疇，可以讓人的生命永遠保持希望。

伊里亞德認為，有些密契主義者或虔誠的宗教徒的心態就像初民的心態，他們活在每一剎那的現在之中。人生就像月亮一樣有圓有缺，但永遠不會亡於虛無。月亮消長的韻律就像人的生老病死，因此不必害怕死亡；因為月亮一定會再圓，而死亡也一定不是生命的終結。

總之，初民是樂觀的，這裡也顯示出一種對存在本身的鄉愁。只要回到存在本身，那麼世間對「此在」造成的所有壓力（包括人生走向結束、歷史上出現的各種恐怖事件），都可以得到化解。

收穫與啟發

1. 時間可以分為兩種 —— 世俗的時間與神聖的時間。「俗時」就是一般生活上所經歷的，年紀愈來愈大，過去的一切只能回憶而無法重來，最後的結局就是死亡。這樣的人生很容易陷於悲苦的心境；尤其是對於社會上、歷史上的各種集體性的罪過，會覺得無可奈何、命運弄人。

2. 除了俗時之外，還有聖時，即神聖的時間。聖時具有特別的意義。譬如，一個人的生日或重要紀念日，對別人來說只是一個世俗的日子，但對於本人則有特定的意義。新年是「宇宙的生日」，所以人類要共同慶祝新年，每個民族都有新年慶典。對於一些少數民族或原始民族，他們的新年慶典是完整的，要設法驅除惡魔、疾病與罪惡，讓人能健康平安的度過下一年。經過新年的慶典，世界成為一個重新創造的世界，人的生命力恢復如初。這就是新年做為宇宙生日的意義。

3. 初民社會不讓時間成為歷史，他們把時間視為永恆的回歸，認

為一切都可以回到原始的情況，由此擺脫歷史的壓力，總是活在每一剎那的現在。我們今天偶爾也強調活在當下，那是現代人的自我期許。初民透過特定的神話與儀式，來保證每個人可以活在每一剎那的現在，而不必對無常的人生有過多憂慮。

課後思考

神聖時間包括每個人的生日以及新年。除此之外，你還有沒有其他的神聖時間呢？譬如，王陽明在龍場覺悟了「致良知」這三個字，頓時覺得自己看見一個新天地，生命好似重新開始。此後，生命就以這種覺悟為核心，顯示出一種循環回歸式的發展，可以不斷的回到原點，將世俗的困擾降到最低。你有沒有類似的經驗呢？

51-3　對存在本身的鄉愁

本節的主題是：對存在本身的鄉愁，繼續介紹伊里亞德的觀念，包括以下三點：

第一，空間觀。

第二，中心觀。

第三，生死觀。

（一）空間觀

伊里亞德深入研究初民心態，充分了解各大宗教的神話與儀式之後，提出一系列獨到的見解，尤以「空間觀」最引人注意。

空間與時間一樣，也可以分為兩種：世俗的與神聖的。由於初民對存在本身的鄉愁，他們無法忍受空間的同質性。所謂「同質性」，是指所有空間都有同樣的性質，可以互相替換。譬如，上課時如果覺得教室太小就換一間，這就是同質的世俗空間。但是，空間還有異質的一面。在世俗之地以外，還有神聖之地。

神聖之地簡稱「聖地」，它蒙受存在本身的顯示，展現為充滿秩序的宇宙。世俗之地簡稱「俗地」，它形同虛無，陷在混沌的曖昧陰影下，一直在變動中，最後歸於毀滅。各民族創世神話所描寫的，都是從混沌演變出宇宙的分離過程。

這樣的宇宙具有四點特色：

1. 它是與俗地相分離的聖地，是聖界絕對存在的顯示，也就是存在本身的顯示，成為一個充滿生命活力的基點。

2. 確定基點之後，初民的存在就有了重心與定位，不會彷徨四顧，不知所終。

3. 由這樣的基點與定位界定了宇宙的中心，宇宙的創造由中心開始。

4. 這個中心是溝通聖界與凡界（或者是聖界、人間與地下界）的通道。

若想了解初民的空間觀，就要記得這四個概念：基點、定位、中心、通道。

初民也曾到處遷徙，但是每當他們要定居一地時，首先要模仿神明的創世程式，把這個新的地方劃為一個宇宙。他們每到一個陌生的地方，會透過特定的儀式，把那裡從混沌（chaos）變成充滿秩序（cosmos）的宇宙。印度《吠陀經》就記載，初民以建火壇的方式，請求火神阿格尼從事創世的歷程，使火壇成為中心基點，讓初民定居於四周。

澳洲有一個遊牧民族叫做阿其帕人，他們以當初神明指定給祖先的一棵橡膠樹做為宇宙之軸，帶著它一同遊牧，使他們常處於自己的宇宙之中，並以這棵聖軸的彎曲方向來決定遊牧的路線。

這種空間觀在建築方面也有明顯的表現，幾乎所有古代聖殿都號稱建在宇宙的中心。伊里亞德特別提到，中國的宮殿號稱位於世界中心，因為在夏至日，那裡的日晷儀標不出任何陰影。猶太人的耶路撒冷聖殿也有類似說法。伊朗人更公然宣稱他們所居之處為世界的中心，並由此產生種族優越感。

（二）中心觀

關於「中心」的象徵，一般表現為三個方面。

1. 聖山。山是天地交會之處，因為山形高聳，更接近天，代表

更接近生命的來源，所以一座聖山無異於世界的中心。中國古代的皇帝要到泰山去祭天封禪，就有這樣的考慮。

2. 寺廟及宮殿。它們也是某種類似於聖山之物，因此在做建築設計時，都要考慮所謂的「風水」。

3. 聖城。譬如麥加、麥地那，它們是伊斯蘭教的聖城。信徒都相信那裡是宇宙之軸，是天、地與地下三界的交會之處。

換句話說，中心是最顯赫的聖地，是絕對實在之地。此外，絕對實在的象徵還包括生命及不死之樹、青春之泉等等，它們都位於中心之地。通往中心的路是非常艱難的。許多寺廟與教堂都建於高山之上、荒漠之中，信徒朝聖要長途跋涉、歷經重重考驗才能回到中心。有了中心，才能肯定存在與價值。這是初民存在論的特色，也是他們對存在本身的鄉愁最具體的表現。

聖界與俗界之間有一種辯證關係。一方面，顯聖之物可以是世間萬物中的任何一樣；當某一存在物顯示聖界時，它既參與了周遭俗物的存在秩序，又與它們在價值上「區分」開來。另一方面，「一樣東西不會因為曾經成為顯聖的中介而永保尊榮，沒有任何一樣東西永遠穿戴顯聖的光環，也沒有任何一樣東西永遠隔絕在顯聖的氛圍之外」。「顯聖」是初民存在論的重要觀念。

伊里亞德說：「宗教主要不是意指對上帝、神明或鬼魂的信仰，而是意指對聖界的經驗。」聖界使人意識到生命的來源，由此保障了生命的實在性、力量與存在意義。

（三）生死觀

初民認為：宇宙是神明的顯聖，它是透明的；宇宙的韻律（如春夏秋冬）顯示了秩序、和諧、永恆與充實；宇宙的整體是一有機的生命，真實而神聖。所以，初民在仰望高天時，會覺得造物者無

限偉大，卓越不凡。

伊里亞德清楚的指出：「對初民而言，天的高遠也表示神的退隱；因此人應該落實在地上，自求多福。地的博厚象徵著母性的厚德載物，生生不已。」他的這種觀點與《易經》的乾坤之說頗有相似之處。

黑格爾曾說：「初民這種天人不分的傾向，等於是把自己埋葬於自然界中。」這是他的偏見。因為初民的生命是雙向的，不但有人性的層面，還有超乎人性的層面。

所謂「超乎人性」是說，初民生活在一個開放而透明的世界中，他本身的存在也總是對著世界開放。初民是「具體而微」的小宇宙，既能與神明溝通，也能夠參與世界的造化；他不是封閉的，而是能夠領悟宇宙的資訊、不斷向上提升。提升的目的是要追求自由，死亡則是通往自由樂土的通道。

這種以死亡為通道的信念，主要不是針對身體來說的。初民認為，人的身體誕生於世，尚不能成為完全的人，他還需要第二次精神上的誕生；只有透過一連串的考驗，才算是真正的人。換句話說，他必須死於自然的生命，才能重生於更高層次的生命。

在所有初民的習俗中都有啟蒙儀式，目的是求得真知或者步入特定的社會，根本的意義就是成為新的人。這與哲學也有某些關聯。蘇格拉底曾把自己比喻為接生胎兒的助產士，要幫助別人生出智慧的胎兒；佛門弟子出家是為了再生於諸佛之中；保羅稱受洗的信徒為精神上的子女。這些都符合初民心態、合乎人性需求的事實。

如此一來，死亡自然成為最大的啟蒙禮，引導人步入全新的精神生命。不但如此，生、死與再生，從根本上是同一個奧祕的三個步驟，其間沒有中斷的裂縫。死亡其實並不可怕，可怕的是精神之死，那就真的回天乏術了。

收穫與啟發

1. 伊里亞德認為，初民的空間分為聖地與俗地。聖地是異質的，把混沌化為有秩序的宇宙，讓人可以安居。這樣的宇宙是與俗地相分離的聖地，它是聖界的顯示，分享著存在本身。它是一個基點；有了基點才能夠定位，肯定自己處在正確的位置上；它是一個中心，是宇宙的創造力量之所在；同時，它也是一個通道。

2.「中心」的象徵可以是高山、大樹、寺廟、宮殿等。中心被當做聖地，是天、地與地下三界的交會之所。通往中心的路是一個人的修行之路，中間要經過各種檢驗。

3. 死亡，是進入精神世界的通道，對於初民而言，死亡並不值得憂慮。

　　伊里亞德認為，柏拉圖是展現初民心態的傑出哲學家，他的理型論就是給初民所依靠的原始典型，加上一種哲學的普遍性與有效性。換句話說，我們生活中的所有重要舉動，都是諸神或英雄在原初時所啟示的，我們只是在不停的重複這些典範而已。初民對存在本身的鄉愁可以歸結為一句話：任何東西或行為要變成真實的，只有透過模仿、重複或參與某種原型，才有可能達成。如果只是表達個人的特別作為，就會在時間的過程裡一去不復返；只有重複、模仿或是參與原型，才能回歸於真實的生命。

課後思考

　　對初民的研究並非要重返古代社會或恢復古人心態。在二十一世紀的今天，當我們面臨各種考驗而尋找出路時，不能忽略初民所提供的材料，看看是否可以從中得到啟發。一方面，要有基礎

性；另一方面，要有創新性。基礎性代表對永恆的嚮往，創新性代表對時間的肯定和對變化的參與。只有雙軌配合，我們的人生才會比較完整。

　　請問，在日常生活裡，你在哪些地方曾經參考過某種原型，使你感覺到生命有一種穩定性？這個原型可能是祖先確立的，或者是從古代神話、宗教中學到的，比如像出生、成年、結婚、死亡這人生四大關卡。

51-4　列維納斯談自我與他者

　　本節的主題是：列維納斯談自我與他者。西方哲學談到人生問題，不能迴避自我與別人的關係。我們聽過一些比較浮泛的說法，譬如「人為人是豺狼」或「人為人是上帝」。這兩種極端的說法（把別人看成惡的或善的）都過於簡單，不容易得到證明。不能忘記，自我也是別人眼中的別人，這是相互的關係。具體來說，看待別人有以下三種可能：

　　1. 把別人看成「它」，就是把別人當做可利用的工具或物品。

　　2. 把別人看成「他」，就是不在現場的某人。

　　3. 把別人看成「你」，就是在現場、可與我平等互動的人。

　　「我與你」當然是很好的理想，我與陌生人之間也存在著「我與你」的關係。在西方哲學中，馬塞爾與馬丁‧布伯都提到「我與你」的觀念。「我與你」之間要有忠實與信賴，背後需要有一個「絕對你」做為保障。「絕對你」就是大寫的你，即信仰中的上帝。

　　然而，這個世界有幾十億人，自我只可能與極少數人建構「我與你」的關係，而絕大多數都是陌生人、別人。如今交通發達，我們可以到處行走，但是人與人之間依然由於種族、國家、宗教、語言的差異而不易相處。所以，自我與他者的關係才是人生真正的難題。什麼人適合談這個難題呢？就是本節要介紹的列維納斯。本節的內容包括以下三點：

　　第一，列維納斯的學術經歷。

　　第二，自我的存在成為問題。

　　第三，他者的面貌。

（一）列維納斯的學術經歷

列維納斯（Emmanuel Lévinas, 1906-1995）是法國籍學者，出生於立陶宛的一個猶太家庭。他從小接受俄國的文化教育，大學期間熟讀法國哲學，也曾赴德國師從胡塞爾。他在 1930 年獲得博士學位，認識了馬塞爾、沙特等人。二十世紀五〇年代，他研究猶太教經典，長期執教於巴黎大學，與詮釋學的代表利科是很好的朋友。利科在他的著作中經常會談到列維納斯的一些觀點。

從列維納斯的背景來看，由他來討論自我與他者的關係是非常適合的。一方面，猶太人是宗教性的民族，一個猶太人從小就與三千多年前祖先所信仰的上帝有深刻關聯，對於其他人來說，猶太人就成了少數的異類。另一方面，二十世紀猶太人的遭遇非常淒慘，只因為是猶太人，就被屠殺了六百多萬同胞。猶太人的背景讓列維納斯深入思考自我與他者的關係。人類能夠共同和平的生活在這個世界上嗎？如果沒有說清楚自我與他者的關係，這恐怕是幻想。列維納斯在他的著作中深入探討了這方面的問題。

（二）自我的存在成為問題

列維納斯對存在主義有相當深刻的認識。他從存在主義對「存在」的描述中，發現自我意識的主要背景象是沒有光的一片漆黑。一個人肯定自我的存在、選擇成為自己，這時反而會體驗到「一切都消失了」的黑夜。

列維納斯說：「當事物的形狀融化在黑夜裡時，那既非對象、亦非對象性的黑暗就擴展在眼前。我們被固定在黑暗中。在黑暗中，我們與任何事物都無關，我們變成『什麼也不是』，不是純粹的無，既不是這個，也不是那個。這時會感覺到自己根本不在場。

就算是選擇成為自己，也是孤孤單單的一個自己，到底真的存在嗎？」他的意思是說，若只是泛泛的說「有一個我存在」，無異於體驗了自我的消失，有如面對「什麼都不是」的一樣東西。

列維納斯強調，真正可怕的不是純粹的虛無，而是無休止的存在悲劇。譬如，一個小孩獨自在房中，感覺到「微微作響的安靜」，而產生無法言說的恐懼。所謂失眠，就是被那個沒有名字、又沒有人稱的在場某物所扼住，也就是處於一種清醒狀態，那是沒有自我的領域。可見，自我的存在成為問題。這個問題來自何處呢？列維納斯認為，這是傳統形上學帶來的結果。

西方傳統的形上學為了追求整體性或全體性，把「他者」化約為「同一者」，即把「他者」化約為另一個「我」，於是所有的「他者」都被化約為「人」這一類，因而忽略了差異性。事實上，沒有兩個人是一樣的。因此，他者有兩種：一是可被化約為自我的相對他者；二是徹底的或絕對的他者，不能被化約為自我或同一。

西方的形上學一向把別人當做相對的自我，我有什麼想法，就認為別人大概也一樣。所以，我內在的緊張、壓力、憤怒、仇恨就有可能投射到別人身上。但是不能忘記，除了相對他者之外，還有一個不能被化約為自我的絕對他者。列維納斯的哲學就是要試圖保護「他者」免受同一性所侵害。

（三）他者的面貌

「他者」到底是什麼？列維納斯對於「他者」有獨特的見解。他者不是第二個我，而是我所不是的。他者的唯一內容就是他的相異性或差異性。我與他者的關係不是融合，而是「面對面」，他者顯示不同的「面貌」。面貌的原意是臉，它不僅僅是表面所見，也包含這張臉的整個人在內。所以，面貌變成一種外在的無限，你永

遠都不可能完全了解一個人的面貌。只有面貌向我呈現的時候，我才能與他者發生真正的關係。不過，面貌是不可把握的，它會把我引向彼岸，引向另外一個世界或層次。面貌不是眼睛可見的，而是突然出現在我面前。這與我對外物的關係完全不同。我可以買一件衣服、一輛車子，那是外在的物質；但他者是另一個人，有時就像「神明顯示」，對我不是無關緊要的，只有這種顯示才能把意義帶入存在之中。

列維納斯有一本代表作名為《全體性與無限性》。所謂「全體性」就是只追求同一的哲學，它先設置一個自我，這個自我與自己互為循環，認同自己，別人與我屬於相同的一類。所謂「無限性」是說，別人與我是有差異的，他顯示了一種外在性，脫離與我的關係，正如無限性脫離了全體性。換句話說，他者對我來說，代表了無限的可能性。

列維納斯用兩句話來凸顯其中的重點。第一句是《聖經·舊約》十誡之一的「不可殺人」，代表每個人的面貌在你前面出現時，他都有權利要求活下去。這讓我們想到猶太人在集中營裡的遭遇。另一句是，當你與他人建立關係的時候，你的回應是「我在這兒」，代表你隨時能與他進行互動。別人的面貌顯示出「不可殺人」，我因為他的顯示而肯定「我在這兒」。

（收穫與啟發）

1. 「自我與他者」顯然是一個重要題材，因為這個世界有幾十億人，絕大多數都是他者，這才是人生的大問題。列維納斯研究過現象學、存在主義、詮釋學等當代哲學思潮，再加上猶太人的背景，使他深入反思人類共同面對的問題。

2. 自我的存在成為問題。存在主義（尤其是沙特式的存在主義）

所肯定的自我是孤單的自我。那個自我只是一個抽象的東西，事實上完全無法界定自我是否真的存在。沒有他者的對照，自我根本就不在場。這個問題來自於傳統形上學為了追求全體性而把「他者」化約為同一性，因而忽略差異性。「他者」可能是無法被化約為同一的絕對他者。列維納斯的哲學試圖保護他者免受同一性所侵害。

3. 他者顯示出面貌，面貌向我顯示了無限性，而不是全體一致的同一性，代表他者與我完全不同。

課後思考

列維納斯認為，他者顯示了面貌，事實上那是上帝的蹤跡，也就是一種顯聖。譬如，印度有恆河，稱為聖河；麥加有黑石，稱為聖石。河與石都因為顯示了超越界或神聖者而受到人的崇拜。因此，今後你看到每一張臉，不管是熟悉的親人還是陌生人，你都要想，他顯示了神明的某個痕跡或蹤跡。相對的，你對別人也顯示了面貌，那也是神明的蹤跡。請你思考一下自我與他者之間的相互關係。

補充說明

除了自我之外，這個世界上的所有人都是「他者」，包括了廣大的範圍。我們可以從以下三點來看：

1. 我與他者的對照

我與「他者」的對照關係很容易掌握，沒有「他者」就無法構成「人」的世界，也就談不上什麼人生了。我活在由他者所建構的世界中，一生都不能離開他者，我由此才能了解自己生命的意義。「意義」就是理解的可能性。我為何會有這樣的生命？ 這

完全與他者有關。由親到疏、由近及遠，所有的人都包括在內。所以，我與他者的關係是非常具體、非常特殊的。

　　我經常用「生老病死，喜怒哀樂，恩怨情仇，悲歡離合」這十六個字來描寫人生，這些與「他者」都有一定的關係。

　　「生老病死」比較單純，就像萬物都有「成住壞空」四個階段一樣。生命有開始，有發展，最後也會結束。這是客觀的描述，代表人的生命有一定期限。你這一生遇到多少人，也會有一定的限制。那為什麼不好好珍惜呢？當然，你可能遇到好人，也可能遇到所謂的「壞人」。但壞人會讓你知道，人生不都是正面的，它也有負面的情況，有考驗，也有非常棘手的地方。

　　「喜怒哀樂」是我們每天都要面對的。不可能只有喜和樂，沒有怒和哀，那就不是人生了。所以，對於喜怒哀樂，要設法「發而皆中節」。代表我可以用自己的內心，去掌握情感和意願。

　　「恩怨情仇」是我與「他者」來往時無法避開的。很多人對我們有恩，我們要感激。我們也可能與某些人結怨，因為人的世界充滿了競爭的壓力。情感是由各種緣分造成的，最明顯的是親情、友情、愛情這三種，也包括鄉土之情、家國之情、人類之情在內。「仇」則代表你不可能與「他者」都成為朋友。有朋友，相對的就有非朋友或朋友圈外的人，彼此之間可能在觀念上、行為上產生嚴重的利害衝突。當然，有時機緣巧合，仇人之間也可能變成不打不相識的朋友。

　　最後，「悲歡離合」四個字是人生無法避開的。蔣捷的〈虞美人‧聽雨〉說：「悲歡離合總無情，一任階前，點滴到天明。」「總無情」三個字提醒我們，人生到最後要有這樣的一種體悟，其實人生並沒有什麼複雜的問題。類似的，蘇東坡說過「不應有恨」，就是人生沒什麼好懊惱或懊悔的。

　　所以，將「我」與「他者」互相對照，就構成非常豐富而複雜的人生。每個人都會碰到類似的情況，只是格局有大有小，情況有深有淺。

2. 透過他者來認識自己

　　有人提到蘇東坡與佛印和尚的故事：你心中有佛，看到別人就是佛，你心中有屎，看到別人就是屎。這是兩個極端，說明我與別人其實是互相映照的。所以，我們要多側面、多層次去看待別人，也要以同樣的方式來了解自己。

　　首先，要從時間的三個維度來看。

(1) 過去。我們可以根據一個人的外表，來了解他「過去」的生活經歷。俗話說「人這一生都寫在臉上」，這是就一個人的身體狀態去了解他過去的遭遇。

(2) 現在。人的內心世界反映了他「現在」的感受，如感覺到喜怒哀樂。

(3) 未來。人的理想針對的是「未來」。所以孔子教學生，經常會問學生有什麼志向。

　　任何一個人出現在你面前，你先看到他的外表，再透過互動，了解他的內心，進一步還要知道他有什麼理想。在互動過程中，你也了解了自己。

　　你如何看待別人，以及別人如何看待你，這裡面沒有完全公平的問題。你只能把握住你自己，不能因為別人對你的態度，就改變你對別人的態度。人生畢竟是自己在過日子，不管外面順利與否、遭遇如何，你本身如何面對人生才是最重要的。我年輕時有一句座右銘：我不能改變自己的命運，但是可以改變我對命運的態度。當我認為這是我的命運，就無怨無悔的接受。這樣一來，命運對我就不會構成壓力和威脅，我照樣可以微笑前行。

3. 列維納斯教給我們什麼？

列維納斯一生研究哲學，又有猶太人的傳統，所以提出非常精采的觀念。他特別強調，西方哲學根本上的困難是忽略了他者的差異性與無限性。同時不要忘記，我們自己也是別人眼中的他者，也有差異性與某種無限性。就像中國人常說「人心不同，各如其面」，每個人的面貌並不是固定的。另外，「相由心生」，人的面貌會由於內心是否真誠而改變。可見，差異性和無限性是客觀事實。列維納斯進一步從哲學與宗教的角度提醒我們，應該如何落實上述觀念。

他提到猶太人《舊約‧聖經》裡的兩句話。第一句是猶太教十誡中的第六誡：不可殺人（天主教列為第五誡）。這四個字聽起來好像很平常，好好的你為何去殺人呢？但是打仗時可能會殺人；有些人犯了法，執行死刑時可能會殺人。列維納斯做為猶太人，對猶太人在二戰中的遭遇感同身受。他說「不可殺人」是在直接提醒我們：每個人都是上帝所造，都是獨一無二的，他的面貌顯示了上帝的蹤跡。就算別人與你有再大差異，也都是人。你不能認為他「非我族類，其心必異」，因為你在別人眼中也是同樣的情況。由此可以推到不可欺負、霸凌任何人，也不能有意無意的傷害別人或看輕別人。

第二句更為深刻。在《聖經‧舊約》裡提到上帝召喚撒母耳，撒母耳說：「我在這裡。」（《撒母耳記》，3：4）所以，當你與別人互動時，對於別人的召喚或要求，你能否回應說「我在這兒」？意思是我準備好了，隨時待命，為你效勞。

人與人相處，「不可殺人」屬於消極的基本限制，它是一條底線。「不可殺人」也包括不可破壞別人的名譽、不可譭謗他人在內。西方的 evil（邪惡）這個詞很有深意，把組成 evil 的四個

字母倒過來就是 live。所以，凡是壓制別人的生活、生命、生存的，就是邪惡。可見，不可殺人的含義很廣，不僅包括對他人身體的傷害，也包括對他人心靈的傷害。

第二句「我在這兒」更難做到。我們與別人來往，當別人有需要、呼喚我們的時候，我們能夠回答「我在這兒」嗎？我願意伸出援手嗎？列維納斯透過他的信仰，用這兩句話提醒全世界的人，這樣才是對「他者」的適當態度。

另外，我們可以把列維納斯的觀念與儒家所説的「君子和而不同」相對照，可以使熟悉的話顯示出更深、更廣的意義。

51-5　列維納斯論倫理學的優先性

　　本節的主題是：列維納斯論倫理學的優先性。倫理學要探討人在世間如何與別人相處，牽涉到如何判斷善惡、為何要行善避惡以及人與人之間的互動關係等問題。列維納斯的哲學始終將倫理學擺在最優先的位置。

　　本節要介紹以下三點：

　　第一，列維納斯認為倫理學是第一哲學。

　　第二，自我與他者的關係。

　　第三，上帝是絕對他者。

（一）列維納斯認為倫理學是第一哲學

　　在西方的傳統中，所謂「第一哲學」向來是指形上學。從古希臘時代的亞里斯多德開始，形上學就是在探討：自然界有形可見、充滿變化的萬物背後或底部，有沒有無形可見、永不變化的本體或基礎？形上學做為第一哲學，代表最根源的學問，這是西方傳統以來的共識。

　　近代以後，有些人把認識論當做第一哲學，要先弄清楚：人能否認識？怎麼認識？可以認識到什麼程度？這個問題其實很容易回答。如果沒有能被你認識的東西，根本就沒有認識的問題。有沒有東西存在，才是最根本的問題。因此，還是要回到以形上學做為第一哲學。

　　西方哲學的傳統模式是要尋找 2+1 的 1。自然界與人類都充滿

變化，因此需要有一個最後的「1」做為兩者的來源與歸宿。在西方的中世紀，宗教特別盛行，有些人就把宗教哲學當做第一哲學，認為萬物的來源與歸宿就是宗教裡的上帝。這顯然是後期的轉用，而不是原來的意思。

　　倫理學做為第一哲學，這是怎麼回事呢？列維納斯認為，這種倫理學「是一種關係，在這種關係中，一個人與另一人的互動，既不是憑藉信任建立起來的綜合，也不是通過主體與客體所建立起來的連結。在這種關係中，一個人對另一個人或者舉足輕重，或者相關，或者有意義。他們是被一種複雜的因緣（就像有某種計畫一樣）維繫在一起的。理性既不能使它消退，也不能使它結束」。列維納斯的倫理學所強調的，就是這樣一種人與人之間的關係。

（二）自我與他者的關係

　　倫理學探討的是自我與他者的關係，他者顯示給我的就是「面貌」。他者的面貌向我打開一扇門，顯示它的面容，所以我必須對它表示敬意。面貌會「說話」，但它又是抽象的，不一定真的要說話。它避開了內在性（不是我在內心裡可以想像的），但又沒有固定在世界的地平線的某一點。於是，面貌把我引向外在，促使我與自己的存在決裂，向我宣告「無限」之降臨（無限的力量或可能性降臨了）。因此，我與他者的關係就成為一種超越的關係。列維納斯肯定倫理學是第一哲學，每個人都要為一切人負責。

　　列維納斯強調，他者在與我互為主體的關係中，扮演的是主動角色。他者的面容本身就禁止謀害他（你不可殺人），並且要求正義的對待。這樣的他者召喚我去負起責任。一個倫理的自我是根據我與他者的關係而被界定的。我們看到的每一張臉都對我們有某種要求，它主動提出要求，讓我去回應。這樣的他者絕對不可化約為

自我，因為他是一個完全外在的、超過我的範圍的生命。他提醒我必須要負起責任。在互動的過程中，我的行動一定要考慮他者所承受的一切，甚至要分擔他的痛苦。他者是向自我指派責任的絕對主動者。

可見，列維納斯的哲學從一種斷裂的結果出發，不再考慮傳統形上學所追求的同一性。因為同一性意味著全體化，即所有的一切都以我為標準；如此一來就忽視了差異性。他者與我完全不同，他顯示了一種無限性，而不再是全體性。他者與我斷裂，但又對我顯示了無限的要求。如果我仍然堅持過去的同一性，則難免陷於跟他者的分離。這會使我的內在性變得貧瘠，因為主動力量全部來自於他者。自我經由指令與之相逢，並因而能夠回應「我在這兒」。

（三）上帝做為絕對的他者

關於上帝，列維納斯說：「我是透過人與人的關係來確定上帝，而不是採取相反的途徑。當我覺得自己應該對上帝說些什麼時，我總是從人的關係出發。」

他又說：「上帝不能與我相遇，而是處在我的期待之中。正因為我永遠期待上帝，所以上帝確實存在。」

列維納斯期待的是未受存在玷汙的上帝。如果上帝真的像萬物一樣具有某種存在性的話，它就會被玷汙。上帝做為存在本身，是一種讓我們無法理解的存在。因此，上帝與人並不是關係的兩端，兩者之間是一種「沒有關係的關係」。上帝只是在「他者」身上閃爍不定的蹤跡，既不是在場，也不是全無。上帝的蹤跡無處不在，他透過每一張臉的每一種表情來告訴我們，應該承擔哪些責任，應該做些什麼，由此建立一種比較適當的關係。所以，上帝顯示自身，是做為一種蹤跡，而不是做為一種存在的在場。上帝做為絕對

的他者，閃耀在我們與他人的相遇之中。只有透過人與人的倫理關係去談上帝才有意義。

以前也有學者把上帝當做絕對他者，但列維納斯清楚指出，絕對他者是世間所有人背後的支持力量。在別人的眼中，我也是他者，也是上帝的某種蹤跡。人的思想、感受、體驗、覺悟，隨時都會閃現某種永恆的光彩。因此，對人不能設限，由此顯示為一種無限可能性的倫理學。

列維納斯的哲學顯然富有宗教情懷。他相信，只有愛可以對抗及超越邪惡。來到我們思想中的上帝，正是「愛」這種神聖精神的代表，它在通往「無限」的道路上召喚著每一個人。列維納斯的這些話已經打通了哲學與宗教。

收穫與啟發

1. 列維納斯認為倫理學是第一哲學，這與西方傳統的觀點完全不同。他依循康德論證上帝存在的路線，要透過道德實踐去肯定倫理要求，並把人與人的關係當做我們同上帝（存在本身）交往的前提條件，因而把倫理學做為第一哲學。

2. 列維納斯對他者的認識非常深刻。當我們肯定自己是單獨的個人，有時反而不知道自己有什麼責任。他者的「面貌」一方面禁止我對他不利或謀害，並要求正義的對待，使我感受到自己有深刻的責任；另一方面，他者不可化約為自我，他指派給我責任，是一個絕對的、外在的主動者。這樣去了解他者才具有普遍意義，因為我們也是別人眼中的他者。

3. 列維納斯把上帝當成絕對他者，做為所有他者的保障；他者的面貌也顯示了上帝的蹤跡。用宗教學的術語來說，這也是一種「顯聖」，即顯示神聖的面貌。

課後思考

　　學習了列維納斯所說的「自我與他者」的關係，今後我們看到每個人的每一張臉都要知道，那是神聖力量的一種顯示。同時，我們也是別人眼中的他者。在與別人互動時，我們臉上顯示出來的表情也代表某種神聖的蹤跡嗎？或者那只是我個人欲望的表現？列維納斯的說法側重於某種特定的立場，他把每個人都看成神聖的單元。

　　這也提醒我們，在修養自己的時候，要避免採用同一性的觀點，把別人看做自己；當然更不能採用完全分離的觀點，把別人都看做異類。這就為一個人的修行提供了廣大的空間，讓人可以由此找到真正的自我。

第五十二章

永恆哲學的構想

52-1　西方哲學在認識論上的困境

　　本章主題是：永恆哲學的構想。本節首先要介紹西方哲學在認識論上的困境。西方人對此已經做出了反省。

　　人類學家薩林斯（Marshall Sahlins, 1930-）說：「我們西方人似乎是唯一一個相信自己是野蠻人後裔的民族，其他民族無不相信他們是神明的後裔。」

　　由此可見，西方文化在知識上看起來是領先的，但在心態上恐怕有嚴重的困境。

　　諾貝爾文學獎得主索爾・貝婁（Saul Bellow, 1915-2005）說：「現代文明的知識特徵就是，沒有任何一個知識領域對於『人是什麼？我們是誰？生命的意義何在？』等問題，有一個更寬廣、更充實、更一貫和更全面的說明。」

　　從上面兩段引文可知，西方哲學連帶整個文化都陷入了困境。

　　本章要介紹的永恆哲學，主要參考美國學者休斯頓・史密斯（Huston Smith, 1919-2016）的觀點。他在美國麻省理工學院擔任人文講座期間出版了一本名著——《人的宗教》（*The world's religions*）。

　　此後，他又出版了一本著作——《超越後現代心靈》。該書直接指出西方哲學的問題，並提出永恆哲學的構想。我們要參考這位西方當代學者所做的全面反省。

　　本節的主題是西方哲學在認識論上的困境，主要說明兩點：

　　第一，西方「反形上學」的發展。

　　第二，康德、尼采與維根斯坦在認識論方面造成的局限。

（一）西方「反形上學」的發展

我先回顧一下個人的求學經歷。1972 年，我從輔仁大學哲學系畢業，考上臺灣大學哲學研究所碩士班。暑假期間，我先去逛了逛臺大校園。

走到文學院門前，看到布告欄上有一張海報，說哲學系要在暑假舉辦一場主題為「反形上學」的研討會，要反對甚至排除形上學。我在輔大學習的是傳統的西方哲學，從古希臘到中世紀，最多到近代的康德為止。看到這樣的海報，我當場傻眼。

事實上，西方世界在二十世紀七〇年代已經進入「後現代主義」階段。後現代主義（Postmodernism）是一個廣泛的運動，包括哲學界的解構主義在內。譬如，傅柯致力於描寫另類人的表現，德希達更是把人類透過語言文字所掌握的既定知識全部加以拆解。可以說，後現代主義是對西方心靈的大規模拆解，我們常聽到「解構、去中心化、解神話化、中斷、分散」這些字眼，反映出他們完全迷戀於碎裂與瓦解的認識論，全面抵制整體性。後現代主義是標準的反對運動，對於統一性、調和性、和諧性、整體性，要全部加以批判。

（二）康德、尼采與維根斯坦在認識論方面造成的局限

康德、尼采與維根斯坦是如何拆解傳統的形上學，進而造成認識論上的困境呢？

1. 康德的批判哲學

康德提出批判哲學，認為人的心靈的作用不在於反映實在界，而在於建構實在界，因此首先要問：我能夠認識什麼？康德指出，人在認識世界的時候，使用主體本身所具備的先天形式與範疇，所

以人永遠只能認識現象，而不能認識物自體。換句話說，我們與本體世界之間隔著一張濾網，這張濾網就是人類知性的先天結構。所以，我們認識的世界都是「能夠」被我們認識的世界，而不等於世界本身。

但是，人的認識能力果真如此嗎？古希臘時代的柏拉圖曾經說過，人除了身體上的眼睛之外，還有靈魂之眼。中世紀經院哲學接受亞里斯多德的說法，認為人在認識的時候，知性有兩面：一面是被動的，可以從外界接收資訊；另一面是主動的，可以主動覺悟。但康德把過去的看法統統擱在一邊。

2. 尼采的歷史主義

尼采對於歷史的演進有兩個洞見：

(1)「上帝已死」，西方文化已經不再把超越者供奉在神壇之上。「上帝」代表超越者或超感官的領域；現在「上帝已死」，所以超越者不復存在。

(2) 該事件會導致「虛無主義」的嚴重後果。

對於人的認識，尼采不像康德那樣強調心靈的先天結構，而是強調時代的環境。他說：「我們是徹頭徹尾的歷史學家。哲學家是一些不會從歷史角度思考的人。」換言之，每個人都生活在特定的時代和社會裡，他看任何問題都無法擺脫自身特定的背景所造成的限制。所以，尼采提出的濾網是人類的歷史性加上社會性。透過這張濾網，人所能看到的顯然只有很小的一部分。

然而，在不斷的變動之外，人類的生命難道沒有連續性嗎？古人與現代人之間，難道沒有相似或相通之處嗎？尼采的說法從根本上把人局限在特定的時空裡。他把「上帝已死」當做一個客觀事實，希望重新建構價值系統。但是，他只能從個人生命的有限經驗之中，選擇建構的材料。

3. 維根斯坦的語言哲學

維根斯坦的語言哲學強調，站在社會架構之外，談任何觀念、信仰或真理都是無意義的。維根斯坦很喜歡強調語言的局限性。他認為，以前的哲學家所說的不是錯誤的，而是無意義的。任何一種思想都要借助語言來表達，而語言離不開特定的社會。不同的社會有不同的世界觀，彼此不可能相通，所以永遠無法確知別人在說什麼。維根斯坦的語言哲學切斷了人與人之間的聯繫，但是，這個世界在物理上不是連續的嗎？人類在本質上不是可以相通嗎？難道不能透過詮釋的轉化來彼此溝通協調嗎？

史密斯教授援引心理學家皮亞傑（Jean Piaget, 1896-1980）的觀點。皮亞傑認為，人成長到某種程度，就會達到「解中心化」這一階段。人從小開始，都是以自我為中心，以自己的語言、文化、民族、信仰為中心；但是到了一定年紀，就會排除中心化，超越自我中心的限制，從而了解及欣賞不同的文化。

這三種認識論所共同具有的特色是：

(1) 從「一」走向「多」，本來是統一的形上學，現在變成了多樣化；

(2) 從「絕對」走向「相對」。過去只有一個標準答案，現在都變成相對的：或受制於人的知性，或受制於人的歷史及社會，或受制於人的語言。

到最後你會發現，你掌握的都是工具性或詮釋性的思考，全看你怎麼解釋而已。這等於是用心靈來為心靈設限，會達到認識的目標嗎？既然心靈能認識到理性的局限，可見心靈還有一個更高的層次，可以對自己做某種反思。

上述三種觀點認為，一切都是我的表象所顯示的，都是透過我的某種能力或機緣所顯示的；但是，這並不代表我的認知不能符合

實在的狀況。換言之，我所見的世界是「能夠」被我見到的世界，但「能夠」被我見到的世界與真實世界未必不能符合。這句話非常關鍵。這裡面牽涉到人如何認識的問題。如果肯定人具有直接領悟的能力，就可以破解這種二元對立。

收穫與啟發

1. 西方哲學在認識論上陷入困境。近代以來，西方哲學一直在認識論上做文章，要問：人能否認識真實的世界？結果走上了「反形上學」的道路。形上學要探討做為萬物基礎的本體世界。反形上學則強調，人在認識的時候，不可能認識到本體。

2. 康德的批判哲學、尼采的歷史主義，以及維根斯坦的語言哲學，分別從人類知性的先天結構、人類的歷史性和社會性，以及人類語言的局限性這三個方面來論斷：人的知識不可能達到本體的世界，所以形上學無法成立。

課後思考

西方哲學在認識論上陷入困境，強調人的認識有種種限制。請問：你如何確定你所認識的世界是真實的？

補充說明

康德、尼采以及維根斯坦等西方哲學家，清楚闡釋了認識的局限性，這提醒我們要有所收斂。羅素曾努力尋找不受個人左右的客觀真理，他在科學、數學和宗教裡面尋找，最後承認自己是失敗的。可見，西方哲學經過漫長的探討，在認識論上仍然有一定的限制。

如何確定你所認識的世界是真實的？可以從兩方面來看：

1. 我們有一個共同生活的世界，人與人之間有真實的互動；

2. 我個人的感受對我而言是真實的。因此，世界上有多少人，就有多少種對世界的不同看法，不可能找到大家都認可的真實世界；但既然我們生活在共同的領域裡，就要遵守認識及行動上的共同規則。這就是所謂的「共識」。沒有人可以擺脫特定的時空背景去生活，這些「共識」也不是我個人可以改變的。

　　然而，不管我怎樣受到時空的限制，我仍然有自己的內心世界。我可以透過收斂自己的欲望，讓自己活在自己能夠掌握的世界之中。老子強調，認知出現偏差，會導致欲望和行動的偏差，最後造成各種複雜的後果。所以，人在認識上要適可而止，每個人都有一定的限制，也有一定的優勢。

52-2 虛無主義的威脅

本節的主題是：虛無主義的威脅。對於近代哲學家來說，「虛無主義」這個詞可謂耳熟能詳。康德、尼采、維根斯坦把重點放在認識論上，強調人不可能認識真實的本體。這樣一來，就有一種反形上學的傾向，不讓你追求萬物背後的真實本體。但是，與之斷絕關係的話，人永遠都不可能了解什麼是存在本身。

本節要根據休斯頓·史密斯的《超越後現代心靈》，繼續介紹另外三位哲學家 —— 齊克果、海德格與德希達。他們除了強調認識論的困境之外，還從實踐的角度進一步加以說明。

第一，齊克果。

第二，海德格。

第三，德希達。

（一）齊克果

齊克果是存在主義的創始人，他以特定的角度剖析人的存在。西方哲學在傳統上一向重視理性，因而可能忽略了存在。齊克果對「存在」重新加以界定。他不再遵循傳統的方式，不再從理性的角度去追尋客觀真理，轉而提出「主體性真理」，即對個人來說，能夠生死以之的才是真理。

齊克果認為，西方哲學一向都是由理性推導出世界觀。如此一來，個人生命可能變成一個抽象的概念，使人去追求一種脫離人的本性的生活模式。

　　齊克果開啟了存在主義思潮，使個人生命的「存在」變成一個關鍵字。存在就是選擇成為自己。

　　然而，這裡面充滿陷阱。無論一個人怎樣選擇成為自己，也很難具有齊克果那樣的宗教情懷。齊克果反對客觀性真理，但傳統的形上學偏偏就是要追求完全的客觀性。

（二）海德格

　　海德格在認識論方面，發展了胡塞爾的現象學。現象學強調，人的認知不可能越過現象學「存而不論」的方法。他借鑑數學運算中「放入括弧」的做法，對於我們想要了解的東西，只要不是意識可以直接掌握的，都把它暫且放入括弧內，存而不論。這同樣會使我們陷入認知的困境。

　　海德格進一步指出，西方文化正在走向虛無主義，陷入運算式思維的深淵，人的生活被科技造成的社會秩序套上了枷鎖。海德格對科學展開批評，認為它儼然成了現代人的宗教，但是科學告訴我們的是一個無意義的物理性實在界。這樣的科學同樣源於以理性為主的傳統形上學。尤其是近代以來，這種形上學只要求笛卡兒式的「清晰而明白」的觀念，所把握的只是客觀性與自主的理性這個層次，而沒有把握人的整體存在。

　　海德格從現象學出發，發現一個重大危機：人早就遺忘了存在本身。因此，他強調自己不是有神論，也不是無神論，而是等待神的來臨。

　　他質疑科學所帶來的觀念，認為科學不可能帶我們走上形上學的道路；只有詩人這種語言的使用者，才能帶領我們走到自己的精神家園。這些觀念都是否定傳統之後，想要找到新的形上學，卻未必可以成功的例子。

（三）德希達

　　德希達是解構主義代表，他批判邏輯中心主義（logocentrism）。「邏輯」一詞來自於古希臘文的「邏各斯」（logos），原意指言語或說話。說話一定要經過理性的運作，否則會自相矛盾。因此，任何言語一定含有某種邏輯。以邏輯為核心會追求合理性，但可能導致以自己的理性為中心。西方文化重視理性，但是以此為中心會帶來專制主義。德希達擔心，按照傳統西方哲學的視角，會自以為把握了真理，以自己做為真理的標準，從而把其他的文化、人群或者信仰打成異端，使其邊緣化、遮蔽化。

　　德希達要把傳統的西方心靈全部加以拆解，目的是結束西方的形上學，從根本上抹掉一切存在的痕跡，使所有的痕跡消失於不在場的狀態。人透過語言文字所表達的，往往都是已經不在現場的一切。不管我們如何閱讀，都無法與傳統接上線。德希達的哲學於是成為「無根的哲學」、「無家的浪子」、「無底的棋盤」，它與虛無主義完全配合，強調無意義、無真理、無對話，形成「後現代社會」最明顯的特徵。

　　上述三位哲學家所考慮的，都是人在具體實踐上受到的虛無主義的威脅。

收穫與啟發

　　1. 西方哲學在認識論上，不再能接觸到形上學的本體世界；在實踐層面上（即道德上），也陷入巨大的困境。齊克果認為，如果按照過去的方式強調客觀真理，就會導致「非人化」。大家都用理性來互相了解與行動，那恐怕正好失去人的自我。真理應該是主體性的，可以對人產生直接的效用，讓人願意為它

生、為它死。實踐方面，尤其是在道德方面，要反對虛偽。

2. 海德格接受現象學的啟發，把意識之外的東西統統放入括弧，存而不論；對於意識之內的東西，要透過描述的方式彰顯它的本質。海德格指出，人早就遺忘存在本身，虛無主義的思潮早就在西方哲學家的思想裡蔓延開來，人無法跳過虛無主義的深淵。現在是科技時代，遺忘存在本身達到了巔峰，我們只得到一個無意義的物理性實在界。但是，人要有屬己的、真誠的存在，要勇敢做出抉擇。海德格對於存在本身只是採取等待的態度，等待他的來臨。海德格的名言是「向死而生」。但是，如果沒有掌握存在本身，那麼「向死而生」的「生」要如何理解？那樣的「生」只是短暫的片刻而已。可見，他的觀念基本上只是就人的當前處境進行深入反省。

3. 德希達總結前面哲學的發展，明確提出解構主義。他迷戀於碎裂與瓦解的認識論，認為追求整體會變得像暴君一樣，見到立場不同的人，就要與之敵對。德希達強調，任何人追求全體化，都會被視為潛在的專制主義。從西方的殖民主義、帝國主義的發展來看，確實存在這樣的問題，它們都給人類社會帶來各種恐怖的處境。

　　但是我們要問：所有反形上學的人，他自己可以逃出形上學的羅網嗎？他自己是否也有一套隱藏的形上學，只是無法完全展開或加以建構？解構主義者知道這個時代真正需要的是什麼嗎？如果只是純粹的反對運動，把一切結構都拆解之後，剩下的是什麼？每個人在質疑一切之後，恐怕只能以自己看到的為準；那麼只要我想做，又有何不可？這些都是由解構主義發展出來的後現代主義的普遍特色，最後會指向什麼方向呢？很多哲學家就無暇顧及了。

史密斯教授屢次引用新經院哲學家馬里旦（Jacques Maritain, 1882-1973）的一句話：「形而上精神的喪失或弱化，將無可衡量的損害知性事物與人類事物的普遍秩序。」換句話説，如果人失去或減少了形而上的精神，即探本求源、追求存在本身的精神，那將無法衡量的損害到人類知識的建構，以及人類實際的生活。普遍秩序從此消失，每一個人只能囿於個人所見，活在剎那生滅、不相連續的世界之中。

課後思考

西方哲學從一開始就肯定：哲學是愛智慧。這時可以做兩個選擇：一是避免受騙，二是追求真理。西方哲學在避免受騙方面可謂傾盡全力，到最後甚至忘了追求真理。你覺得在避免受騙與追求真理這兩方面，應該持什麼樣的態度？如果一味避免受騙，你可能一輩子都不敢認真面對自己的人生；如果要追求真理，有可能暫時受到誤導，甚至受騙。你是否會勇敢嘗試，並以親身的體驗來修正自己的方向？

補充說明

雖然追求真理可能受騙，但是受騙會給我們帶來某些經驗。避免受騙只是一個過程或手段，追求真理才是最後的目的。我們不能因為過程或手段太複雜而忘記最終的目的，一輩子都在避免受騙，結果成為一個不可知論者或懷疑論者。那日常生活該怎麼辦？過馬路要看紅綠燈嗎？所以，我們還是要接受某些共同的生活規範。

同時，每個人都有認知的「地平線」。每個人的生命都像在曠野上極目四顧，只能看到一定的範圍。我們看不到視野範圍之外

的東西，但看不到不等於不存在。因此，要慢慢擴充自己認識的邊界。我們從小到大難免會受騙，後來覺悟之後才會有成長，幻滅不正是成長的開始嗎？

人難免受騙，但問題是他知道自己受騙嗎？如果我被騙了一輩子，但是沒有發現真相，也就不覺得自己受騙。古人認為天圓地方，他們對宇宙的認識如今看來不是錯誤的嗎？但古人懂得分辨什麼是外在的。《莊子‧齊物論》提到：「六合之外，聖人存而不論；六合之內，聖人論而不議；春秋經世先王之志，聖人議而不辯。」可見，只有對於人類社會或歷史上的事，聖人才會去評議，但並不爭辯，因為每個人都是按照自己的身分和視角去做評價的。

《紅樓夢》裡有一句話很有道理：「假作真時真亦假，無為有處有還無。」我們學西方哲學繞了一大圈，最後發現，中國有很多話雖然沒有經過複雜的辯論和驗證，卻直接表達了某種真理。

52-3　永恆哲學是什麼？

本節的主題是：永恆哲學是什麼，主要介紹以下三點：

第一，永恆哲學這個詞在說什麼？

第二，永恆哲學有什麼內涵？

第三，如何界定永恆哲學的可能性？

（一）永恆哲學這個詞在說什麼？

西方哲學發展了兩千六百多年，可謂眾說紛紜，莫衷一是。每位哲學家都有一些道理，但很難說誰是完全正確的，讓人難以取捨。

西方有一種永恆哲學的觀念。「永恆哲學」一詞最早由近代德國學者萊布尼茲提出。他認為，只要愛智慧，用理性去探討真理，就會碰到永恆哲學。但永恆哲學到底指什麼？它包含兩個方面：

1. 哲學中有一些永恆的成分。無論哪位哲學家，只要其哲學具有完整系統，必然含有這樣的成分；

2. 哲學探索是永恆的，這種探索要有一個共同的完整框架，可用三角形的架構來形容：

   (1) 三角形的第一個角是邏輯與認識論。在認識過程中，首先要思考人的理性本身的條件如何，因此不能忽略邏輯與認識能力這個領域。

   (2) 第二個角是本體的層次，一般包括三個領域：人、宇宙以及萬物的來源與歸宿。研究人類的稱做人性論，探討人有什麼樣的本性。研究世界的稱做宇宙論或科學哲

學，探索宇宙有什麼樣的本體。這兩方面最後都要歸結
到一個超越界，即我們一直強調的 2+1 的 1，哲學稱之
為「存在本身」，宗教則稱之為「上帝」。
(3) 第三個角是倫理學與美學，屬於應用層次。掌握這個框
架，就知道如何判斷哲學家的見解是高是低、是否完整。
　　萊布尼茲之後，阿道斯・赫胥黎（Aldous Huxley, 1894-1963）
與赫爾德（Gerald Heard, 1889-1971）合著《永恆的哲學》一書，
指出：永恆哲學的實質無比古老，且無所不在。

（二）永恆哲學的內涵

　　永恆哲學包括三個主要部分：形上學、人性論與倫理學。
1. 形上學：永恆哲學肯定有一個神聖的實在界，即本體世界。
　　它做為存在本身，是所有事物、生命與心靈的來源與歸宿。
　　如果沒有它，一切都不可能存在。
2. 人性論：人是萬物之靈，所以人的靈魂有一部分與神聖實在
　　界這個源頭相似，甚至相同。可見，人性中含有某種成分的
　　神性。從古希臘起，人就注意到這一點。譬如，赫拉克利特
　　探討宇宙起源時就假定：如果宇宙的起源是火，那人的靈魂
　　就是人生命中的火。人與宇宙之火有相通的可能性及必要性。
3. 倫理學：倫理學主要探討人生的目標應該是什麼，涉及實踐
　　的問題。永恆哲學強調，人生的目標是認識萬物內在與超越
　　的基礎。神聖的實在界是既內在又超越的，它在世間無所不
　　在，又不等於這個世界，而是超越了這個世界。
　　綜上所述，永恆哲學包含三個部分：首先，它肯定有一個本體
做為基礎；其次，它肯定人做為一種特殊的生命，同這個基礎有一
種與生俱來的內在關聯；最後，人生的目標很清楚，一個人不管處

於什麼樣的特定時空，不管有什麼樣的特殊遭遇，最後的目標都是
要認識及回歸這個神聖的實在界。

（三）永恆哲學的可能性

　　永恆哲學的雛形，在世界上每個地區的原始民族那裡都可以找
到。換言之，沒有受近代科學革命影響的少數民族，都具有永恆哲
學的雛形。這個雛形充分發展後的型態，就體現在今日所知的高級
宗教裡。其中最高的、共同的成分，在兩千五百年前就已有了書面
版本，包括印度教、佛教、猶太教、中國的儒家、道家，也包括後
來的基督宗教。這一時期被雅士培稱為「人類文化的軸心時代」。

　　為什麼談永恆哲學要提到高級宗教？因為哲學界在愛智之路上
一直沒有定論。早期的柏拉圖和亞里斯多德分別建構了完整的系
統，但是後代哲學家按照個人興趣分頭發展，逐漸分散為不同的途
徑，取得不同的成果。相對於此，每一個傳統宗教都有普遍相同的
真理。譬如，印度教的《奧義書》強調，人的內在本質與其根源緊
密相連。日本的神道以大自然做為神聖者的象徵，以祖先做為通往
超越界的入口。伊斯蘭教與基督宗教也都有類似的普遍真理。

　　對個人而言，只要深思宇宙與人生，總會被牽引到相同的方
向。上帝不可能讓人類與真理隔絕，不可能只把真理局限在一小群
人之中。這一小群人主要是指基督徒，他們認為自己屬於被揀選的
極少數人，這在哲學上被稱為「特殊性的醜聞」。上帝為何要特別
照顧某一群人？難道其他人不是上帝所造嗎？所以，在愛智慧的路
上，一定要突破宗教格局的限制。

　　事實上，教父哲學家奧古斯丁有句話早已突破這種限制。他
說：「有一種非受造的智慧，它過去存在，現在存在，未來也會存
在。」所謂「非受造」是指與生俱有。換言之，只要是人，都擁有

這種非受造的智慧，這正是人做為萬物之靈的「靈」之所在。

　　你也許會質疑：按照上述說法，古代宗教或完整的哲學系統都具有永恆哲學的特色，它們之間難道沒有差異嗎？對於這個問題，可以這樣理解：金錶與金戒指不同，但都是黃金所製；綠色與藍色不同，但都是光譜顯示的顏色；男人與女人不同，但都是人。各種傳統雖然存在差異，但它們不約而同顯示出對永恆哲學的肯定。

（收穫與啟發）

1. 雖然哲學史上眾說紛紜，但是人類愛智慧必然會導向一個基本的哲學架構，可稱之為永恆哲學。
2. 近代歐洲最有學問的人是萊布尼茲，他首先提出「永恆哲學」這個詞。後來，阿道斯‧赫胥黎與赫爾德合著了《永恆的哲學》一書，提出永恆哲學的內容主要包括三點：
   (1) 形上學，肯定有一個神聖的實在界存在，以之做為宇宙萬物（包括人）的來源與歸宿，即我們常說的 2+1 的 1。
   (2) 人性論，肯定人的靈魂中有一部分與神聖實在界相似、相通。
   (3) 倫理學，要將人生的目標界定為：設法認識這個既內在又超越的基礎，知道我們從它而來，又回歸於它。
3. 各種傳統都不約而同的顯示出對永恆哲學的肯定。

（課後思考）

　　愛智慧最後一定要回到自己身上，回到實踐上，選擇正確的人生之路，這就是倫理學。為了找到正確的人生方向，自然會期望有一種完整而根本的理解，因此必定會涉及形上學。同時，真正的理解一定伴隨著實踐，自然會走向知行合一。你認為西方哪些哲學家的思想比較接近永恆哲學的構想？

52-4　回歸形上學

本節的主題是：回歸形上學。要如何建構符合永恆哲學要求的形上學？本節要介紹以下三點：

第一，什麼是層級結構？

第二，各層次的表現。

第三，形上學的特色。

（一）什麼是層級結構？

大家通常都不太喜歡「層級結構」這個詞，它會讓人聯想到等級森嚴的官僚制度。事實上，在建構永恆哲學的形上學時，一定會涉及到「層級結構」。

永恆哲學肯定，有一個神聖的實在界是宇宙萬物的來源與歸宿。由於哲學要探討的問題太多，而這些問題又不可能很快就找到答案，所以大家逐漸把目光局限在理性思維的過程裡。現代人談哲學一般都會陷入以下三個範疇裡：

1. 認識論。探討人到底能夠認識什麼，答案只是在某個圈子裡打轉而已。
2. 語言分析。指出人在使用語言時有重重限制，到最後可能不知所云。
3. 方法論。最後永遠在方法裡面打轉。

這三點取代了形上學的位置，成為哲學界的焦點。譬如，古希臘時代有所謂「忒修斯之船」的神話故事。這艘船不斷更換材料，

那麼從什麼時候開始，它就不再是忒修斯之船了呢？類似的問題會吸引許多人的注意。但是從形上學的角度來看，這樣的問題並不是很重要。

　　所謂「層級結構」是指，宇宙萬物可分為不同的範疇，這些範疇有一種從低到高的排列秩序。這顯然是一種目的論的立場。我們可以簡單的將宇宙萬物劃分為四個層次：最下層是物質，然後是生命，接著是意識，最上層是精神。譬如，我們所見的山河大地屬於物質；花草樹木具有生命；鳥獸蟲魚進一步有了意識；至於精神，只有人類才具備，但人類仍有向上的空間。這四個層次由下往上，形成一個層級結構。

（二）各層次的表現

　　每個層次的存在物有什麼特色？能否據此推到最高層次？因為形上學的終極目標是要探討存在本身，即神聖的實在界。

　　對於各層次的表現，有五項衡量標準：力量、延續、位置、統一性與價值性。

1. 力量。凡是存在之物皆有力量。在古希臘文裡，「力量」與「神明」有相同的字根。神明之所以存在，是因為他能表現出某種力量。但事實上，任何東西的存在，都會表現出某種力量。
2. 延續。任何東西一定會延續一段時間。
3. 位置。一樣東西一定位於某一個地方。
4. 統一性。如果一樣東西是分裂的就無法辨認，所以它一定具有統一性。
5. 價值性。一樣東西是「有」而不是「無」；只要是「有」，就具有某種價值。

對於一般存在物來說，不管它位於哪個層次，都具有上述五點表現，只是表現的程度有別。以人來說，人最多活一百年左右，但一座山可以綿延幾千年甚至幾萬年，更不用說大海了。所以，在時間上、空間上、力量上，比人更長久、更巨大的東西，數不勝數。但是，人表現出明顯的統一性。一座山由很多泥土、石頭組成，多一點或少一點都無所謂，所以山的統一性不像人的生命的統一性那麼明顯。同時，在價值性方面，人可以選擇成為自己，這是最高價值的一種基礎。因此，焦點要放在最後的價值性上面。

由此可以推出最高層次的特色。講力量，最高層次是全能；講時間，最高層次是永恆；講空間，最高層次是遍在；講統一性，最高層次是純精神；講價值性，最高層次是絕對。全能、永恆、遍在、純精神以及絕對，就是最高層次的特色。萬物的來源與歸宿的特色不就是如此嗎？西方就把這個最高的層次稱為「上帝」。在哲學上會說「上帝的本質包含存在」，這是中世紀後期安瑟姆提出的本體論證。我們不必探討本體論證能否成立，但可以肯定的是，萬物的來源與歸宿必須存在。

（三）永恆哲學的形上學有什麼特色？

永恆哲學的形上學顯示出以下特色：

1. 包容一切

宇宙萬物的存在是多層次的，顯示出由低到高的秩序，它們全部被包容，沒有任何東西被排除在外，每樣東西都有它的位置。對於物質世界，可以由科學來研究。對於生命與意識，可以由生物學、現象學和深度心理學等學科來探討。最高的層次是天界，包括人的精神世界以及最高神明的世界。永恆哲學的形上學必須包容一切，凡存在之物皆有一席之地。

2. 各有定位，不能越位

任何東西都不能超出所屬的層次，否則就會造成混淆。譬如，不能只把人當做物質、生命或意識，人還有精神。這四個層次之間不容混淆。

3. 永遠開放

你可以有個人的信念，但永遠要向著更好的信念開放。修行時一定要保持開放的心態，就像爬山一樣，在沒有爬到山頂之前，先不要急於論斷你所見的就是一切。

4. 精進不已

提升超越永無止境。真理有兩種：一種是累積性的，一種是非累積性的。累積性的真理包括自然科學、歷史學等，它們會隨著時間而不斷累積。但是，在形上學、宗教、藝術方面的體認並非累積性的，古人在這方面有許多見解歷久彌新，永遠有其價值。換句話說，我們現在需要的不是更多的事實，而是一把可以打開心靈大門的鑰匙，以充分展現出自己的心靈能量。我們對人的認識已經累積足夠多的知識，再怎麼分析都差不多，現在更需要的是在精神領域的不斷提升。

5. 一切即一

第一點「包容一切」代表「一即一切」，最後則是「一切即一」。這種形上學會讓你永遠處在驚訝與敬畏之中，就像柏拉圖所說：「先是一陣戰慄穿過了我，進而是敬畏在我身上運作。」一旦對宇宙萬物的終極境界有所領悟，就會有類似的反應。

最後，史密斯教授引用了三句話：

第一句是馬丁·布伯所說的：「沒有任何一個層次的存在，找不到存在的神聖性。」換句話說，終極實在界遍在一切。

第二句是中世紀後期密契主義的代表艾克哈特師長（Meister

Eckhart, 1260-1327）所說的：「上帝之所是，就是我之所是，不多也不少。」我與上帝在這一點上沒有分別。

　　第三句是白隱禪師在《坐禪頌》裡所說的：「此世界就是親近福地，此身即佛身。」這就是「一切即一」的境界。

收穫與啟發

1. 要如何建構永恆哲學的形上學？首先要有一個層級的結構。宇宙萬物雖然為數眾多，但它們是分層次的。可以由下而上分為四層：物質、生命、意識、精神。物質的層次最普遍，可以由科學家去研究。中間是生命與意識的層次，可以由生物學家、現象學家、深度心理學家去研究。最上面是精神的層次，只有當人跨過反省的門檻、意識到自己之後，才會出現精神。精神的層次與神聖的實在界可以相通。

2. 只要是存在之物，必定有它的力量、時間上的延續、空間上的位置，以及統一性與價值性。由此可以推出，最高層次的實在界是全能、永恆、遍在、純精神以及絕對的。

3. 永恆哲學的形上學有五點特色：
   (1) 它包容一切，完整而無漏。只要是存在之物，都被包含在其中。
   (2) 各有定位。萬物處於不同的層次，不能越位，不能互相替代，更不能本末倒置。
   (3) 人在修行過程中要永遠開放。這牽涉到信念和實踐。
   (4) 人應該精進不已，提升永無止境。
   (5) 一切即一。一切其實是一個整體，所以當下就是一切。我們所需要的其實早已具備，它就在我們的本性裡，只是我們沒有適當對待它而已。

課後思考

　　永恆的形上學具有五點特色：包容一切、各有定位、永遠開放、精進不已、一切即一。這樣就將一切都統合在一起。你是不是覺得人的生命充滿了奧祕？符合希臘悲劇家索福克勒斯所說的「宇宙萬物之中，人的生命與存在是最值得驚訝的；真正的了解人，認識你自己」。你還記得德爾菲神殿上的兩句話嗎？「認識你自己，凡事勿過度」。你能否用自己的方式對這兩句話再做一次反思？

52-5　人生何去何從？

　　本節的主題要探討：人生何去何從。永恆哲學包含三個重點：首先是一套形上學，肯定有一個神聖的實在界做為萬物的來源與歸宿；其次是一套人性論，肯定人的生命有部分與神聖實在界相通；然後是一套倫理學，指出人生應該怎樣抉擇。

　　本節要介紹以下三點：

　　第一，永恆哲學的人性論在說什麼？

　　第二，永恆哲學的倫理學可以提供哪些參考？

　　第三，人生何去何從？

（一）永恆哲學的人性論在說什麼

　　只要探討人的生命結構，就會發現人性裡最特別的是：人有靈魂，它與神聖的實在界是相似、相通的。人的生命有一種明顯的二元性：一個是被動的我，一個是主動的我。譬如，說話時，既可以把「我」當成主詞，也可以把「我」當成受詞。

　　做為被動的「我」，一定生活在特定的時代與社會，有各種順利或不順利的遭遇，要經常做出選擇，並為此承擔責任。這個「我」顯然是被限定的，即便「我」宣稱自己擁有完全的自由，也不能否認這種自由的出發點是一種被動的狀態。另外還有一個主動的「我」，可以進行自由的思考、修行與抉擇。這個超限定的「我」可以做為一個主詞或主體，可被稱為「精神」。

　　對於人的生命的二元性，我們通常會注意到被限定的一面，總

覺得命運無奈，造化弄人。但人做為人，不能忽略主動的一面，那是更為深刻的精神層次。譬如，印度教認為，每個人的自我與宇宙的本體（梵）是合一的。佛教強調「眾生皆有佛性」。基督宗教的艾克哈特師長說：「上帝之所是，就是我之所是，不多也不少。」因此，人在面對自己的二元性時，不能只看被動的一面，還要看到人有超限定的精神層次。

存在主義哲學家馬塞爾說：「我進入自己愈深，就愈能找到那超越於我之物。」換句話說，我向內探索自己愈深刻，就愈能找到超越我之上的另一層次的存在。這代表上帝全然內在於我的生命，又全然超越於我之上。內在性與超越性兩者兼顧，才能說明人的生命的真實狀況。人的生命的二元性清楚指出人應該如何選擇。

（二）永恆哲學的倫理學

永恆哲學最後一定要歸結為實踐，要說明人應該如何活在世界上。現代人喜歡說「哲學很容易，可以輕鬆學會」，以此吸引大家的眼球。但是這些所謂「容易」的哲學，通常都是一種類似智力測驗的東西；有的更複雜精巧一點，用一些詼諧機智的故事來呈現，表現為一種更高層次的智力遊戲。這時所需要的只是感官經驗的敏銳、言語運用的純熟，最多是道德抉擇的正確。這些都屬於講究日常意義的思考模式，很難超出這個範疇。

真正的哲學除了需要腦力訓練之外，絕不能忽略人的生命的全方位與最根本的需求。所以，永恆哲學的倫理學（或稱為永恆的倫理學）可以濃縮為三個德目：謙卑、仁慈與真知。

所謂「謙卑」，就是以看待他人的眼光來看待自己。我會發現自己也是眾人之一，我在別人眼中也是一個「他者」。如此一來，自然不會妄自尊大。

　　所謂「仁慈」，就是以看待自己的眼光去看待他人。這樣自然會產生同理心，做到「己所不欲，勿施於人」。

　　所謂「真知」，一定需要知與行的配合。探討真理一向有兩條途徑：一是智慧的覺悟，二是德行的修練。所謂「德」，不但是一條路，也是一種方法；而哲學不但是一條路，也是指向這條路的地圖。因此，知與行要配合，智慧與方法要配合，兩者缺一不可。

　　永恆的倫理學提醒我們，對某些說法要持保留的態度。譬如，許多哲學家都強調，人只要用理性去探討就可以了解真理；至於如何實踐，可以自己考慮。但是，僅靠理性探討就能得到真理嗎？像羅素所說：「證明一個哲學問題無法解決，就是解決了這個哲學問題。」這等於什麼都沒說，僅僅是在理論的層次進行各種辯論，對於真理卻沒有進一步的體會。可見，探討真理不能脫離實踐，愛智慧不能光喊口號。

（三）人生何去何從？

　　最後，我們要對西方哲學做一個簡單的總結。哲學就是愛智慧，智慧是完整而根本的理解。既然講完整，就不能忽略任何一個層次，要以人為核心，拓展到整個實在界。既然講根本，就不能忘記人生最根本的問題，即痛苦、罪惡與死亡。事實上，這三者不再是「問題」，而應該被稱做「奧祕」。

　　為了獲得完整而根本的理解，哲學在運作上會表現出三點特徵：澄清概念、設定判準與建構系統。前兩者都涉及了認識論的問題。只有澄清概念，才能與別人進行有效溝通；只有設定判準，才能使溝通順利進展。最後的關鍵在於建構系統，形成 2+1 的格局，對自然界與人類做出完整的思考，進而找到它的來源與歸宿，即最後的「1」。這是西方哲學給我們的啟發。

　　另外，可以用三句話來描述哲學：培養智慧、發現真理、驗證價值。「培養智慧」要分辨資訊、知識與智慧的不同。「發現真理」要重視認識的過程，不能忽略人有理性這一點。但是，與其說「探討」真理，不如說「發現」真理。這要求我們在某些情況下要暫時擱置主客對立的認識方式，不能總去探求我所認識的對象到底是什麼，這樣很容易出現各種遮蔽。「驗證價值」則牽涉到實踐。這三者其實是不可分割的整體。

　　本書從西方哲學兩千六百多年的發展歷史中，選出一百二十位檯面上的重要哲學家，對他們的思想做了簡要介紹。他們有各自的時代與社會特色，有各自的性格、志趣和信仰。他們在探討哲學的過程中，基本上都要設法澄清概念，設定判準（當然不可能有絕對的判準），建構系統的基本模式也是類似的。只是到近代以後，才開始在認識的領域做反覆的討論，到最後仍然無法跨越那個範疇。當代解構主義則完全逆向而行，既然找不到最後的答案，乾脆就說沒有答案。每個人都有氣質上的差異，就像威廉・詹姆斯所說，「有的人心硬，有的人心軟」。我們可以就個人所好，選取幾位自己喜歡的西方哲學家來深入學習。

　　本書的目標是要「照著講」西方哲學，從古希臘時代開始，經過中世紀，到近代歐洲，一直到當代歐美。我們全部欣賞一遍之後，會覺得非常豐富而完整。

　　西方哲學固然可以幫我們找到愛智慧的途徑，但是我們完全沒有必要把自己的傳統放在一邊。經過中西對照之後，我們更容易發現中國傳統文化的特色、優點或缺點。如果只是學習自己的傳統文化，有時不容易看到其中的問題。譬如，在澄清概念方面，西方倫理學強調「善不能定義」，並提醒我們不要犯「自然主義的謬誤」，即不要把人的本性與需要實踐才會出現的價值相混淆。透過

學習，我們可以避開這些不必要的錯誤。

永恆哲學的構想，是把許多西方哲學家的建構整合起來。有的人側重形上學，這在古希臘和中世紀比較明顯。有的人側重人性中的心理結構、認識能力等方面。也有人側重實踐，透過實踐尋找人生的目標。

永恆哲學提出一套架構，可以代表我們學習西方哲學的主要心得。架構本身是超然的，不一定要配合具體的內容。它只是告訴我們，形上學要分哪些層次，統合起來有何特色。它只是告訴我們，人的生命有一種二元性。但是，身與心之間的互動關係如何呢？這裡面其實非常複雜。另外，除了身心層次之外，人還有靈的層次。

最後，我們應該何去何從？休斯頓・史密斯教授建議我們，要學會謙卑、仁慈、真知。做到這三點，就可以化解佛教所謂的「貪、嗔、痴」三毒：謙卑了就不會貪，仁慈了就不會嗔（任意發怒），有了真知就不會痴（執著）。他的說法非常富有啟發性，值得參考和借鑒。

課後思考

永恆哲學在倫理學方面有三點要求：謙卑、仁慈與真知。你在學習西方哲學的過程中，對其中哪一點特別有感觸？或者你覺得這三點不夠完整，還需要有所補充？

索引

米開朗基羅　Michelangelo, 1475-1564　【上】21
【中】23, 54, 78, 90　【下】23
米蘭德拉　Mirandola, 1463-1494　【上】9, 23
【中】11, 25, 53-57, 103　【下】11, 25
老子　約580-500 B.C.　【上】30-31, 37, 45, 51-
52, 174, 322, 328-329, 335, 348, 350-352, 360,
369, 416, 419, 450　【中】32-33, 141, 165-166,
173, 195, 197, 341, 441, 534　【下】32-33, 48,
63, 107-109, 133, 157, 184-189, 211, 266, 289,
295, 301, 592
自然神論　Deism　【上】348　【中】156, 204,
291, 294, 463　【下】411, 415, 417
艾克哈特　Meister Eckhart, 1260-1327
【上】435-439, 448　【下】606, 610
西蒙・波娃　Simone de Beauvoir, 1908-1986
【下】225-226

七劃
亨利・詹姆斯　Henry James, 1843-1916
【下】287
但丁　Dante, 1265-1321　【上】9, 343, 364, 454-
455　【中】11, 43, 50　【下】11, 55
佛陀　Śākyamuni, 560-480 B.C.　【下】155-158,
436, 560
佛洛伊德　Sigmund Freud, 1856-1939
【上】44　【中】86, 96, 211-212, 455, 491,
496-502　【下】512, 519-520, 556
《作為意志和表象的世界》　The World as Will
and Idea　【中】404, 407, 410, 415　【下】83
利科　Paul Ricoeur, 1913-2005　【下】498-499,
511-521, 573
君士坦丁大帝　Constantinus I Magnus, 272-337
【上】19, 366　【中】21　【下】21
坎貝爾　Joseph Campbell, 1904-1987
【下】555-556, 558-559
我思故我在　Cogito, ergo sum.　【上】27, 378,
380, 393-394　【中】29, 124-125, 134, 139,
142-147, 176, 226, 294, 346, 355　【下】29, 40,
197, 201-202, 205, 269, 397
《我與你》　I and Thou　【下】212
批判的實在論　Critical Realism　【下】490
李約瑟　Joseph Needham, 1900-1995　【下】326

李維史陀　Claude Levi-Strauss, 1908-2009
【下】10, 534-539, 543
杜威　John Dewey, 1859-1952　【下】11, 265,
295, 345, 384-385, 393-397, 399-403, 405
杜斯妥也夫斯基　Fyodor Dostoevsky, 1821-1881
【上】9　【中】11, 405, 416　【下】11, 96,
122-127, 270, 275, 511
求力量的意志　the will to power　【中】405
【下】93, 95, 97-98, 100-101, 105-106, 184, 353
求生存的意志　the will to live　【中】403, 405-
406, 408, 412　【下】97, 100, 353
求信仰的意志　the will to believe　【中】405
【下】286
沙特　Jean-Paul Sartre, 1905-1980　【上】31-32
【中】33-34, 98　【下】33-34, 44-47, 120,
122, 125, 129, 132, 139, 144, 151, 161, 164-165,
170, 191, 193, 199, 218-219, 221-222, 224-238,
240-245, 247-249, 251, 255, 257, 262, 273, 276,
278, 534-535, 538, 542, 573, 575
狄奧尼索斯　Dionysus　【上】195　【中】422
【下】83-84, 93, 104
狄奧提瑪　Diotima　【上】197　【下】560
狄爾泰　Wilhelm Dilthey, 1833-1911　【下】497-
498, 532

八劃
《事物的秩序》　The Order of Things: An
Archaeology of the Human Sciences　【下】542
亞里斯多德　Aristotle, 384-322 B.C.　【上】15-
16, 20, 22, 27, 54, 70, 82, 84, 89, 91, 194, 206-
210, 212-219, 222-223, 225-230, 232-240, 242-
248, 250, 252-257, 261-262, 265, 268, 270, 285,
289-291, 295, 298-299, 318, 324, 327-328, 330,
336-339, 344, 349-351, 354, 357, 359, 388, 393-
394, 401-402, 407, 409-410, 417-419, 425, 428,
432, 448, 453, 457　【中】17-18, 22, 24, 29, 50-
51, 54-55, 113-114, 120-121, 127, 131, 146, 151,
184, 191, 201, 203, 205, 226, 320, 323, 326, 347,
381, 462, 464, 468-469, 472, 520, 538, 552, 562-
570, 576-577, 579　【下】17-18, 22, 24, 29, 40,
42, 157, 166, 168-169, 171, 175, 292, 330, 349,
397, 400, 463, 502, 581, 589, 601

文化文創 BCC034

西方哲學之旅
啟發人生的 120 位哲學家、穿越 2600 年的心靈巡禮
（下：現代）

作者 —— 傅佩榮

總編輯 —— 吳佩穎
副總監 —— 楊郁慧
副主編暨責任編輯 —— 陳怡琳
特約編輯 —— 李承芳
美術設計 —— BIANCO TSAI
內頁排版 —— 張靜怡
封面人像、底圖來源 —— iStock

出版者 —— 遠見天下文化出版股份有限公司
創辦人 —— 高希均、王力行
遠見・天下文化 事業群董事長 —— 高希均
事業群發行人／CEO —— 王力行
天下文化社長 —— 林天來
天下文化總經理 —— 林芳燕
國際事務開發部兼版權中心總監 —— 潘欣
法律顧問 —— 理律法律事務所陳長文律師
著作權顧問 —— 魏啟翔律師
地址 —— 台北市 104 松江路 93 巷 1 號 2 樓

讀者服務專線 —— (02) 2662-0012｜傳真 —— (02) 2662-0007；(02) 2662-0009
電子郵件信箱 —— cwpc@cwgv.com.tw
直接郵撥帳號 —— 1326703-6 號　遠見天下文化出版股份有限公司

製版廠 —— 東豪印刷事業有限公司
印刷廠 —— 祥峰印刷事業有限公司
裝訂廠 —— 精益裝訂股份有限公司
登記證 —— 局版台業字第 2517 號
總經銷 —— 大和書報圖書股份有限公司 電話／(02) 8990-2588
出版日期 —— 2022 年 3 月 18 日第一版第 2 次印行

定價 —— NT 700 元
ISBN —— 978-986-479-969-5
書號 —— BCC034
天下文化官網 —— bookzone.cwgv.com.tw

國家圖書館出版品預行編目（CIP）資料

西方哲學思索：啟發人生的 120 位哲學家、穿越 2600 年的心靈之旅.下,現代／傅佩榮著. -- 第一版. -- 臺北市：遠見天下文化, 2020.04
　　面；　公分. --（文化文創；BCC034）
ISBN 978-986-479-969-5（精裝）

1.西洋哲學　2.現代哲學

143.2　　　　　　　　　109003290